CW00664636

LA FABRIQUE DU CRÉTIN DIGITAL

DU MÊME AUTEUR

TV lobotomie
La vérité scientifique sur les effets de la télévision
Max Milo, 2011
et « J'ai lu », n° 10477

L'Antirégime
Maigrir pour de bon
Belin, 2015
et « Pocket », n° 17153

L'Antirégime au quotidien
Comment maigrir durablement ?
En trompant son cerveau !
Belin, 2017

Michel Desmurget

LA FABRIQUE DU CRÉTIN DIGITAL

Les dangers des écrans pour nos enfants

Éditions du Seuil

Ouvrage publié sous la responsabilité de Catherine Allais

ISBN 978-2-7578-8683-0

© Éditions du Seuil, 2019
© Points, 2020, pour la postface inédite

Le Code de la propriété intellectuelle interdit les copies ou reproductions destinées à une utilisation collective. Toute représentation ou reproduction intégrale ou partielle faite par quelque procédé que ce soit, sans le consentement de l'auteur ou de ses ayants cause, est illicite et constitue une contrefaçon sanctionnée par les articles L. 335-2 et suivants du Code de la propriété intellectuelle.

Avant-propos

« Il ne faut point se rassurer en pensant que les barbares sont encore loin de nous ; car, s'il y a des peuples qui se laissent arracher des mains la lumière, il y en a d'autres qui l'étouffent eux-mêmes sous leurs pieds. »

Alexis de Tocqueville,
historien et homme politique[1]

La consommation récréative du numérique – sous toutes ses formes (smartphones, tablettes, télévision, etc.) – par les nouvelles générations est absolument astronomique. Dès 2 ans, les enfants des pays occidentaux cumulent chaque jour presque 3 heures d'écran en moyenne. Entre 8 et 12 ans, ils passent à près de 4 h 45. Entre 13 et 18 ans, ils effleurent les 6 h 45. Exprimé en cumul annuel, cela représente autour de 1 000 heures pour un élève de maternelle (soit davantage que le volume horaire d'une année scolaire), 1 700 heures pour un écolier de cours moyen (2 années scolaires) et 2 400 heures pour un lycéen du secondaire (2,5 années scolaires). Exprimé en fraction du temps quotidien de veille, cela donne respectivement un quart, un tiers et 40 %.

Loin de s'alarmer, nombre d'experts médiatiques semblent se féliciter de la situation. Psychiatres, médecins, pédiatres, sociologues, lobbyistes, journalistes, etc., multiplient les déclarations indulgentes pour rassurer parents et grand public. Nous aurions changé d'ère et le monde appartiendrait désormais aux bien nommés *digital natives*. Le cerveau même des membres de cette génération postnumérique se serait modifié ; pour le meilleur, évidemment. Il s'avérerait, nous dit-on, plus rapide, plus réactif, plus apte aux traitements parallèles, plus compétent à synthétiser d'immenses flux d'informations, plus adapté au travail collaboratif. Ces évolutions représenteraient, *in fine*, une chance extraordinaire pour l'école, un moyen unique de refonder l'enseignement, de stimuler la motivation des élèves, de féconder leur créativité, de terrasser l'échec scolaire et d'abattre le bunker des inégalités sociales.

Malheureusement, cet enthousiasme général dissone lourdement avec la réalité des études scientifiques disponibles. Ainsi, concernant les écrans à usage récréatif, la recherche met en lumière une longue liste d'influences délétères, tant chez l'enfant que chez l'adolescent. Tous les piliers du développement sont affectés, depuis le somatique, à savoir le corps (avec des effets, par exemple, sur l'obésité ou la maturation cardio-vasculaire), jusqu'à l'émotionnel (par exemple, l'agressivité ou la dépression) en passant par le cognitif, autrement dit l'intellectuel (par exemple, le langage ou la concentration) ; autant d'atteintes qui, assurément, ne laissent pas indemne la réussite scolaire. Concernant cette dernière d'ailleurs, il apparaît que les pratiques numériques opérées dans la classe, à des fins d'instruction, ne sont pas elles non plus particulièrement bienfaisantes. Les fameuses évaluations internationales PISA[*,**], en particulier rapportent des résultats pour le moins inquiétants. Le père fondateur

---

* Tout au long de l'ouvrage, les notes destinées à clarifier certaines expressions ou abréviations inusuelles sont placées en bas de page et identifiées par des symboles (exemple[*]). À l'inverse, les références bibliographiques sont regroupées en fin d'ouvrage et identifiées à l'aide de chiffres successifs : exemple[1] (= référence 1 dans la bibliographie finale), exemple[1,3,5] (références 1, 3, 5), exemple[2-7] (références 2 à 7), exemple[1,2, 4-7] (références 1, 2 et 4 à 7).

** Les études PISA (Programme for International Student Assessment) sont des études internationales réalisées sous l'égide de l'Organisation de coopération et de développement économiques (OCDE). Elles comparent à périodes régulières et à partir de tests standardisés les performances scolaires des élèves de différents pays en mathématiques, langues et sciences.

de ce programme admettait lui-même récemment, au cours d'une conférence, « [qu']au final, cela dégrade plutôt les choses[2] ».

À la lumière de ces antagonismes, il semble clair que certains acteurs du débat ici posé ne sont au mieux pas très compétents et au pire pas très loyaux. Dois-je m'inclure dans ce groupe défaillant ? On pourrait le penser tant mes amis médiatiques m'ont souvent reproché d'être paranoïaque, excessif, outrancier, alarmiste et partial. La mauvaise nouvelle, si ce tableau est vrai, c'est que je ne suis pas seul à divaguer. Parmi mes collègues neuroscientifiques, ceux qui connaissent la littérature spécialisée discutée dans ce livre, mettent le même soin que moi à protéger leur descendance. En cette matière, ils ne font d'ailleurs que suivre l'édifiant exemple de nombreux cadres dirigeants de l'industrie du numérique, dont Steve Jobs, l'ex-mythique patron d'Apple[3-4]. Cela étant, il est possible aussi, évidemment, que le problème réside moins dans mon insanité supposée que dans le traitement public accordé au sujet. Ce ne serait pas la première fois que l'intérêt économique biaiserait l'information.

Alors, qui bluffe ; qui se trompe ; et où est la vérité ? Cette « révolution numérique » est-elle une chance pour la jeune génération ou une sombre mécanique à fabriquer des crétins digitaux ? C'est l'objet du présent ouvrage que d'essayer de le déterminer. Pour cela, nous commencerons, au sein d'un bref prologue, par poser les termes du débat. Nous montrerons alors, d'une part que tous les énoncés ne se valent pas (opinion et connaissance sont deux choses fondamentalement différentes) et d'autre part que la question de l'impact des écrans ne saurait se réduire à une simple histoire de « bon sens ». Ensuite, deux grandes parties seront abordées. Dans la première (intitulée « Homo mediaticus »), nous interrogerons en détail l'enthousiasme général des discours publics pour montrer que ces derniers reposent bien trop souvent, même lorsque l'on exclut les plaidoyers manifestement stipendiés, sur des bases étonnamment boiteuses et désinvoltes. Dans la seconde (titrée « Homo numericus »), nous proposerons une synthèse sinon exhaustive, du moins détaillée, des savoirs scientifiques disponibles quant à l'influence des écrans récréatifs sur le développement de l'enfant et de l'adolescent. Les effets sur la santé, le comportement et l'intelligence seront alors étudiés. Le sujet de la réussite scolaire sera lui aussi discuté – ce qui nous amènera à élargir brièvement le propos à la question des usages du numérique à l'école.

Une dernière remarque, avant de commencer. Le but ici n'est pas de dire à qui que ce soit ce qu'il doit faire, croire ou penser. Il n'est pas non plus de culpabiliser les parents ou de porter un quelconque jugement critique sur leurs pratiques éducatives. Les pages qui suivent visent uniquement à offrir au lecteur une information aussi précise et loyale que possible ; dût-elle être contrariante ou désobligeante. À chacun ensuite d'utiliser les éléments fournis comme il le veut ou le peut.

Prologue

QUI CROIRE ?

« Sans données, vous n'êtes qu'une personne de plus avec une opinion. »

ANDREAS SCHLEICHER,
directeur de l'Éducation à l'OCDE[1]

En matière d'usages du numérique, les discours offerts au grand public sont souvent contradictoires. Pour déplaisante qu'elle soit, cette cacophonie n'est en rien surprenante. Elle traduit une double réalité. Premièrement, l'intérêt économique : l'histoire récente nous a appris qu'appât du gain et loyauté dans le domaine de l'information faisaient rarement bon ménage. Tabac, médicament, alimentation, réchauffement climatique, amiante, pluies acides, etc., la liste est longue d'instructifs précédents. Deuxièmement, la nature « non sélective » du sujet : s'agissant des écrans, pas besoin d'avoir des connaissances pour émettre des opinions ; il est dès lors facile de baptiser « expert » le premier commentateur venu, surtout s'il est porteur d'un titre académique persuasif tel que psychologue, psychiatre, psychanalyste, médecin, professeur, chercheur, etc.

Dans ce contexte, l'incohérence qui semble caractériser le discours médiatique relatif aux écrans reflète moins la réelle hétérogénéité des savoirs scientifiques disponibles que la fiabilité vacillante des compétences interrogées. C'est l'objet du présent prologue que de le démontrer.

L'« enfant mutant » des armées propagandistes

D'abord, il y eut *habilis*, l'homme habile ; bipède émérite et premier maître des outils.

Ensuite, contemporain tardif d'*habilis*, émergea *ergaster*, l'homme artisan ; chasseur, cueilleur, conquérant du feu et migrateur frénétique.

Enfin parut *sapiens*, l'homme savant ; agriculteur, éleveur, bâtisseur, inventeur de l'écriture, des chiffres, du calcul et des mathématiques, père des Lumières, visiteur de la Lune, dompteur de l'atome, ciseleur de la Pietà, auteur des *Contemplations*, rédacteur de la Déclaration universelle des droits de l'Homme, concepteur de la montgolfière, des couches jetables et du stylo à bille.

Pour les paléontologues, l'affaire s'arrête là. Si vous voulez voir à *sapiens* un successeur, revenez dans quelques millions d'années nous disent ces tristes sires. Quelle ignominie ! Heureusement que demeurent ici-bas quelques esprits critiques et éclairés. Sans ces phares visionnaires, nous nous serions laissé berner. Nous n'aurions pas vu se dérouler sous nos yeux inattentifs « l'une des plus immenses ruptures de l'histoire, depuis le Néolithique[2] ». Nous aurions raté « une vraie mutation anthropologique[3] », que dis-je, « une révolution à l'échelle de l'humanité[4] ». En un mot, nous serions restés aveugles au fulgurant avènement de *numericus*, l'homme numérique.

Dans la vaste littérature qui lui est désormais consacrée, ce prodige évolutif connaît différents noms. Certains, vernaculaires, sont joliment évocateurs : *millenials*[5], *digital natives*[6], *e-generation*[7], *app generation*[8], *net generation*[9], *touch-screen generation*[10] ou encore *Google generation*[11]. D'autres, plus abstraits, se révèlent moins directement accessibles dans leur évocation quasi mystique des générations X, Y, Z, C, alpha ou lol[12-16]. Et que les esprits chagrins, surtout, retiennent leurs sombres flèches. Il faudrait être diablement mesquin pour voir dans cette extrême variété lexicale l'expression d'une quelconque faiblesse conceptuelle. La bigarrure du verbe ne fait ici que refléter l'ébouriffante finesse des notions explorées. Car, soyons en sûr, les preuves de l'émergence d'une nouvelle espèce sur l'arbre généalogique des hominidés sont désormais écrasantes.

Il a fallu des millions d'années pour arriver jusqu'à *sapiens*, mais aujourd'hui, par la grâce d'un véritable « tsunami numérique[17] », les choses se sont grandement accélérées. Voilà notre lignée aux portes d'un nouvel horizon. « Jamais sans doute, nous expliquent ainsi les spécialistes du domaine, depuis que le premier homme a découvert comment utiliser un outil, le cerveau humain n'a été affecté aussi rapidement et aussi considérablement [...]. Le fait qu'il ait fallu si longtemps au cerveau humain pour développer une telle complexité rend l'actuelle évolution cérébrale sous l'effet de la haute technologie, sur une seule génération, absolument phénoménale[18]. » Eh oui ! Il faut le savoir, « nos cerveaux sont en train d'évoluer, juste maintenant, à une vitesse jamais vue dans le passé[19] ». D'ailleurs, ne nous y trompons pas, nos enfants ne sont plus vraiment humains ; ils sont devenus des « extraterrestres[20] », des « mutants[20-22] ». « Ils n'ont plus la même tête [...], n'habitent plus le même espace [...], ne parlent plus la même langue[2]. » Ils « pensent et traitent l'information de manière fondamentalement différente de leurs prédécesseurs[6] ». « Nés avec une souris dans une main, un smartphone dans l'autre [...] ils sont multitâches, bricoleurs et zappeurs de génie[3]. » Leur « circuiterie neuronale est câblée pour les cyber-recherches à tir rapide[18] ». Soumis à l'action bienfaisante des écrans de toutes sortes, leur cerveau « se développe différemment[23] ». Il n'a « plus la même architecture[24] » et se trouve désormais « amélioré, augmenté, bonifié, amplifié (et libéré) par la technologie[25] ». Ces changements sont tellement profonds et fondamentaux « qu'il n'y a absolument aucun retour en arrière possible[6] ».

Il faut dire que les poussiéreux outils éducatifs du passé ne sont pas de taille à rivaliser avec la puissance du démiurge numérique. Les médias nous le rappellent à longueur d'articles, de reportages et d'interviews. Maintenant qu'a été « balayée la dangerosité des écrans[26] », la vérité peut émerger. « Les écrans sont bons pour les enfants[27] » ; « Les jeux de tir [comme *Call of Duty*] sont bons pour le cerveau[28] » ; « Jouer sur une tablette, c'est bon pour les bébés[29] » ; les jeux vidéo, même les plus violents, « améliorent la pensée critique et la compréhension en lecture[30] » ; chez les tout-petits, la télévision est « une incontestable ouverture sur le monde [et] une alliée de l'imagination[31] » ; sur le plan scolaire « avec les outils numériques, nos enfants vont gagner en confiance, acquérir le goût de la solidarité et du travail en groupe. Ils vont sortir de l'école avec cette soif d'apprendre et de savoir, qui devrait être un des objectifs premiers de notre système éducatif[20] ». D'ailleurs, dans les villages les plus reculés d'Éthiopie, des enfants illettrés munis de tablettes « parviennent à apprendre à lire sans aller à l'école, tandis qu'à New York, d'autres n'arrivent pas à ce niveau alors qu'ils vont à l'école[32] ».

On pourrait, sans difficulté, sur des centaines de pages, continuer l'égrènement de ces dithyrambes emphatiques. La liste serait alors d'autant plus simple à dérouler que nulle terre, ici-bas, n'échappe à la coulée élogieuse ; de l'Europe, à l'Amérique, en passant par l'Asie ou l'Australie, le discours demeure partout le même : pour nos enfants, l'avènement du numérique est une bénédiction quasi divine. Le doute n'est plus permis qu'aux esprits malades et pernicieux tant « les preuves suggèrent, dans leur globalité, que cette génération est la plus intelligente de tous les temps[33] ».

Les voix de la discorde

Pourtant, il faut avec tristesse le constater, quelques cerveaux aigris persistent encore, contre toute logique apparente, à réfuter les commandements hagiographiques du nouvel évangile numérique. Inexplicablement, cette engeance contestataire recrute bien au-delà des cercles décérébrés. Elle comprend en son sein nombre d'âmes éduquées : Prix Nobel de littérature[34], journalistes[35-36], professeurs d'université[37-38], psychiatres[39-40], docteurs en psychologie[41-42], chercheurs en neurosciences[43-44] et cliniciens de terrain (médecins, orthophonistes, psychologues, etc.)[45-46]. Après avoir, pour la plupart, jeté un coup d'œil détaillé à la littérature disponible, ces gens nous expliquent que la génération contemporaine est bien « la plus bête[37] » ; que l'actuelle « démence digitale [est...] un poison pour les enfants[47] » ; que les écrans sont « mauvais pour le développement cérébral[48] » ; que « les nouvelles technologies nous polluent[49] » et « mettent le cerveau dans une situation permanente de multitâche pour laquelle il n'est pas conçu[50] » ; que les adeptes du Net « savent plus et comprennent moins[38] » ; que, « non, les enfants éthiopiens n'apprennent pas à lire seuls avec des tablettes[51] » ; que non, la distribution frénétique d'ordinateurs portables aux gamins des pays en développement « n'améliore pas leurs compétences en lecture ou mathématiques[52] » ; que oui, le numérique à l'école est un « désastre[53] », « un canular à 60 milliards de dollars[54] » qui « n'améliore pas les résultats des élèves[55] » ; et que, toujours, « les nouvelles technologies génèrent un optimisme et une exubérance à la fin anéantis par des réalités décevantes[56] ».

Confrontés à ces observations, certains particuliers et acteurs institutionnels choisissent de prendre des mesures prophylactiques. Ainsi, par exemple, en Angleterre, les principaux de plusieurs collèges ont dernièrement menacé d'envoyer la police et les services sociaux dans les foyers qui laisseraient leur progéniture jouer à des jeux vidéo violents[57]. À Taïwan, pays dont les écoliers sont parmi les plus performants de la planète[58], une loi prévoit de fortes amendes pour les parents qui laissent les enfants de moins de 24 mois utiliser quelque application numérique que ce soit et ne limitent pas suffisamment le temps d'usage des 2 à 18 ans (l'objectif affiché étant alors de ne pas dépasser 30 minutes consécutives)[59]. Aux États-Unis, des écoles initialement en pointe dans la distribution d'ordinateurs aux élèves ont, il y a déjà dix ans (!), choisi de faire brutalement volte-face devant l'absence de résultats probants[60]. Ainsi, par exemple, selon les termes du président du conseil des établissements d'un district new-yorkais qui s'était précocement lancé dans l'aventure numérique « après 7 ans, il n'y avait littéralement aucune preuve d'impact sur les résultats des étudiants – aucune [...]. C'est une distraction dans le processus éducatif ». Toujours aux États-Unis, nombre de cadres dirigeants des industries digitales font d'ailleurs très attention à protéger leurs enfants des divers « outils numériques » qu'ils vendent et développent[61]. Ces *geeks* sont également nombreux à inscrire leur descendance dans de coûteuses écoles privées dépourvues d'écrans[62]. Comme l'explique l'un de ces visionnaires de la Silicon Valley, « mes enfants [6 et 17 ans] nous accusent ma femme et moi d'être des fascistes et d'être outrageusement préoccupés par la technologie, et ils disent qu'aucun de leurs amis n'a les mêmes règles. C'est parce que nous avons vu de première main les dangers de la technologie [...]. Je ne veux pas que cela arrive à mes enfants ». Conclusion du journaliste, docteur en sociologie, Guillaume Erner dans le *Huffington Post* : « La morale de l'histoire, la voilà. Livrez vos enfants aux écrans, les fabricants d'écrans continueront de livrer leurs enfants aux livres[63]. »

La stratégie du doute

Alors qui croire ? À qui se fier ? Faut-il faire confiance aux déplaisantes mises en garde des « alarmistes digitaux[64] » ou s'en remettre aux discours lénifiants des « commis voyageurs de l'industrie numérique[65] » ? Indétermination d'autant plus douloureuse que plusieurs facteurs convergent pour empêcher le citoyen ordinaire de se forger aisément, par lui-même, une opinion compétente sur le sujet. Citons en quatre, parmi les plus importants. Premièrement, les outils méthodologiques et statistiques utilisés dans ce domaine de recherche sont souvent loin d'être triviaux. Deuxièmement, l'effroyable masse des travaux pertinents (au bas mot plusieurs milliers) a de quoi refroidir les enthousiasmes les plus véhéments. Troisièmement, la majorité des études dignes de ce nom est publiée dans des revues de recherche internationales anglophones et il est donc nécessaire de maîtriser l'anglais pour accéder à l'information. Enfin, quatrièmement, la littérature scientifique n'est pas bon marché* – contrairement à la fable selon laquelle, par la grâce d'Internet, « désormais, tout le savoir est accessible à tous[2] ».

C'est cette extrême difficulté à réunir, comprendre et synthétiser la connaissance scientifique disponible qui rend critique, pour l'individu ou le parent lambda, la question de la crédibilité des sources informatives. On peut bien sûr évacuer le sujet en arguant que la science n'a rien à faire là-dedans, que les études se contredisent les unes les autres, que les scientifiques sont tous plus ou moins vendus à divers intérêts financiers et que, de toute façon, ma bonne dame, les chiffres, c'est bien connu, on peut les manipuler comme on veut. Prenez, par exemple,

* Universités et instituts de recherche dépensent chaque année plusieurs dizaines de millions d'euros pour permettre à leur personnel d'interroger cette littérature.

Vanessa Lalo, « psychologue du numérique[66] », apologiste zélée des bienfaits du jeu vidéo[67] et contributrice assidue au débat médiatique[68]. Pour cette « chercheuse » autoproclamée[*, 69], « l'enfant et les écrans, c'est avant tout une question de bon sens[70] » ; et ce d'autant plus que, d'après elle, l'intérêt des recherches académiques et scientifiques irait, en ce domaine, du risible au navrant. Une position clairement explicitée à la fin d'une conférence publique[71] en réponse aux interrogations troublées d'un auditeur qui s'émouvait (citation scientifique à l'appui) d'une certaine divergence entre le ton pour le moins émollient du discours qui venait de lui être tenu et la sombre réalité des données académiques disponibles. Selon Mme Lalo : « Vous savez, moi j'ai travaillé pas mal dans la recherche, je sais qu'on fait dire ce qu'on veut à une recherche, on fait dire ce qu'on veut à des chiffres et du moment qu'on est payé par quelqu'un et qu'on fait un protocole, on sait d'avance quel va être le résultat de notre recherche. Donc concrètement moi les recherches j'arrête de les lire, elles me font rire, des fois elles me navrent, souvent elles me navrent, mais je crois qu'il faut arrêter de se reporter comme ça à l'extérieur, il faut penser soi-même. » Pas mal, avouons-le, pour une personne qui se dit elle-même « chercheuse ».

Assurément, les commentaires de Mme Lalo sur la nature du savoir scientifique sont suffisamment désolants pour ne mériter que silence et indifférence. Le

---

* Sur le site internet de Mme Lalo (vanessalalo.com, visite du 30 mai 2019), les sections « Articles & Travaux » et « Parcours » mentionnent deux mémoires de master 2, mais aucun travail doctoral de formation à la recherche, ni affiliation académique. Une recherche menée à la même date par nom d'auteure dans plusieurs bases de données scientifiques majeures en sciences humaines, sciences du comportement, neurosciences et psychologie (Pubmed, Web of Science, psycINFO ou ASC) ne donne aucun résultat.

problème c'est que, à force d'être négligé, ce genre de bêtise – que l'on retrouve, nous le verrons tout au long du présent ouvrage, chez nombre d'autres « experts » – finit par rayonner bien au-delà de ses cercles initiaux ; et progressivement, porté par l'exacerbation de la répétition, ce qui n'aurait dû n'être qu'une ineptie sporadique en vient à constituer une idéologie profuse. Alors tâchons d'être clair une fois pour toutes. Oui (!), on peut dire n'importe quoi en outrepassant les conclusions et résultats d'une étude bien conduite ; on peut dire n'importe quoi en s'appuyant sur des travaux méthodologiquement inacceptables ; on peut dire n'importe quoi en inventant des données qui n'existent pas ; on peut dire n'importe quoi en s'abritant derrière les conclusions iconoclastes d'une étude cinq cents fois contredite ; on peut dire n'importe quoi en diffamant un travail auquel on n'a rien compris (ou rien voulu comprendre) ; on peut dire n'importe quoi en arguant que la nature multifactorielle et pluridéterminée d'un phénomène empêche toute enquête crédible ; on peut. Cependant, dans tous ces cas, ce n'est pas l'outil scientifique en tant que tel qui est à questionner, mais bien la crédibilité des gens qui en dénaturent l'usage par ignorance et/ou malhonnêteté. En d'autres termes, le fait que n'importe qui puisse produire une absurdité pseudo-scientifique à des fins délusoires ou par inaptitude ne disqualifie en rien la pertinence des travaux rigoureusement et loyalement réalisés par des chercheurs compétents. Comme l'écrivait Georges Braque, immense artiste et père du cubisme, « la vérité existe. On n'invente que le mensonge[72] ».

Aimable coïncidence : à l'époque où Braque publiait son propos, l'art du mensonge négationniste, institutionnellement organisé et méthodiquement propagé, prenait son plein envol aux États-Unis sous l'aile bienveillante des géants de l'industrie du tabac. L'approche se révéla redoutablement efficace par sa capacité à trahir le réel et remettre en cause les faits scientifiques les plus solidement établis[73-76]. Si efficace, en fait, que nombre d'autres filières l'ont depuis adoptée et généralisée aux champs du médicament, de la santé mentale, du réchauffement climatique ou encore de l'alimentation[73, 76-84]. Ce dernier domaine, par exemple, s'est récemment distingué sur la question du sucre[84]. Durant des années les industriels ont « payé des scientifiques pour masquer le rôle du sucre dans les pathologies cardiaques[85] », n'hésitant pas au besoin à détruire sans le moindre scrupule la réputation des chercheurs qui avaient osé, les premiers, dénoncer le problème[83]. Et la mascarade continue. En France, depuis 2010, Coca-Cola a dépensé des millions d'euros auprès des « professionnels de santé et chercheurs pour faire oublier les risques liés à ses boissons[86] ».

Le protocole suit à peu près toujours la même trajectoire : d'abord nier ; puis, quand cela devient vraiment trop difficile, minimiser, crier au loup contre la culpabilisation des usagers, en appeler à la liberté du consommateur, louer le sens commun (ce prétendu garde-fou salvateur au réductionnisme scientifique), dénoncer des campagnes excessives, alarmistes, réactionnaires, moralisatrices ou totalitaristes et, surtout, ultimement, susciter le doute sur la validité, la probité et la cohérence des résultats malencontreux. Au final, pour les mastodontes de l'industrie, peu importe l'ampleur des forfaitures à mettre en œuvre ; seul compte l'accroissement du profit.

Comme l'ont confirmé plusieurs procès récents, experts et journalistes tiennent une place centrale dans cette course au cynisme. Le travail remarquablement étayé de Naomi Oreskes et Erik Conway ne laisse aucun doute sur ce point[73]. Pour ces historiens des sciences, « il est patent que les médias présentèrent le débat scientifique sur le tabac comme encore ouvert, bien après que les scientifiques eurent considéré qu'il était tranché [...]. Un phénomène similaire accompagna les pluies acides dans les années 1990, les médias faisant leur l'idée que leurs causes n'étaient pas encore établies – plus de dix ans après que cela ne soit plus vrai [...] Jusqu'à récemment, les principaux médias présentèrent le réchauffement climatique comme une question férocement débattue – douze ans après que le président George H. W. Bush eut signé la convention-cadre de l'ONU sur le changement climatique et vingt-cinq ans après que l'Académie des sciences des États-Unis eut annoncé pour la première fois qu'il n'y avait pas lieu de douter qu'un réchauffement climatique était provoqué par l'utilisation des combustibles fossiles par l'homme ».

Évidemment, cela ne signifie pas que les journalistes sont tous vendus ou partisans. Beaucoup se trompent de bonne foi, mystifiés par des experts douteux, porteurs de titres rassurants, mais dotés d'une probité flageolante. Rien n'est plus difficile pour un non-spécialiste, aussi rigoureux soit-il, que de distinguer l'honnête homme du tartufe inféodé. Il serait d'autant plus malhonnête de le nier que les médias ont souvent contribué, de manière décisive, à la dénonciation de scandales sanitaires naissants ou avérés (Mediator[87], sang contaminé[88], etc.). La récente affaire dite des « implants médicaux » l'illustre parfaitement. Plus de deux cent cinquante journalistes issus de trente-six pays ont démontré, au prix d'un travail considérable, l'invraisemblable légèreté avec laquelle certaines autorisations de mise sur le marché étaient octroyées, par les autorités compétentes, pour ces dispositifs (prothèses mammaires, pompes à insuline, implants vaginaux, etc.) ; légèreté qui s'est révélée calamiteuse pour la santé des utilisateurs[89-90].

Il faut également reconnaître ici, à la décharge des médias, que certaines sources ne sont pas faciles à ignorer. Un récent opuscule, publié sous l'égide des académies françaises des sciences, de médecine et des technologies (excusez du peu), en fournit un remarquable exemple[91].

Le document, de vingt-six pages, est un « Appel à une vigilance raisonnée sur les technologies numériques ». Il « repose, nous dit l'immunologiste qui en a assuré la coordination, sur les compétences de fond des membres du groupe de travail, qui ont utilisé la littérature, et les auditions d'une quinzaine de personnes[92] ». L'une d'entre elles (un pédopsychiatre) s'étonna cependant, après publication, de « l'extrême prudence des académies, qui ne veulent pas diaboliser le produit et qui frise la pusillanimité[92] ». Pas de quoi ébranler notre immunologiste pour lequel ce document incarne « une réflexion basée sur des faits[92] ». Et c'est bien là que le bât blesse. En effet, de ces supposés faits, rien n'est dit. Pas une référence n'est apportée. Aucune étude n'est mentionnée. La crédibilité du texte repose exclusivement sur l'autorité scientifique des académies signataires. Or, encore une fois, si l'on peut, s'agissant de santé publique, extraire une certitude des déconvenues passées, c'est bien qu'il est extrêmement hasardeux, que l'on soit journaliste ou simple citoyen, d'accorder sa confiance aux purs arguments d'autorité, fussent-ils portés par des institutions officielles. Concernant le présent « appel », par exemple, pourquoi ne pas permettre au lecteur d'interroger les sources des affirmations produites si, comme on prend soin de nous le dire, « les faits présentés dans le texte correspondent à des références bibliographiques précises » ? Clairement, nous quittons ici le rassurant espace des faits pour gagner les dangereux marécages de la foi. Dès lors, en dernière analyse, peu importe que le travail produit soit bon ou mauvais, intègre ou partial. Ce qui compte, c'est qu'il réclame du lecteur une confiance aveugle en l'intégrité et la compétence des rédacteurs. Ce seul point, par principe, devrait conduire médias et grand public à considérer le présent document de nos académies – et toute production du même genre, d'où qu'elle vienne et sur quelque domaine qu'elle porte – avec la plus extrême suspicion.

Science et opinion ne se valent pas

Évidemment, indépendamment de nos savoirs scientifiques particuliers, nous sommes tous enclins et fondés à posséder des « opinions ». Par nature, ces dernières émergent de l'expérience personnelle. Elles reflètent la tendance fondamentale du cerveau humain à organiser ses vécus ordinaires en un système de croyances ordonnées[93]. Le problème surgit quand certains finissent par voir dans ces croyances une marque d'expertise. En effet, il existe clairement, comme le soulignait déjà le philosophe Gaston Bachelard il y a plus de soixante ans, une « rupture entre connaissance commune et connaissance scientifique[94] ». La première se fonde sur des ressentis subjectifs, quand la seconde s'appuie sur des faits contrôlés. Ainsi, par exemple, j'ai moi-même des opinions sur tout : le réchauffement climatique, les bienfaits de l'homéopathie, les visions de Bernadette Soubirou, l'Immaculée Conception ou les implications phénoménologiques de la théorie quantique. Ces opinions ont assurément toute leur place au café du commerce ; mais elles n'ont strictement rien à faire dans l'espace de l'information publique ou le champ des décisions politiques. Y a-t-il des données, d'où viennent-elles, sont-elles fiables, que disent-elles, quelle est leur cohérence, quelles sont leurs limites, etc. ? L'expert, le vrai, c'est celui qui, connaissant l'état de la recherche scientifique, sait répondre à ces questions.

Dès lors, les choristes du mot creux doivent être pris pour ce qu'ils sont : des vendeurs de vent. Et que l'on ne me dise pas qu'il y a quelque arrogance à affirmer cela. Car la véritable arrogance, c'est de se dire « expert » en n'ayant rien d'autre dans sa besace intellectuelle que quelques jugements lacunaires et partiaux. L'arrogance, par exemple, c'est d'affirmer doctement que « l'élément défouloir et catharsis [*sic*] du jeu vidéo est très important pour les jeunes[95] » alors que les centaines d'études réalisées sur le sujet depuis des décennies ont toutes infirmé l'hypothèse cathartique[96-100]. L'arrogance (oserais-je dire le mépris), c'est d'affirmer, lorsqu'un journaliste vous demande si la télévision nuit au sommeil, « [qu']aucune étude ne le prouve vraiment[101] » puis de cosigner dix-huit mois plus tard un rapport académique démontrant le contraire (sur la base d'études déjà disponibles lors de la première prise de position négatoire)[102]. L'arrogance, au fond, c'est, pour un sujet donné, de se draper dans les atours de la connaissance et de l'autorité, sans considérer l'état d'avancement des recherches disponibles. L'arrogance, c'est de faire passer pour de l'expertise un simple ramassis d'opinions personnelles.

Bien sûr, dans nombre de cas, le « spécialiste » médiatique préférera parler de « bon sens » plutôt que d'opinion. Malheureusement, cette variante sémantique ne change rien au problème. En effet, le bon sens souffre des mêmes infirmités chroniques que l'opinion. C'est sur ses cendres que s'est constituée la science[103]. Le bon sens, c'est ce qui nous dit que la Terre est plate et immobile. Il est l'intelligence de l'ignorant ; une intelligence de première intention, forcément trompeuse et mutilée. Affirmer le contraire, c'est omettre tant la complexité du monde que la grossière partialité des perceptions individuelles. Le bon sens ne vous dira pas, par exemple, que consommer des produits *light* augmente le risque d'obésité[104]. Il ne vous dira pas non plus que l'eau chaude gèle parfois plus vite que l'eau froide[105]. Sur le sujet des écrans qui nous concerne ici, le bon sens ne vous permettra pas de découvrir que la pratique d'un jeu vidéo d'action après les devoirs scolaires altère le processus de mémorisation[106], au même titre que l'exposition répétée aux radiofréquences émises par les téléphones portables[107]. Et, pour prendre un dernier exemple, ce cher bon sens oubliera également de vous dire que l'omniprésence des contenus violents à la télévision reflète non l'appétence supposée du spectateur pour la douleur et l'amertume, mais une volonté commerciale délibérée : en stressant le cerveau, ce type de contenus favorise fortement la mémorisation des pauses publicitaires qui accompagnent nos programmes[100, 108-109]. C'est sans doute là, d'ailleurs, le genre de manipulation dont parlait Patrick Le Lay, alors PDG de TF1, lorsqu'il expliquait il y a quelques années que son métier consistait à « préparer » le cerveau et à le rendre « disponible » entre deux messages commerciaux[110]. L'idée n'est pas nouvelle. Il y a soixante ans déjà, l'écrivain Aldous Huxley la dénonçait dans son *Retour au meilleur des mondes*, arguant « qu'en provoquant délibérément la peur, la colère ou l'anxiété, on augmentait notablement la vulnérabilité de l'animal aux suggestions[111] ».

Bref, convoquer le bon sens pour offrir une crédibilité de façade à de simples opinions intuitives constitue une pure escroquerie intellectuelle. Encore une fois, il est absolument légitime d'avoir des opinions et d'en discuter avec qui bon nous semble. Ce qui est inacceptable, c'est de confondre opinion, bon sens et expertise. L'expert, n'en déplaise aux démagogues et pourfendeurs de l'élitisme, c'est celui qui maîtrise les savoirs fondamentaux de son champ d'intérêt. Il faut « penser soi-même » nous dit Madame Lalo. Qui en doute ? Toutefois, pour livrer ne serait-ce qu'un embryon de pensée pertinente, encore faut-il avoir des connaissances précises sur lesquelles s'appuyer. Penser dans le vide, ce n'est pas penser, c'est divaguer. Comment quelqu'un pourrait-il, par exemple, parler avec intelligence du réchauffement climatique s'il ne sait rien des sciences du climat ? L'idée même est absurde. Avant de révolutionner leur domaine, Picasso, Newton, Einstein, Kepler, Darwin ou Wegener ont passé des décennies à digérer les travaux de leurs prédécesseurs. C'est ce patient labeur, et lui seul, qui leur a permis tout d'abord de penser, ensuite de penser par eux-mêmes et enfin de penser autrement. Newton ne disait-il pas que s'il avait vu plus loin que ses contemporains, c'était justement parce qu'il s'était juché sur les épaules des géants qui l'avaient précédé ?

Trop c'est trop !

Alors oui, j'en ai assez de ces spécialistes autoproclamés qui saturent l'espace médiatique de leur verbiage inepte. J'en ai assez de ces lobbyistes abjects, déguisés en experts, qui nieraient jusqu'à la sphéricité de la Terre si cela pouvait servir leur carrière et engraisser leurs intérêts. J'en ai assez de ces journalistes inconséquents qui tendent plumes et micros vers le premier hâbleur venu, sans se demander si ce dernier connaît effectivement le sujet dont il parle. La structure mentale des pervers narcissiques, le potentiel cancérigène des lignes à haute tension, l'arrivée du compteur électrique « intelligent », l'impact du divorce sur l'énurésie infantile, le traumatisme de l'acné chez l'adolescent au temps des réseaux sociaux, l'influence du passage à l'heure d'été sur l'appétit ou la réforme des rythmes scolaires sont autant de sujets pour lesquels on a cru bon de me solliciter… alors qu'ils sont totalement étrangers à mon domaine de compétence*, chacun peut le vérifier en quelques clics.

Ô oui, j'en ai assez ! Assez de voir l'intérêt des enfants constamment piétiné par la cupidité économique.

---

* La palme revient, je crois, à ce journaliste d'une grande radio nationale avec lequel j'avais échangé des mois auparavant sur la question des images violentes et qui, en 2013, voulut m'interroger, « à chaud », au sujet de l'attentat du marathon de Boston et de la fusillade qui avait alors eu lieu au sein du MIT. Un peu surpris, je lui demandai ce que je venais faire là-dedans. Il me répondit que je connaissais forcément les lieux (j'avais, des années auparavant, étudié au MIT) et que « donc » mon avis aiderait les auditeurs à mieux comprendre le déroulement de la traque ! *No comment.*

Assez que prime à ce point l'appât du gain sur le bien collectif. Assez que soit dénié aux parents le droit élémentaire à une information juste et honnête. Assez que l'écho médiatique offert aux porte-voix des enthousiasmes lobbyistes brouille à ce point la netteté du message scientifique. Surtout, n'allez pas voir en ces propos le fruit de je ne sais quelle paranoïa obsidionale ou complotiste. Ce serait un peu court. En effet, dans nombre de domaines sensibles déjà évoqués, on a vu les divergences entre discours médiatique et savoir scientifique se creuser brutalement dès que sont apparues les premières recherches susceptibles de conduire le législateur à l'action[73, 76-82, 84].

Alors que faire ? Plusieurs options sont possibles. Trois ne correspondent pas à l'optique de ce livre.

(1) Il n'est pas question de réclamer ici que soit encadrée la liberté de la presse, des médias ou des producteurs de contenus (films, dessins animés, etc.). Chacun écrit, pense et crée ce qu'il veut (ou peut) ; même s'il serait assurément souhaitable que nos amis journalistes soient un peu plus regardants quant à l'intégrité et aux compétences de leurs « experts ».

(2) Il n'est pas question, non plus, d'en appeler au corps législatif pour interdire ou restreindre l'usage de la télévision, des tablettes, des jeux vidéo ou autres outils numériques*. Chacun élève (quel joli mot quand on y pense !) ses enfants selon les pratiques qui lui paraissent pertinentes et, à titre personnel, je trouverais insupportable et déplacé que quiconque vienne se mêler de mes choix éducatifs. Reconnaissons toutefois que cette position de principe peut être discutée. Taïwan, par exemple, a choisi, nous l'avons vu, la voie législative pour protéger ses enfants mineurs.

---

* Hormis, sans doute, si cet usage implique, pour l'enfant, une exposition à des contenus « préjudiciables » susceptibles d'accroître certains risques sanitaires. Voir la seconde partie de ce livre.

Si on peut douter de l'efficacité de cette approche, on ne peut remettre en cause sa forte valeur symbolique.

(3) Il n'est pas question, enfin, de plaider pour que soient diligentées des poursuites judiciaires contre les industriels du numérique, au motif que certains commercialisent des produits qu'ils savent délétères ; même si cette sympathique idée a déjà été proposée pour la télévision[112] et mise en œuvre dans certains cas particuliers par nos amis américains. Une anecdote est à ce titre révélatrice. Elle remonte à une dizaine d'années, lorsque la société Disney a été menacée de poursuites judiciaires « pour pratiques déloyales et trompeuses » au motif que la société avait argué, de manière fallacieuse, du caractère éducatif de ses vidéos *Baby Einstein*. Disney, qui avait déjà accepté sous le poids de précédentes pressions de retirer le mot « éducatif » de son discours marketing, consentit alors à rembourser tous les parents qui avaient acquis les produits incriminés[113]. Comme l'indique Vicky Rideout, ancienne vice-présidente de la Kaiser Family Foundation, alors qu'émergeaient les déboires de Disney, « un grand nombre de compagnies sont devenues plus prudentes quant à leurs affirmations [...]. Mais même si le mot "éducation" n'est pas présent, il y a une claire implication de bénéfices éducatifs dans une grande part du marketing [...]. Mon impression est que les parents croient vraiment que ces vidéos sont bonnes pour les enfants, ou à l'extrême, pas vraiment mauvaises[113] ». C'est bien là le scandale... Comment des parents peuvent-ils encore penser, après cinquante ans de recherches convergentes, que ce genre de produit a des effets positifs sur le développement de l'enfant ?

Cette dernière interrogation ouvre la voie à une quatrième proposition semble-t-il plus prometteuse : informer ! L'idée n'est alors plus de contrôler, de légiférer, d'interdire ou de menacer, mais d'alerter et de communiquer. Il faut dénoncer ouvertement les discours fallacieux des lobbyistes stipendiés. Il faut dire aux parents, aux journalistes, aux citoyens, aux responsables politiques ce qu'est l'état exact du savoir disponible. Dire certes les zones d'ombre, mais aussi (il y en a plus qu'on ne croit), les espaces de certitude. Bien sûr certains refuseront de considérer les faits alors mis en avant, par conviction, obstination, malhonnêteté ou intérêt, mais j'ai la faiblesse de croire que ce ne sera pas la majorité. J'ose espérer que le corps social s'avère, dans son ensemble, au-delà des divergences qui le traversent, attentif au devenir de ses enfants car, comme l'écrivait joliment Neil Postman il y a plus de trente ans, « les enfants sont le message vivant que nous envoyons à un futur que nous ne pourrons voir[114] ».

Mais, peut-être suis-je en cet espoir un peu naïf. La pensée m'est venue récemment, suite à un bref échange que j'ai eu avec une personnalité politique française porteuse de mandats nationaux. À sa décharge, l'homme sortait d'un buffet où il n'avait apparemment pas consommé que de l'eau claire. On dit que l'alcool désinhibe, ce n'est sans doute pas faux. Après quelques bla-bla d'usage sur les bienfaits du numérique, la discussion s'est à peu près passée de la façon suivante*.

> « Moi : Toutes les études montrent un affaissement majeur des compétences cognitives de ces jeunes, depuis le langage jusqu'aux capacités attentionnelles en passant par les savoirs culturels et fondamentaux les plus basiques. Et la numérisation de l'école, on le sait avec les études PISA notamment, ne fait qu'aggraver les choses.

---

* J'avais pris soin de retranscrire par écrit cet échange stupéfiant juste après son achèvement. Il est clair cependant que cette restitution différée ne correspond pas exactement, mot pour mot, aux termes employés (hormis pour quelques expressions particulièrement saillantes : « Il ne faut pas, pour ces emplois, des gens trop éduqués », « c'est pour amuser la galerie »). Elle rend toutefois fidèlement compte des arguments développés et du fond de la discussion.

– Lui : On parle d'économie de la connaissance, mais c'est minoritaire. Plus de 90 % des emplois de demain seront peu qualifiés, dans l'aide à la personne, les services, le transport, le ménage. Il ne faut pas, pour ces emplois, des gens trop éduqués.

– Moi : Alors pourquoi les emmener tous à Bac + 5 si c'est pour qu'ils finissent vendeurs chez Décathlon ?

– Lui : Parce qu'un étudiant ça coûte moins cher qu'un chômeur et c'est socialement plus acceptable. On connaît tous le niveau de ces diplômes. C'est pour amuser la galerie. Il ne faut pas être naïf ; et puis, plus on les garde longtemps à l'université et plus on économise sur les retraites* »

J'ose espérer qu'il ne s'agissait là que d'une stupide bravade. J'ai vraiment du mal à croire, en effet, je l'avoue, à une volonté délibérée d'abêtissement des masses. Mais pourquoi pas. Après tout, comme le disait Jean-Paul Marat, « pour enchaîner les peuples, on commence par les endormir[115] »… Et quel meilleur somnifère, à n'en pas douter, que cette orgie d'écrans récréatifs qui, nous allons le voir en détail, ronge les développements les plus intimes du langage et de la pensée. Cependant, à titre personnel, l'hypothèse économique, évoquée ci-dessus pour expliquer certains scandales sanitaires majeurs du passé me semble, ici aussi, bien plus plausible que la théorie politique d'une bêtification planifiée. À chacun d'en juger.

---

* L'idée voulant alors, je suppose, que plus les étudiants sortent tard de l'université (si possible au-delà de 25 ans) et plus il leur sera difficile d'empiler les 42 annuités aujourd'hui réglementaires.

Première partie

HOMO MEDIATICUS

La construction d'un mythe

> « Un [bon] menteur commence par faire que le mensonge paraisse une vérité, et il finit par faire que la vérité semble un mensonge. »
>
> Alphonse Esquiros, poète et écrivain[1]

Il y a quelques années ma fille m'a demandé ce qu'était un oxymore. Lorsqu'elle m'a posé la question, je venais de lire, sous la superbe plume de Carlos Ruiz Zafòn, la phrase suivante : « L'incompétent se présente toujours comme expert[2]. » Quelle aubaine avais-je alors pensé, « l'expert incompétent », voilà bien un formidable oxymore. Malheureusement, je ne suis pas certain que la même idée me viendrait aujourd'hui. En effet, lorsque j'entends certains « spécialistes » déverser leur effarante rhétorique pseudo-scientifique dans des médias de premier plan, j'avoue que j'ai beaucoup de mal à discerner la compétence derrière le label d'expertise. Il semble même parfois, pour qui suit de près ces débats, que plus un « expert » multiplie les témoignages irrécusables de son impéritie et plus il attire micros et caméras.

« Homo mediaticus » est l'enfant de ces dérives. Littéralement, il est l'incarnation médiatique de nos progénitures. Une incarnation, hélas, terriblement trompeuse. C'est en tout cas ce que nous essayerons de démontrer au sein de la présente partie. Mediaticus est une chimère. Son image est partout, son existence nulle part. Il est une illusion de plein droit, un mythe fantasmé, patiemment construit à coups d'affirmations gratuites et fallacieuses. Bien sûr, nous ne pourrons ici aborder ces dernières de manière exhaustive. La masse de contrevérités publiées chaque jour sur le sujet rendrait la tâche par trop titanesque. Nous nous focaliserons sur quelques exemples représentatifs, choisis pour leur capacité à illustrer la nature du problème et la pluralité de ses physionomies. Un triple objectif sera alors poursuivi. Premièrement, établir le criant manque de rigueur, de compétence, de professionnalisme, d'équilibre, de neutralité et/ou d'honnêteté (pas toujours facile d'arbitrer entre ces différentes options) de divers relais médiatiques supposément qualifiés, qu'ils soient universitaires, médecins, journalistes, politiques, lobbyistes ou psychologues. Deuxièmement, dénoncer sur le fond certains discours et mythes autour du numérique, dont l'habillage patelin cache ingénieusement la nature délusoire. Troisièmement, offrir au lecteur des outils concrets d'évaluation grâce auxquels il pourra alimenter sa vigilance critique et, ainsi, se protéger (au moins partiellement) des maquignonnages les plus grossiers.

La démarche pourra parfois paraître abrupte. Je le déplore mais l'assume car il ne s'agit ici que de nommer la réalité. L'un des premiers principes que m'a enseigné mon directeur de thèse, feu le professeur Marc Jeannerod, brillant pionnier de la neurobiologie moderne[3], c'est que tout travail scientifique débute par une évaluation précise de la littérature existante. Dans ce cadre, souligner le caractère grotesque de certains discours d'« experts », ce n'est pas exprimer une aigreur vengeresse, c'est poser les bases indispensables d'une réflexion fertile. Si A dit blanc alors que B dit noir, il est fondamental pour chaque intervenant d'analyser le discours de son contradicteur afin, si c'est possible, d'en pointer les faiblesses. Quand A expose les turpitudes de B, il ne fait pas preuve d'une malveillante vindicte ou d'une pitoyable jalousie. Il permet au lecteur de comprendre les termes du débat et d'identifier, parmi les thèses présentes, la plus plausible. Alors, de grâce, que l'on ne vienne pas me parler d'amertume, de méchanceté gratuite, d'aigreur sénile ou de manque de respect[4]. Tous ces sentiments sont parfaitement étrangers à l'esprit de l'ouvrage.

Par souci de clarté, la présente partie sera scindée en trois grands chapitres illustrant chacun un biais et/ou une stratégie de désinformation spécifique. Le premier (« Contes et légendes ») décrit Homo mediaticus et ses fatales faiblesses constitutives. Le deuxième (« Paroles d'experts ») montre combien le label d'expertise est loin, en territoire médiatique, de constituer toujours une garantie de compétence et de sérieux. Le dernier (« Études boiteuses ») déplore la formidable visibilité offerte, par nombre d'organes de presse majeurs, à des études qui, de par leur nature iconoclaste et/ou leur origine incertaine, auraient dû susciter la plus extrême circonspection. Le fait que tous les exemples ci-dessous détaillés soient indépendants les uns des autres offre aux lecteurs qui le souhaiteraient la possibilité de sauter, sans détriment, certaines sections. Mais ce serait vraiment dommage tant l'imagination de nos amis lobbyistes mérite ici intérêt et révérence. C'est assurément un tour de force remarquable que de parvenir encore à faire croire aux gens que tablettes, télévisions, smartphones, ordinateurs, jeux vidéo et autres joyeusetés du genre ont des effets globalement positifs sur le développement de l'enfant, alors que des tombereaux d'études scientifiques concordantes prouvent le contraire. Chapeau l'artiste ; considère, je te prie, les lignes qui suivent comme un hommage ému au génie de ton art délicat.

1

Contes et légendes

La capacité de certains journalistes, politiciens et experts médiatiques à relayer, sans le moindre recul critique, les fables les plus extravagantes de l'industrie du numérique est tout à fait époustouflante. On pourrait en sourire. Mais ce serait méconnaître la puissance de la répétition. En effet, à force d'être reproduites, ces fables finissent par devenir, dans l'esprit collectif, de véritables faits. On quitte alors le champ du débat étayé pour aborder l'espace de la légende urbaine, c'est-à-dire de l'histoire « suffisamment plausible pour être crue, basée principalement sur des ouï-dire et largement diffusée comme vraie[5] ». Ainsi, lorsque vous répétez suffisamment souvent que les nouvelles générations ont, du fait de leur phénoménale maîtrise du numérique, un cerveau et des modes d'apprentissage différents, les gens finissent par le croire ; et quand ils le croient, c'est toute leur vision de l'enfant, de l'apprentissage et du système scolaire qui se trouve affectée. Déconstruire les légendes qui polluent la pensée constitue dès lors le premier pas indispensable vers une réflexion objective et féconde sur l'impact réel du numérique.

« Une génération différente »

Dans le monde merveilleux du numérique, les fictions sont nombreuses et variées. Pourtant, en dernière analyse, elles prennent quasiment toutes appui sur la même chimère fondatrice : les écrans ont fondamentalement transformé le fonctionnement intellectuel et le rapport au monde des jeunes, les désormais nommés *digital natives*[6-10]. Pour l'armée missionnaire de la catéchèse numérique, « trois traits saillants caractérisent cette [nouvelle] génération : le zapping, l'impatience et le collectif. Ils attendent une rétroaction immédiate : tout doit aller vite, voire très vite ! Ils aiment travailler en équipe et possèdent une culture numérique transversale intuitive, voire instinctive. Ils ont compris la force du groupe, de l'entraide et du travail collaboratif [...]. Beaucoup fuient le raisonnement démonstratif, déductif, le "pas à pas", au profit du tâtonnement favorisé par les liens hypertextes[11] ». Les technologies digitales sont désormais « si imbriquées à leur vie qu'elles n'en sont plus séparables [...]. Ayant grandi avec Internet puis les réseaux sociaux, ils abordent les problèmes en s'appuyant sur l'expérimentation, les échanges avec leur entourage, la coopération transverse sur des projets donnés[12] ». Immergés depuis leur prime naissance dans un monde féerique d'écrans en tous genres, ces gamins « ne sont plus des "petites versions de nous-mêmes", comme ils ont pu l'être dans le passé. [...] Ils sont des locuteurs natifs de la technologie, parlant couramment le langage des ordinateurs, des jeux vidéo et d'Internet[13] » ; « Ils sont rapides, multitâches et zappent facilement[14]. »

Ces évolutions sont d'une telle profondeur qu'elles rendent définitivement obsolètes toutes les approches pédagogiques du vieux monde[11, 15-17]. Il n'est plus possible de nier le réel : « Nos étudiants ont radicalement changé. Les étudiants d'aujourd'hui ne sont plus les individus pour l'instruction desquels notre système scolaire a été bâti. [...] [Ils] pensent et traitent l'information d'une manière fondamentalement différente de leurs prédécesseurs[10]. » « En fait, ils sont si différents de nous que nous ne pouvons plus utiliser notre savoir du XXe siècle ou notre propre expérience académique en tant que guide pour déterminer ce qui est le mieux pour eux en matière éducative [...]. Les étudiants d'aujourd'hui ont appris à maîtriser une large variété d'outils [numériques] que nous ne serons jamais capables de maîtriser avec le même niveau de compétence [...]. Ces outils sont comme des extensions de leur cerveau[13]. » Manquant d'une formation adaptée, les enseignants actuels ne sont donc plus au niveau, ils « parlent un langage périmé (celui de l'âge prédigital)[10] ». Assurément, « il est temps de passer à un autre type de pédagogie qui tienne compte des évolutions de notre société[18] » car « l'éducation d'hier ne permettra pas de former les talents de demain[19] ». Et, dans ce cadre, le mieux serait encore de donner à nos prodigieux génies numériques les clés du système dans son ensemble. Libérés des archaïsmes de l'ancien monde « ils deviendront la première et principale source d'inspiration pour faire de leurs écoles des lieux d'apprentissage pertinents et efficaces[20] ».

On pourrait pendant des dizaines de pages aligner plaidoiries et proclamations de ce genre. Cela n'aurait toutefois guère d'intérêt. En effet, par-delà ses variations locales, la logorrhée resterait toujours centrée autour de trois grandes propositions : (1) l'omniprésence des écrans a créé une nouvelle génération d'êtres humains, totalement différente des précédentes ; (2) les membres de cette génération sont experts dans le maniement et la compréhension des outils numériques ; (3) pour garder quelque efficacité (et crédibilité), le système scolaire doit impérativement s'adapter à cette révolution.

Pas de preuves convaincantes

Depuis presque quinze ans, la validité de ces affirmations a été méthodiquement évaluée par la communauté scientifique. Là encore, mais qui en sera surpris, les résultats obtenus contredisent frontalement la béate euphorie des fictions à la mode[5, 21-29]. Dans son ensemble, « la littérature sur les *digital natives* démontre une claire incohérence entre la confiance avec laquelle ces affirmations sont formulées et les preuves permettant de soutenir ces affirmations[28] ». En d'autres termes, « à ce jour il n'existe aucune preuve convaincante permettant de soutenir ces affirmations[26] ». Celles-ci « ont gagné une large popularité à partir d'allégations plutôt que de preuves[27] ». Ces « stéréotypes générationnels[26] » sont clairement « une légende urbaine[5] » et le moins que l'on puisse dire c'est que « le portrait optimiste des compétences digitales des jeunes générations est piètrement fondé[30] ». Conclusion, tous les éléments disponibles convergent à montrer que « les *digital natives* sont un mythe de plein droit[22] », « un mythe qui sert aux naïfs[31] ».

En pratique, l'objection majeure émise par la communauté scientifique au concept de *digital natives* est d'une simplicité déconcertante : la nouvelle génération censément désignée par ces termes n'existe pas. Assurément, on peut toujours trouver, en cherchant bien, quelques individus dont les habitudes de consommation correspondent vaguement au stéréotype attendu du *geek* surcompétent vissé à ses écrans ; mais ces rassurants parangons tiennent plus lieu d'exception que de règle[32-33]. Dans son ensemble, la supposée « génération Internet » s'apparente bien plus, à « une collection de minorités[34] » qu'à un groupe cohérent. Au sein de cette génération, l'ampleur, la nature et l'expertise des pratiques numériques varient considérablement en fonction de l'âge, du sexe, du type d'études poursuivies, du bagage culturel et/ou du statut socio-économique[35-42]. Considérons, par exemple, le temps consacré aux usages récréatifs (figure 1, page suivante, haut). Contrairement au mythe d'une population surconnectée homogène, les données montrent une très grande diversité de situations. Ainsi, chez les 8-12 ans, l'exposition s'échelonne de manière à peu près harmonieuse depuis « léger » (moins de 1 heure, 19 % des enfants) jusqu'à « massif » (plus de 6 heures, 20 %). Chez les 13-18 ans, la catégorie des usagers furieux augmente certes sensiblement, mais sans atteindre, loin s'en faut, le seuil majoritaire (plus de 6 heures, 39 %). 12 % des adolescents affichent une exposition inférieure à 60 minutes quotidiennes ; quasiment un quart restent sous les 2 heures. Dans une large mesure, ces disparités s'alignent sur les caractéristiques socio-économiques du foyer. Les sujets défavorisés affichent ainsi une durée d'exposition moyenne très significativement supérieure (plus de 2 h 30) à celle de leurs homologues privilégiés[37].

Sans surprise, l'écheveau se complexifie encore généreusement lorsque l'on intègre les utilisations domestiques, liées au champ scolaire (figure 1, bas). En effet, dans ce domaine aussi, le degré de variabilité interindividuelle s'avère considérable. Prenez les adolescents. Ceux-ci se répartissent de manière à peu près équilibrée entre utilisateurs quotidiens (29 %), hebdomadaires (44 %) et exceptionnels (mensuels ou moins, 27 %). Là encore, pour une bonne part, ces disparités suivent le gradient socio-économique familial[37]. Ainsi, les individus privilégiés sont presque deux fois plus nombreux que leurs homologues défavorisés à recourir chaque jour aux ressources d'Internet pour faire leurs devoirs (39 % contre 22 %). Si l'on prend le pourcentage complémentaire des utilisateurs exceptionnels, ces proportions s'inversent (17 % et 39 %)[37]. Bref, présenter tous ces gamins comme une génération uniforme, aux besoins, comportements, compétences et modes d'apprentissages homogènes n'a simplement pas de sens.

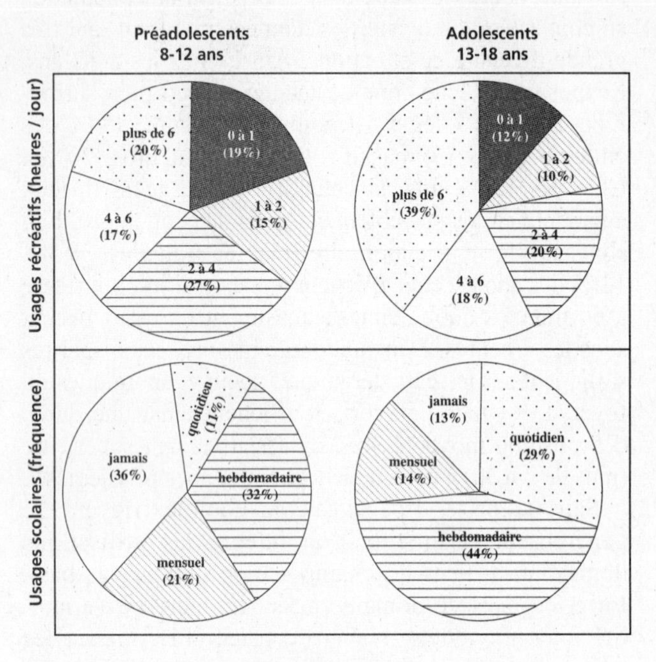

Figure 1. Temps consacré au numérique par les préadolescents et adolescents. *Haut* : variabilité du temps passé avec les écrans récréatifs. *Bas* : variabilité d'utilisation des écrans pour les devoirs scolaires (dans ce cas, la faiblesse du temps d'usage quotidien – en moyenne : préados 15 minutes ; ados 46 minutes – ne permet pas une représentation par tranches temporelles, comme pour les écrans récréatifs). Certains totaux n'atteignent pas 100 % en raison des arrondis. D'après[37].

Des inaptitudes techniques surprenantes

Une autre objection essentielle, régulièrement soulevée par la communauté scientifique au sujet du concept de *digital natives*, porte sur la supposée supériorité technologique des nouvelles générations. Immergées dans le numérique, celles-ci auraient acquis un degré de maîtrise à jamais inaccessible aux fossiles des âges prédigitaux. Jolie fable ; qui malheureusement ne va pas sans poser, elle aussi, quelques problèmes majeurs. D'abord, ce sont bien, jusqu'à preuve du contraire, ces braves fossiles prédigitaux qui « ont été [et souvent restent !] les créateurs de ces systèmes et environnements[43] ». Ensuite, contrairement aux belles croyances populaires, l'écrasante majorité de nos *geeks* en herbe présente, au-delà des usages récréatifs les plus outrageusement basiques, un niveau de maîtrise des outils numériques pour le moins chancelant[30, 38, 44-47]. Le problème est si marqué qu'un récent rapport de la Commission européenne listait « la faible compétence digitale des étudiants » en tête de liste des facteurs susceptibles d'entraver la numérisation du système éducatif[48]. Il faut dire que, pour une très large part, ces jeunes peinent à dominer les compétences informatiques les plus rudimentaires : paramétrer la sécurité de leurs terminaux ; utiliser les programmes bureautiques standard (traitement de texte, tableur, etc.) ; couper un fichier vidéo ; écrire un programme simple (quel que soit le langage) ; configurer un logiciel de sauvegarde ; mettre en place une connexion distante ; ajouter de la mémoire à un ordinateur ; changer un disque dur ; lancer ou désactiver l'exécution de certains programmes au démarrage du système d'exploitation, etc.

Et là n'est pas le pire. En effet, au-delà de ces criantes inaptitudes techniques, les nouvelles générations éprouvent aussi d'effroyables difficultés à traiter, trier, ordonner, évaluer et synthétiser les gigantesques masses de données stockées dans les entrailles du Web[49-54]. Selon les auteurs d'une étude consacrée à cette problématique, croire que les membres de la *Google generation* sont experts dans l'art de la recherche digitale d'informations est « un mythe dangereux[49] ». Un triste constat corroboré par les conclusions d'une autre recherche de grande ampleur, publiée par les chercheurs de l'université de Stanford, aux États-Unis. Pour ces derniers, « globalement, la capacité des jeunes gens [collégiens, lycéens et étudiants] à raisonner sur l'information disponible sur Internet peut être résumée en un mot : sombre. Nos "*digital natives*" sont peut-être capables de virevolter entre Facebook et Twitter tout en téléchargeant simultanément un selfie sur Instagram et en envoyant un texto. Mais quand il s'agit d'évaluer l'information qui circule à travers les canaux des médias sociaux, ils sont facilement dupés [...]. Dans tous les cas, à tous les niveaux, nous avons été déconcertés par le manque de préparation des étudiants [...]. Beaucoup pensent qu'étant à l'aise avec les médias sociaux, les jeunes sont aussi compétents à traiter ce qu'ils y trouvent. Notre travail montre l'inverse[44] ». Selon les auteurs, ces résultats « stupéfiants et inquiétants » ne dessinent rien de moins qu'une « menace pour la démocratie ». Oserais-je rappeler, pour éviter tout malentendu quant à la portée de cette conclusion, que les chercheurs de Stanford ne sont pas réputés pour être de dangereux gauchistes hystérisants ?

Assurément, cet état d'incompétence généralisée est peu surprenant tant les *digital natives* présentent, en matière de numérique, une liste d'usages aussi « limitée[36] » que « peu spectaculaire[29] ». Le menu de nos petits génies s'articule ainsi prioritairement autour d'activités récréatives pour le moins basiques : réseaux sociaux, jeux vidéo, fréquentation de sites marchands, échanges de SMS, visionnage de clips musicaux, vidéos, films et séries, etc.[37, 55-57] En moyenne, selon les termes d'une étude récente, « seulement 3 % du temps consacré par les enfants et adolescents aux médias digitaux est utilisé à la création de contenus » (tenir un blog, écrire des programmes informatiques, créer des vidéos ou autres contenus « artistiques », etc.)[58]. Plus de 80 % des ados et préados déclarent ne « jamais » ou « quasiment jamais » utiliser leurs outils numériques pour faire œuvre créative[37]. Même chose pour les usages académiques censément ubiquistes. Ceux-ci représentent, en moyenne, une fraction mineure du temps total d'écran : à peu près 5 % chez les enfants (8-12 ans) et 10 % chez les ados (13-18 ans). Et encore ces maigres valeurs sont-elles largement surestimées dans la mesure où elles incluent les nombreux cas d'exploitations conjointes (*multitasking)* durant lesquels le travail académique se mêle à l'expédition de SMS, au maniement des réseaux sociaux ou à l'usage de la télévision[37].

Dans ce contexte, croire que les *digital natives* sont des ténors du bit, c'est prendre ma charrette à pédale pour une roquette interstellaire ; c'est croire que le simple fait de maîtriser une application informatique permet à l'utilisateur de comprendre quoi que ce soit aux éléments physiques et logiciels engagés. Peut-être était-ce (un peu) le cas « avant », aux temps glorieux des premiers DOS et UNIX, lorsque la moindre installation d'imprimante tournait au périple homérique. Il est intéressant, en tout cas, de relier cette idée aux résultats d'une étude académique montrant que l'utilisation personnelle d'un ordinateur à des fins récréatives était positivement corrélée avec les performances en mathématiques des étudiants dans les années 1990, mais plus dans les années 2000 (celles de nos fameux génies *millenials*)[59]. Cela se comprend si l'on veut bien considérer que l'usage et la fonction des ordinateurs domestiques ont drastiquement changé en deux décennies. Pour les enfants et ados actuels, ces outils, consommables à l'infini sans effort ni compétence, servent essentiellement au divertissement. Aujourd'hui, tout est quasiment *plug and play* (littéralement « branche et joue »). Jamais la distance entre facilité d'utilisation et complexité d'implémentation n'a été aussi vaste. Il est désormais aussi nécessaire à l'utilisateur lambda de comprendre comment marche son smartphone, sa télé ou son ordinateur qu'il est utile au gastronome du dimanche de maîtriser les subtilités de l'art culinaire pour aller déjeuner chez Bocuse ; et (surtout !) il est extravagant de penser que le simple fait de manger régulièrement chez Bocuse permettra au premier *quidam* venu de devenir un cuisinier aguerri. Dans le domaine culinaire, comme dans le champ informatique, il y a celui qui utilise et celui qui conçoit… et, pour exister, le premier n'a clairement pas besoin de connaître les secrets du second.

Pour ceux qui en douteraient, un petit détour par la population des *digital immigrants*[*, 10] devrait se révéler enrichissant. En effet, quantité d'études montrent que les adultes s'avèrent globalement, en matière numérique, aussi compétents[26, 36, 40] et assidus[60-62] que leurs jeunes descendants. Même les seniors parviennent, sans grandes difficultés, quand ils le jugent utile, à pénétrer ce nouvel univers[63]. Prenez, par exemple, mes amis Michèle et René. Avec plus de 70 ans chacun au compteur, ces deux retraités sont nés bien avant la généralisation de la télévision et la naissance d'Internet. Leur premier téléphone fixe, ils l'ont eu à plus de 30 ans. Tout cela ne les empêche pas, aujourd'hui, de posséder un écran plat géant, deux tablettes, deux smartphones et un ordinateur de bureau ; de commander leurs billets d'avion sur la Toile ; d'utiliser Facebook, Skype, YouTube et un service de vidéo à la demande ; ou de jouer aux jeux vidéo avec leurs petits-enfants. Plus connectée que sa moitié, Michèle n'hésite d'ailleurs pas à alimenter le compte Twitter de son club de marche à coups de *selfies* et *punchlines*.

Franchement, comment croire une seule seconde que de telles pratiques sont susceptibles de transformer qui que ce soit en maestro de l'informatique ou autre génie du codage ? N'importe quel niguedouille est capable, en

---

* Expression couramment utilisée pour caractériser les utilisateurs « âgés », nés avant l'ère numérique ; et qui sont donc supposés moins compétents que les *digital natives*.

quelques minutes, de prendre en main ces outils. Ceux-ci sont d'ailleurs pensés et conçus pour cela. Ainsi, comme l'expliquait il y a peu au *New York Times* un cadre dirigeant du service communication de Google, qui a choisi de mettre ses enfants dans une école primaire sans écrans, utiliser ce genre d'applications est « supersimple. C'est comme apprendre à se brosser les dents. Chez Google et dans toutes ses filiales, nous rendons la technologie aussi désespérément facile à utiliser qu'il est possible. Il n'y a aucune raison que nos enfants ne puissent pas la maîtriser quand ils deviendront plus âgés[64] ». En d'autres termes, « il est toujours temps, à 18, 20 ou même 30 ans, d'apprendre à se servir de Word (en une heure), d'Excel (en deux heures) ou d'un moteur de recherche (en cinq minutes)[65] ». Par contre, si les dispositions cardinales de l'enfance et de l'adolescence n'ont pas été suffisamment mobilisées, il est généralement trop tard pour apprendre par la suite à penser, réfléchir, maintenir sa concentration, faire des efforts, maîtriser la langue au-delà de ses bases rudimentaires, hiérarchiser les larges flux d'informations produits par le monde numérique ou interagir avec les autres. Au fond, tout cela se résume à une bête question de calendrier. D'un côté, une conversion tardive au numérique ne vous empêchera nullement, pour peu que vous y passiez un minimum de temps et ayez au moins le QI d'une palourde, de devenir aussi agile que le plus chevronné des *digital natives*. D'un autre côté, une immersion prématurée vous détournera fatalement d'apprentissages essentiels qui, en raison du verrouillage progressif des « fenêtres » de développement cérébral, deviendront de plus en plus difficiles à effectuer.

Des intérêts politiques et commerciaux

Ainsi donc, de toute évidence, l'idyllique portrait médiatique des *digital natives* manque un peu de substance factuelle. C'est ennuyeux ; mais ce n'est pas surprenant. En effet, même si l'on se détourne totalement des faits pour s'en tenir à une stricte exégèse théorique, l'effarante débilité de cette triste fiction s'obstine à demeurer limpide. Prenez les citations présentées tout au long du présent chapitre. Elles affirment avec le plus docte sérieux que les *digital natives* sont un groupe mutant à la fois dynamique, impatient, zappeur, multitâche, créatif, friand d'expérimentations, doué pour le travail collaboratif, etc. Mais qui dit mutant dit différent. Dès lors, ce qui transparaît implicitement ici, c'est aussi l'image d'une génération précédente misérablement amorphe, lente, patiente, monotâche, dépourvue de créativité, inapte à l'expérimentation, réfractaire au travail collectif, etc. Drôle de tableau qui, *a minima*, dessine deux axes de réflexion. Le premier interroge les efforts déployés pour redéfinir positivement toutes sortes d'attributs psychiques dont on sait depuis longtemps qu'ils sont fortement délétères pour la performance intellectuelle : dispersion, zapping, *multitasking*, impulsivité, impatience, etc. Le second questionne l'ubuesque acharnement mis en œuvre pour caricaturer et ringardiser les générations prédigitales. C'est à se demander comment le pathétique amas individualiste et limaciforme de nos ancêtres a pu survivre aux affres de l'évolution darwinienne. Comme l'écrit l'enseignante et chercheuse en didactique Daisy Christodoulou dans un livre fort bien documenté au sein duquel elle disloque délicieusement les mythes fondateurs des nouveaux pédagogismes numériques, « il est un poil condescendant de suggérer que personne avant l'an 2000 n'a jamais eu besoin d'avoir de l'esprit critique, de résoudre des problèmes, de communiquer, de collaborer, de créer d'innover ou de lire[66] ». Franchement, pour prendre un dernier exemple, quand un parlementaire, censément spécialiste des questions d'éducation, auteur de deux rapports officiels sur l'importance des technologies de l'information pour l'école[67-68], s'autorise à écrire des choses aussi ébouriffantes que « le numérique permet la mise en place de pédagogies de l'estime de soi, de l'expérience, de l'apprentissage[11] », on ne peut qu'hésiter entre le rire, la colère et la consternation. Que veut donc dire notre cher député ? Qu'avant le numérique il n'était question dans les classes ni de pédagogie, ni d'expérimentation, ni d'estime de soi ? Heureusement que Rabelais, Rousseau, Montessori, Freinet, La Salle, Wallon, Steiner ou encore Claparède ne sont plus là pour entendre l'affront. Et puis, vraiment, quelle incroyable révolution, jugez du peu : « une pédagogie de l'apprentissage ». Comme s'il pouvait en être autrement ; comme si la pédagogie ne nommait pas intrinsèquement une sorte d'art de l'enseignement (et donc de l'apprentissage) ; comme si une pédagogie quelle qu'elle soit pouvait viser l'ankylose, l'abrutissement et la stagnation. Réaliser que c'est ce genre de discours aussi creux que ridicules qui pilotent la politique éducative de nos écoles a quelque chose d'un peu effrayant.

« Un cerveau plus développé »

Au mythe du *digital native* est souvent attachée l'étonnante chimère de l'enfant mutant. Celle-ci veut que nos néoprodiges du numérique aient un cerveau « différent », façonné pour « un mode de pensée plus fluide et plus rapide[69] ». L'idée trouve son étayage principal dans le champ des jeux vidéo. En effet, plusieurs études menées à l'aide de l'imagerie médicale ont démontré, de manière convaincante, que le cerveau des *gamers* présentait certaines disparités morphologiques localisées, par rapport au cerveau de Monsieur ou Madame Tout-le-monde[70-74]. Une aubaine pour nos preux journalistes, dont certains sans doute ne rechignent pas, le cas échéant, à tâter du *joystick*. Partout sur la planète, ils firent à ces études un accueil triomphal, à grand renfort de titres tapageurs. Par exemple : « Jouer à *Super Mario* augmente le volume de matière grise[75] » ; « Les adeptes des jeux vidéo ont plus de matière grise et une meilleure connectivité cérébrale[76] » ; « La surprenante connexion entre jouer aux *jeux* vidéo et un cerveau plus dense[77] » ; « Les jeux vidéo peuvent augmenter la taille et la connectivité du cerveau[78] » ; etc. Rien de moins. C'est à se demander comment des adultes sains d'esprit peuvent encore priver leurs enfants d'une telle manne. En effet, même si l'idée n'est pas précisément formulée, on trouve derrière ces titres une claire affirmation de compétence : parents, grâce aux jeux vidéo, vos enfants auront un cerveau plus développé et mieux connecté, ce qui – tout le monde l'aura compris – augmentera leur efficience intellectuelle.

Pas de supériorités fonctionnelles

Malheureusement, le mythe, là encore, ne résiste pas longtemps à l'évaluation. Pour entrevoir la stupéfiante inanité de cette esbroufe médiatique, il faut juste comprendre que tout état persistant et/ou toute activité répétitive change l'architecture cérébrale[79]. En d'autres termes, tout ce que nous faisons, vivons ou expérimentons modifie tant la structure que le fonctionnement de notre cerveau. Certaines zones deviennent plus épaisses, d'autres plus minces ; certaines voies de connexion se développent, d'autres s'affinent. C'est le propre de la plasticité cérébrale. Dans ce cadre, il devient évident que les titres précédents peuvent s'appliquer indistinctement à n'importe quelle activité spécifique ou condition récurrente : jongler[80], jouer de la musique[81], consommer du cannabis[82], subir une amputation[83], conduire un taxi[84], regarder la télévision[85], lire[86], faire du sport[87], etc. Néanmoins, à ma grande surprise, je n'ai jamais vu de « unes » dans la presse expliquant, par exemple, que « la télévision booste le volume de notre matière grise », que « fumer du cannabis peut rendre votre cerveau plus gros » ou qu'il existe une « surprenante connexion entre subir une amputation et un cerveau plus dense ». Pourtant, encore une fois, ces titres auraient exactement la même pertinence que ceux couramment proposés au sujet des jeux vidéo. Alors franchement, dire que les *gamers* ont une architecture cérébrale différente, c'est s'extasier d'un truisme. Autant claironner que l'eau mouille. Bien sûr on peut comprendre que le PDG d'Ubisoft* se jette sur le créneau pour expliquer, dans un documentaire diffusé sur une chaîne publique, que grâce aux jeux vidéo « on a un cerveau plus développé[88] ». Ce qui est plus difficile à admettre, c'est que des journalistes supposément formés et indépendants continuent à reprendre, sans le moindre recul, ce genre de propagande grotesque.

L'imposture s'avère d'autant plus crasse que le lien entre performances cognitives et épaisseur du cerveau est loin d'être univoque. En effet, lorsque l'on touche au fonctionnement cérébral, plus gros ne veut pas forcément dire plus efficace. Dans bien des cas, un cortex plus mince se révèle fonctionnellement plus efficient, l'amincissement observé traduisant l'existence d'un processus d'élagage des connexions surnuméraires ou inutiles entre les neurones[89]. Prenez le quotient intellectuel (QI). Chez l'adolescent et le jeune adulte, son développement est associé à un affinement progressif du cortex pour nombre de zones, notamment préfrontales, que les études relatives à l'influence des jeux vidéo ont décrites comme plus épaisses[90-92]. Des travaux spécifiques ont même directement lié, pour ces zones préfrontales, la surépaisseur corticale observée chez les *gamers* avec

* Une importante société française de création et de distribution de jeux vidéo.

une diminution du QI[93]. Cette relation négative a également été décrite chez les amateurs de télévision[85] et les usagers pathologiques d'Internet[94]. Il est donc temps de se rendre à l'évidence : « un cerveau plus gros » ne constitue pas un marqueur fiable d'intelligence. Dans bien des cas, un cortex trop joufflu est le signe, non d'une géniale optimisation fonctionnelle, mais d'un triste défaut de maturation.

Les « unes » tapageuses s'accompagnent parfois, il est vrai, de quelques assertions précises sur la nature des adaptations anatomiques observées. On nous expliquera alors, par exemple, que la plasticité cérébrale associée à l'utilisation soutenue de *Super Mario* « s'observe dans l'hippocampe droit, le cortex préfrontal droit et le cervelet – des zones impliquées dans des fonctions telles que la formation de la mémoire, la réflexion stratégique, le déplacement dans l'espace et la motricité des mains[95] ». Sur le fond, ce genre de bijou rédactionnel se garde bien d'affirmer qu'un lien causal existe entre les changements anatomiques observés et les aptitudes fonctionnelles postulées, mais la tournure de la phrase invite fortement à croire en l'existence d'un tel lien. Ainsi, le lecteur lambda comprendra que : l'épaississement de l'hippocampe droit améliore le potentiel de mémorisation ; l'épaississement du cortex préfrontal droit signale le développement des capacités de réflexion stratégique ; et l'épaississement du cervelet marque le perfectionnement de la dextérité. Impressionnant, mais hélas infondé[71].

Prenez l'hippocampe. Cette structure est effectivement centrale dans le processus de mémorisation. Mais pas de façon uniforme. La partie postérieure de l'hippocampe droit, qui s'épaissit chez les joueurs, est essentiellement impliquée dans la mémoire spatiale. Cela veut dire, de l'aveu même des auteurs de l'étude, que ce qu'apprennent les usagers de *Super Mario* c'est à se promener dans le jeu[71]. En d'autres termes, les modifications ici observées au niveau de l'hippocampe traduisent simplement l'édification d'une carte spatiale des chemins disponibles et objets d'intérêts pour ce jeu vidéo. Le même type de transformation s'observe chez les chauffeurs de taxi qui, progressivement, construisent une carte mentale de leur ville[84]. Cela pose deux problèmes. Premièrement, ce type de savoir est hyperspécifique et donc non transférable : être capable de s'orienter dans l'écheveau topographique de *Super Mario* s'avère bien peu utile quand il s'agit de se repérer sur une carte routière ou de trouver son chemin dans les méandres spatiaux du monde réel[96]. Deuxièmement, et de manière plus fondamentale, cette mémoire de navigation n'a fonctionnellement et anatomiquement rien à voir avec la « mémoire » au sens où l'on entend généralement ce terme. Jouer à *Super Mario* n'augmente aucunement la capacité des pratiquants à retenir un souvenir agréable, une leçon de français, un cours d'histoire, une langue étrangère, une table de multiplication ou quelque autre savoir que ce soit. Dès lors, sous-entendre que jouer à *Super Mario* a un effet positif sur « la formation de la mémoire », relève au mieux d'un malheureux amalgame, au pire d'une grossière mauvaise foi.

Ajoutons, afin d'être complet, que des travaux récents ont montré que ce qui était vrai pour *Super Mario* ne l'était pas forcément pour d'autres jeux d'action, notamment les jeux de tirs à la première personne comme *Call of Duty* (*first person shooter* en anglais ; le joueur voit l'action à travers les yeux de son avatar). Ces jeux entraînent, en effet, une hypotrophie de la matière grise au niveau de l'hippocampe ; hypotrophie que de nombreuses études ont associée au développement de pathologies neuropsychiatriques lourdes (Alzheimer, schizophrénie, dépression, etc.)[97].

Même chose pour le cortex préfrontal droit. Ce territoire supporte un grand nombre de fonctions cognitives, depuis l'attention jusqu'à la prise de décision en passant par l'apprentissage de règles symboliques, l'inhibition comportementale et la navigation spatiale[98-100]. Mais, là encore, rien ne permet de lier précisément l'une ou l'autre de ces fonctions aux changements anatomiques identifiés ; ce que reconnaissent d'ailleurs volontiers les auteurs de l'étude[71]. En fait, quand on regarde précisément les données, on s'aperçoit que les adaptations préfrontales consécutives à l'usage intensif de *Super Mario* sont uniquement liées au désir de jouer ! Comme l'expliquent les auteurs, « le désir de jouer conduit à un épaississement du cortex préfrontal dorso-latéral[71] ». En d'autres termes, ce changement anatomique pourrait refléter une banale sollicitation du système de récompense* dont le cortex préfrontal dorso-latéral est un élément clé[98, 101]. Bien sûr, le terme « banal » ici utilisé peut sembler mal choisi quand on sait que l'hypersensibilité des circuits de récompense, telle que développée par les jeux vidéo d'action, est intimement associée à l'impulsivité comportementale et au risque d'addiction[102-105]. De fait, plusieurs études ont lié l'épaississement des zones préfrontales ici considérées avec un usage pathologique d'Internet et des jeux vidéo[94, 106].

Ces données sont d'autant moins anodines que l'adolescence est une période privilégiée de maturation du cortex préfrontal[107-111] et, de fait, un moment d'extrême vulnérabilité pour l'acquisition et le développement de troubles addictifs, psychiatriques et comportementaux[112-114]. Dans ce contexte, les changements anatomiques dont se

* Le système de récompense peut être décrit comme un ensemble de structures cérébrales qui incitent à la reproduction des expériences plaisantes. Schématiquement, l'expérience agréable (ou positive) entraîne la libération de substances biochimiques (des neurotransmetteurs, la dopamine en particulier) qui activent les circuits du plaisir, ce qui favorise la reproduction du comportement associé.

gaussent certains médias pourraient très bien poser, non les jalons d'un avenir intellectuel radieux, mais les bases d'un désastre comportemental à venir ; une hypothèse sur laquelle nous reviendrons largement au sein de la seconde partie.

Pas de transfert vers la « vraie vie »

Cela étant dit, même si l'on rejetait les craintes ci-dessus évoquées, il faudrait encore considérer le problème de généralisation. Sous-entendre que l'épaississement préfrontal observé chez les usagers de *Super Mario* améliore les capacités de « réflexion stratégique » est une chose ; montrer en quoi cette amélioration peut exister et être utile en dehors des spécificités du jeu en est une autre, bien différente. En effet, qui peut raisonnablement croire, une fois évacué le syncrétisme sémantique de ce concept fourre-tout, que la « réflexion stratégique » est une compétence générale, indépendante des contextes et savoirs qui lui ont donné corps ? Ainsi, par exemple, qui peut croire qu'il y a quelque chose de commun entre le processus de « réflexion stratégique » entraîné par *Super Mario* et celui requis pour mener à bien une négociation commerciale, jouer aux échecs, résoudre un problème de maths, hiérarchiser un emploi du temps ou ordonner les arguments d'une dissertation ? L'idée est non seulement absurde mais aussi contraire aux recherches les plus récentes montrant qu'il n'y a quasiment aucun transfert depuis les jeux vidéo vers la « vraie vie »[115-123]. En d'autres termes, jouer à *Super Mario* nous apprend principalement à jouer à *Super Mario*. Les compétences alors acquises ne se généralisent pas. Au mieux, elles peuvent s'étendre à certaines activités analogues qui portent les mêmes contraintes que celles imposées par le jeu[121, 124].

Reste le cervelet et l'amélioration supposée de la dextérité. Là aussi, les problèmes d'interprétation et de généralisation s'avèrent évidents. D'abord, bien d'autres mécanismes pourraient rendre compte de l'adaptation anatomique observée (contrôle de la stabilité posturale ou du déplacement des yeux, apprentissage des liens stimulus-réponses, etc.)[125, 126]. Ensuite, même si l'on admet l'hypothèse de dextérité, il est peu probable que la compétence alors acquise se transfère au-delà de certaines tâches spécifiques, nécessitant de contrôler, via un *joystick*, le déplacement d'un objet visuellement repéré (par exemple, piloter un drone, une souris d'ordinateur ou un télémanipulateur en chirurgie[127]). Qui peut raisonnablement croire que jouer à *Super Mario* peut favoriser globalement l'apprentissage d'habiletés visuo-manuelles fines telles que jouer du violon, écrire, dessiner, peindre, frapper un coup droit au tennis de table ou construire une maison en Lego ? S'il est un domaine où l'extrême spécificité des apprentissages est aujourd'hui solidement actée, c'est bien celui des compétences sensorimotrices[*, 128].

« Les écrans, c'est formidable ! »

Au-delà des mythes fondateurs du *digital native* et de l'enfant mutant se trouvent évidemment toutes sortes d'autres histoires, moins universelles, mais dont la multiplicité fournit au prosélytisme numériste un large terreau

---

* Cette expression caractérise l'ensemble des activités qui impliquent à la fois les fonctions sensorielles (voir, entendre, etc.) et motrices (bouger). Par exemple, écrire, dessiner, attraper ou manipuler un objet, jouer au tennis, au football, au basket, etc. Typiquement, dans le langage courant, on parle simplement de fonctions « motrices », mais l'idée est la même.

nourricier. Le lancement du fameux programme « One laptop per child* » dans certains pays économiquement défavorisés en offre un excellent exemple. L'objectif consistait à offrir aux enfants de ces pays des ordinateurs (puis des tablettes) *low cost* en espérant que cela aurait un impact positif sur leurs compétences scolaires et intellectuelles. Partout à travers le monde, les médias louèrent cette formidable initiative lancée par une ONG américaine et dont les premières retombées furent souvent décrites avec moult exaltation[129-138]. Malheureusement, les résultats objectivement mesurés ne furent là encore pas vraiment à la hauteur des éclatantes promesses initiales. Évaluation après évaluation, les chercheurs durent bien reconnaître l'inanité de ce coûteux[139] programme sur les compétences scolaires et cognitives des enfants[140-145]. Dans bien des cas, le bilan se révéla même négatif, les bénéficiaires préférant (qui en sera surpris !) utiliser leurs ordinateurs pour s'amuser (jeux, musique, télé, etc.) plutôt que travailler. Conclusion d'un article de synthèse : « *One laptop per child* est la dernière d'une longue liste d'approches technologiques utopiques ayant cherché à résoudre des problèmes sociaux complexes sur la base de solutions outrageusement simplistes [...]. Il n'y a pas d'ordinateur magique capable de résoudre les problèmes éducatifs du monde en développement[146]. » Un bien sombre constat qui, doit-on le souligner, n'eut que bien peu d'écho dans les médias, notamment ceux qui se révélèrent initialement les plus fervents défenseurs du projet. Un « oubli » qui explique sans doute pourquoi autant de gens croient encore aujourd'hui – comme cela fut initialement clamé haut et fort sans le moindre recul, sur la base d'anecdotes savamment distillées par les promoteurs de l'opération – qu'il suffit de donner

---

* Traduisez « Un ordinateur portable par enfant » qui deviendra ensuite « Une tablette par enfant ».

un ordinateur à des gamins illettrés pour que ceux-ci « s'éduquent seuls[137] » et « apprennent à lire par eux-mêmes sans enseignant[138] ». Une drôle de fable dont il aurait sans doute été dommage, une fois les études d'efficience réalisées, de souligner trop ouvertement l'extravagance ; et ce d'autant plus que la charmante confusion ici entretenue pourrait se révéler fort utile à l'heure où ces outils commencent à déferler sur tous les écoliers de notre monde, dès la maternelle[147-150]. D'ailleurs, à ce titre, il aurait été dommage aussi d'offrir le même genre de tribune médiatique à d'autres programmes plus humbles et moins criards ; tels ces programmes ayant montré, dans les pays en développement, que la distribution de livres aux mères de jeunes enfants avait un effet positif majeur sur le développement de ces derniers en matière de langage, d'attention et d'interactions sociales[151, 152]. Pourquoi vanter une intervention simple, efficace et bon marché quand on peut couvrir de louanges un projet complexe, inopérant et dispendieux ?

L'exagération vraisemblable

La création de mythes totalement déconnectés des réalités objectives n'est toutefois pas la seule arme propagandiste des boutiquiers du numérique. Au récit d'invention pur et simple, ces braves gens préfèrent souvent l'exagération vraisemblable. Ils ne le font d'ailleurs pas toujours sciemment, mais par commodité, parce qu'ils ne prennent pas la peine de lire en détail les études évoquées et se contentent de broder sur une annonce d'agence de presse ou le travail déjà publié d'un confrère. Le lien supposé entre pratique des jeux vidéo d'action et traitement de la dyslexie en offre un excellent exemple. Suite à deux études scientifiques apparemment convergentes, les médias du monde entier se lancèrent dans une incroyable surenchère sémantique, à coups de titres mirifiques, dépourvus de toute once conditionnelle : « Des jeux vidéo pour lutter contre la dyslexie[153] » ; « Les jeux vidéo aident la lecture chez les enfants dyslexiques[154] » ; « Un jour de jeux vidéo surpasse une année de thérapie pour les lecteurs dyslexiques[155] » ; etc. Vertigineux… et désespérément attentatoire à la réalité des faits. En effet, rien dans les recherches dont, supposément, il s'agissait de rendre compte, ne permettait de justifier un tel flot flagorneur. Quelques précisions devraient permettre de le démonter, sans qu'il soit nécessaire de rentrer dans des détails trop techniques.

Commençons par l'étude la plus récente[156]. Réalisée chez des sujets adultes, celle-ci n'a rien à voir avec les jeux vidéo. Elle confirme simplement qu'il existe des difficultés spécifiques d'intégration des informations audiovisuelles chez certains dyslexiques. La question des jeux vidéo apparaît de manière très allusive, en fin d'article, lorsque les auteurs suggèrent que ces outils pourraient peut-être aider à résorber le trouble audiovisuel identifié par l'étude. Adossé à une spéculation aussi rudimentaire, on peut quand même s'émouvoir qu'un quoditien majeur ose titrer : « Les jeux vidéo d'action recommandés aux dyslexiques[157] » ; pendant qu'un journaliste claironne sur l'antenne d'une radio nationale, à une heure de grande écoute, que « récemment, une étude de l'université d'Oxford montre que les jeux vidéo d'action pourraient aider à lutter contre la dyslexie en habituant le cerveau à relier l'image au son[158] ». Si ce genre d'hallucination doit être étiqueté du sceau de la vulgarisation scientifique, alors il va rapidement falloir donner le Nobel de médecine à Rudyard Kipling pour son conte sur l'origine de la bosse du chameau[159].

Le problème posé par la seconde étude est plus subtil, mais tout aussi fondamental. Dans ce travail, mené à l'université de Padoue, en Italie, les auteurs ont mesuré la vitesse de déchiffrage chez des enfants dyslexiques âgés de 10 ans[160]. Pendant douze heures, réparties sur deux semaines, deux populations similaires (incroyablement restreintes : dix sujets seulement) furent exposées à différentes séquences d'un même jeu vidéo (*Rayman contre les lapins crétins*) : pour le groupe « expérimental », des séquences rapides dites d'action ; pour le groupe « contrôle » des séquences lentes dites neutres. Au terme de cette exposition, seuls les enfants du groupe expérimental montrèrent une amélioration significative de leur capacité de décodage : ils lisaient les mots un peu plus vite sans faire plus d'erreurs. Le gain atteignait 23 syllabes par minute, soit à peu près dix mots. Pour comprendre ce que cela veut dire, il faut savoir qu'un enfant dyslexique italien de 10 ans lit à peu près 95 syllabes par minute (soit en gros 45 mots)[161-162]. Un enfant non-dyslexique affiche pour sa part 290 syllabes (soit à peu près 140 mots). En d'autres termes, après exposition au jeu, les enfants dyslexiques restaient toujours terriblement déficitaires : ils étaient passés en gros de 45 à 55 mots lus par minute soit 2,5 fois moins que les enfants non-dyslexiques. Dès lors, laisser entendre que « les jeux vidéo apprennent à lire aux enfants dyslexiques[163] » semble pour le moins exagéré. C'est d'autant plus vrai qu'il existe aussi une sérieuse différence entre décodage et lecture. Ce n'est pas parce qu'un enfant dyslexique décode les mots marginalement plus vite qu'il va mieux comprendre ce qu'il lit ; et c'est quand même, en dernière analyse, cette compréhension qui définit la lecture ! Le problème est évidemment évoqué par les auteurs de l'étude et il est vraiment dommage que l'armée des caudataires numéristes ait raté le passage suivant de l'article scientifique : « Considérant que les enfants dyslexiques pourraient [on n'en est même pas sûr !] présenter des problèmes de compréhension en conséquence de leur déficit central de décodage, des études subséquentes pourraient directement évaluer le possible effet des jeux vidéo d'action sur ce paramètre de lecture de niveau supérieur. » En d'autres termes, on ignore si la modeste amélioration observée dans les capacités de décodage d'un très petit groupe d'enfants dyslexiques influence la lecture elle-même, mais ce serait sympa de le tester un de ces jours. Il y a quand même loin, semble-t-il, de cette prudente réalité scientifique aux emphases médiatiques précédemment décrites. Mais ce petit arrangement avec le réel n'est rien, admettons-le, à côté de l'effarante inexactitude d'autres affirmations du genre : « Jouer aux jeux vidéo rapides a plus aidé à améliorer la vitesse de lecture des enfants dyslexiques qu'une année d'intense thérapie traditionnelle ne le pourrait[155]. » Car, en vérité, ce n'est pas à une année de thérapie que correspond le léger gain mesuré dans l'étude, mais, selon les auteurs, à « une année de développement spontané de la lecture [c'est-à-dire de développement sans thérapie][160] » ; ce qui est quand même passablement différent. Mais bon, quitte à raconter n'importe quoi, autant y aller franchement.

Des généralisations abusives

Le pire, c'est que même si l'on admettait que le jeu *Rayman contre les lapins crétins* améliore vraiment la capacité de lecture des enfants dyslexiques (et nous en sommes loin !), les titres de presse ci-dessus évoqués resteraient scélérats. En effet, leur tournure généralisatrice laisse entendre qu'il serait bon de jouer aux jeux vidéo d'action, voire aux jeux vidéo tout court ; ce que bien des parents d'enfants non-dyslexiques enregistreront implicitement comme une incitation positive rassurante. Certains journalistes particulièrement zélés n'hésitent d'ailleurs pas à franchir allègrement le pas de l'explicitation en affirmant, par exemple, qu'une « étude de l'université de Padoue a jeté un froid sur l'idée que les jeux vidéo sont mauvais pour le cerveau des jeunes enfants[164] » ; ou encore que l'on « accuse souvent les jeux vidéo de rendre les enfants agressifs, mais ce que l'on sait moins, c'est qu'ils auraient des bienfaits médicaux [...]. Les chercheurs ont fait jouer des enfants dyslexiques à des jeux vidéo, comme *Rayman*, pendant 9 sessions de 80 minutes par jour. Ils ont ainsi réalisé qu'en seulement 12 heures, les enfants avaient gagné une vitesse de lecture similaire à celle acquise après un an de traitement classique [*sic*], tout en s'amusant. Une très bonne nouvelle, donc, surtout pour les enfants, qui ont enfin une excuse valable pour échapper aux devoirs et jouer à la console[158] ! ».

Ces extrapolations sont parfaitement usurpatoires. En effet, tous les jeux d'action n'ont pas la même structure et ce qui est vrai pour *Rayman* ne l'est pas forcément pour *Super Mario*, *Call of Duty* ou *Grand Theft Auto* (GTA). Et même si l'on admettait que l'effet positif supposé est généralisable à tous les jeux d'action, comment être sûr d'un bénéfice chez les enfants non-dyslexiques ? Et là encore, même si l'on admet ce point, comment savoir que le rapport bénéfice-risque sera positif et que les influences négatives ne pèseront pas infiniment plus lourd que les quelques effets positifs observés ; surtout si l'exposition dépasse douze heures pour devenir chronique ? Nombre d'études, sur lesquelles nous reviendrons en détail dans la seconde partie du livre, ont montré que les jeux vidéo d'action n'avaient pas, loin de là, que des vertus positives en matière de sommeil, d'addiction, de concentration ou de réussite scolaire. Mais pourquoi inquiéter inutilement parents, lecteurs et auditeurs avec ce genre de détails secondaires ?

En conclusion

Du présent chapitre, une chose principale est à retenir : les *digital natives* ou autres membres de je ne sais quelle confrérie des X, Y, Z, lol, zappiens ou C, n'existent pas. L'enfant mutant du numérique, que son aptitude à taquiner le smartphone aurait transformé en omnipraticien génial des nouvelles technologies les plus complexes ; que Google Search aurait rendu infiniment plus curieux, agile et compétent que n'importe lequel de ses enseignants pré-digitaux ; qui grâce aux jeux vidéo aurait vu son cerveau prendre force et volume ; qui grâce aux filtres de Snapchat ou Instagram aurait élevé sa créativité jusqu'aux plus hauts sommets ; etc. ; cet enfant n'est qu'une légende. Il n'est nulle part dans la littérature scientifique. Son image cependant continue à hanter les croyances collectives. Et c'est bien cela le plus stupéfiant. En effet, qu'une telle absurdité ait pu voir le jour n'a, en soi, rien d'extraordinaire. Après tout, l'idée méritait d'être évaluée. Non, ce qui est extraordinaire, c'est qu'une telle absurdité perdure contre vents et marées, et, en plus, contribue à orienter nos politiques publiques, notamment dans le domaine éducatif.

Car au-delà de ses aspects folkloriques, ce mythe n'est évidemment pas dénué d'arrière-pensées[25]. Sur le plan domestique, d'abord, il rassure les parents en leur faisant croire que leurs rejetons sont de véritables génies du numérique et de la pensée complexe, même si, dans les faits, ces derniers ne savent utiliser que quelques (coûteuses) applications triviales. Sur le plan scolaire, ensuite, il permet, pour le plus grand bonheur d'une industrie florissante, de soutenir la numérisation forcenée du système et ce, malgré des performances pour le moins inquiétantes (nous y reviendrons dans la seconde partie). Bref, tout le monde y gagne… sauf nos enfants ; mais ça apparemment tout le monde s'en moque.

2

Paroles d'experts

Certaines montagnes ne peuvent être indéfiniment masquées et la réalité finit toujours par transpirer quelque part. Pour les industriels le problème est sérieux ; mais pas désespéré. En effet, comme l'a initialement démontré l'industrie du tabac[165-167], une solution existe : l'expert « maison » ! Au moindre vent contraire, cet obligeant laquais s'épand sur les médias comme la triste vérole gagne le bas clergé. Partout il ferraille ardemment au profit de la cause. Peu importe son savoir effectif, peu importe sa réelle connaissance des domaines abordés, peu importent ses éventuels conflits d'intérêts ; seul compte alors le poids des apparences et la capacité de sujétion féale. En d'autres termes, pour être sélectionné et adoubé, l'expert maison n'a pas à être qualifié. Il doit uniquement justifier d'un titre séduisant et faire preuve d'une totale absence de probité morale. Ainsi, à défaut d'être capable, il doit sembler crédible et, à défaut d'être honorable, il doit paraître probe.

Pour les médias, cette question de l'expert stipendié est d'autant plus redoutable que se pose constamment la question de l'impartialité. S'il y a deux camps, dit le dogme, il faut se garder de juger, de peser ou d'arbitrer. Il faut juste tendre l'oreille et essayer de restituer aussi fidèlement qu'il est possible l'antagonisme des postures concurrentes. Peu importe que cent disent blanc quand un seul dit noir, il convient d'offrir à chaque camp des espaces comparables. C'est là, nous dit-on, le prix impératif de la neutralité. Un prix en forme de Sainte-Trinité des âmes objectives : thèse, antithèse et synthèse molle. Comme l'aurait dit le cinéaste Jean-Luc Godard, l'objectivité médiatique c'est « cinq minutes pour Hitler, cinq minutes pour les Juifs[168] ».

Cette tyrannie du veule, les historiens des sciences Naomi Oreskes et Erik Conway la nomment joliment « doctrine de l'équité[165] ». Pour nombre de spécialistes, l'approche constitue, sous ses atours rassurants, un terrifiant vecteur de désinformation[169-172]. En effet, c'est par son intermédiaire que « l'expert maison » se voit offrir la possibilité d'abattre, de quelques mots viciés, les réalités scientifiques les mieux corroborées (ou, à l'inverse, de promouvoir les fables les plus extravagantes). Évidemment, ce cher tartufe ne travaille pas pour rien. L'industrie sait remercier ses troupes avec grande générosité. Cela a été amplement démontré dans les domaines du tabac, du médicament et, plus récemment, des prothèses ou sodas[165, 167, 173-181]. D'un point de vue strictement financier, il est toujours rentable de préférer l'intérêt industriel à la santé publique. Précisons cependant que nous ne parlons pas ici des lanceurs d'alerte ou autre scientifiques isolés qui prennent courageusement la parole pour dénoncer telle ou telle anomalie dans un champ thématique encore mal défriché et/ou dominé par les études sponsorisées. Nous parlons de ces voix outrageusement serviles qui s'appliquent, au prix de contorsions parfois rocambolesques, à nier les consensus scientifiques les plus robustes. Pour les industriels, l'approche est d'autant plus avantageuse qu'elle n'impose pas, malgré les apparences premières, de grands investissements : grâce au dogme médiatique de la molle équité, il n'est besoin que d'un tout petit nombre d'esbroufeurs dévoués pour tenir en respect les synthèses scientifiques les plus solidement validées.

Tout cela nous amène à la question fondamentale du présent chapitre : qu'est-ce qu'un expert crédible ? La réponse tient en trois points. (1) Un expert crédible, c'est d'abord quelqu'un qui connaît son domaine, c'est-à-dire qui maîtrise la littérature scientifique disponible sur le sujet. (2) Un expert crédible, c'est ensuite quelqu'un qui ne modifie pas son message, jusqu'à le tourneboul-er totalement, en fonction des auditoires qui lui prêtent attention et des financeurs qui ont sponsorisé sa prestation. (3) Un expert crédible, c'est enfin quelqu'un qui n'a pas de conflit d'intérêts ou, dans le pire des cas, qui annonce ouvertement ces derniers pour permettre au public de former son jugement en toute connaissance de cause. Lorsqu'il s'appuie sur un contributeur soi-disant « expert », tout journaliste devrait, me semble-t-il, avoir assez d'éthique et de rigueur professionnelle pour s'assurer que ces trois prérequis minimaux sont remplis. Nous en sommes hélas très loin, comme le montrent les éléments développés ci-dessous.

Précisons, pour éviter toute ambiguïté, que le présent chapitre ne vise nulle vindicte publique ni stigmatisation personnelle. Il ne s'agit pas ici de dénoncer tel ou tel personnage particulier ou organe médiatique spécifique, mais de mettre en lumière des comportements généraux pour le moins irritants (le mot est faible). C'est pour cela qu'aucun nom ne sera cité dans le corps du texte. Il est bien évident, toutefois, que le lecteur pourra, s'il juge nécessaire de vérifier la réalité des éléments présentés, remonter aux sources originelles en consultant les références bibliographiques.

De l'art d'ignorer les conflits d'intérêts

Dans le champ de l'expertise numérique, les conflits d'intérêts sont loin d'être rares. Ce ne serait pas gênant s'ils étaient clairement évoqués. Malheureusement, ce n'est (presque) jamais le cas. On pourrait, à la rigueur, comprendre cet oubli si l'information était cachée. Mais, le plus souvent, elle ne l'est nullement et il suffit de bien peu d'efforts pour la débusquer. Il serait assez facile, notamment, d'interroger de manière systématique tout intervenant sur ses éventuelles relations industrielles et commerciales. Ce n'est pas fait. Pour ce qui me concerne, par exemple, depuis bientôt dix ans, j'ai été sollicité par des dizaines de journalistes sur la question des écrans. Un seul a pris la peine d'aborder ce sujet. Pourquoi une telle désinvolture ? Les médias ont-ils peur, en abordant ce point, de porter atteinte à la crédibilité de leurs sources et donc, en retour, à la portée des articles publiés ? Craignent-ils, s'ils se montrent trop véhéments, des rétorsions commerciales de la part d'une industrie puissante et volontiers vindicative[182-184] ? Je ne sais pas. Je sais juste que ce genre de données est primordial et ne devrait jamais être occulté lorsqu'il est accessible.

Des informations occultées ou lacunaires

Exemple. Quand un expert déclare, dans de grands médias nationaux, que « les jeux vidéo canalisent la violence[185] », « [qu']interdire à un enfant l'accès aux jeux vidéo, c'est d'une certaine manière l'handicaper dans sa vie future[186] » ou que, concernant les risques existants à laisser ses enfants jouer avec des objets connectés dès le plus jeune âge, « le seul danger d'une tablette tactile, c'est si vous la recevez à travers la figure[187] », il est effectivement normal qu'apparaisse l'information selon laquelle cet expert est « psychologue », « psychologue clinicien », « psychanalyste », « cofondateur de l'Observatoire des mondes numériques en sciences humaines », « expert du monde numérique » et/ou « spécialiste des mondes virtuels » ; mais il est stupéfiant que manque le plus souvent un paragraphe soulignant que notre homme a aussi, selon les termes mêmes de sa page web, « depuis 2002, travaillé comme consultant pour SEGA, Ubisoft, Electronic-Arts, Microsoft, Mimesis, Activision ; […] en 2010 rejoint le board de la Fondation SFR ; […] en 2012, rejoint la société Manzalab spécialisée dans le *serious game* en tant que directeur scientifique ; [et…] en avril 2012, rejoint le panel d'experts pour la plateforme HappyStudio de McDonald Europe[188] ». Savoir que notre expert n'est pas indépendant des intérêts industriels permet d'appréhender différemment ses propos engageants sur l'absence de danger des tablettes pour le jeune enfant ou les vertus cathartiques, développementales et thérapeutiques du jeu vidéo.

Bien sûr, la question de l'identification des conflits d'intérêts ne concerne pas uniquement la presse. Elle s'applique à l'ensemble des intervenants médiatiques. Ainsi, par exemple, quand un expert mentionne une source d'information, il lui incombe, si elles existent, d'exposer rigoureusement les sujétions commerciales de cette source. Malheureusement, là encore, c'est loin d'être toujours le cas. Prenez cette tribune, publiée par un parlementaire français, dans un grand quotidien national[18]. On y apprend que « la pédagogie numérique, plus active, différenciée et collaborative […] peut devenir un formidable levier de changement des pratiques quotidiennes. En effet, le chercheur Robert Marzano démontre que l'utilisation des outils numériques permet d'augmenter les résultats scolaires de 16 à 31 % ». Un résultat effectivement impressionnant, mais qui mériterait d'être accompagné de deux petites informations complémentaires. Premièrement, concernant la question des conflits d'intérêts, il aurait été prudent de préciser que « le chercheur Robert Marzano » est avant tout le directeur général d'une société commerciale visant la vente de produits et services numériques[189].

Deuxièmement, concernant le sérieux de l'observation, il aurait été intéressant de détailler un peu les propriétés de ces miraculeux outils qui permettent d'accroître aussi sensiblement les résultats scolaires des élèves : jusqu'à 31 % ce n'est pas rien ! Par chance, au sein d'un texte parlementaire reprenant quasiment mot pour mot l'argumentaire de sa tribune, notre enthousiaste député mentionne la référence exacte du « rapport de Robert J. Marzano[68] ». Malheureusement, la source en question s'avère quelque peu lacunaire. Elle se limite, en effet, à un texte succinct d'à peu près neuf cents mots, paru dans une revue associative* publiant, selon les termes de son site internet, des « manuscrits conversationnels » rédigés non par « des journalistes ou des chercheurs [mais] par des praticiens pour des praticiens[190] ». Le « rapport du chercheur Marzano » se présente ainsi sur un mode plus assertif que démonstratif. À la lecture du texte, on apprend qu'il est question d'applications pour tableaux blancs interactifs[191]. Plus précisément, on découvre que l'amélioration de 31 % des résultats scolaires est liée à l'usage d'un « renforçateur interactif », c'est-à-dire « d'applications que l'enseignant peut utiliser pour signaler qu'une réponse est correcte ou pour présenter l'information dans un contexte inhabituel. Ces applications incluent le déplacement et le largage des réponses correctes en différents points spécifiques, l'accueil des réponses correctes avec des applaudissements virtuels et le dévoilement d'informations cachées derrière des objets[191] ». Prodigieux ! Que n'y avait-on songé plus tôt : des applaudissements virtuels et des réponses qui dansent au tableau pour mener jusqu'aux sommets de

* C'est-à-dire une revue qui, contrairement à ce qui se passe pour les journaux scientifiques, ne soumet pas les articles qu'elle publie à un processus d'évaluation externe par des pairs qualifiés (voir la section pp. 153 et suivantes pour une discussion plus précise).

l'Olympe les notes préalablement anémiées de nos écoliers. Est-il nécessaire de préciser que, selon une étude du ministère américain de l'Éducation, largement relayée par le *New York Times*, les vendeurs de logiciels éducatifs et autres produits numériques miracles souffrent d'une très légère tendance à « surpromettre et tromper » leurs interlocuteurs à l'aide de « rapports gonflés[192] » ? Il est quand même rassurant de savoir que c'est sur la base de « recherches » aussi rigoureuses, convaincantes et indépendantes que notre système scolaire avance à marche forcée vers sa numérisation.

Des « sages » pas si sages

Un dernier exemple pour montrer qu'en matière de numérique les conflits d'intérêts les plus évidents sont aussi, parfois, les plus négligés. Prenez le Conseil supérieur de l'audiovisuel (CSA). En France, cette institution régule, comme son nom l'indique, le paysage audiovisuel. Elle est notamment composée de sept conseillers, parfois appelés « sages », nommés pour six ans par différentes instances du pouvoir politique[193]. Le problème c'est qu'un nombre non négligeable de ces « sages » vient du sérail audiovisuel. On a ainsi vu, par le passé, désignés au CSA des journalistes de LCI, Radio France ou France Télévisions[194-195], dont certains, en simple détachement, exerçaient leur nouvelle mission en étant toujours contractuellement liés à leur employeur originel[196]. Même si ce cumul n'est désormais plus possible[197], journalistes et fournisseurs de contenus restent régulièrement promus au rang de conseillers[198]. Il n'est nullement besoin de remettre en cause l'intégrité morale de ces personnes pour trouver la situation inopportune. En effet, d'un point de vue strictement humain, il est difficile de croire que les relations personnelles et professionnelles patiemment tissées durant des années au sein d'une entreprise n'auront aucune influence quand il s'agira de prendre une décision relative à cette entreprise. C'est d'autant plus vrai qu'un retour dans le sérail n'est jamais définitivement exclu[199-201] et qu'il est sans doute plus aisé de mener à bien certains projets de reconversion quand on a gardé des relations positives avec les grands patrons de médias[202]. L'être humain n'est pas un robot et ses décisions les plus objectivement assumées répondent souvent à des arbitrages inconscients[203-206]. Dès lors, on peut considérer, sans être paranoïaque, que cette dimension devrait être prise en compte pour interpréter certains avis du CSA.

La question de l'obésité infantile en lien avec la télévision est, à ce titre, tout à fait frappante. Il y a quelques années, en 2009, le Parlement français avait retoqué un amendement, massivement soutenu par la communauté médicale et scientifique[207], visant à interdire, autour des programmes jeunesse, toute publicité pour les produits trop gras et trop sucrés, qualifiés d'obésigènes[208-209]. Les pressions des lobbyistes jouèrent, sans surprise, un rôle significatif dans la genèse de ce refus[210-211]. Ainsi, par exemple, quelques jours avant le vote des parlementaires, les principaux mastodontes du paysage audiovisuel français publièrent un communiqué dans lequel on pouvait lire notamment : « [qu']alors même que les études scientifiques et les expériences de prohibition [rien que ça !] menées dans plusieurs pays étrangers ne démontrent à ce jour aucune corrélation entre obésité et publicité télévisée, toute mesure d'interdiction serait de fait mal comprise. Les effets immédiats d'une interdiction seraient, d'une part, un report des dépenses des annonceurs vers le média Internet et tous autres supports promotionnels qui eux, ne sont soumis à aucun contrôle et, d'autre part, une destruction certaine de valeur culturelle et économique pour les chaînes de télévision comme pour l'industrie de la création et de la production de dessins d'animation[212] ». Des arguments doublement fallacieux car, pour une part, le lien entre marketing et obésité était à l'époque déjà solidement établi[213-219] et, pour une autre part, ce qui serait perdu du côté des profits audiovisuels privés serait à terme, n'en doutons pas, très largement récupéré du côté des dépenses de santé et de la productivité industrielle[*, 220-225].

Mais peu importe. Ce qui compte ici, c'est que le CSA se soit senti autorisé à intervenir dans ce débat de santé publique pour apporter sa voix au front du refus[226-227], en totale contradiction, semble-t-il, avec sa mission fondamentale de protection non seulement des « tout-petits[228] », mais aussi plus globalement des « mineurs[**] ». D'ailleurs, une fois la bataille législative gagnée, la conseillère en charge de ce dossier publia une longue tribune reprenant de manière assez frappante certains éléments majeurs de l'argumentaire lobbyiste précité. On pouvait lire alors : « Si la suppression de la publicité alimentaire dans les programmes pour enfants est loin d'être un instrument efficace dans le combat contre l'obésité, ses conséquences économiques seraient en revanche certaines sur notre secteur audiovisuel structurellement sous-financé [...]. En effet, la publicité alimentaire et notre première industrie française, l'agroalimentaire, sont l'une des bases fondamentales du modèle économique audiovisuel, car elle assure aux diffuseurs les moyens nécessaires au développement de la création[229]. » Il est intéressant de noter que

---

* Les études citées montrent que les individus obèses ont souvent des problèmes de santé qui ne justifient pas une absence, mais réduisent notablement la productivité. Les économistes parlent alors de « présentéisme », par opposition à « l'absentéisme ».

** Sur le site du CSA (accès juillet 2017), la page consacrée à la présentation du Conseil mentionne même cette mission en tête de liste des nombreuses responsabilités confiées à cette institution par le législateur.

l'auteure de ces propos avait, avant d'être nommée au CSA, officié neuf ans comme journaliste pour l'un des plus grands groupes audiovisuels privés français[230]. Il est intéressant, aussi, d'observer que cette personne, après la fin de son mandat au CSA, a été nommée membre du Conseil d'administration de la fondation Nestlé[231] avant, récemment, de retrouver un poste sur une grande chaîne nationale privée[201]. Il est intéressant, enfin, de mentionner que notre cher et courageux Parlement a récemment, quelque dix ans après sa première capitulation, retoqué un projet de loi similaire[232-233]. Commentaire d'une députée liée à la majorité présidentielle : « Le CSA a mis en place une charte alimentaire*, elle rassemble aujourd'hui trente-sept acteurs de l'audiovisuel. Cette charte est contraignante, car le CSA peut leur infliger des sanctions lourdes de conséquences pour eux[235]. » Seulement, comme le confirme une journaliste délicieusement curieuse dans un agréable exercice de *fact-checking* (vérification des faits), « C'est faux : cette charte n'est absolument pas contraignante, et aucune sanction, jamais, n'a été infligée [...]. L'argent dépensé en pubs pour les produits gras, salés, sucrés, est passé de 2,2 milliards en 2008, à plus de 3 milliards 5 ans plus tard, et elles inondent les programmes jeunesse : 90 % des publicités alimentaires diffusées sur TFOU, LUDO, M6Kid sont pour des produits malsains. Et les règles d'éthique sont rarement appliquées : c'est toujours Dora l'exploratrice qui emmène les enfants chez Quick, on leur promet des jouets dans leur boîte de Kellogg's. Des techniques de manipulation que l'OMS [Organisation mondiale de la santé] dénonce. Pourtant le CSA n'y trouve rien à redire[236] ». Nos gouvernants non plus apparemment, si

* Retouchée en 2013, cette charte a été installée, en 2009, après la triste (première) démission de nos parlementaires[234].

l'on considère le nombre de ministres qui ont apposé leur signature en bas du document*.

Déjà en 2009, vingt-trois sociétés scientifiques et dix-sept associations majeures de la société civile** avaient dénoncé « une charte cousue main pour les régies publicitaires[207] ». Un an plus tard, l'OMS condamnait la philosophie même de ces accords d'autorégulation en soulignant, sur la base d'un rapport d'évaluation pour le moins fouillé, que « pour être efficaces, les systèmes visant à réglementer la commercialisation doivent se fonder sur des incitations suffisantes ; d'une manière générale, l'efficacité du cadre de réglementation est proportionnelle à la pression exercée par l'État [...]. Les sanctions et la menace de sanctions sont nécessaires pour garantir le respect de la législation[237] ». Un constat absolument universel. Partout sur la planète les chartes de bonne conduite se sont révélées inefficaces en raison de la remarquable aptitude des industriels à les contourner[216]. Une habitude d'ailleurs joliment documentée, pour la France, par l'association UFC-QueChoisir, un an seulement après l'adoption de notre belle charte CSA[238]. Les auteurs pointaient alors « l'échec de l'autorégulation [et] les fausses promesses de l'industrie [dont les acteurs...] n'ont pas tenu leur engagement de présenter une offre nutritionnellement correcte dans les écrans enfants ». En fait, pour une large part, l'application de la charte avait

---

* La charte révisée de 2013 a été signée par les ministres : de l'Éducation nationale ; des Affaires sociales et de la Santé ; de la Culture et de la Communication ; de l'Agriculture, de l'Agroalimentaire et de la Forêt ; des Outre-mer ; des Sports, de la Jeunesse, de l'Éducation populaire et de la Vie associative.

** Dont : la Société française de cardiologie, la Société française de nutrition, la Société française de pédiatrie, la Société française de santé publique, l'Association française des diabétiques, la Fédération des parents d'élèves de l'enseignement public, la Fédération des Conseils de parents d'élèves, etc.

pris la forme « [d']un report vers les créneaux horaires "tous publics" regardés par un nombre d'enfants encore plus grand ». Au final, on découvrait « une répartition des publicités qui suit la courbe d'audience des enfants ». Conclusion d'un député, lui aussi membre de la majorité présidentielle, après le dernier échec législatif ici évoqué : « Demander aux industriels de l'agroalimentaire d'être vertueux face à nos enfants, c'est comme demander à une dinde de voter pour les fêtes de Noël, c'est pas possible[239] ! »... Une preuve de plus, s'il en était besoin, qu'à cœur vaillant rien d'impossible. Tout le monde aura désormais bien compris qu'il vaut mieux mettre à genoux cette Sécurité sociale dilapidatrice que de renier les marges de nos précieux fleurons audiovisuels.

De l'art du verbiage creux et des réponses fumeuses

Au-delà des questions de conflits d'intérêts se pose évidemment aussi un problème de compétence chez nos chers experts. Il est clair, à ce sujet, que le grand public réalise rarement l'extrême spécificité des savoirs cliniques et scientifiques. Répétons-le, on peut être pédiatre, médecin, psychiatre, psychologue, orthophoniste ou neuroscientifique et n'avoir absolument aucune connaissance de la littérature académique sur les écrans.

Décrédibiliser les discours alarmistes

En pratique, l'arme absolue de l'expert omniscient, c'est la langue de bois. Tout comme le politicien, des années d'expérience lui ont enseigné l'art de la tournure fuyante et des emphases joufflues. Quand une donnée scientifique s'avère difficilement critiquable, ou qu'il ne sait strictement rien des faits qui lui sont présentés, il déserte et repousse le débat vers les hautes sphères métaphysiques de l'argutie fumeuse, de la liberté individuelle et/ou de la sage pondération centriste. Pour ce virtuose débonnaire de la rhétorique creuse, aucune cause, jamais, n'est perdue. Exemple : si quelqu'un suggère que les écrans sont mauvais pour le développement des enfants, il ignore l'assaut et répond simplement, comme cette journaliste de l'audiovisuel avec laquelle on m'avait demandé d'échanger sur une radio nationale[240], qu'il y en a assez de tous ces discours despotiques qui veulent tout interdire et empêcher les gens de boire, de fumer, de manger ou d'utiliser un micro-onde. Incongru, absurde, hors de propos ; mais redoutablement efficace. En effet, disant cela, vous ferez irrévocablement passer le porteur de mauvaise nouvelle pour un janséniste obtus dont les propos ne méritent pas, en raison de leur nature manifestement excessive, d'être sérieusement considérés. Toute discussion sera alors évacuée et la question initiale de dangerosité des écrans pourra magiquement s'estomper dans le néant dilatoire. Bien sûr, il arrivera que notre brave janséniste s'agite et se rebiffe. Peine perdue. Il suffit alors, en effet, pour tuer tout débat, de dégainer quelques expressions valises, universellement recyclables. Par exemple, l'expert généraliste clamera « qu'il faut arrêter de faire culpabiliser les parents[241] » ; il dénoncera les « discours alarmistes, nourri à l'enflure et à la surenchère[242] » ; ou alors, plus posément, il louera la sagesse du propos retenu, « qui ne verse ni dans l'euphorie ni dans la diabolisation des écrans », ce propos qui, loin des outrances, « délivre une position modérée et prudente[243] ». Si cela ne suffit encore pas, notre omnispécialiste se fera plus solennel et il expliquera doctement que « cela ne sert à rien de jouer les censeurs, d'infantiliser les parents et de les faire culpabiliser. C'est une question de bon sens[244] ». Point commun à toutes ces inventives stratégies : rejeter le résultat qui fâche sans avoir, jamais, à le considérer précisément.

Bien sûr, ce genre de logorrhée généraliste ne suffit pas toujours. Certains cas graves imposent des mesures plus drastiques. Contraints de taper fort, nos vigiles de la bien-pensance passent alors du simple contredit nébuleux à la dénonciation scandalisée des visées liberticides les plus noires. Par exemple, si une enquête expose l'accès quasiment libre des enfants à toutes sortes de contenus pornographiques explicites[245] et ouvre ainsi la voie à quelque mesure réglementaire protectrice[246], la vigilante armée des guetteurs libertaires prend immédiatement la plume pour accuser les auteurs « d'attiser délibérément une panique morale » et d'utiliser la pornographie pour « justifier la censure d'Internet[247] ». De même si un rapport officiel s'inquiète des effets possibles de la violence des images télévisuelles sur le jeune spectateur[248] et propose quelques réponses législatives banalement tempérées[216], l'intraitable brigade des rhéteurs processifs pointe sur l'heure les risques de « censure[249] » et accuse l'auteur du rapport de vouloir « inquiéter pour contrôler » avant de l'inviter à se « préoccuper un peu plus des images et des personnes qui les regardent, et un peu moins de la force de l'État et du renforcement de son pouvoir[250] ». Plus globalement, si un observateur ose s'alarmer du temps passé par les enfants devant les écrans de toutes sortes, la triste légion des tartufes conspue sans délai le fâcheux, arguant qu'il s'agit là d'une position « sexiste », représentant fondamentalement « un nouvel outil de culpabilisation des mères » et relevant du « mépris de classe [car] il est bien plus facile d'éloigner vos enfants de la télévision si vous êtes assez riche pour leur éviter la nounou électronique [...]. Le fond du problème n'est pas scientifique, il est socioculturel : tous les cris d'orfraie qu'un enfant rivé à sa tablette suscite n'ont pas vraiment comme objet sa santé, mais bien plutôt toutes les injonctions délirantes que nous pouvons assigner à la maternité[251] ». Rien que ça ! Car, pour nos néosuffragettes du droit à l'abrutissement, suggérer que les enfants passent bien trop de temps avec leurs écrans signifie juste, en dernière analyse, que « nous n'aimons pas les innovations qui rendent plus faciles la vie des mères[252] ». Ébouriffant.

Plus fort encore, imaginez qu'un pédiatre, spécialiste des questions de développement, mène avec quelques collègues une étude qualitative précise[253] et explique, sur la base de cette dernière, que, quand les adultes ont constamment le nez scotché sur leur mobile, les interactions précoces essentielles au développement de l'enfant sont altérées[254]. La cohorte des négateurs généralistes se lève alors, comme un seul homme, pour clamer que « s'il s'appuie sur des réalités scientifiques, ce travail va surtout dans le sens du totalitarisme parental qui consiste à affirmer que les parents (surtout les mères) se doivent corps et âme à leurs enfants. Et la peur est le ressort qui fait adhérer les parents à ce genre de théorie[255] ». Qu'aurait-il fallu faire ? Taire ces réalités ? Abandonner ce type de recherche ? Renoncer à dire que l'activité numérique des parents affecte le développement des enfants ? Et pourquoi pas cacher le fait que boire ou fumer pendant la grossesse est dangereux pour le fœtus ? Tout cela est absurde. La peur n'est sans doute pas un sentiment agréable mais elle est souvent un guide pertinent. Sans elle, cela ferait longtemps que l'espèce humaine aurait disparu de la planète.

Savoir manier l'ironie

Évidemment, si toutes ces tristes ficelles ne suffisent encore pas, il reste toujours possible de brandir le flambeau des ironies faciles. Par exemple, confronté aux dizaines d'études montrant que la représentation outrageusement positive d'usages de l'alcool ou du tabac dans les films est un facteur causal essentiel d'initiation à ces pratiques chez l'adolescent[216, 256], l'expert généraliste, ici un critique de cinéma, apparemment réalisateur à ses heures[257], conclura « qu'il y a plus de téléphages chez les alcooliques » et dans un bel élan sarcastique se gaussera qu'un abruti de chercheur « trouve de l'incitation tabagique jusque dans *Avatar* (heureusement qu'il n'a pas vu *Mad Men*. LOL)[258] ». Pourtant, à 5 ans, ma fille savait déjà que les cascades causales ne sont pas réversibles et qu'il n'est pas possible de passer de la phrase « tous les chiens sont des quadrupèdes » à l'affirmation « tous les quadrupèdes sont des chiens ». On aurait pu s'attendre à ce que n'importe quel spécialiste à peu près cortiqué possède ce minimum de maturité intellectuelle. Apparemment ce n'est pas le cas, d'où, sans doute, cette étonnante capacité à glisser de la proposition : « l'exposition continue à des images unanimement positives augmente le risque tabagique et alcoolique chez l'adolescent » à la conclusion : « les fumeurs et alcooliques regardent davantage la télévision ».

Franchement, au-delà de cette petite déficience logico-mathématique, comment un professionnel supposément compétent, ayant plume ouverte dans de grands médias nationaux, peut-il encore ignorer qu'au début des années 1980 les fabricants de cigarettes, mis à mal par des recherches de plus en plus mordantes, se sont résolument tournés vers l'industrie cinématographique pour redorer leurs ventes et leur blason[259] ? C'est alors, notamment, que Sylvester Stallone a accepté un contrat à 500 000 dollars garantissant qu'il fumerait dans cinq de ses films à venir (dont *Rambo* et *Rocky IV*). L'objectif consistait, comme l'ont écrit quelques spécialistes des manipulations, à « associer le fait de fumer au pouvoir et à la force, plutôt qu'à la maladie et à la mort[165] ». Nombre d'études de contenus ont montré que la stratégie avait depuis été généralisée pour inclure la féminité, le dynamisme, l'esprit de rébellion, la créativité, la réussite sociale et bien d'autres atours positifs de même acabit[216]. Des travaux de suivi indiquent que l'approche a merveilleusement réussi[216]. Toutes les grandes institutions sanitaires de la planète, dont le Centre américain de contrôle des maladies (CDC[260]) ou la prudente OMS[261], admettent aujourd'hui clairement, comme formulé par l'Institut américain du cancer, que les données disponibles « indiquent une relation causale entre l'exposition aux films contenant des scènes tabagiques et l'initiation du tabagisme chez les jeunes[262] ». Mais, reconnaissons-le, il serait dommage que tu t'embarrasses de ces réalités secondaires, toi, l'expert. Gausse-toi plutôt, sans retenue, de l'insondable bêtise des chercheurs. Moque-toi de ces « stakhanovistes du point d'exclamation » et, surtout, ne regarde jamais plus loin que le bout de ton museau corporatiste. Ne te demande surtout pas, concernant *Avatar*, s'il est signifiant (et utile au script) que l'actrice principale se lance dans une démonstration éloquente de sa jouissance extatique à fumer après la sortie de son caisson interstellaire. De même ne t'interroge pas sur le choix commercial de la firme Heineken qui a récemment déboursé 45 millions de dollars pour que James Bond remplace ses légendaires Martini par de la simple bière[263].

Mener des croisades imaginaires

D'ailleurs, pour faire bonne mesure et enfoncer plus avant encore dans la chair du réel le pitoyable clou de tes dénégations, invente-toi une vraie croisade imaginaire. La stratégie est on ne peut plus banale. Elle consiste à faire dire à autrui ce que jamais il n'a dit pour montrer ensuite combien cet autrui est idiot d'avoir dit ce qu'il n'a jamais dit. Voici un exemple pour ceux qui trouveraient l'affaire un peu obscure : si quelqu'un dit que la consommation audiovisuelle constitue pour certains comportements et/ou pathologies un facteur de risque indépendant susceptible de se combiner avec d'autres influences potentiellement plus importantes[216], l'esbroufeur médiatique affirmera caricaturalement que pour notre quelqu'un « le petit écran est responsable de tous les maux : il rend cardiaque, idiot, violent, obèse, anorexique, alcoolique, accro au tabac, obsédé sexuel, etc.[258] ». Personne jamais n'aura affirmé cela ni osé pareille outrance. Mais peu importe, notre pourfendeur d'illusion aura beau jeu de moquer cette citation de paille. De même, il aura beau jeu de dénoncer avec condescendance cette proposition de faire défiler au bas de nos écrans des messages du genre « la télé tue » ; en oubliant de préciser d'une part que l'idée est quand même fondée sur quelques faits scientifiques solides[216, 264-266] et d'autre part que l'auteur de la proposition (moi-même) reconnaît cette dernière comme une amère boutade, reflet désabusé de sa « triste ironie[216] ». À l'évidence, là encore, il est bien plus simple de vomir à la cantonade toutes sortes de simulacres sophistiques que de démontrer en quoi les travaux incriminés sont risibles ou défaillants.

Et si tout cela ne parvient pas à décrédibiliser la cible, il sera toujours possible d'affirmer que cette dernière « préfère souvent la subjectivité » au prétexte qu'elle a osé prendre un exemple concret afin de donner corps à une longue litanie de références scientifiques. Puis, pour faire bonne mesure, il restera finalement à conclure, triomphant, que tout cela n'est, de toute façon, qu'une triste farce car, en dernière analyse, « l'influence de l'audiovisuel sur le comportement est elle-même infirmée [par l'auteur][258] ». Il suffira alors de faire semblant d'être assez bête pour ne pas comprendre qu'il y a une différence fondamentale entre l'incapacité dans laquelle se trouve un bébé d'apprendre, par simple « imprégnation » d'un contenu audiovisuel, une habileté motrice complexe (parler, marcher ou extraire un grelot d'une poupée) et la facilité avec laquelle un enfant plus âgé peut voir ses représentations sociales implicites se modifier lorsqu'il est exposé à des milliers d'images louant les vertus positives du tabac, de la consommation d'alcool ou de quelque norme comportementale que ce soit[267]. Ce n'est pas parce que ma fille ne deviendra jamais violoniste en regardant Itzhak Perlman émouvoir son archet[128], qu'elle ne pourra apprendre, par la répétition des observations télévisuelles, que les gens cool, attirants et socialement accomplis fument, picolent et s'envoient en l'air sans capuchon[216]. Nous y reviendrons en détail dans la seconde partie de l'ouvrage.

Je veux bien entendre que le cinéma est un art et la télévision une porte ouverte sur l'enchantement du monde. Je veux bien admettre que *Mad Men* représente, pour certains, l'absolue panacée créative. Je veux bien concevoir aussi qu'il soit difficile de voir dénoncées les influences négatives d'une « industrie culturelle » qui pèse des milliards d'euros. Mais j'ai du mal à imaginer que l'on refuse de comprendre qu'il vaut parfois mieux se taire plutôt que de maculer d'un tombereau de sottises tout un pan de recherches rigoureuses. Ou alors, si tu penses effectivement, cher critique, que cette littérature est indigne et minable, plonge dedans. Ne te contente pas de contresens scélérats et platitudes grossières ; explique-nous, sur le fond, dans le détail, les failles des études présentées, pour que l'on sache enfin à quoi s'en tenir. Toute la communauté scientifique attend avec grande impatience l'heure de cette exégèse. Car là encore, le problème reste toujours le même : parler, juger, moquer, commenter, ridiculiser, disqualifier dans l'espace immatériel du néant éthéré, sans jamais analyser les faits, ni se référer au détail des études impliquées. C'est ennuyeux parce que le grand public, le lecteur, l'auditeur, qui n'a pas le temps de vérifier sur le fond la validité des propos assénés, aura tendance à les croire vrais, sans mesurer l'effroyable étendue de leur déloyauté.

Tous experts

Cela étant, reconnaissons, pour être juste, que l'usage de la formule valise n'est en rien l'apanage de nos grands « spécialistes ». L'approche est également très prisée de tous les commentateurs occasionnels de tribunes ou articles médiatiques. Prenez, par exemple, cette publication récente expliquant que l'exposition répétée à des images positives sur le tabac augmente sensiblement la probabilité qu'un adolescent se mette à fumer[268]. Sans rien savoir de la littérature scientifique, les scoliastes de tous ordres se jetèrent sur l'affront, à coups de formules creuses et logorrhées stériles : « l'article est une blague », il faut en finir avec « cette police culturelle », il faut nommer l'auteur « procureur de la police des interdictions », le texte fait « froid dans le dos » et révèle « une terrible conception du monde : hors du nombre et de la statistique point de salut[269] » ; et puis il « faut bien mourir de quelque chose », alors « plus simplement, interdisons la vie parce qu'elle est mortelle et nuit gravement à la santé[270] ».

Franchement, doit-on s'abstenir de toute mesure prophylactique au motif qu'il existe bien des façons de tomber malade et de mourir ? Doit-on renoncer à lutter contre le triptyque culminant des maladies mortelles évitables que sont le tabagisme, l'alcoolisme et l'obésité au prétexte qu'il est bien plus dangereux de se jeter sans parachute d'un avion en vol que de fumer, boire ou présenter un niveau d'obésité morbide ? Que l'on me pardonne, mais ce genre d'argument est d'une imbécillité stupéfiante. Et que penser de ce grand classique repris avec une ostensible goguenardise par l'un de nos niguedouilles du commentaire : « Je comprends pas je suis un vrai cinéphile et pourtant je fume pas[269]. » Nous parlons ici de populations et de facteurs de risque. Si vous faites du ski, vous avez plus de risques de tomber que si vous marchez. Cela ne veut pas dire que personne ne tombe en marchant ni que tout le monde se casse la jambe en pratiquant le ski ! De même, ce n'est pas parce qu'il y eut des survivants à la grande épidémie de peste qui frappa l'Europe au XIVe siècle que la maladie n'est pas mortelle ! Ces pseudo-arguments sont assommants d'inanité. Il y a peu, un journaliste américain synthétisait superbement le problème : « C'est un jeu auquel j'aime jouer parfois. Cela s'appelle "combien dois-je lire de commentaires sur Internet avant de perdre foi dans l'humanité ?" Bien trop souvent la réponse est : "un seul"[271]. »

Surtout ne jamais considérer les faits

Ainsi donc, il n'est vraiment pas compliqué d'accabler un travail dérangeant. Il n'y a même pas besoin pour cela de l'avoir lu ; encore moins de l'avoir compris. Il suffit de rester dans le vague espace des positions de principe et de dégainer quelques expressions génériques, aussi passe-partout qu'aspécifiques. Une étude vous déplaît, trouvez-la alarmiste, idiote, dogmatique, moralisatrice, exagérée, excessive, biaisée, absurde, culpabilisante ou sexiste. Affirmez vaguement qu'on pourrait trouver d'autres recherches contradictoires tout aussi convaincantes (évidemment sans les citer). Criez aux heures noires de la prohibition, évoquez la censure, dénoncez les stratégies de la peur, beuglez votre haine de l'oppression culturelle. En désespoir de cause, caricaturez l'auteur, raillez sa bêtise, faites-le passer pour un crétin, un demeuré, un réactionnaire, un triste sermonnaire ou un sombre élitiste. Tronquez, trompez, truquez. Mais, surtout, ne regardez jamais les faits, ne considérez jamais le cœur du travail discuté. Ce n'est pas si difficile. Avec un peu d'habitude, vous apprendrez aisément à masquer l'absolue vacuité de vos propos sous l'ombrage d'un humanisme paisible et rassurant. Une fois acquises les bases du job, vous parviendrez en quelques mots, avec la dextérité du virtuose illusionniste, à transformer la plus solide recherche en affligeante pitrerie. Évidemment, cela aurait été plus compliqué si vous aviez dû lire le travail incriminé et en dessiner concrètement les failles conceptuelles et méthodologiques. Mais ce serait gâcher le métier, vraiment. S'il fallait en plus lire les travaux qu'on critique… où irait-on.

De l'art des opinions mouvantes

Assurément, tous les experts médiatiques ne se valent pas. À côté de la masse des généralistes dont nous venons de dire quelques mots, on trouve la petite population des hyperspécialistes. Ceux-là sont supposés maîtriser parfaitement leur matière. Pour preuve, ils ne se contentent pas d'opinions imprécises et fumeuses. Ils vont au fond des choses, citent des études, rédigent des rapports, sont affiliés à des comités consultatifs officiels, etc. Quand ce genre de virtuose débarque, l'a priori ne peut être que favorable. Imaginons que vous soyez un jeune parent inquiet et que vous entendiez quelqu'un expliquer, dans une émission télévisuelle, qu'il n'y a aucun risque à placer son enfant de 24 ou 36 mois devant la télé, tant que la durée d'exposition quotidienne ne dépasse pas deux heures. Il est vraisemblable que vous n'accorderez pas le même degré de crédibilité à ce propos selon que son auteur sera présenté comme un invité lambda (un acteur ou un journaliste) ou comme une sommité de la question numérique (un universitaire, psychiatre, affilié à une structure de recherche, membre de plusieurs comités officiels de réflexion sur l'impact des écrans chez l'enfant, etc.). Mais aurez-vous raison de croire cette sommité ? Pas sûr !

La télé perturbe le sommeil, oui ou non ?

Intéressons-nous pour commencer à un élément majeur de la littérature scientifique consacrée aux écrans, le sommeil. En un demi-siècle, ce sujet, sur lequel nous aurons l'occasion de revenir en détail dans la seconde partie de l'ouvrage, a engendré des centaines d'études. D'abord consacrées à la télévision, celles-ci se sont progressivement étendues aux autres supports numériques (smartphones, ordinateurs, jeux vidéo, etc.). Les résultats se révélèrent plus que probants : les écrans (en particulier la télévision) nuisent au sommeil[216, 272-275]. Vu la masse de données disponibles, on peut évidemment comprendre qu'un « spécialiste des écrans », même doté d'un opulent CV, ignore le détail précis de chacune des recherches entreprises. Mais on peut difficilement imaginer qu'il n'en connaisse aucune et ignore totalement la teneur générale des conclusions produites. Et pourtant… Il y a quelque temps, un grand hebdomadaire de télévision publiait un article intitulé : « La télévision nuit-elle au sommeil[276] ? » Interrogé, un expert fournissait une réponse fermement négative : « Aucune étude ne le prouve vraiment […]. Ça fait des années que les gens s'endorment devant la télé, si c'était mauvais, ça se saurait. » L'ennui, c'est que cela se savait et depuis fort longtemps. Cela se savait si bien que quelques mois après cette prise de position surprenante, notre expert cosignait un rapport académique dans lequel il reconnaissait qu'effectivement « plusieurs travaux pointent le rôle des médias électroniques sur le sommeil des enfants et des adolescents[277] ». À l'appui de cette affirmation apparaissait notamment, en bibliographie du texte, un vaste travail de synthèse (publié bien avant l'interview originelle dans laquelle étaient niés les effets négatifs du petit écran sur le sommeil) établissant que la télévision affectait très défavorablement la durée du sommeil, l'heure du coucher et le temps mis à s'endormir[272].

Même si l'on peut se féliciter que notre expert ait finalement découvert ce large pan de littérature, on regrettera qu'il l'ait fait trop tard pour offrir à des centaines de milliers de lecteurs (et parents)* une information juste. Un manquement que la suite de l'article rend d'ailleurs étrangement mystérieux. En effet, ayant appris que la télé n'avait pas d'effet sur le sommeil, le journaliste poursuit son interview : « Et avec l'ordinateur, les consoles ou les portables ? » Réponse de l'expert : « Il existe une étude qui a comparé deux groupes d'adolescents : avant de se coucher, l'un joue aux jeux vidéo, l'autre regarde un film [à la télévision]. Résultat : le premier groupe mémorise moins bien ce qu'il a appris pendant la journée et présente un sommeil plus agité[276]. » Le problème, au-delà des questions de mémorisation sur lesquelles nous allons revenir, c'est que ladite étude identifie aussi un clair effet négatif du visionnage du film sur le sommeil. Cet effet est d'autant plus difficile à rater qu'il ne se trouve nullement dissimulé dans les méandres techniques du texte. Il est explicitement souligné dès le résumé initial : « L'exposition à la télévision réduisait significativement l'efficience du sommeil[279]. » Réussir à affirmer dans une même interview qu'aucune recherche ne prouve l'influence délétère de la télévision sur le sommeil tout en citant une étude montrant précisément l'existence d'une telle influence a, il faut l'avouer, quelque chose d'assez stupéfiant.

Mais ce n'est pas tout et, vraiment, l'étude ici évoquée mérite qu'on s'y arrête tant elle illustre le gouffre qui existe parfois entre la réalité d'une recherche et sa transcription auprès du grand public. Cette étude, notre expert l'avait déjà évoquée dans plusieurs interviews antérieures. Ainsi, par exemple, au sein d'un article titré

---

* Le magazine *Télé Star* dans lequel furent tenus ces propos affichait alors un tirage largement supérieur au million d'exemplaires[278].

« La télévision est-elle un danger pour les enfants ? », l'homme expliquait « [qu'] une étude de novembre 2010 a montré que des ados ayant passé deux heures, le soir, à regarder la télé apprendront mieux leur leçon le lendemain que les ados ayant joué aux jeux vidéo. Elle peut être un outil d'apprentissage[280] ». Un résultat également souligné dans un article précédent sous-titré d'une citation de notre expert selon laquelle « la télé reste un outil formidable » et intitulé « La télévision nuit-elle à la santé ? » Réponse dans le corps du texte : « En ce qui concerne l'altération de l'apprentissage, une récente étude publiée en novembre 2010 dans le *New York Times* montre que les ados ayant passé deux heures, le soir, à regarder la télé, apprendront mieux le lendemain matin une leçon que les ados ayant joué aux jeux vidéo[281]. »

Admirable ! Si avec ça les parents ne sont pas rassurés, c'est à désespérer de la crédulité humaine. Car, oui, c'est bien de crédulité, malheureusement, dont il est ici question, tant les propos tenus par notre expert sont trompeurs et erronés. Premièrement, cette étude n'a pas été publiée en 2010 par le *New York Times**. Elle date de 2007[279] et a simplement été évoquée brièvement, en 2010, au sein d'un article de ce grand quotidien généraliste[282]. Deuxièmement, rien dans cette étude (ou la présentation du *New York Times*) n'indique que la télé pourrait avoir quelque effet positif que ce soit ; au contraire. Pour cette recherche, des collégiens de 13 ans étaient d'abord soumis à deux tâches de mémoire ; l'une spatiale (retenir des chemins sur une carte ; 2 minutes), l'autre verbale (retenir des mots, noms et nombres ; 2 minutes). Immédiatement après cette exposition, un test de mémorisation était effectué pour les deux tâches. Ensuite, environ

* L'idée même que ce quotidien d'information (l'équivalent américain du *Monde* pourrions-nous dire) publie des études scientifiques au même titre qu'une revue spécialisée est juste ridicule.

60 minutes plus tard, les participants étaient soumis à une condition expérimentale parmi trois : (a) 1 heure de jeu vidéo d'action (« condition jeu vidéo ») ; (b) une heure d'un film « excitant » (« condition film ») – et pas 2 heures comme affirmé par notre expert ; (c) 1 heure d'activité libre hors jeux vidéo et télévision (« condition contrôle »). Entre 2 et 3 heures plus tard, les sujets allaient se coucher. Durant la nuit, les paramètres cérébraux du sommeil étaient enregistrés. Le lendemain, le niveau de mémorisation était de nouveau évalué pour les deux tâches réalisées la veille. Les résultats montrèrent que : (1) la rétention du matériel verbal était significativement altérée dans la « condition jeu vidéo » par rapport à la « condition contrôle » (figure 2 ci-contre) ; (2) la même tendance négative survenait pour la « condition film », sans atteindre toutefois le seuil statistique de significativité par rapport à la « condition contrôle » – mais sans qu'il soit possible non plus de distinguer statistiquement la « condition film » de la « condition jeu vidéo »* (figure 2) ; (3) le sommeil était perturbé dans les deux conditions expérimentales – même si la perturbation s'avéra plus sévère dans la « condition jeu vidéo » que dans la « condition film ». Pour expliquer ces données, les auteurs évoquèrent une double voie d'action. La première, différée, liée au sommeil ; la seconde, immédiate, associée à un excès d'excitation psychique (les états de forte tension psychique entraînent, en effet, la libération massive de certains neuromédiateurs** connus pour

* Comme le montre la figure 2, le niveau de mémorisation pour la « condition film » se situait entre la « condition contrôle » et la « condition jeu vidéo ». De fait, cette condition ne put être distinguée statistiquement ni de la « condition contrôle » ni de la « condition jeu vidéo ».

** Des composés biochimiques qui modulent le fonctionnement cérébral.

interférer avec les processus de mémorisation). À l'aune de ces deux hypothèses, l'influence négative plus importante des jeux vidéo sur la rétention pouvait s'expliquer soit par une plus forte altération du sommeil soit par le fait que les joueurs manifestaient un état d'excitation supérieur à celui des spectateurs (et donc une libération accrue de neuromédiateurs interférents), soit par l'influence combinée de ces deux facteurs. Franchement, s'appuyer sur ces données pour dire que la télé « peut être un outil d'apprentissage » et que « des ados ayant passé deux heures, le soir, à regarder la télé apprendront mieux leur leçon le lendemain que les ados ayant joué aux jeux vidéo » semble un poil abusif, pour ne pas dire extravagant.

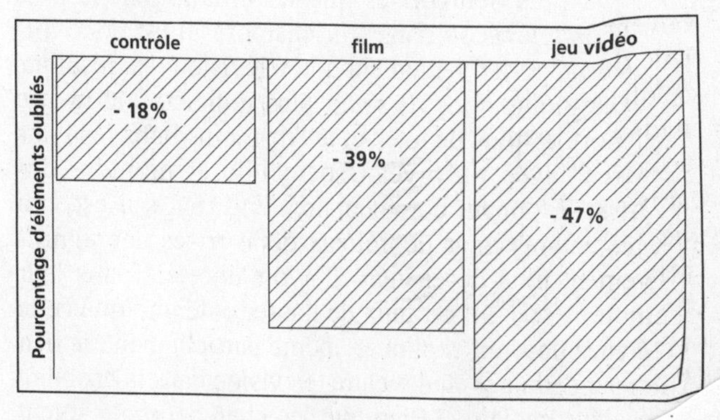

Figure 2. Effets des jeux vidéo et films d'action sur la mémorisation. En fin d'a… des collégiens de 13 ans apprennent des mots et des nombres. Après cet appre… soumis à une activité excitante pendant une heure (jeu vidéo ou film à l… qu'ils désirent en dehors de ces activités (groupe contrôle). Le lendem… sation est évalué (les pourcentages représentent le nombre d'él…

Bref, on peut être un expert … plan et se fourvoyer avec ardeu… éléments fondamentaux du do… l'on est censé dominer. Bien é…

arguer qu'une hirondelle ne fait pas le printemps et qu'on ne peut faire d'une errance isolée, circonscrite au sommeil, une généralité. À cela on répondra que l'errance, malheureusement, est loin d'être isolée. Prenez, par exemple, un autre article publié dans un magazine national spécialisé dans le divertissement (cinéma, télé, musique, etc.) sous le titre « La télé rend-elle idiot ? Des experts nous répondent[283] ». La journaliste pose à notre spécialiste la question suivante : « Une étude prouve que les enfants qui n'ont pas la télé dans leur chambre ont moins de difficultés scolaires que ceux qui l'ont. Quelles règles conseillez-vous aux parents face à la consommation de télévision par les enfants ? » Réponse : « Des études ont montré que c'est dans les milieux socioculturels les plus défavorisés que les enfants ont le plus souvent la télévision dans leur chambre. Il est donc difficile de rapporter seulement à la télévision des résultats scolaires moins bons. Il serait plus judicieux de mettre en rapport le "plus de télé" et le "de moins bons résultats scolaires" avec un niveau socioculturel moindre des parents. » Étonnant commentaire. En effet, s'il est vrai que les enfants issus de milieux défavorisés ont significativement plus de chances d'avoir une télé dans leur chambre[37, 284-287], il est faux de laisser entendre que cette différence pourrait expliquer, même partiellement, le lien établi par certaines études entre télévision dans la chambre et résultats scolaires. Bien que les chercheurs ne soient sans doute pas toujours très malins, ils ne sont quand même pas aussi idiots que semble le penser notre expert
édiatique. Lorsqu'ils mènent une étude dite observa-
nelle, visant à isoler l'action d'un facteur donné (par
ple, la télévision dans la chambre) sur une variable
êt (comme la réussite scolaire), ils utilisent systé-
ment des outils statistiques, certes complexes,
dard, pour éliminer de leurs observations l'in-
tres facteurs potentiellement contributifs (par

exemple, le niveau socioculturel des parents). Cette précaution s'avère un prérequis absolu pour quiconque espère publier son travail dans un journal scientifique digne de ce nom. Ainsi, par exemple, quand une équipe américaine montre, dans une étude fréquemment citée (apparemment l'étude à laquelle se réfère la question de notre journaliste), que le fait d'avoir une télévision dans la chambre nuit gravement aux résultats scolaires, cela s'entend, évidemment, après prise en compte d'un grand nombre de facteurs parasites susceptibles d'additionner leurs effets à l'action de la télé ; la liste de ces facteurs, appelés covariables, comprend notamment : l'âge, le sexe, la langue parlée à la maison, le groupe ethnique d'origine, le niveau d'éducation des parents, le nombre de postes de télévision et de consoles de jeux vidéo du foyer, le temps passé à lire, le temps passé sur les devoirs scolaires, etc.[288] Là encore, pas besoin de désosser l'article pour connaître ce fait, les auteurs indiquant, dès le résumé, que leurs résultats sont « ajustés pour les variables démographiques et d'usage médiatique ».

Dans ce contexte, il est stupéfiant qu'un « expert » puisse affirmer, sans ciller, que l'effet de la télévision dans la chambre n'est pas vraiment dû à l'effet de la télévision dans la chambre mais à « un niveau socioculturel moindre des parents ». Soyons clair : que certains parents décident de placer une télévision (ou tout autre écran) dans la chambre de leurs enfants est une chose légitime ; que ce choix soit orienté par les propos erronés d'un individu censément averti de la chose numérique s'avère, en revanche, pour le moins fâcheux. Car, encore une fois, comme nous aurons l'occasion de le démontrer dans la seconde partie de l'ouvrage, choisir de mettre une télé (ou tout autre écran) dans la chambre de son enfant n'est pas un geste anodin en matière de résultats scolaires, d'obésité, de sommeil ou d'accès à des contenus inappropriés… Et pour ceux qui douteraient encore de la nature causale du phénomène, précisons que, si les influences observées n'étaient dues qu'au statut socioculturel des parents (ou à tout autre facteur aspécifique), les performances scolaires n'évolueraient pas vers le bas (ou le haut), comme le montre l'étude précédemment citée, lorsque l'on introduit (ou retire) le poste de la chambre de l'enfant[288].

Bien sûr, tout le monde admettra sans problème qu'un expert compétent puisse, ponctuellement se tromper, en toute sincérité, parce qu'il méconnaît certains champs de la littérature scientifique supposément attachés à son domaine. Dans ce cas, tout ce qu'on pourra éventuellement reprocher à notre érudit, c'est d'avoir accepté de prendre publiquement position sur un sujet qu'il ne maîtrisait pas pleinement. Péché d'autant plus véniel, diront certains, que nos amis journalistes ont parfois un petit côté insistant auquel il est difficile de se soustraire. Admettons ; mais là n'est pas le problème. Le problème, c'est la répétition des erreurs et l'étrange impression de voir ces dernières s'orienter obstinément dans un sens favorable aux opérateurs audiovisuels et numériques. Bien que ce ressenti puisse relever des voies impénétrables de l'aléatoire, ou des ornières de la perception subjective, il peut aussi, potentiellement, traduire l'existence d'une réelle volonté lénitive[289]. Difficile, à l'évidence, d'arbitrer entre ces différentes options. Tâchons, malgré tout, pour essayer d'avancer sur la question, de nous pencher sur un dernier exemple tout à fait fondamental relatif à l'usage des écrans chez le très jeune enfant.

Des écrans pour les tout-petits, oui ou non ?

Tout commence en 1999. Après une analyse détaillée de la littérature disponible, l'Académie américaine de pédiatrie (AAP) choisissait de présenter un texte déconseillant fermement l'usage de la télé chez les enfants de moins de 2 ans. Selon les termes de ce texte, « les pédiatres devraient exhorter les parents à éviter toute exposition télévisuelle pour les enfants de moins de deux ans[290] ». En opposition directe à cet avis (et sans le citer), notre expert publiait en 2002 un ouvrage dans lequel il conseillait fougueusement aux parents de mettre leurs bébés devant la télévision[291]. Au sein d'un chapitre intitulé « Du bébé gribouilleur au bébé zappeur » apparaissait notamment une sous-section nommée « Vive les bébés zappeurs ! » dans laquelle on pouvait lire : « Déjà des nourrices ou des parents installent le petit devant la télévision dès ses premiers mois ! Ne nous inquiétons pourtant pas trop vite. Il apprend rapidement à utiliser la télécommande. [...] Et voilà le bébé qui joue à faire apparaître et disparaître les images. [...] Certains parents veulent empêcher leur enfant d'exercer ses talents de bébé zappeur. Quelle erreur ! Le bébé qui zappe ne se familiarise pas seulement avec les nouvelles technologies, il invente une variante high-tech de ses jeux traditionnels. » En 2007, changement total de cap. Notre expert prend alors, sans expliquer ni comment ni pourquoi, le strict contre-pied de ses propos antérieurs. Accompagné de deux pédopsychiatres, il réclame instamment, au sein d'une énergique tribune, un « moratoire pour les bébés téléphages[292] ». Selon le texte, « le lancement d'une nouvelle chaîne de télévision destinée aux enfants de 6 mois à 3 ans pose des problèmes graves [...]. À une époque où on parle beaucoup d'écologie, prenons conscience que protéger nos enfants du risque de développer une forme d'attachement à un écran lumineux est une forme d'écologie de l'esprit. C'est pourquoi il est urgent de se mobiliser pour la création d'un moratoire qui interdise à de telles chaînes d'exister, avant que nous n'en sachions un peu plus sur les relations du jeune enfant et des écrans ». Surprenante dernière phrase quand on repense aux propos louangeurs tenus précédemment. Savait-on en 2002 quelque chose que l'on ignorait en 2007 et qui aurait pu justifier que notre expert nous ait initialement invité avec autant de verve à placer nos bébés devant la télé ? Rien ne l'indique. Rétrospectivement, on ne peut que compatir avec les parents qui ont cru ce qui leur était dit, et ce d'autant plus qu'en 2009 le discours franchit un nouveau cap. Dans un ouvrage intitulé *Les Dangers de la télé pour les bébés*[293], notre expert explique que « non, la télévision pour les bébés n'est pas un divertissement sans danger ! Non, elle n'est pas un outil de découverte du monde ! Non, elle ne peut pas constituer un support d'échanges familiaux ! Et encore moins faire office de nounou ! ». Arrive 2011… Et là, patatras, retour à la case départ. Alors que notre homme participe à une émission de télévision destinée aux parents de jeunes enfants[294], un journaliste explique « [qu']on l'a tellement diabolisée cette télévision […] forcément on se sent coupable en tant que parent ». Réponse de notre expert : « Oui, oui, mais il faut bien comprendre là où les chercheurs placent la barre. C'est-à-dire que quand vous avez des recherches sur les dangers, les méfaits de la consommation de télévision, c'est des enfants qui regardent plus de deux heures par jour. Des enfants de 2 ans, 3 ans, 4 ans qui regardent plus de deux heures par jour. Et d'ailleurs, avant une consommation de deux heures par jour, les recherches ne prennent pas en compte. » Un journaliste clarifie alors : « Voilà, donc les recherches ce sont à chaque fois des enfants qui regardent déjà trop la télévision. » Réponse de notre expert : « Voilà des enfants qui regardent trop la télévision. » Des propos étonnants qui contredisent frontalement plusieurs études citées et discutées par le même homme dans un article spécialisé paru plusieurs mois avant l'émission[295]. Dans ces études, l'influence néfaste des consommations audiovisuelles précoces sur l'obésité et le développement du langage était clairement soulignée, dès une heure d'usage quotidien[296-298]. Alors pourquoi cette extravagante fiction sur le thème du « dormez braves gens, les recherches ne prennent pas en compte une consommation inférieure à deux heures par jour » ? Difficile de trancher. Un trouble de mémoire (trop de jeux vidéo d'action et pas assez de télé avant de dormir peut-être) ? Un raptus compassionnel, guidé par le souci de ne froisser personne, ni ses hôtes du moment, ni ses hôtes potentiels, ni ces pauvres parents/téléspectateurs qui ont pris l'habitude d'utiliser l'écran comme une *baby-sitter* ? Un regrettable emportement lénitif ? Ou autre chose ? Peu importe au fond.

En fait, ce qui est ici pertinent, au-delà du cas particulier de tel ou tel intervenant, c'est l'apparente capacité de bien des experts médiatiques à ne pas indisposer les instances invitantes. Au danger de déplaire en culpabilisant, inquiétant, froissant ou alarmant, nos virtuoses de la nuance semblent souvent préférer la douce sécurité des vapeurs nébuleuses et de l'abonnissement. Mais c'est pour la bonne cause, évidemment. Soumis aux données crues, les gens pourraient naïvement se convaincre que le plus raisonnable est encore de tenir les enfants loin du poste. Quelle folie ! Comme le disait joliment dans un autre contexte, le sociologue québécois Mathieu Bock-Côté, « on craint que si l'information se rend au peuple, ce dernier n'en tire des conclusions indésirables[299] ».

Heureusement, dans le cas de l'émission télévisuelle précédemment évoquée, qui vit notre expert énoncer sa rocambolesque fiction des « deux heures quotidiennes », Zorro veillait sur le plateau sous la forme d'une journaliste qui finit par recadrer les choses : « [La journaliste] : Mais en dessous de 2-3 ans y a aucun intérêt. [L'expert] : Non, en dessous de 3 ans, y a aucun intérêt. [La journaliste] : On est bien d'accord. [L'expert] : On est bien d'accord, en dessous de 3 ans les écrans ne sont jamais bons[294]. » Ils sont même mauvais serait-on tenté de dire si l'on en croit certains écrits précédents de notre expert[293, 295]. Mais peu importe, les apparences étaient sauves. Il aurait été tellement dommage qu'un spectateur indisposé saisisse le CSA au sujet des étranges contradictions de notre expert. Un CSA si prompt à recadrer les canulars débiles d'un tabarin de foire[300] ou la chanson balourde d'un humoriste moquant la mort d'un torero[301], qu'il n'aurait pu rester de marbre, n'en doutons pas, face à des propos aussi préjudiciables à l'enfance.

Pas de télé avant 3 ans, mais pourquoi donc ?

Cela étant dit, arrêtons-nous quelques instants sur cette idée, désormais largement admise selon laquelle, comme l'écrit le CSA, « la télévision n'est pas adaptée aux enfants de moins de 3 ans[228] ». Qui pourrait questionner la légitimité d'un tel avertissement ? Personne évidemment… du moins en première analyse ; car, lorsque l'on prend la peine de gratter un peu le glacis des postures de principe, on se trouve rapidement confronté à une fort ennuyeuse question : pourquoi 3 ans ? En effet, les études d'impact ne montrent aucun nivellement des effets de la télé au-delà de 36 mois. L'influence préjudiciable du petit écran sur le langage, l'attention, la créativité, l'obésité, le sommeil, etc., est aussi claire et avérée à 4, 8 ou 12 ans qu'à 9 ou 24 mois[216]. Alors pourquoi cette norme ? Pourquoi pas, 5, 7 ou même 10 ans ? La question semble d'autant plus légitime que les arguments les plus couramment avancés à l'appui du débat manquent cruellement de profondeur. On nous explique ainsi, par exemple, « qu'avant cet âge la télé empêche les enfants de jouer, et l'enfant ne se développe qu'en jouant[302] » ; « [qu']avant 3 ans, l'enfant se construit en agissant sur le monde[228] » ; « que le développement du bébé passe par le développement de sa motricité dans un environnement affectif qui permet la mise en place d'un attachement[303] » ; « [qu']entre 6 mois et 3 ans s'effectue leur construction neurologique[304] » ; et que « le tout-petit a un cerveau qui se forme pendant les trois premières années de son existence, toutes ses connexions neuronales en quelque sorte sont en train de se mettre en place et elles ne se mettent en place qu'à travers le rapport avec l'individu, avec l'humain[305] ».

Honnêtement, qui peut donner quitus à ces navrants escamotages ? Qui peut croire que la télé cesse soudainement d'entraver le jeu de l'enfant au-delà de 3 ans (ou pire encore que le jeu n'est plus, passé cet âge, un vecteur essentiel de développement[306-310]) ? Qui peut croire qu'un enfant a moins besoin de relations humaines riches et fourmillantes (notamment intrafamiliales) à 5, 9 ou 12 ans qu'à 24 mois[311-317] ? Qui peut croire que l'organisation cérébrale se fige soudainement à 3 ans, comme le mammouth dans un pain de glace sibérien[79, 90-91, 318] ? Les aires corticales préfrontales, par exemple, fondamentales pour notre fonctionnement émotionnel, social et cognitif, connaissent un pic de maturation majeur à l'adolescence[107-111]. Qui peut croire que l'importance des activités sensorimotrices pour la structuration de l'intelligence s'évapore à 36 mois ? L'enfant de maternelle qui monte des cubes, assemble des Kapla, réalise des puzzles ou enfile des perles de différentes tailles et couleurs, par exemple, acquiert certaines bases essentielles du savoir mathématique (numération, classification, sériation, causalité, représentation dans l'espace, etc.[319-322]). Qui peut croire, enfin, que le temps de développement volé au bébé est plus précieux que celui dérobé à l'écolier de cours préparatoire ? Il est clair que le cerveau n'a pas les mêmes besoins nourriciers à 2 et 6 ans ; mais cela ne signifie en aucun cas que ce qui se met en place à 2 ans est plus important que ce qui se construit à 6 ans. On pourrait éventuellement comprendre cette norme des 3 ans si la télé soutenait efficacement – une fois acquises les prémices du langage – le développement cognitif, social, culturel et affectif de l'enfant. Mais, après des décennies de recherches rigoureuses, plus personne aujourd'hui ne peut encore croire sérieusement à cette fable, initialement forgée par nos amis industriels (notamment aux États-Unis) pour favoriser l'expansion du petit écran dans les foyers[216, 323-324].

Alors pourquoi 3 ans ? Principalement parce que ce seuil n'embête personne ; ou presque. En effet, même si les enfants expriment très tôt certaines préférences et reconnaissances de marques (à travers les logos[325]), ils ne deviennent activement demandeurs, et donc intéressants pour les annonceurs, qu'autour de 3 ans[326-327]. Bien évidemment, plus l'enfant est conditionné tôt, mieux c'est. Mais l'âge de 3 ans s'avère bien assez précoce pour ne pas insulter l'avenir. Cet âge semble même constituer le seuil optimal à partir duquel inscrire efficacement dans les neurones des gosses la trace de la grenouille Budweiser, de la virgule Nike, de l'estampille Coca-Cola, du clown McDonald ou du mâle viril forcément fumeur[325, 328-329]. Selon une enquête du groupe Lagardère Publicité, dès 4 ans, plus de 75 % des demandes d'achat émises par les enfants sont consécutives à une exposition publicitaire, pour un taux d'acceptation parental supérieur à 85 %[330]. Dès lors, en disant 3 ans, on ne renonce à rien de prometteur ni de lucratif. On ne fait qu'enterrer un marché de niche, au potentiel commercial marginal. À ce jour, en effet, la seule vraie victime du processus reste la chaîne spécialisée BabyTv*. Une victime d'autant moins

* Je n'ai pas réussi à retrouver trace, sur les bouquets de diffusion français, de la seconde chaîne initialement lancée à destination des très jeunes enfants : BabyFirstTv. Apparemment, celle-ci a mis la clé sous la porte en France. Elle existe cependant toujours aux États-Unis (www.babyfirsttv.com).

encombrante qu'elle appartient à la filiale anglaise d'un groupe américain[331] et continue d'émettre sans contrainte depuis la Grande-Bretagne*.

Une petite perte donc. Mais qu'en est-il du gain ? Celui-ci s'observe à deux niveaux. Le premier est transparent : en disant, pas de télé avant 3 ans, on affiche sa bonne foi, sa probité et son indépendance. Le second est implicite : en proscrivant la télé avant 3 ans, ce que l'on exprime vraiment, *in fine*, c'est l'idée selon laquelle l'exposition devient possible au-delà de cet âge. Bien sûr, on habille communément la couleuvre d'une logorrhée rhétorique bienséante. On dit qu'il faut choisir des programmes adaptés à l'âge, qu'il est mieux, si possible, de regarder avec l'enfant et que le temps d'écrans ne doit pas être excessif[332]. Mais on oublie de dire que Piwi+ (3-6 ans), Boomerang (3-7 ans), Disney Junior (3-6 ans), Tiji (3-6) ou Nickelodeon Junior (3-7)[333] ont, sur une pousse de 3 ou 4 ans, les mêmes effets préjudiciables que BabyTv sur un bourgeon de 24 mois[216, 289]. On oublie de dire, aussi, que ces expositions précoces, même si elles sont limitées à des programmes jeunesse supposément adaptés, posent la base des habitudes de (sur)consommations ultérieures[216, 334-337]. On oublie de dire, enfin, évidemment, que la seule différence entre BabyTv et ses consœurs plus tardives est d'ordre économique. Ce qui compte ici, encore une fois, ce n'est pas l'enfant, mais le seuil de profitabilité commerciale. Avant 3 ans, répétons-le, petit humain n'est guère intéressant. Ce n'est qu'autour de cet âge qu'il devient une cible publicitaire pertinente et, de ce fait, une potentielle source de revenus pour les opérateurs. Peu importe alors que la télé ampute son développement. Ceux qui voudront se rassurer

* La plupart des grands opérateurs proposent la chaîne à leurs clients : Orange, canal 88 ; Free, canal 155 ; Bouyguestelecom, canal 111 ; etc.

pourront toujours considérer que la télé, au fond, c'est un peu comme le nuage de Tchernobyl : les effets nocifs s'arrêtent miraculeusement à la frontière des 36 mois.

Entendons-nous toutefois sur un point important. Il n'est pas question de suggérer ici que tous les individus et institutions ayant apporté leur soutien à la campagne « pas de télé avant 3 ans » sont malhonnêtes ou corrompus. Beaucoup ont agi de bonne foi parce que, effectivement, l'idée selon laquelle les très jeunes enfants sont plus vulnérables aux écrans que leurs aînés et doivent donc être protégés en priorité peut, intuitivement, paraître raisonnable. Par ailleurs, au début des années 2000, lorsque l'Académie américaine de pédiatrie émit ses premières recommandations[290, 338], elle se heurta à nombre de « spécialistes » pour lesquels il était non seulement possible, mais aussi souhaitable, de mettre bébé devant le poste. Dans ce contexte, il n'était pas déraisonnable, par souci d'efficacité, de scinder la bataille en deux fronts : l'un préconisant une abstinence totale pour les moins de 2 ans ; l'autre autorisant le visionnage pour les plus de 2 ans, mais en imposant de drastiques restrictions d'usage (pas plus de 1 à 2 heures par jour – valeur ramenée dans les versions ultérieures à moins de 1 heure pour les 2-5 ans[339] ; pas de télé dans la chambre ; covisionnage ; programmes strictement contrôlés, de qualité – c'est-à-dire essentiellement « éducatif, informationnels et non violents »).

Un système de classification trompeur

L'industrie audiovisuelle ne fut pas longue à réaliser le profit qu'elle pourrait tirer de cette césure. Elle accepta, sans états d'âme, nous l'avons vu, d'abandonner le secondaire pour préserver l'essentiel. À travers ses relais experts et médiatiques, elle opéra alors selon deux axes complémentaires. Premièrement, en soutenant diligemment la condamnation des usages précoces (ce qui ne lui coûtait rien). Deuxièmement, en se lançant dans une subtile (et efficace) campagne d'attiédissement des restrictions tardives. Ainsi, par exemple, on ne parla plus d'une à deux heures par jour maximum, mais simplement d'usages « excessifs ». De même, on modifia subtilement la terminologie. Les programmes éducatifs, informationnels et non-violents de l'Académie américaine de pédiatrie devinrent, sans crier gare, des programmes jeunesse, pour enfants, tous publics ou respectant la signalétique des âges. Une habile substitution qui permit à ses promoteurs de vider discrètement de leur substance protectrice les recommandations originelles de nos amis pédiatres. Qui, en effet, se méfierait d'expressions aussi rassurantes, chastes et évocatrices de non-violence que « jeunesse » ou « tous publics » ? Personne… à tort malheureusement. Considérons pour nous en convaincre les recommandations de notre CSA national. Sur le site internet de cette institution publique apparaît un texte intitulé : « Les enfants et les écrans : les conseils du CSA[340] ». On y apprend que : « Jusqu'à 8 ans, seuls les programmes jeunesse sont adaptés (animation, films pour enfants, émissions éducatives ou documentaires), tout en limitant la durée des séances et en choisissant avec eux les émissions, afin de leur apprendre à se repérer dans une offre de programmes. Entre 8 et 10 ans, privilégiez les programmes jeunesse et les programmes tous publics et essayez de regarder la télévision avec votre enfant. Entre 10 et 12 ans, l'enfant commence à vouloir accéder de manière plus autonome aux images et diversifier les programmes qu'il regarde. Il est important de l'accompagner dans le choix de ces programmes, de lui apprendre à sélectionner ceux qui lui conviennent, afin de devenir un téléspectateur actif. »

Le problème, c'est que sous le vocable « programme jeunesse » se cachent bon nombre de contenus (notamment des dessins animés ou films) dépourvus de toute valeur éducative ou développementale ; des contenus ouvertement néfastes (nous y reviendrons dans la seconde partie) à la fois violents, débiles, sexistes, saturés de publicité et/ou destinés à assurer la vente d'une avalanche de produits dérivés. Citons *Dragon Ball Super*, *Power Rangers*, les Tv films *Barbie*, les *Tortues Ninja*, *Pokémon*, les *Super Nanas*, *Violetta*, etc. Sous le merveilleux parapluie des programmes « tous publics », on trouve de même toutes sortes de productions brutales, anxiogènes, oppressantes, stupides, homophobes, racistes, grossières, bourrées de stéréotypes de genre et/ou truffés de représentations positives du tabagisme, de l'alcoolisme ou des comportements sexuels à risque. On pourrait dans ce cadre citer nombre de films ou d'émissions de divertissement* : *Touche pas à mon poste*, *Miss France*, *X-Men Origins : Wolverine*, *Minuit à Paris*, *Rivales***, etc. Et que dire de la merveilleuse signalétique « déconseillée aux moins de 10 ans » qui suggère que des gamins de 10 ans et plus peuvent, sans conséquences, accéder aux émissions de téléréalité les plus dégradantes, avilissantes, vulgaires et bêtifiantes que l'on puisse imaginer : *Les Anges de la téléréalité*, *Undressed*, *Le Bachelor*, *La Belle et ses princes presque charmants****, etc. Côté DVD et

---

* Pour les films, nous avons considéré ici les données de classification dite « CSA » disponibles sur le site de vidéo à la demande d'Orange (https://video-a-la-demande.orange.fr/#vod/home) ou le site MyTF1VOD (http://mytf1vod.tf1.fr/).

** Respectivement : un talk-show régulièrement dénoncé pour ses dérives racistes, sexistes et homophobes[341] ; un programme de divertissement saturé de stéréotypes sexistes et dégradants[342] ; un film fantastique extrêmement violent (Gavin Hood) ; une comédie romantique intégrant une incroyable masse de scènes de sexe, d'alcool et de tabagisme[343] (Woody Allen) ; un film policier hyperviolent, farci d'une impressionnante vulgarité langagière, riche en scènes de sexe (Denise di Novi).

*** Respectivement : des anciens candidats d'autres émissions de téléréalité cohabitent dans une villa ; deux inconnus se retrouvent

cinéma, c'est pire encore, à la faveur d'un système de classification différent de celui de la télé* et souvent plus permissif. Si vous vous rendez à la médiathèque du coin, dans la catégorie « tous publics », vous trouverez, entre autres exemples, la série *Mad Men*** et des films *a priori* tout à fait anodins tels que *Il faut sauver le soldat Ryan*, *Lettres D'Iwo Jima*, *La Vie de Jésus*, *Gladiator* ou *Gangsterdam****. Une simple mise en bouche, cependant, pour ouvrir vers les programmes autorisés dès 12 ans, qui comprennent, en plus de leur fréquente dimension d'hyperviolence, un large éventail de contenus sexuels et/ou profondément anxiogènes. Par exemple : *Bang Gang*, *La Vie d'Adèle*, *Shining*, *La Passion du Christ* ou *L'Exorcisme d'Emily Rose*****.

---

en sous-vêtements dans un lit et… font connaissance ; un homme célibataire, séduisant et financièrement aisé doit sélectionner une fille parmi une vingtaine de prétendantes ; une fille doit choisir un homme parmi plusieurs, séparés en deux groupes : les beaux et les moches (ces derniers tentant de compenser leur handicap originel par une flagrante « beauté intérieure » – *sic*).

* Pour les films (et DVD), la classification dépend du Centre national du cinéma et de l'image animée (www.cnc.fr)[344].

** Une série télé riche en contenus tabagiques, alcooliques, sexistes et sexuels.

*** Respectivement : deux films de guerre truffés de scènes hyperviolentes et réalistes (Steven Spielberg ; Clint Eastwood) ; un film incluant, en gros plan, une mémorable scène de pénétration (Bruno Dumont) ; un péplum riche en violence, hémoglobine et scènes de combat (Ridley Scott) ; un film bouffi de saillies prétendument humoristiques sur le viol, les juifs, les arabes, les femmes ou les homos (Romain Levy).

**** Respectivement : un film montrant les orgies sexuelles d'un groupe de jeunes (Eva Husson) ; un film riche en scènes de sexe fort crues et réalistes entre deux jeunes femmes traversées par une puissante passion amoureuse (Abdellatif Kechiche) ; un film d'horreur particulièrement anxiogène… même pour les adultes (Stanley Kubrick) ; un film sur la vie du Christ avec une présentation très crue, brutale et réaliste de son supplice (Mel Gibson) ; un film d'horreur,

Est-il besoin d'ajouter que, au-delà de l'apparente similarité d'un processus consistant à sélectionner des programmes sûrs et adaptés à l'âge, nous sommes là très loin des recommandations (réellement !) protectrices de l'Académie américaine de pédiatrie ? Précisons toutefois que ce n'est pas la qualité de certains contenus ici évoqués qui est remise en cause (personne ne discute la pertinence d'œuvres telles que *Minuit à Paris* ou *Lettres d'Iwo Jima*). Ce qui est en cause, c'est un système de classification trompeur, qui, sous des atours prophylactiques et mesurés, invite à mettre des gamins de 4 ans à 12 ans devant des séries ou des films manifestement inadaptés à ces tranches d'âge.

La tablette miracle

Bien sûr, s'en tenir ici à la seule « petite lucarne » pourrait s'avérer abusivement réducteur. C'est pour cela que la formule « pas de télé avant 3 ans » a rapidement été généralisée à l'ensemble des écrans. À leur arrivée, en 2010, les tablettes furent donc naturellement intégrées au club des bannis. Notre expert se montra d'ailleurs, sur ce sujet, particulièrement intransigeant comme l'illustre une interview accordée à un grand journal national[345]. En guise de titre, une citation pour le moins explicite : « Avant l'âge de trois ans, les tablettes sont nuisibles. » Dans le corps du texte on apprenait qu'aux dires de notre spécialiste « la multiplication des écrans serait dangereuse pour les enfants [… et que] les tablettes doivent être rangées avant 3 ans ». Une position justifiée sans ambages au motif que « la tablette limite la relation au monde à ce que l'enfant en voit ». Bref, difficile d'être plus clair. Six mois plus tard (!), cependant, changement radical

basé sur une histoire vraie, montrant l'exorcisme d'une jeune fille qui finit par décéder dans d'atroces souffrances (Scott Derrickson).

de ton. Dans un avis produit avec cosignataires et paré du prestigieux sceau de l'Académie des sciences, notre homme affirmait que : « Les tablettes visuelles et tactiles peuvent être utiles au développement sensorimoteur du jeune enfant [...]. Les tablettes visuelles et tactiles suscitent le mieux, avec l'aide des parents, grands-parents ou enfants plus âgés de la famille, l'éveil précoce des bébés (0-2 ans) au monde des écrans, car c'est le format le plus proche de leur intelligence[277]. » Au sein d'un chapitre intitulé, « Pour de meilleurs usages des écrans », dans une section dénommée « Quelques exemples pour associer parents, éducateurs et enfants », on pouvait lire : « Avant 3 ans : l'enfant a besoin d'interagir avec son environnement en utilisant ses cinq sens. Il vaut mieux éviter une exposition aux écrans qui ne permettent aucune interactivité sensorimotrice (le poste de télévision dans la chambre est déconseillé) et privilégier les interactions et les activités motrices avec tous les supports disponibles, notamment – mais pas exclusivement – avec les tablettes tactiles. » Notre expert enfonçait d'ailleurs le clou sur une radio nationale : « Sur une tablette tactile, on interagit avec le doigt, c'est ce qu'on appelle l'intelligence sensorimotrice. On bouge la main et les images, les couleurs, les sons apparaissent. Donc, une formidable opportunité pour développer cette forme d'intelligence chez les tout-petits[346]. »

Que s'était-il donc passé en six petits mois pour que l'on saute ainsi de « nuisible » à « formidable opportunité » et à « format le plus proche de leur intelligence » ? Mystère. À l'évidence, cependant, rien du côté de la littérature scientifique. En effet, les auteurs dudit rapport ne citent aucune étude susceptible d'étayer leurs affirmations et préconisations. On aurait aimé, pourtant, vu la portée médiatique des recommandations offertes, que quelques éléments corroboratifs soient produits ; et ce d'autant plus que ces recommandations s'opposent frontalement aux conclusions, autrement plus documentées, de plusieurs institutions médicales majeures dont l'Académie américaine de pédiatrie[339] ou la Société canadienne de pédiatrie[347]. Pourquoi faudrait-il éveiller précocement le bébé au monde des écrans ? En quoi la tablette est-elle le format le plus proche de son intelligence ? En quoi la tablette permet-elle à l'enfant d'interagir avec l'environnement en utilisant ses cinq sens ? En quoi la tablette aide-t-elle au développement de la sensorimotricité quand on sait qu'aux âges précoces cette dernière est surtout centrée sur le contrôle postural, la marche, l'équilibre, la coordination visuo-manuelle fine et (de manière essentielle !) l'appareil phonatoire ? Peut-on imaginer activité sensorimotrice plus grossière et primitive que celle consistant à faire glisser ses doigts, d'un bloc, sur une surface plane ; voire, dans le meilleur des cas, à toucher un endroit particulier de cette surface[348] ? Si ce truc développe la sensorimotricité du bébé, alors le clown McDonald mérite la toque de plus grand cuisinier du monde. D'ailleurs, la dernière étude en date montre, sans la moindre ambiguïté, que l'usage d'une tablette « interactive » non seulement ne développe pas, mais altère lourdement le développement de la motricité manuelle fine chez des enfants d'âge préscolaire[349].

Et que dire de cette si opportune segmentation entre écran interactif (la tablette) et écran passif (la télévision) ? Les recherches montrent que la tablette est, la plupart du temps, pour le jeune enfant, un écran « passif » servant à consommer des contenus audiovisuels dont on nous dit précisément qu'ils sont déconseillés (dessins animés, films, clips, etc.)[350-351]. Par ailleurs, rien à ce jour ne prouve que la tablette possède, à travers sa supposée interactivité, un impact plus positif que la télé sur le développement cognitif, émotionnel et social de l'enfant ; au contraire (nous aurons l'occasion d'y revenir en détail dans la seconde partie). À l'inverse, regarder la télé n'est en rien une activité passive. Certes le corps est immobile et l'attention peut s'avérer volage, mais cela n'empêche pas le cerveau de répondre activement aux stimulations visuelles, émotionnelles ou cognitives qui lui sont imposées. Notre expert lui-même ne disait d'ailleurs pas autre chose, il y a quelques années, lorsqu'il affirmait dans une interview que « le spectateur, contrairement à ce qu'on a pu croire, est actif : il reconstruit ses propres images, développe des représentations qui lui sont propres[352] ». Là encore, difficile d'identifier le point d'origine de la cabriole. D'autant plus difficile qu'aux dernières nouvelles notre spécialiste venait encore, apparemment, de tourner casaque pour apporter son soutien à un projet de loi visant « à imposer la présence "d'un message à caractère sanitaire", avertissant des dangers liés à l'exposition aux écrans pour les enfants de moins de 3 ans, sur les emballages "de tous les outils et jeux numériques disposant d'un écran", mais également toutes les publicités concernant ces produits[353] ».

Dans ce magma versatile, toutefois, une chose semble certaine : les tablettes et applications associées représentent, pour les fabricants et développeurs, un marché autrement plus considérable que la petite BabyTv. C'est là typiquement le genre d'opportunité qui peut, les soixante dernières années l'ont largement démontré[165, 167, 173-180], faciliter la réévaluation de certaines positions princeps, jugées un peu trop draconiennes. Par ailleurs, gageons qu'un texte positif arguant, sous l'autorité scientifique de l'Académie des sciences, de l'intérêt pédagogique précoce des tablettes (et autres écrans dits « interactifs »), ne pouvait qu'être vu d'un bon œil par la puissance publique (qui, on peut le rappeler, finance notre vénérable Académie), à l'heure où l'Éducation nationale tentait, sans provoquer trop d'inquiétudes parentales, d'étendre les racines de sa politique de déploiement du numérique aux enfants de maternelle. Mission réussie semble-t-il puisque le programme de l'école maternelle prévoit désormais « que l'élève sache utiliser les supports numériques, en plus des autres supports. Dès leur plus jeune âge, les enfants sont en contact avec les nouvelles technologies. Le rôle de l'école est de leur donner des repères pour en comprendre l'utilité et commencer à les utiliser de manière adaptée (tablette numérique, ordinateur, appareil photo numérique…). Des recherches ciblées, via le réseau internet, sont effectuées et commentées par l'enseignant[149] ». Une évolution d'ailleurs joliment anticipée par les auteurs du rapport lorsqu'ils écrivaient « [qu'] on inventera certainement à ces tablettes numériques de multiples usages pédagogiques, cognitifs et ludiques pour les bébés, ce qui facilitera ensuite leur emploi à l'école ».

C'est à se demander pourquoi les cadres dirigeants des entreprises qui vendent et développent ces remarquables outils choisissent, pour nombre d'entre eux, nous l'avons souligné plus haut, d'inscrire leurs enfants de maternelle et primaire, dans de coûteuses écoles privées sans écrans[64]. C'est sûrement par humanisme, pour lutter contre les inégalités sociales, qu'ils acceptent de placer un si lourd handicap sur la tête de leur progéniture trop bien née. Les esprits chagrins pourraient évidemment entrevoir une explication alternative, moins altruiste mais peut-être plus crédible : ceux qui ont les moyens continuent à doter leur descendance d'un cadre humain solide et compétent ; les autres sont priés de croire au baratin œcuménique de la tablette miracle. Il faut dire que cette merveilleuse petite machine, pleine de gadgets pseudo-éducatifs, offre de bien belles perspectives économiques. « Sortez vos tablettes, cliquez sur l'application BadaBoum et au travail ! ». L'enseignant deviendra « médiateur ». Il verra son rôle éducatif transféré à la tablette et pourra donc être recruté sans solide qualification ni formation, pour un salaire « raisonnable ». Un excellent moyen de vaincre les récurrentes difficultés de recrutement éprouvées par notre chère Éducation nationale[354-356]. Nous y reviendrons plus en détail dans la seconde partie.

De l'art de trier les cerises

Lorsqu'un chercheur, un journaliste ou une institution produit un rapport ou un article un peu trop orienté, nos amis anglo-saxons parlent de *cherry-picking* ; littéralement, « trier les cerises ». Au sens propre, l'expression renvoie à un comportement de consommation évident : sur l'étal du marchand de fruits, je sélectionne les cerises les plus appétissantes. Au sens figuré, toutefois, elle dénonce un comportement scientifiquement déloyal : parmi l'ensemble des études disponibles, je sélectionne seulement celles qui sont favorables à ma thèse (fussent-elles dangereusement minoritaires). Lorsqu'il est utilisé avec précision et doigté, ce criblage recèle une puissance mystificatrice redoutable. Il permet, sans mentir, sinon par omission, de renverser totalement la vérité d'un corpus de recherches. Par exemple, en triant bien vos cerises, vous pourrez soutenir de manière convaincante que fumer améliore la performance physique des coureurs de fond[357] ; que les édulcorants artificiels n'augmentent pas le risque sanitaire, en particulier l'obésité[358] ; que le réchauffement climatique est totalement indépendant de l'activité humaine[359-360] ; que les mères doivent rester à la maison car le placement en crèche affecte négativement le développement cérébral de l'enfant[361-362] ; qu'un médicament est efficace quand il ne l'est pas (ou inversement)[363-364] ; ou que les jeux vidéo violents n'ont aucun effet sur l'agressivité[365-366]. La beauté de l'approche, c'est qu'en général seuls les spécialistes les plus avertis du champ concerné sont à même d'éventer l'entourloupe ; et ces professionnels n'ont pas toujours le temps, la volonté ou simplement l'envie d'aller se battre contre les subtils tripotages des maîtres carambouilleurs. C'est d'autant plus vrai que les opérations de *cherry-picking* sont ordinairement difficiles à déconstruire. Pour vaincre l'illusion, il faut parler chiffres, entrer dans des détails techniques laborieux, inventorier et hiérarchiser un grand nombre de sources ; puis, trouver un média suffisamment tenace pour relayer le message. Un vrai sacerdoce.

Quand l'Académie des sciences donne son « Avis »

Dans le domaine du numérique, exception faite des questions de violence, sur lesquelles nous reviendrons en détail dans la deuxième partie, l'œuvre de *cherry-picking* la plus accomplie concerne incontestablement le supposé bénéfice des jeux vidéo dits « d'action » sur l'attention. L'affaire n'est pas récente. Elle a commencé, en 2003, avec la publication d'un article de recherche montrant que ces jeux pouvaient avoir des influences favorables sur certaines composantes de l'attention visuelle[367]. Mais, c'est en 2012 que tout s'est emballé avec l'apparition, dans plusieurs grands médias nationaux, de « unes » dithyrambiques telles que « Les effets positifs des jeux vidéo : accusés de développer l'agressivité, les jeux d'action sont surtout très efficaces pour améliorer l'attention, la vision et la vitesse de réaction[368] » ; ou « Les jeux de tirs sont bons pour le cerveau : différentes études ont démontré que [leur] pratique améliorait rapidement et durablement la concentration et l'acuité visuelle des joueurs[369]. » Enthousiasme confirmé dans un livre publié par un spécialiste supposé des questions d'éducation. Pour notre homme, « au rayon point faible, on reproche souvent [à la génération Y] son incapacité chronique à se concentrer. Mais, avez-vous déjà essayé de passer quatre heures sur un jeu vidéo en ligne à combattre des Sud-Coréens à fond dans leur partie ? Là, on voit ce que c'est que la concentration[370] ! » Grotesque... cependant mignonnet à côté du bouquet final tiré en 2013 sous forme du stupéfiant avis de l'Académie des sciences déjà mentionné*, [277]. L'impact fut phénoménal (et reste durable). Il faut dire que le service après-vente se révéla fort bien organisé tant dans la presse écrite[371-373], qu'à la radio[346, 374, 375] et la télé. « Les écrans bons pour les enfants » titrait ainsi, par exemple, le journal de 20 heures d'une grande chaîne nationale suite à la publication de l'avis[376]. Selon les termes mêmes du secrétaire perpétuel de l'Institution, premier auteur du document, « jamais un texte de l'Académie des sciences n'a été autant repris[377] ».

Il y aurait énormément à dire sur la qualité, la rigueur et l'impartialité de cet avis[378-380]. Pour les besoins du présent chapitre, cependant, nous nous contenterons d'évoquer l'incroyable acharnement des signataires à survendre les influences positives du jeu vidéo d'action sur le fonctionnement cognitif de l'enfant. Première étape, légitimer les usages les plus frénétiques en expliquant que « s'agissant des jeux vidéo, une distinction entre les pratiques excessives qui appauvrissent la vie des adolescents et celles qui l'enrichissent est indispensable » (« des pratiques excessives enrichissantes », avouons qu'il fallait oser la finasserie). Ainsi, selon nos auteurs, « la mesure du temps passé sur les écrans est un mauvais critère d'une utilisation problématique s'il ne s'accompagne pas aussitôt d'une contextualisation de

---

* À la base de ce travail, quatre experts à la compétence discutable sur le thème des écrans : un immunologiste (et secrétaire perpétuel de l'Institution), un astrophysicien, un psychiatre aux prises de position un peu versatiles comme nous l'avons vu plus haut, et un chercheur spécialisé en psychologie du développement (n'ayant jamais publié le moindre article scientifique sur le sujet des écrans : je n'ai en tout cas rien trouvé en ce sens après consultation de la liste de publications sur son site personnel [http://olivier.houde.free.fr/] et interrogation de la base d'indexation internationale la plus complète (Web Of Science, All Databases).

ses conditions et de ses conséquences ». Par exemple : « Les joueurs de jeux en réseau comme *World of Warcraft* peuvent passer en moyenne 25 heures par semaine sur leur jeu sans pour autant qu'il s'agisse d'usage pathologique. Cette caractéristique s'explique par la complexité du jeu et par le temps nécessaire pour réaliser ses objectifs. » Et chacun sait, évidemment, qu'une confrontation suffisamment intense à la complexité ne peut qu'être propice au développement cérébral, ce qui explique que « certains jeux vidéo d'action destinés aux enfants et aux adolescents améliorent leurs capacités d'attention visuelle, de concentration et facilitent, grâce à cela, la prise de décision rapide ». En d'autres termes, « les stratégies que le joueur est invité à mettre en jeu peuvent stimuler l'apprentissage de compétences : capacité de concentration, d'innovation, de décision rapide et de résolution collective des problèmes et des tâches ». Des effets bénéfiques impressionnants, étayés par une référence scientifique explicite[124]. Malheureusement, l'écart ne semble pas mince entre les contenus effectifs et allégués de cette référence. Voyons cela d'un peu plus près.

Des joueurs plus créatifs ?

Il est incontestable que l'industrie du jeu vidéo possède une solide aptitude innovante ; mais étendre cette capacité du concepteur à l'utilisateur semble pour le moins spécieux. D'ailleurs, pas un mot là-dessus dans l'étude mentionnée. À ce jour, il n'existe aucun élément scientifique, même embryonnaire, susceptible de valider pareille extrapolation. Il n'existe pas non plus d'hypothèse théorique plausible permettant d'expliquer comment *World of Warcraft*, *Super Mario*, *Call of Duty* ou *GTA* pourraient booster l'inventivité des pratiquants. Il existe à l'inverse bien des raisons d'affirmer le caractère foncièrement inepte d'une telle idée. En effet, les capacités de créativité et d'innovation n'existent pas dans l'absolu. Elles s'articulent et s'organisent à partir de l'ensemble des connaissances acquises dans une discipline. En d'autres termes, pour dépasser une frontière, il faut d'abord atteindre cette dernière. C'est pour cela que, contrairement à certaines croyances populaires, les innovateurs ne sortent jamais de nulle part ; avant de produire quoi que ce soit de notable, ils ont passé un temps considérable à maîtriser en profondeur les savoirs de leur champ[381-383]. Comme l'explique clairement Anders Ericsson, l'un des plus grands spécialistes internationaux du sujet, « une chose que nous savons sur ces grands innovateurs, c'est qu'ils ont tous, presque sans exception, travaillé à devenir des connaisseurs experts de leur domaine, avant de commencer à en repousser les frontières[384] ». Autrement dit, l'innovation n'a rien d'une espèce de compétence générale désincarnée que quelque jeu vidéo pourrait miraculeusement nous inculquer. Non ; l'innovation c'est d'abord, pour un domaine donné, du temps, du travail et de la sueur. Dès lors, il semble quand même singulièrement malséant d'oser affirmer (sans le moindre étayage !), dans un avis prétendument scientifique, que les jeux vidéo d'action favorisent « l'innovation ».

Des joueurs mieux armés pour travailler en groupe ?

Encore un propos parfaitement gratuit. Non seulement l'étude mentionnée dans le rapport académique ne dit rien du sujet, mais en plus bien des jeux vidéo d'action se pratiquent seul. On peut noter aussi que la multitude n'est pas toujours, tant s'en faut, une garantie de performance. Nombre de travaux montrent ainsi que l'innovation est, dans l'écrasante majorité de cas, le fait d'esprits solitaires[385]. En règle générale, le groupe tend à se révéler bien plus bête et bien moins créatif que la somme de ses individualités. Vous avez un problème ? Faites un *brainstorming* collectif. Vous obtiendrez des résultats infiniment moins intéressants que si vous aviez demandé d'abord à chacun de réfléchir seul dans son coin[386-388].

Par ailleurs se pose, ici aussi, la question fondamentale, déjà évoquée, du transfert. Admettons que les pratiquants apprennent à se parler, à s'organiser et à se coordonner pour résoudre les problèmes posés par le jeu : flinguer un mega-zombie, démolir un tank, etc. En quoi et comment ces « savoirs » peuvent-ils être utiles dans le monde réel (en dehors, éventuellement (!), de quelques circonstances structurellement proches des situations de jeu – par exemple, mener des opérations de sécurisation en zone urbaine de guerre) ? Où sont les études montrant que les compétences développées en taquinant le *joystick* s'étendent à des situations n'ayant aucun rapport direct avec le jeu ? Où sont les études indiquant que la pratique des jeux d'action aide l'individu à évoluer plus efficacement dans une équipe chirurgicale ? Où sont les travaux montrant que *World of Warcraft* et ses affidés optimisent la performance coopérative du joueur au sein d'un orchestre symphonique, d'une équipe de foot, d'une formation commerciale ou d'une brigade de cuisine ? Nulle part, évidemment. Comment s'en étonner quand on réalise, là encore, que la capacité à coopérer et à travailler en groupe dépend principalement d'une compétence disciplinaire précise ? Pour que le collectif soit performant, chaque individualité doit savoir se fondre dans la mélodie cinétique d'ensemble. Mais, pour ce faire, chacun doit être capable de réaliser efficacement sa part singulière d'ouvrage, d'interpréter les agissements du groupe, de déchiffrer l'état d'avancement des objectifs, etc. Comment des compétences aussi spécifiques pourraient-elles s'acquérir en jouant à un jeu vidéo d'action avec quelques copains ? Bref, l'affirmation selon laquelle la pratique du jeu vidéo d'action améliore l'aptitude au travail collectif semble relever, au mieux de la fabulation, au pire de la tartuferie propagandiste.

Des joueurs plus attentifs et plus rapides ?

Enfin une affirmation fondée sur des données concrètes. Joli progrès qui masque mal, cependant, l'absence de définition précise des termes et concepts manipulés. En effet, derrière les mots retenus se cachent, en réalité, des compétences pour le moins circonscrites. Il n'est pas ici question, par exemple, d'une quelconque capacité à porter plus longtemps et plus efficacement attention au contenu d'un texte. Il n'est pas question non plus d'une amélioration générale des capacités de décision. Non ; ce dont il est question c'est uniquement d'une légère optimisation du traitement rapide des informations visuelles reçues par le cerveau. En d'autres termes, le *gamer* sait répondre un peu plus vite que le clampin moyen à certains éléments visuels de son environnement[124, 389]. Par exemple, lorsqu'on les compare à leurs congénères inexpérimentés, les joueurs : arrivent à prendre en compte un plus grand nombre d'éléments visuels (figure 3, page suivante, haut) ; présentent une attention visuelle plus largement éparpillée (figure 3, milieu) ; identifient plus rapidement la présence (ou l'absence) d'un élément cible du champ visuel (figure 3, bas).

Des données incontestablement intéressantes, mais qui appellent deux remarques. Premièrement, il aurait été bienvenu que notre vénérable Académie indique, dans son avis, l'existence d'éléments méthodologiques et expérimentaux contradictoires, susceptibles de jeter un doute sur la solidité et la généralité des résultats présentés[391-395] ; doute que plusieurs travaux récents n'ont pas permis de lever, loin de là[396-400]. Deuxièmement, il aurait été important que soit abordée explicitement la question du transfert des compétences (de l'attention acquise par le jeu, vers les réalités de la « vraie vie »). De toute évidence, il est facile d'affirmer que la pratique des jeux d'action impacte positivement toutes sortes d'habiletés motrices requérant un traitement rapide et précis des flux visuels ; par exemple, jouer au football[124]. Ce qui est compliqué, c'est de le prouver.

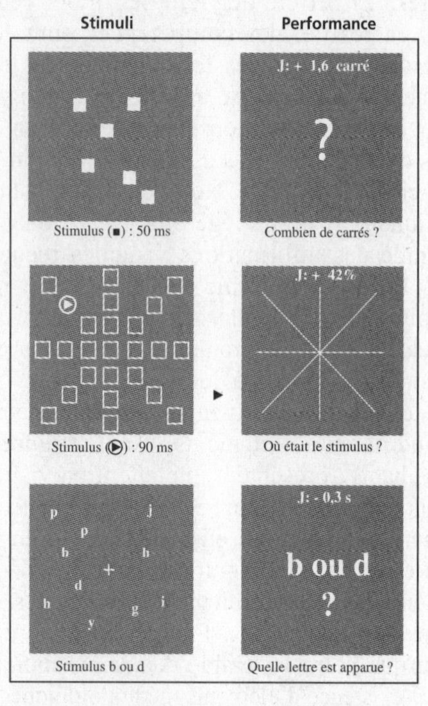

Figure 3. Jeux vidéo et attention visuelle. *Haut :* des carrés apparaissent brièvement (entre 1 et 10 ; 50 ms). Le sujet doit dire combien de carrés il a vus à l'écran. Les joueurs (J) affichent une performance supérieure. En moyenne, ils détectent jusqu'à 4,9 carrés sans se tromper ; contre seulement 3,3 pour les non-joueurs. D'après[367]. *Milieu :* des « distracteurs » (les carrés) et un objet « cible » (le triangle dans le rond) apparaissent brièvement (90 ms). Le sujet doit dire sur lequel des 8 rayons l'objet cible est apparu. La réussite moyenne des joueurs est supérieure à celle des non-joueurs (81 % contre 39 %). D'après[367]. *Bas :* des « distracteurs » (des lettres hors b et d) et une lettre « cible » (b ou d) apparaissent. Le sujet doit identifier la lettre cible. Les joueurs sont plus rapides que les non-joueurs (1,2 s contre 1,5 s). D'après[390].
La supériorité des joueurs est donc réelle pour toutes les tâches. Elle porte cependant sur des compétences bien modestes ; et ce d'autant plus que les supériorités observées ne se transfèrent pas, sauf rares exceptions, aux situations de la vraie vie. Voir détails dans le texte.

D'autant plus compliqué que les recherches disponibles ne sont guère favorables. En effet, on sait aujourd'hui clairement, s'agissant des habiletés visuo-motrices complexes, que le degré d'expertise n'est nullement lié à l'efficience des fonctions basiques de l'attention (supposément développées par les jeux vidéo d'action). Prenez cette étude relative au handball : aucun lien significatif n'a été trouvé entre le niveau de compétence des joueurs et la performance à des tests standard d'attention visuelle[401]. Conclusion des auteurs : « Les expertises sportives sont indépendantes des capacités attentionnelles de base – l'expertise ne produit pas de différences dans les capacités attentionnelles de base et les différences dans les capacités attentionnelles de base ne prédisent pas l'expertise finale. » Même constat pour le baseball. Les batteurs professionnels, dont la vitesse de réponse est stupéfiante, ne sont pas meilleurs que le commun des mortels lorsqu'on les soumet à des tâches d'attention requérant, par exemple, d'appuyer le plus rapidement possible sur un bouton en réponse à l'apparition d'un stimulus visuel[384, 402]. Ce n'est guère surprenant. En effet, le batteur ne réagit pas « après coup » aux comportements adverses ; il les anticipe, c'est-à-dire qu'il commence à organiser sa frappe bien avant le lancer de balle. Pour ce faire, il focalise précocement son attention sur les indices révélateurs du geste du lanceur (axe des épaules, trajectoire du bras, etc.). Ce genre de talent n'a rien d'inné. Il se construit durant l'apprentissage, au gré des échecs, des réussites, des répétitions et, il est important de le signaler, des spécificités de la discipline. À ce sujet, les études disponibles montrent une claire variation des stratégies d'exploration visuelle en fonction de la tâche[403-407]. Cela signifie que les informations collectées par un cerveau de tennisman, footballeur, basketteur, skieur, joueur de baseball ou pilote automobile sont fondamentalement différentes. Autrement dit, chaque habileté visuo-motrice complexe construit et mobilise un type singulier de fonctionnement de l'attention[384, 407-408].

Dès lors, l'absence de transfert depuis les jeux vidéo d'action jusqu'aux habiletés visuo-motrices complexes n'est guère étonnante et il faut être diantrement badin pour affirmer, comme on l'entend encore bien trop souvent dans des médias de premiers plans, que les aptitudes potentiellement acquises par les *gamers*, au prix d'une intensive pratique, « ne sont pas que virtuelles : elles peuvent nous aider à mieux réussir dans les situations de la vie réelle comme conduire une voiture[409] ». Considérons d'ailleurs cette dernière activité à titre d'ultime exemple. Les études disponibles montrent deux choses : (1) la pratique des jeux d'action n'exerce aucune influence positive sur la conduite automobile[118, 410] ; (2) au contraire, la nature souvent frénétique et euphorisante de ces jeux favorise l'émergence de comportements risqués et imprudents qui amènent les pratiquants à conduire plus fréquemment sans permis, à avoir plus d'accidents et à être plus souvent verbalisés ou arrêtés par la maréchaussée[411-416].

À l'évidence, ces résultats négatifs s'accordent mal avec nombre de titres de journaux récents suggérant que « Jouer à *Mario Kart* fait de vous un meilleur conducteur, c'est scientifiquement prouvé[417-419] ! » ; qu'« Une étude confirme que *Mario Kart* fait réellement de vous un meilleur conducteur[420] » ; ou que « Les fans de *Mario Kart* seraient de meilleurs conducteurs, selon la science[421] ». Derrière ces « unes » tapageuses, on trouve une étude n'ayant, hélas, rien à voir avec une situation crédible de conduite automobile (réelle ou simulée)[422]. Expérimentalement, l'affaire comprend trois temps. Premièrement, les sujets jouent à un jeu vidéo rudimentaire de conduite (une sorte de *Mario Kart* très appauvri). Ils sont placés devant un écran d'ordinateur symbolisant le défilement d'une route (ils voient cette route comme s'ils étaient dans l'habitacle d'une voiture). On leur demande, à l'aide d'un petit volant, de se maintenir au milieu de cette route sans se laisser « embarquer » par la survenue de perturbations aléatoires (des poussées latérales soudaines qui dévient la voiture de sa trajectoire rectiligne). L'environnement visuel est aussi misérable que possible. Il ne comprend aucun obstacle, aucun véhicule, aucun piéton, aucun arbre, aucun panneau de signalisation, aucun virage, aucune intersection ; rien. L'écran ne présente qu'un horizon (noir), un sol (marron) et deux lignes pointillées rouges (la route). Les résultats montrent que les amateurs de jeux vidéo d'action réussissent un peu mieux que les non-joueurs à se maintenir entre les deux lignes. En d'autres termes, quand on soumet des consommateurs réguliers de jeux vidéo d'action à un nouveau jeu vidéo rudimentaire de conduite automobile, ils présentent de meilleures performances que leurs comparses novices. La belle affaire !

Deuxième temps de l'étude, les participants sont soumis à une version un peu retouchée du jeu initial. Ils doivent, à l'aide d'un *joystick*, en présence de forces perturbatrices aléatoires (cette fois verticales), maintenir horizontale la trajectoire d'une petite balle rouge qui se déplace sur un écran noir. Là encore (quelle surprise !), les aficionados de la manette réussissent mieux que leurs homologues inexpérimentés. Troisième étape, enfin, deux groupes de participants non-joueurs sont constitués. Pendant dix heures, les uns jouent à *Mario Kart* tandis que les autres s'adonnent à *Roller Coaster Tycoon III* (un jeu de stratégie). Au terme de la période d'entraînement, seuls les membres du groupe *Mario Kart* ont progressé dans leur maîtrise de la tâche précédente (maintenir horizontale la trajectoire d'une petite balle rouge sur un écran noir). C'est sur la base de ce résultat mirobolant, il faut l'avouer, que nos amis journalistes ont pu expliquer à leurs lecteurs que « jouer au jeu vidéo *Mario Kart* nous prépare réellement à prendre le volant dans le monde réel[420] » et que « passer des heures devant *Mario Kart* aurait des bénéfices insoupçonnés[421] ». Désormais, « plus besoin de passer des heures à éplucher le code pour devenir un conducteur hors pair[418] ». En effet, « des heures d'entraînement aux jeux vidéo améliorent les aptitudes de conduite des joueurs dans le monde réel. Cela pourrait être utilisé comme une approche économique efficiente pour entraîner les conducteurs dans le futur[423] ». Parce que, évidemment, tout le monde l'aura compris, un « meilleur conducteur », ce n'est pas un individu qui déchiffre mieux l'environnement, adapte mieux sa vitesse aux contraintes extérieures, décrypte mieux le code de la route, estime plus précisément les distances de sécurité, anticipe plus finement le comportement des autres usagers (piétons, motards, cyclistes ou automobilistes), etc. Non ! Un « meilleur conducteur », c'est une personne qui se révèle plus performante quand on lui demande de maintenir horizontal le déplacement d'une balle rouge sur un écran noir, en présence de forces perturbatrices aléatoires.

Conclure sur la base de l'étude ici discutée que *Mario Kart* fait de nous de « meilleurs conducteurs » est juste surréaliste. Scientifiquement, la seule utilité de ce travail est de montrer que jouer fréquemment à des jeux vidéo d'action nous facilite la vie quand nous devons prendre en main un jeu que nous ne connaissons pas. Le résultat est sans doute intéressant, mais, sur le fond, force est de constater qu'il s'avère étranger aux extravagants messages transmis par les médias à leurs usagers. Comme indiqué plus haut, lorsque l'on considère de vraies situations de conduite, la supposée meilleure aptitude des *gamers* non seulement disparaît, mais se retourne pour devenir négative (en raison principalement d'une plus grande propension à la prise de risques). Et vraiment, il faut être diablement culotté pour affirmer, sur la base de l'étude ici décrite (réalisée rappelons-le dans un absolu désert environnemental) que les jeux vidéo d'action font de nous de meilleurs conducteurs parce qu'ils nous aident « à repérer les dangers dans le monde réel[423] ». L'auteur de cette glorieuse tirade omet juste un léger détail pratique : pour repérer les dangers de la route, il faut savoir où les trouver ; c'est-à-dire qu'il faut savoir où regarder et quand ! Or, ce type de savoir, seule l'expérience réelle et répétée de la route permet de l'acquérir. Pour ceux qui en douteraient (encore !), une étude récente a enregistré les explorations oculaires de « vrais » conducteurs et d'usagers de jeux vidéo de conduite. Résultat : « Les joueurs sans expérience réelle de conduite n'ont pas un *pattern* d'exploration visuelle fonctionnel pour les situations réelles de conduites [...]. La conduite virtuelle sur jeux vidéo ne favorise pas le développement d'explorations appropriées des configurations routières[410]. »

Bref, il est donc possible (et sans doute probable[424], même si l'affaire reste discutée[425]) que les jeux vidéo d'action améliorent, non pas notre attention ou nos capacités décisionnelles en général, mais certaines caractéristiques de notre attention visuelle. Le problème c'est que ces améliorations restent « locales » dans l'écrasante majorité des cas ; elles ne s'étendent pas aux situations de la « vraie vie ». Cela veut dire, en clair, que jouer à un jeu vidéo d'action nous enseigne essentiellement à... jouer à ce jeu et à ses homologues de même nature. Bien sûr, certaines généralisations positives surviennent parfois lorsque le réel impose les mêmes demandes que le jeu. C'est le cas, par exemple, pour la manipulation d'un télescope chirurgical[426, 427] ou le pilotage lointain de drones de combat[428]. Mais, en dehors de ces situations singulières, il est tout à fait illusoire, comme le confirment nombre d'études récentes, d'espérer un transfert d'aptitude significatif du jeu vidéo vers le réel[115-117, 119-123, 384].

Naturellement, cette certitude expérimentale n'arrête pas l'armada des spécialistes médiatiques. Ainsi, par exemple, pour les jeux de tir à la première personne (*first person shooter*), nous dit l'expert déjà cité dans la section précédente : « Le transfert d'apprentissage est remarquable : les acquisitions se transfèrent à tous les domaines de la vie[429]. » Comment peut-on tenir de tels propos au mépris de toute réalité expérimentale ? Notre expert croit-il vraiment, lui-même, à cette fable de la généralisation ? Je ne saurais le dire, même si je veux bien l'admettre. Et pour ceux qui persisteraient à douter du bien-fondé des éléments ici présentés, on peut finalement citer, au titre d'ultime évidence, les conclusions d'une récente « méta-analyse* » de grande ampleur[123]. Selon les auteurs : « Nous n'avons trouvé aucune preuve de relation causale entre jouer aux jeux vidéo et des capacités cognitives améliorées. L'entraînement aux jeux vidéo ne fait ainsi pas exception à la difficulté générale d'obtenir des transferts lointains [c'est-à-dire des généralisations depuis un domaine particulier – par exemple, l'apprentissage des échecs – vers un autre domaine différent – par exemple, la capacité à mémoriser un poème] [...]. Nos résultats soutiennent l'hypothèse selon laquelle l'acquisition de l'expertise repose, pour une large part, sur des traitements spécifiques, par définition non transférables. »

Des joueurs dotés d'une meilleure concentration ?

Retour au récit de l'invention. Rien, ni dans l'article cité en référence par les auteurs de l'avis académique, ni (plus généralement) dans la littérature scientifique, ne soutient cette affirmation. Celle-ci n'est fondée que sur une extrapolation fallacieuse des données relatives

---

* Une méta-analyse est une sorte de synthèse statistique qui regroupe toutes les recherches disponibles sur un sujet donné afin de déterminer s'il existe, ou non, un effet statistique global au-delà des résultats (parfois contradictoires) de chaque étude individuelle. En gros, une méta-analyse est une super-étude statistique réalisée en agrégeant les résultats de toutes les « petites » études individuelles.

à l'attention visuelle. Il est tellement facile de passer de cette dernière à l'attention en tant que faculté générale, puis, carrément, à la concentration. Une telle tendance, évidemment, n'est pas spécifique à l'avis académique ici discuté. Il n'est pas rare que nos amis journalistes se laissent, eux aussi, aller aux raccourcis les plus sauvages en expliquant, par exemple, dans un article sobrement intitulé « Ces jeux vidéo qui vous font du bien », que « la lutte armée virtuelle présente une autre vertu intéressante : elle améliore le contrôle attentionnel, c'est-à-dire la capacité à se concentrer sur une tâche sans être distrait[430] » ; ou, dans un documentaire grand public modestement titré « Jeux vidéo : les nouveaux maîtres du monde », que des expériences sont réalisées « pour mesurer la capacité attentionnelle des joueurs, c'est-à-dire leur faculté de concentration[88] ». Récemment, c'est même un éminent scientifique, membre de la prestigieuse Académie des sciences, qui expliquait aux millions d'auditeurs d'une grande radio nationale qu'il ne fallait pas « démoniser les jeux vidéo [...]. Même les jeux vidéo d'action, les "*shooters*" ont un effet positif sur l'éducation parce qu'ils augmentent la concentration des enfants, la capacité d'attention[431] ».

Le problème c'est que derrière les termes génériques « d'attention » ou de « concentration » se cachent des réalités fonctionnelles et neurophysiologiques fort disparates[432-434]. Au sens premier, nous dit le dictionnaire, la concentration qualifie « [l'] action de réunir en un centre ou sur un point ce qui est primitivement dispersé » ; définition générale qui, appliquée au domaine cognitif, désigne « [l']action de rassembler les forces de son esprit et de les porter sur un objet unique* ». De la même façon, l'attention caractérise une « tension de

* D'après le Centre national de ressources textuelles et lexicales : www.cnrtl.fr/definition/concentration

l'esprit vers un objet à l'exclusion de tout autre* ». Ces définitions traduisent assez bien la mécanique cérébrale de l'attention focalisée[432, 435]. En effet, quand le cerveau se « concentre », deux choses se passent. Premièrement, l'activité des régions importantes pour la tâche concernée augmente. Deuxièmement, l'activité des régions inutiles, notamment celles liées au traitement des flux sensoriels externes perturbateurs, s'affaisse**. Ce second mécanisme joue un rôle essentiel dans notre capacité à ignorer les informations importunes et donc, ultimement, à rester focaliser sur l'objectif poursuivi.

Quand on explique à des parents inquiets que les jeux vidéo d'action améliorent l'« attention » ou la « concentration » de leur enfant, c'est à ce processus d'hyper-focalisation des ressources cognitives qu'ils pensent spontanément ; un processus absolument essentiel, est-il nécessaire de le souligner, au fonctionnement intellectuel et, par suite, à la réussite scolaire[437-445]. Au fond, pour le grand public, être attentif c'est être « dans sa bulle », centré sur la seule tâche en cours. L'attention peut alors être vue comme un mécanisme qui concentre toute la lumière en un point et fait activement le noir partout ailleurs. Le problème c'est que les jeux vidéo suscitent un mouvement rigoureusement inverse. Ils suppriment le faisceau lumineux focalisé et allument toute la pièce. Cela tient à la nature intime de ces jeux et au fait qu'ils sont structurellement tournés vers le monde extérieur. Ce faisant, ils réclament une attention généreusement éparpillée. Pour être performant, le joueur doit constamment balayer

---

* www.cnrtl.fr/definition/attention

** Par exemple, si on vous caresse le bout du doigt pendant que vous êtes concentré sur une tâche de calcul mental, l'information qui remonte aux aires cérébrales sensorielles est significativement atténuée par rapport à une condition où l'on vous caresse le doigt sans que vous comptiez[436].

l'espace visuel. Il doit être capable de repérer sans délai, dans la succession des scènes présentées, l'apparition de tout stimulus comminatoire ou configuration visuelle pertinente ; même à l'extrême périphérie du champ.

Les esprits taquins pourraient s'amuser, sans doute, de ce que l'aptitude de nos cousins chimpanzés est, en ces domaines, très supérieure à celle d'un humain standard[446] ; et que, si le but est d'offrir à nos enfants le bagage attentionnel d'un primate, alors les jeux vidéo représentent effectivement un outil didactique tout à fait adapté. Mais gardons-nous d'être moqueurs et retenons donc simplement qu'en matière de jeux vidéo d'action un accomplissement optimal ne peut s'obtenir qu'à travers le développement d'une attention exogène éparpillée, c'est-à-dire vigilante au moindre mouvement du monde extérieur. Cela veut dire une attention dont les propriétés sont, par nature, exactement opposées à celles de la concentration. Dans un cas, on épand et cherche à ne rien rater des signaux environnementaux externes ; dans l'autre, on focalise et tâche d'ignorer autant qu'il est possible l'influence perturbatrice de ces mêmes signaux. Amalgamer ces différents types d'attention au motif de leur homonymie est pour le moins inconvenant. D'autant plus qu'il a été clairement montré que le processus de dispersion de l'attention n'était pas sans causer quelques solides dommages à la concentration : lorsque l'on entraîne, côté pile, les capacités de traitements visuels rapides, on augmente, côté face, la tendance du sujet à se laisser distraire par les agitations de son environnement[447]. Autrement dit, c'est alors littéralement la distractibilité que l'on va inscrire dans le fonctionnement individuel.

En pratique, l'émergence d'une distractibilité accrue, activement apprise et diligemment implémentée au cœur de la structure cérébrale, explique pourquoi les jeux vidéo possèdent, au-delà de leurs effets éventuellement positifs sur l'attention visuelle, un impact notoirement délétère sur l'attention focalisée, c'est-à-dire la concentration[448-456]. Même les chercheurs les plus impliqués dans la mise en évidence des influences positives des jeux vidéo d'action sur l'attention visuelle admettent la réalité de cette dissociation. Une chercheuse expliquait ainsi, par exemple, dans un journal scientifique de premier plan, quelques mois avant d'être auditionnée par les rédacteurs du rapport de l'Académie des sciences que : « Si l'on entend la capacité à filtrer rapidement et efficacement les distracteurs visuels brièvement présentés (soit l'attention visuelle), alors clairement jouer aux jeux vidéo d'action améliore cette capacité. Cependant, si l'on entend la capacité à rester concentré de manière soutenue sur un flux d'informations évoluant lentement, comme faire attention à l'école, il y a des travaux récents qui suggèrent que le temps total d'écran, et le fait de jouer aux jeux vidéo en particulier, peut avoir des effets négatifs[457]. » Un autre chercheur expliquait d'ailleurs aussi à ce sujet, dans le même article scientifique, que, selon lui, « ces mêmes habiletés attentionnelles qui sont apprises en jouant aux jeux vidéo d'action [...] constituent une partie du problème. Bien que ces habiletés soient bonnes dans un environnement numérique, elles sont un handicap à l'école quand l'enfant est supposé ignorer le gamin qui gigote à côté de lui et se concentrer sur une seule chose ». Il est vraiment dommage (pour ne pas dire dommageable) que l'avis de notre chère Académie des sciences ait non seulement « oublié » de mentionner ces éléments, mais ait aussi choisi, en amalgamant grossièrement les concepts d'attention visuelle, d'attention et de concentration, de faire dire aux données scientifiques l'exact inverse de ce qu'elles affirmaient vraiment.

À la lumière de ces observations, chacun comprendra aisément le malaise que la publication d'un tel avis a pu susciter dans la communauté scientifique et éducative[378-380]. Pour se justifier, les auteurs décidèrent, avec grande élégance, de présenter leurs détracteurs comme de simples jaloux. « Ces personnes sont juste mécontentes de ne pas avoir été auditionnées », affirmait ainsi, par exemple, le secrétaire perpétuel de l'Académie[377]. L'avis, poursuivait notre homme, « a demandé plus d'un an de travail ». Dans une émission de radio, il doublait la mise[374], quand l'un de ses coauteurs la triplait carrément en expliquant que « pendant près de trois ans, nous avons auditionné un grand nombre d'experts, aussi bien dans le domaine de la psychologie, psychologie du développement, mais aussi la neuropharmacologie, la neurologie et la neurobiologie ; et donc, cet avis a tenu compte de tous les témoignages qui ont été recueillis[346] ». Impressionnant ; au moins dans le verbe. En effet, la liste des personnes auditionnées, telle que publiée en annexe du document, situe la notion de « grand nombre » à… douze personnes !

Quid de l'addiction ?

« Concernant l'impact psychologique des jeux vidéo, nous apprend une journaliste qui s'est, *a posteriori*, intéressée aux étrangetés de cet obscur avis, n'ont été entendues qu'une chercheuse d'Ubisoft, importante société française de création et de distribution de jeux vidéo, et Daphné Bavelier, de l'université de Genève, dont les recherches visent justement à identifier et à exploiter les effets positifs des jeux vidéo. Deux discours qui ont de grandes chances d'être orientés[377]. » D'autant plus orientés, que ladite chercheuse admet elle-même divers conflits d'intérêts industriels dans un article que les auteurs de l'avis avaient cité et donc (supposément) lu[124]. Il aurait sans doute été éthiquement loyal que l'avis mentionne ces liens extra-académiques, non pour incriminer la probité (incontestée) de la chercheuse interrogée, mais pour permettre au lecteur de remettre en perspective la nature des propos rapportés. Par ailleurs, il aurait été pertinent que soient interrogés d'autres experts, dépourvus de conflits d'intérêts. De manière intéressante, lors d'une conférence scientifique dispensée à l'université de Grenoble[458], Laurent Bègue, spécialiste internationalement reconnu dans le domaine des jeux vidéo (mais apparemment inconnu des auteurs de l'avis[377]), interrogea sa collègue Daphné Bavelier sur les termes de son audition. Réponse de cette dernière : « L'Académie des sciences, j'ai été assez surprise, on ne m'a pas donné le truc à revoir avant de publier. J'ai été à une session où j'ai fait une présentation de mon travail, on m'a posé quelques questions et c'était fini. J'ai été assez surprise que ça soit aussi rose que ça et en particulier on parle beaucoup de la violence, mais l'autre aspect qui me paraît, pour moi, encore plus préoccupant, c'est l'aspect de l'addiction dont on parle très très peu[458]. » D'autant moins d'ailleurs que, selon les auteurs de l'avis, « aucune étude ne permet d'affirmer qu'elle existe, notamment pour ce qui concerne les adolescents[277] ». L'un d'entre eux (l'expert dont nous avons pu précédemment apprécier toute la constance) allant jusqu'à affirmer dans un article ultérieur « qu'aucun chercheur ne défend l'idée qu'il existerait une addiction aux écrans en eux-mêmes[459] ». Ébouriffant quand on sait que ce même auteur : (1) reconnaissait quelques années plus tôt que « l'addiction aux jeux vidéo est un phénomène rare. Il concerne surtout les jeunes adultes. [...] Il faut bien sûr mener une prévention auprès des jeunes mais aussi une bataille pour que les fabricants fassent des jeux moins addictifs[460] » ; (2) dénonçait quelques années plus tard « les 4 moyens utilisés par les fabricants de jeux vidéo pour rendre nos enfants dépendants » en se demandant si « ces différents procédés utilisés par les concepteurs de jeux vidéo pour rendre les joueurs addicts résultent d'études de psychologie[461] ». Ultime (?) re-revirement survenu, on peut le noter quelques semaines seulement après que l'OMS a officiellement reconnu l'addiction aux jeux vidéo comme un trouble mental[462-463]. Une décision qui, selon les termes de cette institution « a été sous-tendue par les analyses des données factuelles disponibles et procède d'un consensus d'experts dans des disciplines différentes, issus de régions géographiques diverses[464] ». Un consensus évidemment attaqué par les industriels du secteur et une poignée d'experts désaccordés[465-468]. Bien qu'elle ait peu de chances d'entamer la détermination de l'OMS, cette campagne permet de maintenir vivace, dans l'esprit du public, un opportun sentiment d'incertitude. Peu importe la montagne de données scientifiques désormais disponibles[103-105, 469-475], l'artificiel débat médiatique n'est pas près de s'éteindre.

Bref, il apparaît assez incroyable qu'une institution scientifique de premier plan, regroupant certains des chercheurs les plus éminents de la planète, ait accepté de ternir aussi profondément sa crédibilité au profit d'un texte à ce point partial et scientifiquement affligeant. Mais rien, en ce bas monde, ne semble jamais fortuit. En effet, comme l'explique la journaliste déjà citée, qui a enquêté sur les origines du document, l'avis s'est révélé bien utile pour « lever un verrou législatif qui, depuis 2007, empêchait l'industrie du jeu vidéo de bénéficier de crédits d'impôt pour le développement des jeux PEGI 18, c'est-à-dire des jeux destinés aux adultes et contenant des scènes violentes ou pornographiques susceptibles de donner un sentiment de dégoût au spectateur[377] ». Un coup de pouce destiné à soutenir nos industriels car, comme expliqué par un sénateur, lui-même corédacteur d'un rapport sur les jeux vidéo, « il fallait faire un geste pour empêcher la fuite des cerveaux vers l'Amérique du Nord, où d'importants crédits d'impôt facilitent le développement, complexe et coûteux, des jeux PEGI 18[377] ». L'argument peut éventuellement s'entendre. Mais ne se suffisait-il pas à lui-même ? Était-il nécessaire de l'adosser à un rapport

« scientifique » aussi trompeur et bâclé ? À chacun de juger pour lui-même.

De l'art de cultiver le doute en terres de consensus

Malheureusement pour nos amis industriels, les preuves scientifiques s'avèrent parfois tellement épaisses et concordantes que les tripatouillages de base ne parviennent plus à farder le réel. C'est alors qu'intervient l'iconoclaste. Véritable poisson volant des océans médiatiques, cet artiste du contre-pied possède généralement un titre académique et une solide maîtrise de son domaine. Malgré tout, il trône rarement au firmament du monde scientifique et doit l'essentiel de sa notoriété à son ostentation anticonformiste. Car, encore une fois, ce genre de client est pain béni pour l'industrie et le journaliste qui, en vertu du dogme flasque de l'impartialité, déjà évoqué, s'impose souvent pour devoir absolu de présenter tout l'éventail des antagonismes existants. Et des professionnels de l'antithèse, on en trouve toujours, même dans les champs académiques les plus solidement consensuels. Prenez le réchauffement climatique, par exemple : entre 97 et 99,9 % des scientifiques compétents sur le sujet s'accordent, selon les dernières études, pour reconnaître que l'activité humaine affecte le climat[476-478] ; des chiffres qui, malgré leur ampleur, laissent clairement de la place pour quelques spécimens climatosceptiques – et non des moindres puisque parmi eux a figuré un scientifique de renom international et ancien ministre français de l'Éducation[479] – dont les propos entretiendront le doute dans l'esprit du public[175, 480-484].

Le champ des écrans, évidemment, n'échappe pas à ces actions iconoclastes. Nul domaine ne l'illustre plus directement que celui se rapportant à l'impact des contenus violents sur le comportement. Depuis plus de soixante ans, cette relation a été obsessionnellement labourée par les scientifiques dans tous les sens possibles. Au-delà des variations de protocoles, de populations, d'approches et de méthodologies, le résultat n'a jamais varié : les contenus violents favorisent à court et long terme l'émergence de comportements agressifs chez l'enfant et l'adulte[365, 485-491]. Agressif ne veut toutefois pas dire que les films ou jeux violents vont transformer tous les gamins en tueurs sanguinaires ou les pousser à perpétrer je ne sais quels viols, tueries ou cruautés de masse. Cela ne veut pas dire non plus que les contenus violents sont le seul (ou même le principal) facteur explicatif des comportements d'agression. Cela ne veut pas dire, enfin, que l'effet est systématique et présent uniformément chez chaque joueur. Cela veut dire « simplement » que si vous prenez deux populations d'individus, l'une composée d'adeptes de jeux violents, l'autre de non-joueurs, les comportements d'agressions verbales et/ou physiques seront plus fréquents et plus marqués dans le groupe des joueurs. Comme l'explique très bien Laurent Bègue, directeur d'un laboratoire de recherche universitaire travaillant sur cette question, typiquement, « les effets ne sont pas spectaculaires (quelqu'un qui sort d'une séance n'a pas forcément envie de tuer ou de blesser un individu !), mais ces effets n'en sont pas moins réels. On note ainsi très clairement une augmentation de l'irritabilité, mais aussi une hausse des agressions verbales et des petits comportements brutaux[492] ». En d'autres termes, « le lien empirique [entre contenus violents et agression] n'est donc plus à démontrer aujourd'hui, quoi qu'en disent les *gamers* et quelques démago-geeks qui caressent l'industrie du jeu violent dans le sens du poil (“les données sont contradictoires”, “les études sont mal faites”)[493] ». Bien sûr, encore une fois, personne ne peut affirmer que l'augmentation du niveau d'agressivité inhérent à la consommation de contenus violents est susceptible de conduire, même épisodiquement, à des comportements bestialement violents ; mais personne, non plus, ne peut sérieusement l'exclure. Par exemple, sans ce petit surplus d'agressivité ou d'irritabilité (et/ou sans cette image du mâle viril lentement intériorisée à coups de contenus virtuels violents et sexistes), Monsieur X ne serait peut-être pas descendu de sa voiture pour prendre à partie verbalement l'individu qui venait de lui griller dangereusement la priorité… et l'affaire n'aurait pas dégénéré en un brutal et sauvage pugilat.

Quand savoir scientifique et discours médiatique divergent

« Malheureusement, comme le souligne l'Académie américaine de pédiatrie, les médias présentent souvent "les deux côtés" du débat associant violence médiatique et agression en appariant un chercheur avec un expert ou un porte-parole de l'industrie ou même un contradicteur universitaire, ce qui crée une fausse équivalence et la perception erronée que les travaux de recherches et le consensus scientifique font défaut[488]. » Et, effectivement, nombre d'articles « grand public » n'hésitent pas à tirer l'épaisse ficelle du manque d'unanimité scientifique pour nier l'existence d'une relation causale entre augmentation du niveau d'agressivité comportementale et contenus médiatiques violents[494-496]. Pour en finir avec cette triste fable, un groupe de chercheurs a récemment entrepris d'explorer quantitativement la question[497-498]. Plusieurs centaines de pédiatres et scientifiques travaillant dans le champ numérique furent interrogées. Résultat : « Il existe un large consensus […]. Bien que quelques chercheurs bruyants affirment qu'il y a un "débat" sur ce sujet, l'écrasante majorité des chercheurs pensent que les médias violents augmentent les comportements d'agression chez l'enfant, et que la relation est causale. Les pédiatres en sont encore plus convaincus[497]. » Cette dernière observation n'est guère surprenante quand on sait que les cliniciens, bien plus que les chercheurs, sont activement confrontés à l'effet qu'un usage massif d'écrans, notamment violents, peut avoir sur le comportement des enfants et adolescents. D'ailleurs, en France, un collectif de professionnels de santé a récemment sonné l'alarme et souligné de manière extrêmement dure et véhémente que « la surexposition des jeunes enfants aux écrans est un enjeu majeur de santé publique[499] ». Cela dit, ajoutons un dernier commentaire encourageant : les parents interrogés dans le cadre de l'étude précédente ne semblent pas être totalement dupes du problème et des manipulations qu'ils subissent. Dans leur grande majorité, ils reconnaissent l'impact négatif des contenus violents sur le comportement de leurs enfants[497-498].

Au fond, le plus surprenant au regard des données ici évoquées, c'est que le consensus observé dans la communauté scientifique ne soit pas encore plus important. On peut penser que cela tient à l'absence de spécificité de l'échantillon académique examiné. En effet, il est probable qu'une étude davantage centrée sur les seuls vrais experts du domaine (c'est-à-dire les experts qui conduisent directement des recherches sur l'effet des contenus violents) aurait livré un niveau d'unanimité très supérieur[500]. Pour preuve de cette affirmation, on peut noter que tous les panels hyperspécialisés réunis sous l'égide d'institutions gouvernementales[501-502], médicales[488-489, 503-505] et/ou académiques[487, 506] majeures*

* Citons, par exemple, pour les seuls États-Unis : l'Académie américaine de pédiatrie, l'Association américaine de psychologie, l'Association américaine de psychiatrie, l'Association américaine de psychiatrie infantile et adolescente, la Société pour les

ont rendu des conclusions similaires : « Il y a un large consensus scientifique pour dire que la violence virtuelle augmente les pensées, ressentis et comportements agressifs[488]. » À cette liste s'ajoutent évidemment une ribambelle de méta-analyses et d'études de synthèse rigoureusement conduites[365, 485, 490-491, 507-511].

Ainsi, quand on prend le temps d'analyser sérieusement l'ensemble des données disponibles, il apparaît juste invraisemblable que l'artificielle controverse sur les effets des images et jeux vidéo violents ne soit pas encore close. Déjà en 1999, dans le *New York Times*, le secrétaire général de l'Association américaine de psychologie déclarait que « les preuves sont écrasantes. Les contester revient à contester l'existence de la gravité[512] ». Pourtant, le débat perdure et la contestation par médias interposés reste vive. Une étude de contenus réalisée au début des années 2000 permet de comprendre l'origine du problème. À cette époque, deux chercheurs ont commencé à s'interroger sérieusement sur le regard apparemment bien nuancé (pour ne pas dire bien favorable) que les grands médias américains portaient à la question des images violentes[513]. Après s'être vu refuser, par *Newsweek*, le droit de répondre à un article jugé peu objectif, nos spécialistes décidèrent, un peu agacés, d'étudier une bonne fois pour toutes le sujet sous son angle quantitatif. Pour ce faire, ils entreprirent de comparer, à partir d'une recherche bibliographique fouillée, l'évolution respective du savoir scientifique et des représentations médiatiques sur un quart de siècle. Résultat des courses : un cheminement strictement opposé. Entre 1975 et 2000, plus le

---

études psychologiques des questions sociales, l'Association médicale américaine, l'Académie américaine des médecins généralistes, l'Institut national américain de la santé, la Société internationale de recherche sur l'agression et le *U.S. Surgeon General* (direction du Service américain de santé publique)[500].

degré de certitude scientifique avait augmenté quant à l'effet toxique de la violence audiovisuelle sur le comportement, plus le discours médiatique était devenu mièvre et rassurant. Autrement dit, plus les études académiques s'accordaient à souligner la réalité du problème et plus les journalistes expliquaient à leur lectorat qu'il n'y avait pas de quoi s'affoler et que, si problème il y avait, celui-ci ne pouvait, de toute façon, avoir que des conséquences marginales dans la « vraie vie ».

Comme on pouvait le craindre, le biais ne s'est pas arrangé depuis la publication de ce constat originel. Selon les résultats d'une étude récente, la frilosité des médias n'a fait que croître avec le temps[514]. Au début des années 2000, on trouvait 2,2 fois plus d'articles de presse « affirmatifs » (reconnaissant l'existence d'un lien significatif entre violence audiovisuelle et comportement d'agressions) que d'articles « neutres » (indiquant que l'on ne pouvait trancher). Dix ans plus tard, en dépit, nous l'avons vu, d'un consensus toujours aussi marqué dans la communauté scientifique, le rapport s'était quasiment inversé avec 1,5 fois plus d'articles « neutres » que d'articles « affirmatifs ». De manière intéressante, ces derniers apparaissaient significativement plus souvent sous des plumes féminines que masculines. Connus pour être de plus gros consommateurs de jeux vidéo[37], les hommes étaient peut-être moins enclins à reconnaître le problème[515]. À l'inverse, sans surprise, ces articles « affirmatifs » étaient moins fréquents lorsque augmentait le nombre de sources « aspécifiques » (chercheurs non liés au domaine, membres de l'industrie médiatique, parents, consommateurs, etc.).

Quand l'Iconoclaste entre en scène

Compte tenu de l'ampleur et de la solidité des preuves disponibles, cette lente divergence entre savoir scientifique et réalité médiatique ne peut provenir de l'action contestatrice de quelques pseudo-experts populaires. Bien sûr, toutes ces bonnes volontés propagandistes restent bienvenues pour appuyer et disséminer la catéchèse du doute ; mais elles ne sont pas assez crédibles pour organiser, formuler et instiller efficacement le ver de l'équivoque dans la pomme du savoir. Non, pour être efficace, la réfutation doit ici venir du corps même des chercheurs. Elle doit donner l'impression que le combat se fait entre études et parties d'égales autorités. Bref, elle doit venir d'un universitaire iconoclaste ; et, en cette matière, nul n'est plus performant que le désormais célèbre Christopher Ferguson. Depuis des années, ce docteur en psychologie, professeur à l'université américaine Stetson en Floride, empile les déclarations médiatiques[516-518] et publications académiques[519-524] indiquant qu'il n'existe aucun lien entre contenus audiovisuels violents et agressivité comportementale. Ces publications, toutefois, ont la mauvaise habitude de présenter des biais et approximations méthodologiques alarmants[365-366, 485, 497, 525-526]. Prenons juste un exemple représentatif récent, tiré d'une méta-analyse menée par Ferguson et visant à trancher le débat relatif à l'impact potentiel des jeux vidéo (en particulier violents) sur le fonctionnement cognitif et le comportement[520]. Sans surprise, ce chercheur « trouve », une nouvelle fois, que les jeux vidéo ont une influence marginale sur les conduites d'agression, les performances scolaires et les troubles attentionnels. Hélas pour notre iconoclaste, Hannah Rothstein a, avec un coauteur, décidé de se pencher sur ce travail aux conclusions surprenantes à la lumière des travaux antérieurs sur le sujet. Statisticienne de renom, cette chercheuse est l'une des meilleures spécialistes internationales des méta-analyses, sujet difficile sur lequel elle a publié plusieurs ouvrages[527-529] et articles[530-532] de référence. Ses conclusions, présentées par le journal ayant préalablement accepté l'article de

Ferguson, sont pour le moins caustiques. Après avoir dressé une large liste d'aberrations méthodologiques et statistiques, Rothstein et son coauteur concluent : « Nous n'avons aucune confiance dans la fiabilité et la validité des variables codées [= des données utilisées pour la méta-analyse de Ferguson]. Les tailles d'effet sont incorrectes et ne peuvent être interprétées. Nous craignons que les lecteurs (*e.g.* les parents, pédiatres, décideurs politiques) supposent que, parce que cette méta-analyse est publiée dans ce prestigieux journal, elle est une synthèse valide de la recherche sur les effets des jeux vidéo chez l'enfant. Elle ne l'est pas. Elle est irrémédiablement défectueuse et n'aurait jamais dû être publiée dans ce journal ou aucun autre journal[533]. » Quand on connaît toutes les subtilités de la rhétorique scientifique, ce genre de commentaire témoigne d'une singulière clarté.

Mais soyons beau joueur et admettons, au mépris des prudences les plus élémentaires, que les études produites par Ferguson sont rigoureuses. Au bout du compte, cela ne change rien au problème. En effet, lorsqu'on les mêle à l'ensemble des recherches disponibles, au sein de méta-analyses exhaustives (et correctement conduites !), il apparaît que les travaux (et positions) de Ferguson sortent complètement du rang pour constituer, avec quelques autres productions vagabondes du même genre, de véritables anomalies statistiques[365, 485]. En d'autres termes, notre iconoclaste est le seul à ne rien trouver quand tous les autres trouvent quelque chose. Curieux… mais pratique ; car c'est là précisément qu'intervient le « biais d'équité » évoqué plus haut : en offrant à chacun le même poids expressif, il fait perdre aux travaux aberrants leur caractère anecdotique. Dès lors, l'anomalie se voit conférer la même recevabilité que les dizaines d'études qu'elle contredit. Et c'est ainsi que naît de manière artificielle un pseudo-débat qui jamais n'aurait dû voir le jour.

Quand la justice s'en mêle...
au mépris de la science

Bien sûr, il y a cet arrêt rendu, en 2011, par la Cour suprême américaine, au bénéfice des fabricants de jeux vidéo[534]. Un an plus tôt, ces derniers avaient attaqué une loi californienne visant à « interdire la vente ou la location de jeux vidéo violents aux mineurs ». Parmi les neuf membres de la Cour, sept déclarèrent ce texte inconstitutionnel. Dans les attendus du jugement, le juge Antonin Scalia consacra deux brefs paragraphes à la question des preuves scientifiques. Pour lui, « les preuves produites par l'État [de Californie] ne sont pas convaincantes [...]. [Les études] ne prouvent pas que les jeux vidéo violents conduisent les mineurs à agir agressivement (ce qui serait au moins un début). Au lieu de cela "presque tout le corpus de recherche est fondé sur des corrélations, pas des preuves de causation, et la plupart des études souffrent de faiblesses méthodologiques significatives et admises". Video Software Dealers Assn. 556 F. 3d, at 964 ». Une dernière affirmation tirée (étonnamment !), comme l'indiquent les guillemets et la référence, d'un texte produit par les industriels du secteur.

Superbe aubaine, évidemment, pour les tenants de la thèse d'innocuité des jeux vidéo. Mais malheureusement, encore une fois, il semble bien que le masque des premières apparences ne suffise pas à dire toute la réalité du problème. En effet, contrairement à ce que laissent entendre les lignes précédentes, l'affaire ici considérée n'a pas été évaluée sur une base scientifique, mais politique[511, 535-536]. Ainsi, les juges ne se sont pas demandé si les jeux vidéo violents pouvaient avoir quelque effet négatif sur le comportement ; ils se sont demandé si le texte de loi présenté respectait le premier amendement constitutionnel des États-Unis, relatif à la liberté d'expression. Pour preuve, comme rapporté dans un article académique postérieur au jugement, « le juge qui a rédigé le jugement majoritaire (Scalia) admet qu'il n'a lu aucun des articles scientifiques présentés à l'appui de la loi californienne, mais a simplement écrit à partir du dossier de l'industrie du logiciel de divertissement pour supporter son argument selon lequel "les preuves montrant que les jeux vidéo ont des effets nuisibles ne sont pas convaincantes"[500] ». Un membre de la Cour suprême (Stephen Breyer) reconnaît d'ailleurs, explicitement, dans un addendum au jugement principal, le manque total d'aptitude des membres de la Cour suprême à traiter les bases scientifiques du litige : « Comme la plupart des juges, je n'ai pas l'expertise requise en sciences sociales pour dire de façon absolue qui a raison. Mais des associations de professionnels de santé publique, qui eux possèdent cette expertise, ont évalué nombre de ces études et identifié un risque significatif que les jeux vidéo violents, quand on les compare à d'autres médias plus passifs, soient particulièrement susceptibles de nuire aux enfants[534]. » Avec un soupçon d'humour noir, notre homme met d'ailleurs en lien le présent jugement avec un avis plus ancien émis par la même Cour suprême et limitant la vente aux mineurs de produits contenant des images de nudité. Il écrit : « Mais quel sens cela a-t-il d'empêcher la vente à un mineur de 13 ans d'un magazine avec l'image d'une femme nue, en permettant la vente à ce mineur de 13 ans d'un jeu vidéo interactif dans lequel, activement, mais virtuellement, il attache et bâillonne la femme, puis la torture et la tue ? Quel genre de premier amendement permettrait au gouvernement de protéger les enfants en restreignant la vente de ce genre de jeu extrêmement violent uniquement* quand la femme – attachée, bâillonnée, torturée, et tuée – a aussi les seins nus ? [...] Ultimement, ce cas relève moins d'une question de censure que d'éducation. »

* Souligné dans le texte original.

En fait, la loi ici attaquée par l'industrie du jeu vidéo et dont l'abrogation a réjoui tous les démago-geeks de la planète ne proposait rien d'autre que d'empêcher le contournement des prérogatives éducatives parentales. Comme le soulignait alors l'un des juges (Justice Thomas) : « Tout ce que fait la loi, c'est d'empêcher la vente ou la location directe d'un jeu vidéo violent à un mineur par quelqu'un d'autre que son parent, grand-parent, tante, oncle ou tuteur légal. Quand le mineur a un parent ou un tuteur, comme c'est généralement le cas, la loi n'empêche pas ce mineur d'obtenir un jeu vidéo violent avec l'aide de ses parents ou tuteur[534]. » Mais c'était trop demander pour le juge Scalia. Celui-ci note en effet que « sans aucun doute, un État possède le pouvoir légitime de protéger les enfants de ce qui leur est nuisible, mais cela n'inclut pas un pouvoir librement dérivant à restreindre les idées auxquelles l'enfant peut être exposé[534] »... même, donc, si ces idées proviennent d'institutions strictement mercantiles et contournent gaillardement la liberté éducative des parents. Mais bon, là encore, il faut savoir être raisonnable : laisser ces derniers libres de leur choix pourrait causer une cruelle baisse des ventes, ce qui serait bougrement ennuyeux. Comme l'a clairement indiqué un sénateur de l'État de Californie : « La Cour suprême a, une nouvelle fois, placé les intérêts de l'Amérique des affaires avant les intérêts de nos enfants. C'est simplement mal [*wrong*] que l'industrie du jeu vidéo puisse être autorisée à placer ses marges bénéficiaires au-dessus des droits des parents et du bien-être des enfants[536]. »

Bref, en dernière analyse, c'est donc sur un argument relatif à la liberté d'expression, et pas sur la validité des bases scientifiques, qu'a porté le jugement de la Cour suprême. D'ailleurs, pour ceux qui en douteraient toujours, le juge Scalia (qui encore une fois n'a pas lu les études impliquées) conclut son jugement de la façon suivante : « Nous n'avons pas à juger la position de l'État de Californie selon laquelle les jeux vidéo violents (ou en cette matière de toute autre forme d'expression) corrompent les jeunes et nuisent à leur développement moral. Notre tâche est seulement de dire si oui ou non ces œuvres constituent "une classe d'expression bien définie et clairement délimitée, [classe d'expression] dont il n'a jamais été suggéré que la prévention et la condamnation posent un problème constitutionnel"* (la réponse est clairement non)[534]. » Un an auparavant, la Cour suprême avait utilisé des arguments de même nature pour enterrer un texte fédéral criminalisant la création, la vente et la possession d'images exposant des comportements cruels intentionnellement infligés à des animaux vivants (mutilations, blessures, tortures, meurtre, etc.)[534]. Autrement dit, aux États-Unis, le premier amendement confère le droit d'acheter des vidéos dans lesquelles des animaux sont battus, torturés, brûlés et dépecés vivants. Il permet aussi de vendre à des gamins de 5, 6 ou 8 ans des jeux dans lesquels, selon les termes de l'un des juges de la Cour suprême, « la violence est stupéfiante [...]. Les victimes sont démembrées, décapitées, éviscérées, enflammées, et découpées en petits morceaux. Elles hurlent d'agonie et implorent la pitié. Jaillissements, éclaboussures et mares de sang [...]. Il y a des jeux dans lesquels un joueur peut endosser l'identité et rejouer les meurtres commis par les exécuteurs des tueries du collège de Columbine et de Virginia Tech**. L'objectif

---

* Le juge Scalia se réfère ici aux termes d'un jugement antérieur ayant défini certaines limites au premier amendement pour des classes de discours spécifiquement définis (pornographie infantile, incitation au suicide ou à la violence, etc.).

** Le texte cite pour chaque affirmation les références correspondantes. Celles-ci ont été omises ici, mais le lecteur intéressé pourra aisément les retrouver dans le document original[534].

d'un jeu est de violer une mère et ses filles ; dans un autre, le but est de violer des femmes américaines natives [*i.e.* indiennes]. Il y a un jeu dans lequel les joueurs engagent un "nettoyage ethnique" et peuvent choisir d'abattre des Noirs américains, des Latinos ou des Juifs. Dans un autre encore, les joueurs essayent de loger un coup de fusil dans la tête du président Kennedy lorsque son cortège d'automobiles passe devant le Texas School Book Depository* ». Oui, aux États-Unis, tout cela est protégé par la liberté d'expression ; et pour les juges de la Cour suprême, c'est le plus important. Peu importe l'impact éventuel que ces contenus et pratiques peuvent avoir sur les représentations sociales et la maturation psychique de l'enfant.

En conclusion

Du présent chapitre, une conclusion principale est à retenir : dans le champ du numérique, l'information offerte au grand public manque souvent cruellement de fiabilité. En ce domaine, nombre d'experts médiatiques, parmi les plus importants, présentent une stupéfiante capacité à collectionner les âneries, sornettes, revirements, approximations et contrevérités. Qu'ils agissent sous mandat officiel, académique ou personnel ne change rien à l'affaire. Les choses iraient sans doute un peu mieux si les potentiels conflits d'intérêts étaient systématiquement traqués et dévoilés. Mais ce n'est pas le cas. On continue à voir des psychiatres, psychologues, médecins, universitaires ou autres supposés spécialistes courir les plateaux sans jamais devoir expliciter leurs sujétions industrielles.

---

* Le nom du bâtiment qui abritait le tireur qui a assassiné Kennedy.

Tous ces éléments ne sont pas anodins. En effet, les biais d'expertise évoqués au sein de ce chapitre affectent lourdement les perceptions publiques. Sans eux, le débat aurait assurément une tout autre tournure. Des politiques efficaces de prévention auraient depuis longtemps pu être engagées et la réflexion sur la numérisation du système scolaire ne serait pas aussi déconnectée des réalités scientifiques.

Pour le citoyen lambda, il est extrêmement difficile d'isoler les sources compétentes des foyers impropres et lobbyistes. Ce travail de sélection incombe aux médias ; et sans doute le font-ils. Toutefois, les données ici présentées montrent que l'espace de progrès reste très substantiel. Une radio nationale interrogeait récemment « les causes de la méfiance des Français envers les médias[537] ». Un grand hebdomadaire révélait pour sa part que « la confiance dans les médias s'effondre » et se trouve aujourd'hui « au plus bas depuis 32 ans[538] ». Une partie de l'explication se trouve peut-être au cœur du présent chapitre. Quand on ne sait qui croire, le plus tentant est souvent de renvoyer dos à dos tous les protagonistes et de ne croire personne. Plus largement, quand on ne sait à qui faire confiance, le plus sage est sans doute, au final, de se méfier de tous.

Dans un monde idéal, les journalistes s'assureraient, avant de tendre plumes et micros, de la compétence, de l'indépendance et de l'intégrité intellectuelle des spécialistes qu'ils interrogent. Dans un monde idéal, les journalistes cesseraient d'offrir tribune ouverte aux experts dont l'impéritie est par trop évidente. Dans un monde idéal, enfin, les journalistes auraient le temps, en amont, de travailler vraiment leurs sujets afin de pouvoir ensuite repérer les intoxications les plus flagrantes et contredire l'ardeur retorse des lobbyistes déloyaux. Mais le monde n'est en rien idéal. Toujours le temps presse, un sujet chasse l'autre, les émissions se multiplient, les pigistes essorés enchaînent les engagements, les intérêts économiques s'agitent dans les coulisses, les réseaux s'organisent… et au bout du compte les bons petits soldats du numérique continuent, sous couvert d'expertise, à emplir l'espace collectif de leur affligeante propagande.

3

Études boiteuses

Il y a peu une étude « scientifique » a occasionné un émoi médiatique planétaire : on y apprenait que manger du chocolat faisait maigrir. *Bild*, quotidien le plus diffusé en Europe (d'origine allemande), alla jusqu'à placer l'information en première page ! Derrière ce travail, on trouvait l'Américain John Bohannon, titulaire d'un doctorat en biologie moléculaire, alors correspondant du prestigieux magazine *Science*[539]. Son objectif était clair : produire une étude pourrie mais suffisamment racoleuse pour intéresser les médias et montrer combien il était facile de « convertir de la mauvaise science en gros titres ». Bohannon ne tricha pas. Il employa juste quelques grosses ficelles statistiques bien connues, afin d'être certain qu'il trouverait quelque chose là où il n'y avait rien*. Il s'inventa ensuite une affiliation académique fictive (l'Institut de la nutrition et de la santé, en réalité un simple site internet) et envoya son article à un journal pseudo-scientifique prêt à publier à peu près n'importe quoi contre un chèque : *The International Archives of Medicine*. Restait à « faire un peu de bruit » en sollicitant

* Par exemple, si vous mesurez beaucoup de variables (18 dans l'étude : poids, cholestérol, sommeil, etc.) chez un petit nombre de gens (15 dans l'étude), vous avez toutes les chances de trouver quelque chose… surtout si les variables considérées ont une tendance naturelle à fluctuer (comme le poids).

les conseils d'un spécialiste des relations avec la presse. Le résultat ne manqua pas d'allure. « L'information » fut relayée en six langues, dans plus de vingt pays. Le constat est d'autant plus terrible, que tout dans l'étude présentée sentait le soufre (la source, la conclusion iconoclaste, l'affiliation de l'auteur, sa production passée dans le domaine). Ce travail aurait dû être traité avec la plus extrême circonspection. Au lieu de cela, il passa comme une lettre à la poste et fut internationalement célébré. La plupart des journalistes se contentèrent de « copier et coller » le dossier de presse rédigé par Bohannon.

Cette anecdote pose cruellement la question des choix éditoriaux effectués par les grands médias de la planète. Pourquoi et comment une étude est-elle sélectionnée parmi le flot des travaux quotidiennement produits par la communauté scientifique mondiale ? Que nous apprend-elle de nouveau et/ou de pertinent ? Ses résultats sont-ils conformes aux savoirs existants et si non pourquoi ? Est-elle correctement réalisée ? Par qui a-t-elle été conduite ? Où a-t-elle été publiée ? Sa qualité et son intérêt justifient-ils qu'elle passe le filtre des journaux spécialisés pour se répandre dans les médias de masse ? Etc. Ces interrogations sont fondamentales. Pourtant, on a l'impression qu'elles sont rarement considérées. Comme le montrent les exemples développés ci-dessous, ce n'est pas sans conséquences majeures pour la qualité des informations fournies au public. Une fois de plus, ce chapitre ne prétend pas à l'exhaustivité. Il vise juste à illustrer le problème et à montrer combien la presse se montre parfois peu regardante sur la qualité des recherches qu'elle relaye.

Par nature, le travail critique ici envisagé suppose un niveau d'analyse méthodologique relativement fin. Pour démontrer qu'une étude est inepte, il faut plonger au cœur de son réacteur expérimental. Il faut examiner son protocole, sa cohérence, ses bases statistiques, etc.

C'est pour cela que le présent chapitre ne manquera pas, occasionnellement, de se révéler un peu « technique ». Rien de bien compliqué heureusement ; mais rien, non plus, de particulièrement festif. Il n'y a juste pas d'autre approche possible pour souligner à quel point les médias peuvent parfois promouvoir et encenser des travaux qui relèvent davantage du grand-guignolesque que de l'ouvrage scientifique.

« Les loisirs numériques n'affectent pas les performances scolaires »

Au sens premier, une étude scientifique, c'est une étude publiée dans un journal scientifique, par un chercheur ou un groupe de chercheurs. Bien que triviale, cette définition n'est en rien intuitive. En effet, la plupart des personnes semblent ignorer ce qu'est vraiment un journal scientifique. Que l'on me permette de l'expliquer en quelques lignes, avant d'illustrer le propos à l'aide d'une enquête pour le moins contestable.

Tous les journaux scientifiques ne se valent pas

Un journal scientifique se définit essentiellement par sa procédure de sélection éditoriale. Quand l'éditeur d'une revue reçoit un texte, il commence par estimer l'origine et la crédibilité de ce dernier. Une fois passée cette première étape et s'il le juge utile, il sélectionne deux, trois ou quatre spécialistes du domaine traité pour une évaluation approfondie. Ceux-ci lisent le texte en détail et se prononcent sur son intérêt (apporte-t-il quelque chose de nouveau ?), sa rigueur (le protocole d'étude et les outils d'analyse sont-ils valides ?) et ses conclusions (sont-elles conformes aux données ?) Plus le journal est réputé, plus les critères de sélection sont durs. Par conséquent, il existe une hiérarchie entre les journaux scientifiques. Celle-ci s'évalue principalement en mesurant la propension de la communauté scientifique internationale à citer les articles produits par tel ou tel journal*.

À côté des journaux scientifiques qui répondent aux critères précédemment cités, on trouve aussi tout un tas de magazines commerciaux bidon, dits prédateurs, qui, sous des appellations apparemment crédibles, publient n'importe quoi moyennant rétribution (par exemple, *The Journal of Pharmacology and Pharmacovigilance*)[540-542]. Il est alors facile, pour un non-initié de se laisser abuser. Enfin, en bout de chaîne, on rencontre les revues dites « spécialisées » qui publient leurs articles sur sollicitation (ou invitation) sans contrôle approfondi des pairs.

Cette diversité éditoriale rend indispensable le processus d'identification des sources. En effet, sans mention d'origine, il est impossible d'évaluer la crédibilité d'un article donné et de savoir s'il mérite d'être qualifié de « scientifique ». Bien sûr, les bons journaux publient parfois de mauvais manuscrits ; mais le risque est globalement faible et l'erreur a toutes les chances d'être rapidement identifiée par la communauté des pairs, comme nous l'avons vu dans le chapitre précédent au sujet d'une méta-analyse de Christopher Ferguson sur l'impact des jeux vidéo. *A contrario*, de bonnes études échouent aussi dans des journaux non-scientifiques et/ou de médiocre facture ; la seule façon d'identifier ces « perles » est de réaliser soi-même le travail d'évaluation critique automatiquement mis en œuvre par les meilleures revues. Mais cela demande du temps et une solide compétence dans

---

* Ce taux de citations est synthétisé sous une forme numérique simple : le facteur d'impact. De manière schématique, on peut classer ce dernier comme suit : vingt citations et plus, « excellent » ; dix à vingt, « très bon » ; cinq à dix, « bon » ; deux à cinq, « moyen » ; deux et moins, « faible ».

le domaine concerné. Par défaut, le plus sage est donc, *a priori*, de considérer suspecte toute étude à l'origine incertaine et/ou subalterne. Surtout si cette étude contredit frontalement les conclusions d'autres travaux, parés d'une plus rigoureuse ascendance.

Un buzz national

L'ennui c'est que ces notions de hiérarchie et de crédibilité des sources semblent étrangères à nombre de médias généralistes. N'importe quel travail, aussi inepte soit-il, peut ainsi se retrouver en « une », pour peu qu'il soit suffisamment tape à l'œil et apte à faire le *buzz*. Prenez par exemple cette recherche intitulée « L'impact des loisirs des adolescents sur les performances scolaires ». Elle parut à peu près simultanément en deux endroits : sous forme exhaustive[543], dans un journal francophone secondaire classé tout au fond de la hiérarchie des revues de psychologie (6e niveau sur 6) par la très officielle Agence d'évaluation de la recherche et de l'enseignement supérieur[544] ; et sous forme abrégée[545], dans une revue associative militante, non-scientifique. C'est cette dernière source qui lança la déferlante[546-554]. Il faut dire que ce travail, qui, de l'avis même des auteurs, était simplement « une enquête et non un plan expérimental » (comprenez : n'était en rien une étude scientifique digne de ce nom[543]), avait tout pour plaire au Landerneau numériste. Certes, les conclusions n'étaient pas tendres avec la téléréalité. « La téléréalité fait chuter les notes des ados » titrait ainsi, en guise d'accroche, un hebdomadaire national avant de préciser « [qu'] être scotché aux émissions de téléréalité ou aux séries sentimentales, comme aujourd'hui 42 % des ados, provoque une baisse notable des performances scolaires. À savoir, – 11 points* pour

* Il faut ici comprendre 11 %[545].

les résultats en maths, et – 16 % pour l'acquisition des connaissances[551]. » Mais là n'était pas l'important. En effet, la question de la téléréalité semble aujourd'hui non seulement secondaire sur le front global des écrans, mais aussi largement dépassée tant paraît admis le caractère nocif de ce type de programme[216, 555-558].

Désormais, la polémique porte sur d'autres sujets apparemment plus « ouverts » (télé en général, réseaux sociaux, jeux vidéo, etc.). Et de ce point de vue notre « enquête » se révéla riche de stimulantes nouvelles. Ainsi, lorsqu'un journaliste demanda si « le média télévisuel, en lui-même, n'est pas en cause », l'auteur répondit fermement par la négative : « Non. D'autres émissions, comme les films d'action ou les documentaires, ont très peu d'effet sur les résultats scolaires[549]. » De la même façon, comme l'expliqua un grand quotidien gratuit, « les jeux vidéo sont moins nocifs qu'on ne le dit. "Jouer aux jeux vidéo (action, combat, plate-forme) n'a pas d'incidence négative", écrivent les chercheurs, ce qui ne va pas arranger certains parents à court d'arguments face à leurs ados accros […]. Autres activités généralement accusées de tous les maux, l'usage très fréquent des mobiles (78 % du panel) et des réseaux sociaux (73 %) n'aurait qu'une "influence minime" sur leurs résultats[546] ». En d'autres termes, « dans l'ensemble, la majorité des loisirs, comme les jeux vidéo, n'a pas ou peu d'influences sur les performances scolaires et cognitives, ce sont des loisirs qui permettent la détente, ou l'expression des dimensions affectives et sociales des élèves (téléphone, SMS)[545] ».

Une méthodologie coupable

Voilà effectivement de quoi apaiser l'inquiétude parentale. Malheureusement, à tort tant cette « enquête » est lacunaire. Considérons quatre carences parmi les plus navrantes.

(1) Dans plusieurs domaines, le travail produit a tendance à contredire frontalement des acquis antérieurs solidement et rigoureusement établis. C'est vrai pour les écrans, bien sûr, mais pas seulement. Prenez, par exemple, l'influence du sexe sur les compétences scolaires, notamment en lecture et compréhension de l'écrit. Alors que toutes les recherches nationales et internationales de grande ampleur soulignent, en ce domaine, l'écrasante supériorité des filles[559-561], la présente enquête n'identifie aucun effet de genre. Dans ce type de cas, l'usage scientifique veut que les auteurs expliquent et justifient l'origine des divergences observées, sous peine de voir leur travail finir au cimetière des incongruités statistiques. Cet effort explicatif n'est ici fourni ni pour les écrans ni pour le genre[543, 545] ; ce qui évite sans doute d'avoir à porter un éclairage trop criard sur les infirmités méthodologiques de l'enquête.

(2) Dans plusieurs domaines, le travail présenté a tendance à manquer cruellement de cohérence interne et à se contredire lui-même. Par exemple, concernant là encore l'influence du sexe sur les performances académiques, « les analyses montrent qu'il n'y a pas de différences statistiquement significatives entre les résultats des garçons et ceux des filles, qui peuvent donc être considérés comme équivalents[545] ». Dans le même temps, cependant, il apparaît que les filles « regardent plus des émissions de téléréalité (83 % contre 65 %). La différence la plus importante est dans le choix des films et séries romantiques (55 % contre 20 %)[545] ». Or, ce sont là précisément les deux activités qui font le plus chuter les notes selon l'enquête. En d'autres termes, le groupe le plus massivement exposé aux pratiques numériques les plus délétères présente des résultats scolaires tout aussi satisfaisants que le groupe le moins exposé. Pas facile de s'y retrouver.

(3) Les hypothèses avancées par les auteurs pour justifier l'action sélective de la téléréalité sur les performances

scolaires semblent bien singulières. Interrogé sur le sujet, le premier signataire de l'enquête précise ainsi doctement que « les élèves qui regardent trop les émissions de téléréalité n'ont, évidemment, plus assez de temps pour travailler leurs matières scolaires. Mais, surtout, ce genre d'émission participe à un appauvrissement de la culture et du vocabulaire. Plusieurs études américaines ont montré que ces émissions diffusées en *prime time* utilisaient moins de 600 mots de vocabulaire, alors qu'un livre en possède au minimum 1 000, un magazine scientifique près de 4 000 et un manuel scolaire de 3e, environ 24 000 ![549] ». En termes de causalité, il est bien difficile de comprendre pourquoi les dessins animés, les films d'action, les matchs de foot et les jeux vidéo n'auraient, contrairement aux émissions de téléréalité, aucune influence sur le temps consacré aux devoirs et l'ampleur du déploiement lexical. Pour offrir à son raisonnement un début de crédibilité, l'auteur de l'étude aurait dû démontrer, *a minima*, par exemple, que la richesse culturelle et langagière des jeux vidéo les plus en vogue est significativement supérieure à celle d'émissions de téléréalité. Cela n'est pas fait. Mais il y a pire encore : les chiffres fournis à l'appui de l'argumentaire sont profondément trompeurs*. Contrairement à ce qui est avancé, ils ne correspondent pas à un nombre de mots, mais à un marqueur de complexité linguistique**. Par ailleurs, la faible valeur (600 mots) supposément explicative de la triste influence des émissions de téléréalité renvoie en fait à une moyenne pour un panel représentatif de différents programmes télévisuels de *prime time*… hors téléréalité[562]. Cela veut dire que les

---

* Ils proviennent d'une étude dont la référence est fournie par ailleurs[545].

** On peut classer les mots par niveau de rareté. Les chiffres ici fournis correspondent au niveau de rareté du mot médian pour chacun des supports étudiés[562].

éléments linguistiques censés expliquer l'action nuisible de la téléréalité sur la performance scolaire concernent en fait les autres contenus (films, séries, dessins animés, etc.)… dont on nous explique péremptoirement qu'ils sont sans influence sur les notes. Vraiment, tout cela n'est guère sérieux.

(4) La méthodologie de l'enquête est bancale. À ce point bancale, en fait, que les chances d'identifier un effet délétère général de la télé, des jeux vidéo ou de l'usage intempestif du téléphone portable étaient, dès le départ, quasi nulles. D'abord il y a le temps. Dans le paragraphe introductif de la version grand public de leur travail, les auteurs listent quelques questions telles que « le temps passé à téléphoner et échanger des SMS a-t-il des conséquences négatives sur les performances en lecture et en compréhension[545] ? » Étonnamment, en totale contradiction avec ce séduisant objectif, ils admettent dans la mouture académique de leur enquête que « nous n'avons pas mesuré le temps de l'activité par jour[543] » ; et c'est bien là que le bât blesse. Jamais dans ce travail il n'est question de durée. On n'interroge pas les participants sur le nombre d'heures quotidiennes qu'ils passent avec tel ou tel outil. On leur demande simplement s'ils pratiquent l'activité « tous les jours (ou presque) ; environ 1 ou 2 fois par semaine ; environ 1 ou 2 fois par mois ; 1 ou 2 fois par trimestre ; jamais depuis la rentrée[543] ». Or, contrairement à ce qui est alors implicitement admis, ces catégories ne disent pas grand-chose des temps d'usage effectifs. Par exemple, un gamin qui utilise son téléphone de première génération cinq minutes par jour et envoie trois SMS à ses parents afin de leur signaler qu'il est bien arrivé ou sorti de l'école sera considéré comme un gros consommateur ; au même titre que celui qui passe sa journée vissé sur son smartphone et envoie facilement plus de deux cents messages. Et puis, qu'en est-il des caractéristiques sociales de l'enfant qui envoie

trois SMS par jour ? Sont-elles comparables à celles de l'écolier qui en émet deux cents ? Plus généralement, qu'en est-il de la petite minorité des collégiens (environ 20 % selon l'étude) qui utilisent peu leur portable ou n'en ont carrément pas ? Certains, sans doute, viennent d'environnements socio-économiques privilégiés, connus pour leur propension à contrôler attentivement l'usage numérique des enfants (par exemple, pas de portable les jours d'école ou pas de portable avant l'entrée au lycée). D'autres toutefois viennent aussi, assurément, de milieux lourdement défavorisés dans lesquels les parents peuvent avoir du mal, surtout si la fratrie est nombreuse, à financer le coût d'un téléphone et d'un abonnement. Toute recherche épidémiologique, puisque c'est bien de cela qu'il s'agit ici, ne peut être crédible que si elle prend en compte ces différentes variables (les covariables déjà évoquées). Ce n'est pas fait ici. Au contraire, tous les facteurs de risque sont mélangés dans une inextricable bouillie catégorielle. Tirer quoi que ce soit de ce genre de capharnaüm est juste impossible. Chercheurs et statisticiens le savent depuis longtemps. Ainsi, par exemple, il y a près de quinze ans, des économistes allemands avaient montré, à partir de données PISA*, que les collégiens qui possédaient chez eux un ordinateur avaient de meilleures notes que leurs congénères non équipés[563]. Le différentiel de performance n'était pas négligeable puisqu'il équivalait grossièrement à une année scolaire**. *Eurêka* cria la foule… sauf que, en poussant plus loin leurs analyses, les auteurs révélèrent que cette fort belle histoire ne tenait pas debout. L'influence positive observée se renversait en effet complètement pour devenir délétère lorsque l'on

---

* Voir la note p. 10.

** Cela signifie que, si le groupe des enfants qui possèdent un ordinateur a un niveau « début de troisième », le groupe des enfants qui n'en possèdent pas a un niveau « début de quatrième ».

prenait en compte, notamment, les caractéristiques socio-économiques du foyer. Conclusion des auteurs (déjà !) : « La simple présence d'ordinateurs à la maison semble détourner les étudiants d'un apprentissage efficace[563]. »

Bien sûr, pour en revenir à notre enquête, ce qui vient d'être dit au sujet du téléphone portable s'applique pleinement aux autres outils numériques, dont la télévision et les jeux vidéo. Toutefois, pour ces deux derniers supports, il est possible d'ajouter à la compote méthodologique une petite taquinerie additionnelle. Illustrons ce point à partir des jeux vidéo. Dans l'étude, ils ne sont jamais considérés globalement en tant qu'activité cohérente. D'emblée, ils se trouvent scindés dans des catégories indépendantes. Cela veut dire qu'une large fraction des gros consommateurs de jeux de sport et/ou de stratégie, par exemple, se trouve placée dans la catégorie des petits consommateurs de jeux d'action. Pour cette catégorie, on va donc comparer les joueurs fréquents avec un agrégat artificiellement composé des petits joueurs réels et des gros usagers des jeux de sport ou de stratégie. Cela n'a aucun sens. Imaginons, en effet, avec quelques raisons (nous y reviendrons dans la seconde partie), que les jeux vidéo exercent une influence néfaste globale sur la performance académique, indépendamment de leur contenu précis (action, sport, etc.). Dans ce cas, la moyenne des petits usagers, pour un type de jeu donné, sera systématiquement tirée vers le bas par l'intégration d'un grand nombre de consommateurs acharnés d'autres types de jeux*. En combinant ce biais méthodologique avec les précédents (mélanger fréquence et temps d'usage, oublier le niveau socio-économique, etc.), on minimise assurément la probabilité de tomber sur un résultat déplaisant ;

* La logique est évidemment la même pour les films, séries ou émissions de télé, qu'il est très facile de classer en catégories indépendantes (aventure, romantiques, etc.).

et on peut alors conclure triomphant que « les jeux vidéo n'ont quasiment aucun impact sur les résultats en classe » et que s'adonner à ce genre de pratique « c'est la même chose que lorsqu'on joue au golf[552] ». Prodigieux !

« Jouer aux jeux vidéo améliore les résultats scolaires »

Il est clair que toutes les recherches défaillantes n'affichent pas un niveau de pauvreté méthodologique comparable à celui de l'enquête ci-dessus présentée. Dans la plupart des cas, les faiblesses expérimentales les plus criantes sont masquées sous un rassurant glacis de respectabilité statistique. Ainsi, par exemple, il est aujourd'hui très rare qu'une étude soit publiée dans une revue scientifique internationale, même de troisième zone, sans que soient prises en compte les principales covariables d'intérêts (sexe, âge, niveau socio-économique, etc.). Incontestablement, ce vernis complique l'identification des travaux malencontreux. Malgré tout, certains signaux d'alerte restent aisément détectables : un support de publication secondaire ou pire, non scientifique ; une conclusion iconoclaste contredisant, sans explication plausible, des dizaines de travaux convergents ; un résultat établissant opportunément l'innocuité ou l'intérêt d'un produit industriel par ailleurs solidement contesté (tabac, édulcorants, etc.) ; etc. Cela ne veut pas dire, encore une fois, que ces indicateurs sont infaillibles. Mais, clairement, ils devraient susciter la plus extrême prudence. Pourtant, nombre « d'études » affublées de ces tares continuent à être relayées sans le moindre recul.

Une belle histoire… qui ne tient pas debout

Dernier exemple en date, une recherche australienne parue dans un journal mineur et traitant de l'influence des consommations numériques sur la réussite scolaire[564]. L'impact fut planétaire. Deux résultats attirèrent particulièrement l'attention des journalistes : la pratique assidue des jeux vidéo en ligne a un impact positif sur les notes ; à l'inverse, l'usage des réseaux sociaux exerce une influence négative. La plupart des « unes » mirent l'accent sur le premier point, en soulignant, par exemple, que « Les ados qui jouent en ligne ont de meilleures notes[565] ». Certains titres, plus rares, adoptèrent une approche plus globale et mentionnèrent aussi la question des réseaux sociaux : « Jouer aux jeux vidéo pourrait booster l'intelligence des enfants (mais Facebook ruine leurs résultats scolaires)[566] » ou encore « Les joueurs adolescents ont de meilleurs résultats en maths que les stars des réseaux sociaux, rapporte une étude[567] ». Bref, un bel élan éditorial !

Au-delà de ces accroches initiales, la plupart des articles de presse choisirent de confier à l'auteur de cette recherche le soin de déchiffrer les résultats obtenus*. Économiste de formation, celui-ci expliqua alors que « Les élèves qui jouent aux jeux vidéo en ligne presque tous les jours affichent 15 points de plus que la moyenne en mathématiques et lecture et 17 points de plus que la moyenne en sciences[564, 566, 568-571] ». Ce lien tiendrait au fait que « quand vous jouez à des jeux en ligne, vous résolvez des énigmes pour atteindre le niveau suivant et cela suppose l'utilisation de certaines connaissances générales et compétences en mathématiques, lecture et sciences identiques à celles qui

* C'est pour cela que plusieurs références apparaissent pour les citations de ce paragraphe. Il est intéressant de voir combien ces dernières ont été reprises, sans recul aucun, dans des termes identiques (ou quasiment identiques) partout sur la planète.

ont été enseignées durant la journée[565-567, 569-571] ». De ces données, il découle que « les enseignants devraient penser à incorporer des jeux vidéo populaires à leur enseignement – tant que ceux-ci ne sont pas violents[566, 570-571] ».

Confrontés à ces informations, nombre de médias majeurs se montrèrent singulièrement élogieux. « Jeux vidéo et éducation même combat », s'enthousiasma l'un d'eux[568]. « La mauvaise réputation des jeux vidéo pourrait être injustifiée[567] », abonda son confrère. Et que dire de ce « spécialiste », interrogé par un grand quotidien national et qui nous gratifia d'un incroyable numéro d'équilibriste par lequel il parvint d'une part à glorifier l'influence positive des jeux vidéo et d'autre part à réfuter l'impact négatif des réseaux sociaux. On apprit ainsi que « Certains jeux vidéo liés à la conquête, à la découverte ou à la construction favorisent certaines compétences telles que le raisonnement anticipateur, la logique ou la stratégie », tandis que pour les réseaux sociaux « tout dépend du contexte. Il ne faut pas généraliser. [...]. Les réseaux sociaux, ce ne sont jamais que des bavardages en classe. Des jeunes qui ont besoin de s'épanouir socialement pour le faire scolairement[572] ». L'auteur de l'étude lui-même refusa d'ailleurs de suggérer qu'il serait bon de limiter l'usage des réseaux sociaux chez les élèves[567]. Pire, notre homme alla jusqu'à affirmer qu'il fallait renforcer, à l'école, l'emploi de ces outils[566, 571]. Selon lui, « étant donné que 78 % des adolescents sur lesquels portait notre étude utilisent les réseaux sociaux tous les jours ou presque tous les jours, les écoles devraient prendre une approche plus proactive pour utiliser les réseaux sociaux à des fins pédagogiques[573] ».

Au cœur de ce concert louangeur, un seul journaliste (!) eut la clairvoyance de rapporter à la moyenne* les différences observées ; différences qui apparurent dès

---

* À peu près 515 points (par construction, pour les études PISA, la moyenne oscille toujours autour de 500 points).

lors « significatives mais minimes [...]. Chez les joueurs réguliers de jeux vidéo en ligne, les notes sont supérieures de 3 % à la moyenne[573] ». Curieusement, cette faiblesse quantitative fut largement soulignée dans le cas des réseaux sociaux[565, 567]. Exemple : « L'analyse montre que les élèves qui jouent aux jeux vidéo en ligne obtiennent de meilleurs résultats aux tests PISA, toutes autres choses étant égales par ailleurs* [...]. [L'auteur] a aussi regardé la corrélation entre l'usage des médias sociaux et les scores PISA. Il conclut que les utilisateurs de sites comme Facebook ou Twitter étaient davantage susceptibles d'avoir des notes inférieures de 4 % en moyenne [sans qu'il soit nulle part précisé que ce pourcentage représente, par rapport à la moyenne, une chute absolue de 20 points ; impossible donc de comparer avec l'effet positif des jeux vidéo][569]. »

Dès lors, la recherche dont il est ici question montre, au mieux, une modeste influence négative des réseaux sociaux et un faible impact positif des jeux vidéo en ligne sur les performances scolaires. Un bilan bien maigrelet, avouons-le, au regard du fracas éditorial observé. Mais bon, à la rigueur, admettons l'emphase et considérons que l'exagération fait ici partie du ballet médiatique. Le vrai problème, en fait, c'est que, même ramenée à ses justes proportions quantitatives, cette étude reste cruellement boiteuse. Sur le plan méthodologique d'abord, même si son modèle statistique est de meilleure facture, elle contient nombre des défauts affichés par l'enquête

---

* Formule consacrée pour signifier que les covariables (voir pp. 96-97) potentielles ont été prises en compte. Il était précisé plus avant dans le texte que l'effet des jeux vidéo représentait « 15 points de plus que la moyenne en mathématiques et lecture et 17 points de plus que la moyenne en sciences », sans référence à cette moyenne (environ 515 points) ni au fait que ces valeurs représentaient un maigre 3 % d'augmentation.

évoquée ci-dessus (en particulier l'absence de prise en compte des durées réelles au profit d'une classification fréquentielle : « tous les jours », « tous les jours ou presque », etc.). Ce n'est pas tout. Deux autres lacunes s'avèrent particulièrement signifiantes. Elles concernent : la cohérence des divers résultats produits (s'accordent-ils entre eux, sont-ils crédibles, sont-ils compatibles avec les données existantes et sinon, pourquoi, etc. ?) ; et la capacité de l'auteur à offrir un cadre explicatif plausible à ses observations.

Commençons par le problème de cohérence. Au-delà des deux éléments « sélectionnés » par les médias (jeux vidéo et réseaux sociaux), la publication originelle considère un grand nombre de variables : le temps consacré aux devoirs, l'usage d'Internet à des fins académiques, l'assiduité scolaire, le sexe de l'élève, le niveau socio-économique familial, etc. Si nos amis journalistes avaient daigné jeter un coup d'œil à ces variables, ils auraient pu produire toutes sortes de titres captivants*. Exemples.

– « Pour avoir de bonnes notes, mieux vaut jouer aux jeux vidéo que de faire ses devoirs » : jouer aux jeux vidéo « presque tous les jours » rapporte 15 points sur la moyenne ; passer une heure quotidienne à faire ses devoirs n'en fait gagner que 12.

– « Pour avoir de bonnes notes, pas besoin d'aller à l'école » : les élèves qui « une ou deux fois par mois » font leurs devoirs en utilisant Internet voient leur moyenne augmenter de 24 points ; soit un peu plus que ce que perdent les absentéistes qui sèchent l'école « 2 à 3 fois par semaine » (– 21 points). On pourrait aussi signaler qu'une à deux séances mensuelles de devoirs sur Internet (+ 24 points) améliorent deux fois plus la

* Les chiffres ci-après sont basés sur les résultats en « lecture ». On aurait tout aussi bien pu utiliser les données de « mathématiques » ou « sciences » (à quelques unités près, les valeurs sont identiques).

moyenne qu'une heure quotidienne de devoirs à l'ancienne, réalisés sans Internet (+ 12 points). Quelle magie ! L'esprit du Web pénètre alors, sans doute par capillarité, le cerveau de nos jeunes apprenants, tel un démiurge didactique. Mais, comme le dit l'auteur, il faut rester prudent et ne pas oublier que d'autres facteurs sont à considérer : « Manquer l'école tous les jours [*sic*] est à peu près deux fois plus délétère pour la performance que d'utiliser Facebook ou de chatter d'une manière quotidienne[564]. » Nous voilà rassurés !

– « Pour obtenir de bonnes notes, mieux vaut avoir des parents miséreux » : depuis des décennies, trompés sans doute par les travaux princeps du sociologue Pierre Bourdieu[574], les spécialistes ont cru que les enfants issus des milieux les plus favorisés économiquement s'en sortaient mieux à l'école que leurs homologues moins privilégiés[575-576]. La présente étude indique qu'il n'en est rien : la moyenne des enfants les plus durement défavorisés économiquement surpasse d'une quarantaine de points la moyenne des enfants les plus outrageusement privilégiés. Cette blague-là, même l'URSS de la grande époque n'avait pas osé la servir à ses ouailles !

On pourrait continuer longtemps la litanie des titres farfelus. Cela n'aurait toutefois guère d'intérêt. Les quelques exemples cités suffisent, espérons-le, à démontrer le caractère éminemment « fragile » du travail présenté. Quand une étude montre qu'il vaut mieux, pour avoir de bonnes notes, jouer aux jeux vidéo que faire ses devoirs, on peut être surpris. Quand la même étude ajoute qu'on peut, sans incidence, rater deux à trois jours de classe par semaine si l'on s'astreint à une séance mensuelle de devoirs sur Internet, on peut commencer à se poser des questions. Mais quand cette étude conclut que les enfants issus des milieux les plus défavorisés ont de meilleurs résultats scolaires que leurs homologues les plus privilégiés, on ne peut qu'invoquer l'aberration psychédélique.

Ces résultats sont d'autant plus extravagants qu'aucune hypothèse plausible ne peut les expliquer ; exception faite, bien sûr, des usuelles logorrhées commerciales sur la capacité des jeux vidéo à développer toutes sortes de merveilleuses compétences, universellement généralisables. Mais, comme nous l'avons vu précédemment, ces compétences n'existent pas. Ce qui est appris en jouant à un jeu vidéo ne se transpose pas au-delà de ce jeu et de quelques rares activités structurellement voisines[115-123]. En d'autres termes, rien ne permet d'expliquer comment les jeux vidéo en ligne pourraient, dans leur ensemble, indépendamment de toute spécificité individuelle (stratégie, guerre, action, sport, jeux de rôle, etc.), améliorer la globalité des performances scolaires en lecture, mathématiques ou sciences. La réciproque n'est pas vraie. Comme nous le verrons au sein de la seconde partie, nombre de mécanismes généraux rendent aisément compte de l'effet nocif des jeux vidéo sur les différents facteurs susceptibles d'affecter la performance scolaire (atteintes du sommeil, des capacités de concentration, du langage, du temps consacré aux devoirs, etc.).

Une étude parmi d'autres ?

Assurément, certains argueront que l'étude précédente est loin d'être isolée et que plusieurs autres recherches soulignent l'existence d'un lien positif entre jeux vidéo et réussite scolaire. Cela est vrai, à un détail près. La quasi-totalité de ces recherches sont fondées sur les mêmes corpus de données (PISA). Une fois pour l'Australie[564], une autre pour la moyenne de vingt-deux pays[577], une autre encore pour celle de vingt-six pays[578], etc. Partant des mêmes données, affublées des mêmes tares congénitales (par exemple, une prise en compte non des temps effectifs mais des fréquences d'usage), il n'est pas étonnant que l'on arrive à peu près aux mêmes conclusions, sans que personne évidemment ne prenne soin de mentionner le biais. *Waouh !* pourra-t-on alors s'exclamer pour calmer le pisse-froid qui oserait émettre un doute, cela fait quand même beaucoup d'études convergentes et positives.

Prenons, pour ultime exemple, la source originelle, le rapport PISA lui-même, tel que publié par l'OCDE[579]. Côté média, pas vraiment de surprise quant à la lecture du texte : « Jouer aux jeux vidéo peut stimuler les performances aux examens, dit l'OCDE[580] », « Les adolescents qui jouent aux jeux vidéo réussissent mieux à l'école – mais pas s'ils jouent tous les jours[581] », etc. Admirable, mais, là encore, malheureusement, ces annonces sont dépourvues de tout fondement. Un bref coup d'œil au rapport PISA suffit à s'en convaincre. Dans sa globalité, celui-ci montre, en effet, que l'influence supposée des jeux vidéo sur la performance scolaire n'est pas favorable, mais nulle. Cela tient au fait que l'action supposée positive des jeux « à un joueur » est compensée par l'action négative des jeux « à plusieurs en réseau ». Certains médias ne prennent même pas la peine de mentionner cette divergence et se contentent d'affirmer sans la moindre vergogne que « selon une étude de l'OCDE, jouer "modérément" aux jeux vidéo peut être utile pour décrocher de meilleurs résultats à l'école [...]. L'interdiction des jeux vidéo est donc déconseillée[582] ». Cet effet négatif des jeux en réseau est pourtant d'autant plus notable que l'étude discutée ci-avant, centrée sur un seul pays (l'Australie), montre exactement l'inverse, à savoir un effet positif sur la performance scolaire des jeux en ligne (au premier rang desquels les jeux multijoueurs en réseau).

Un tel niveau de cohérence, incontestablement, a de quoi rassurer. Mais passons et revenons au rapport PISA. De manière intéressante, l'impact négatif des jeux en réseau s'observe quelle que soit la fréquence d'usage (en moyenne, le déficit est même supérieur chez les élèves qui jouent rarement plutôt que fréquemment[578]). Il en va de même pour l'influence positive des jeux individuels. Celle-ci s'exprime à partir d'une simple séance mensuelle (et, là encore, en moyenne, le gain est supérieur chez les élèves qui jouent rarement plutôt que fréquemment[578]). Quantitativement, une séance mensuelle de jeux vidéo individuels a le même effet sur les notes que vingt minutes quotidiennes de devoirs, ce que certains médias ne manquèrent pas de souligner en termes fort charmants, à l'image de cette accroche racoleuse : « Pourquoi consacrer du temps aux jeux vidéo plutôt qu'aux devoirs pourrait aider à améliorer les notes des adolescents[583]. » Efficace… mais pas facile à justifier ; et ce d'autant plus qu'il faut aussi considérer l'influence négative des jeux en réseau. Sur cette question, le responsable du programme d'évaluation PISA a une idée. « Ces jeux en ligne, nous dit-il, pratiqués avec d'autres joueurs se déroulent typiquement tard le soir et ils consomment de larges périodes de temps[583]. » Mais alors, comment expliquer que ces jeux en réseau soient nuisibles dès les usages les plus marginaux (une fois par mois) ? ; et surtout comment rendre compte du fait qu'ils soient, en moyenne, plus néfastes chez les petits que chez les gros joueurs[578] ? ; et une fois rejetée cette hypothèse, comment expliquer l'effet diamétralement opposé d'une séance mensuelle, hebdomadaire ou quotidienne d'un même jeu pratiqué seul sur sa console ou à plusieurs en réseau ? Clairement, tout cela n'a aucun sens.

Des données pas très fiables

Récemment, une nouvelle étude PISA est venue confirmer et généraliser les observations précédentes[584]. En contradiction, encore une fois, avec la quasi-totalité des travaux scientifiques disponibles, ce travail montre que l'influence bénéfique des écrans sur la performance scolaire ne se limite pas aux jeux vidéo, mais s'étend à l'ensemble des activités numériques récréatives : plus les collégiens s'affairent à ces divertissements et meilleures sont les notes. Remarquable ! Pourtant, cette étude n'a suscité aucune couverture médiatique notable. Une hypothèse pourrait expliquer ce curieux désintérêt. Elle renvoie à la « gourmandise » des auteurs qui, non contents de s'intéresser aux usages récréatifs du numérique, se sont aussi penchés sur les consommations en milieu scolaire (les célèbres TICE*) ; et le moins que l'on puisse dire, c'est que les résultats ne sont guère folichons. En accord avec un large corpus d'observations scientifiques, il apparaît que l'usage académique des écrans (tant à la maison qu'au collège) fait chuter la performance scolaire : plus les collégiens sont gavés de TICE, plus les notes chutent. C'est ennuyeux et cela fait quand même un peu désordre à l'heure où la numérisation du système scolaire avance au pas de charge. Bien sûr, les auteurs de l'étude se livrent à une savante interprétation (hélas bien peu convaincante) pour essayer de justifier l'anomalie : utilisés pour s'amuser, les écrans augmentent la performance scolaire ; utilisés pour apprendre, ils la diminuent ! De manière fort étrange, cette entreprise explicative omet la seule interprétation vraiment plausible, à savoir que les données utilisées ne sont simplement pas fiables. Et malheureusement, quelle que soit la validité d'un traitement statistique, si les variables d'entrée sont faisandées, les données de sorties seront galeuses.

Il serait toutefois injuste de rejeter l'ensemble de l'étude PISA. En effet, tous les éléments analysés n'ont clairement pas le même degré de crédibilité[585]. D'un côté, effectivement, nombre de variables s'avèrent douteuses.

---

* TICE : Technologies de l'information et de la communication pour l'enseignement. En clair, l'ensemble des outils numériques utilisés dans un cadre scolaire.

Pas facile, par exemple, de répondre précisément dans un long questionnaire rébarbatif à des interrogations aussi vaporeuses que : « Un jour de semaine ordinaire, combien de temps utilisez-vous Internet à l'école ? » ; ou « Un jour de semaine ordinaire, combien de temps utilisez-vous Internet en dehors de l'école ? » Pas facile non plus, comme cela a déjà été souligné, de mener des analyses quantitatives fines à partir de mesures grossières du genre : « En dehors de l'école, à quelle fréquence utilisez-vous un appareil numérique pour les activités suivantes » ; activités incluant par exemple : « utiliser le courrier électronique (e-mail) » ou « obtenir des informations pratiques sur Internet (par exemple le lieu et la date d'un événement) » ; avec pour choix possibles : « Jamais ou presque jamais ; une ou deux fois par mois ; une ou deux fois par semaine ; presque tous les jours ; tous les jours. »

D'autres questions, cependant, sont plus précisément définies et donc, par ce fait, moins sujettes à caution. Il est ainsi relativement facile, par exemple pour un principal de collège, de répondre à des interrogations du genre : « Dans votre établissement, quel est le nombre total d'élèves de 15 ans [ceux entrant dans l'évaluation PISA] ? » ; « quel est le nombre approximatif d'ordinateurs qui sont mis à la disposition de ces élèves à des fins d'enseignement ? » ; « quel est le nombre approximatif de ces ordinateurs qui sont connectés à Internet/au réseau Web mondial ? » ; etc. De même, pour les collégiens, il semble assez simple de répondre à des interrogations telles que : « À la maison, avez-vous la possibilité d'utiliser les équipements suivants [ordinateur, téléphone portable avec ou sans connexion à Internet, jeux vidéo, etc.] ? », etc. Quand on se focalise sur ces questions faciles (*a priori*, donc, les plus robustes), les anomalies originelles se dissipent rapidement. On observe alors en effet : que la performance scolaire décroît avec la disponibilité des outils numériques à la maison ; et que la performance scolaire ne varie pas significativement avec la disponibilité de ces mêmes outils en classe. Deux conclusions, avouons-le, peu cohérentes avec les discours ambiants et l'heureuse fable du *digital native*. Peut-être est-ce pour cela finalement que les grands médias ont choisi d'ignorer l'étude ici discutée : trop anxiogène, trop critique, trop hostile, trop pessimiste. En ce cas, quel dommage et quel manque de hardiesse. Imaginez quels beaux titres nous aurions pu avoir ! « Zéro pointé pour le numérique à l'école » ; « Les écrans c'est mauvais pour les notes » ; « Échec scolaire : ne vous ruinez plus en cours particuliers, supprimez la console » ; etc.

« Moins de crimes grâce aux jeux vidéo violents »

Dans le perpétuel combat mené par le mercantilisme contre le bien public, certains tripatouillages ont été tellement exploités qu'on aurait pu les croire à jamais éventés. Il n'en est rien. Les mêmes grosses ficelles, usées jusqu'à la corde, continuent à produire les mêmes déclarations tonitruantes et les mêmes gros titres racoleurs et abusifs. Au premier rang de ces combines délusoires se trouve incontestablement la « corrélation sophistique* ». L'approche est assez simple et opère en deux temps. D'abord la prémisse : si A agit sur B, alors lorsque A augmente B augmente. Ensuite le sophisme : si B n'augmente pas

* Le sophisme caractérise un « argument, raisonnement ayant l'apparence de la validité, de la vérité, mais en réalité faux et non concluant, avancé généralement avec mauvaise foi, pour tromper ou faire illusion » (www.cnrtl.fr/definition/sophisme). Nous parlerons donc ici d'une corrélation qui, relevant du sophisme, part de prémisses vraies pour aboutir à des conclusions irrecevables.

quand A augmente, alors A n'agit pas sur B. Dans la quasi-totalité des cas, ce schéma est absurde. En effet, il ne fonctionne que si A est le seul facteur d'influence de B, ce qui n'arrive pratiquement jamais dans « la vraie vie ».

Prenons un exemple simple. Je roule avec mon scooter de petite cylindrée sur une voie plate. Lorsque j'actionne la poignée d'accélérateur, la vitesse augmente. J'en conclus donc que la poignée d'accélérateur contrôle la vitesse du véhicule. Jusque-là, tout fonctionne. Mais, soudain, la route se met à monter brutalement. J'actionne à nouveau l'accélérateur, mais ma vitesse ne s'accroît pas ; pire, elle diminue. Dois-je en conclure que l'accélérateur fait ralentir mon scooter ? Bien sûr que non. Si j'avance moins vite, c'est parce que la pente agit elle aussi sur la vitesse, d'une manière opposée à celle de l'accélérateur. Comme cet effet pente pèse plus lourd que l'effet accélérateur, le scooter ralentit. Tout individu qui tirerait avantage de cette observation pour affirmer que la poignée d'accélérateur n'exerce aucune influence positive sur la vitesse serait immédiatement prié de s'offrir un cerveau. Pourtant, ce genre de confusion est omniprésent dans les médias. On pourrait en sourire si la fallacieuse rhétorique lobbyiste développée sur cette base ne contribuait pas à maintenir artificiellement ouverts des débats qui, depuis longtemps, devraient être tranchés.

Petit détour par la publicité télévisée sur les aliments

Revenons, pour commencer, au rôle de la publicité télévisée pour les produits alimentaires dans le développement de l'obésité infantile. Pour les scientifiques, le lien entre ces deux paramètres est aujourd'hui, nous avons eu l'occasion de l'indiquer précédemment, avéré et indiscutable[213-219]. Par exemple, il a été établi que le risque d'obésité augmentait significativement chez les enfants exposés à des chaînes commerciales riches en publicités alimentaires, mais pas chez des enfants exposés à des chaînes publiques non commerciales dépourvues de ces mêmes publicités[*, 586]. De même, il a été montré que l'interdiction de ce type de publicités permettrait de réduire l'obésité infantile de 15 à 33 % selon les modèles statistiques considérés[587-588]. Une comparaison internationale, réalisée sur une dizaine de pays développés (États-Unis, Australie, France, Allemagne, Suède, etc.), a d'ailleurs permis de souligner que le taux d'obésité infantile augmentait presque linéairement avec la fréquence des publicités alimentaires dans les programmes jeunesse[589]. Tout cela n'est guère surprenant quand on sait que l'exposition publicitaire biaise fortement, dès l'âge de 3 ans, les préférences et demandes des enfants en direction des produits les plus gras et sucrés ; produits qui dans l'ensemble des pays industrialisés sont, et de loin, les plus largement promus[216-217, 590-591].

Face à cette accumulation de preuves, il s'avère compliqué pour les groupes de pressions – qu'ils soient industriels, audiovisuels et/ou politiques – de faire entendre leur voix contestataire. Pour contourner l'impasse, une première approche consiste tout bêtement à nier l'évidence. Exemples : pour une ministre de la Culture, depuis recasée chez un géant français du numérique[592], « on est sûrs des dégâts que [la suppression de la publicité] produirait pour l'économie des chaînes de télé, sans être sûrs des bénéfices pour la santé des enfants[593] » ; pour la ministre lui ayant succédé, aujourd'hui dirigeante d'un fonds d'investissement dédié à l'économie numérique[594] « le lien entre messages publicitaires et obésité est pour le moins ténu[595] » ; pour les professionnels de

---

* Après prise en compte, évidemment, des covariables d'intérêts pertinentes : âge, sexe, durée de visionnage, niveau socio-économique parental, obésité maternelle, activité physique, etc.

l'audiovisuel « les études scientifiques et les expériences de prohibition menées dans plusieurs pays étrangers ne démontrent à ce jour aucune corrélation entre obésité et publicité télévisée[212] » ; pour une journaliste, à l'époque membre du CSA, « la suppression de la publicité alimentaire dans les programmes pour enfants est loin d'être un instrument efficace dans le combat contre l'obésité[229] » ; et pour l'association des publicitaires canadiens, « les groupes activistes d'intérêt [*sic*] ont ouvertement, et avec énormément de résonance, accusé l'industrie de "causer" l'obésité infantile en faisant de la publicité pour des "aliments malsains" à destination des enfants, et beaucoup ont accepté aveuglément ces affirmations. Mais les faits sont tout autres : la publicité alimentaire n'a pas causé l'obésité infantile[596] ».

Malheureusement pour toutes ces âmes lobbyistes, la mauvaise foi ne suffit pas toujours à emporter la mise. Pour convaincre, il faut aussi, parfois, savoir avancer quelques preuves ostensibles. C'est là qu'intervient la corrélation sophistique évoquée plus haut. Exemples : pour l'une des ministres de la Culture précédemment citée, « l'obésité infantile n'a pas reculé là où la publicité destinée aux enfants a été interdite[595] » ; pour le président de l'association des publicitaires canadiens, « après trente-sept ans d'interdiction de la publicité télévisée au Québec, on attendrait une réduction massive des taux d'obésité par rapport au reste du Canada, ce qui n'est simplement pas le cas[597] » ; et pour cette « sage » du CSA, « prenons l'exemple du Québec, où les enfants sont isolés de la publicité depuis trente ans : l'obésité infantile a quasiment doublé pendant la même période. Aux États-Unis, entre 1977 et 2004, la publicité alimentaire dans les programmes des télévisions nationales a baissé de 34 % et, pendant ce temps, l'obésité infantile a quadruplé. Le Royaume-Uni a pris des mesures restrictives à l'égard de la publicité pour les enfants en 2007 et l'obésité infantile continue d'augmenter […][229] ». Scientifiquement, ces affirmations pleines de « bon sens » ne sont ni plus ni moins qu'un « non-sens ». En effet, l'obésité a plusieurs causes. Si elle a explosé ces dernières années, c'est en raison, notamment, de la multiplication des fast-foods, de l'augmentation de la disponibilité des aliments industriels (souvent très riches en gras et sucre) et de la diminution de leur coût*, de l'explosion de la consommation de soda, de l'accroissement massif de la taille des portions (au restaurant et *via* les packagings industriels), de l'intensification des comportements sédentaires (moins de marche, davantage d'ascenseurs, d'escaliers roulants, de transports motorisés, etc.), du déploiement des pesticides (contre lesquels le corps se défend en créant du tissu adipeux), etc.[598-601].

Pris dans leur ensemble, il est évident que ces facteurs ont un impact très supérieur à l'impact (avéré !) de la seule publicité télévisée sur l'obésité. Dès lors, la suppression de cette dernière n'a aucune chance de redresser à elle seule, et *a fortiori* d'inverser, la courbe de l'obésité. Cette limite peut-elle justifier que l'on raye l'encadrement du marketing alimentaire des mesures prophylactiques exploitables ? Clairement non. C'est d'autant plus vrai que nous ne parlons pas là d'un Everest législatif, mais d'une mesure simple, aisément exécutable au prix d'un courage politique minimal. Je suis sans doute un âne acrimonieux, dépourvu d'empathie, mais je préfère affronter les horribles souffrances de « notre secteur audiovisuel structurellement sous-financé[229] » plutôt que de voir des gamins traîner leur vie durant le triste fardeau d'une obésité destructrice (je puis l'affirmer en connaissance de cause[602]). Et pour ceux qui ne seraient pas convaincus, on peut noter au sujet de la désormais célèbre expérience

---

* On parle ici de coût « relatif », c'est-à-dire apprécié par rapport à l'évolution des revenus.

québécoise évoquée ci-dessus que ladite « Belle Province » a l'un des taux d'obésité infantile les plus faibles du Canada et que, si le résultat global des mesures prises n'est pas plus probant, c'est sans doute parce que ses jeunes habitants sont loin d'être complètement protégés du laminoir publicitaire : d'une part, nos amis industriels ne sont pas toujours très respectueux des contraintes légales ; d'autre part, les petits Québécois sont massivement soumis à l'influence de chaînes américaines non régulées et à l'action d'autres supports de persuasion plus difficilement contrôlables (Internet, jeux vidéo, placement de produits dans les films, etc.)[603-608]. En d'autres termes, affirmer que le marketing alimentaire n'a pas d'effet sur l'obésité au motif que cette dernière augmente au Québec (ou dans quelque autre pays qui aurait tenté d'imposer une limite à la toute-puissance publicitaire de l'industrie agroalimentaire) est inepte et fallacieux.

Se méfier des corrélations simplistes

Le principe de corrélation sophistique s'applique aussi remarquablement au problème d'impact potentiel des jeux vidéo violents sur les comportements violents. L'affaire prend alors plusieurs formes. La première est transnationale et nous apprend, comme l'ont bruyamment affirmé quelques « unes » médiatiques récentes, que : « Les pays qui jouent le plus aux jeux vidéo violents comme *Grand Theft Auto* et *Call of Duty* connaissent MOINS* de meurtres[609] » ou « [qu']une comparaison entre 10 pays suggère qu'il y a un lien faible, ou pas de lien entre les jeux vidéo et les meurtres par arme à feu[610] ». Après tout, nous explique un journaliste, « si les jeux vidéo étaient vraiment la racine de tous les maux, alors la logique voudrait que cela aboutisse au

---

* En majuscules dans le texte original.

moins en partie à ce qu'il y ait plus de crimes violents par arme à feu. Ce n'est simplement pas le cas. [...] En fait, les pays dans lesquels la consommation de jeux vidéo est la plus élevée tendent à être les pays les plus sûrs du monde[611] ». Sans doute vaut-il mieux lire cela que d'être aveugle, aimait à dire en souriant gentiment, après chacune de mes pauvres dictées, Mme Vessilier, formidable institutrice de CM2*. La « logique » ici affichée est, en effet, absurde. Elle n'aurait de sens que si les jeux vidéo étaient la seule et unique cause de crimes et d'agressions violentes. Ce n'est évidemment pas le cas. Qui peut penser, ne serait-ce qu'une seconde, que l'action éventuellement facilitatrice des jeux vidéo violents sur nos comportements agressifs peut contrebalancer l'instabilité politique, sociale ou religieuse observée dans les pays les plus dangereux de la planète ? Rejeter tout impact possible des jeux violents au motif qu'il y a plus de jeux vidéo et moins de meurtres au Japon que dans des pays aussi endémiquement instables que le Honduras, le Salvador ou l'Irak[609, 612] est juste aberrant.

Bien sûr, certains observateurs sont suffisamment malins pour éviter cette affligeante caricature et confronter des pays apparemment comparables comme le Japon et les États-Unis. Il est alors tentant d'arguer qu'il y a conjointement plus de meurtres et moins de jeux vidéo chez l'Oncle Sam qu'au pays du Soleil levant[610]. Ce serait oublier que certains facteurs de violence, dont l'action combinée pèse bien plus lourd que l'impact possible des jeux vidéo, s'expriment potentiellement de manière très différente dans ces deux pays : l'accès aux armes à feu (en vente quasiment libre aux États-Unis), les conditions économiques (la criminalité croît, par

---

* Puisse-t-elle me pardonner si j'ai écorché l'orthographe de son nom.

exemple, avec l'augmentation des niveaux de chômage et de pauvreté), l'exposition précoce à certains polluants organiques (il existe un lien significatif entre criminalité et intoxication au plomb), la pyramide des âges (plus la population vieillit, plus le niveau de criminalité baisse), les effectifs et méthodes de police, la consommation de produits psychotropes (la criminalité croît avec l'usage d'alcool ou de crack), etc.[613-618]. Affirmer qu'il n'existe aucune relation entre le niveau de pénétration des jeux vidéo violents dans une population et le taux de crimes est impossible si ces facteurs de risques ne sont pas intégrés au modèle statistique (pour revenir à notre analogie initiale, omettre ces facteurs revient à omettre l'effet de la pente au moment d'estimer le rôle de la poignée d'accélérateur du scooter). En d'autres termes, bien qu'agréables au « bon sens », toutes les corrélations transnationales ici décrites, qu'aiment tant à évoquer certains médias pour justifier la thèse d'innocuité des jeux vidéo violents, n'ont absolument aucun sens.

Dans une autre version, plus fréquente, le principe de corrélation sophistique prend une forme longitudinale*. On déclarera dans ce cas, par exemple, que « la prolifération des jeux vidéo violents n'a pas coïncidé avec des pics de criminalité violente chez les jeunes[494] ». En d'autres termes, « alors que les ventes de jeux vidéo augmentent année après année, le nombre de crimes violents continue à plonger[619] ». Une étude américaine récente soutient effectivement la véracité de cette observation[620]. « Une étude de plus, nous dit un grand hebdomadaire national, qui tord le cou aux clichés les plus courants[621]. » Joliment

* Les études longitudinales étudient l'évolution d'une ou plusieurs variables, au sein de la même population, durant plusieurs mois ou années. Ici, il va s'agir de regarder l'évolution dans le temps, pour la population d'un pays, du nombre de crimes en fonction de la pénétration des jeux vidéo.

formulé… mais un peu optimiste. Voyons brièvement cela d'un peu plus près.

Dans un premier temps, l'étude en question montre simplement qu'aux États-Unis les ventes de jeux vidéo évoluent en sens inverse de la criminalité. Ainsi, depuis le début des années 1990, les premières ont brutalement augmenté, alors que la seconde a fortement baissé. Un joli résultat, qui cependant, encore une fois, ne veut rien dire. En effet, durant les dernières décennies, nombre de facteurs ont collaboré à rendre possible une diminution massive du niveau de criminalité en Amérique du Nord : explosion du taux d'incarcération, augmentation des effectifs policiers, amélioration de la situation économique, régression de certains leviers criminogènes majeurs (alcool, drogue, plomb, etc.), etc.[613, 615, 617]. Il est clair que l'action combinée de ces facteurs pèse bien plus lourd que l'influence potentielle des seuls jeux vidéo. Dès lors, ceux-ci peuvent très bien avoir un impact négatif non négligeable en présence d'une diminution globale de la courbe de criminalité. C'est d'autant plus vrai que nous ne parlons pas ici uniquement de jeux vidéo violents. La corrélation présentée mélange curieusement tous les types de jeux, depuis les jeux les plus enfantins, jusqu'aux jeux de rôle en passant par les jeux de stratégie, d'arcade ou de sport. Cet amalgame minimise évidemment beaucoup les chances d'observer quoi que ce soit de significatif. On n'est jamais trop prudent.

Conscients sans doute des limitations de leur première étude, les auteurs présentent une seconde analyse, supposément « plus précise »[621]. Pour ce faire, ils cherchent à établir un lien entre les chiffres de vente de trois jeux violents (*Grand Theft Auto San Andreas*, *Grand Theft Auto IV* et *Call of Duty Black Ops*) et les statistiques mensuelles de criminalité. Comme expliqué dans l'article, l'idée est assez simple (oserons-nous dire simpliste) : « Si les jeux vidéo violents sont la cause de crimes violents graves, il semble probable que les agressions graves et mortelles devraient augmenter suite à la sortie de ces trois jeux populaires violents[620]. » Sauf que l'augmentation suspectée n'émerge pas. Sur les douze mois suivant la sortie de chacun de ces jeux, le nombre d'agressions violentes reste stable et, en moyenne, le nombre d'homicides semble même baisser légèrement les troisième et quatrième mois ; un résultat que les auteurs sont, évidemment, incapables d'expliquer. Mais peu importe, le problème est ailleurs. En effet, si vous avez bien lu la phrase précédente il ne vous aura pas échappé que nous parlons ici de la sortie *d'un jeu* ; un seul et unique jeu (l'analyse est simplement répétée trois fois pour des jeux respectivement sortis en 2004, 2008 et 2010). Or, des jeux violents, il en surgit tous les mois. Prenez novembre 2010, par exemple, et la sortie de *Call of Duty Black Ops*, pris comme référence par les auteurs de l'étude. Les douze mois précédents ont vu sortir de manière échelonnée nombre de jeux vidéo hyperviolents extrêmement populaires* ; de même pour les douze mois suivants**. Dès lors, il n'y a absolument aucune raison pour qu'un jeu isolé fasse, à lui seul, monter significativement le niveau de criminalité, sauf à supposer que l'effet délétère de ce jeu particulier est brutalement supérieur à celui de tous les autres. En d'autres termes, la logique ici proposée ne marche que si l'impact singulier de *Call of Duty Black Ops* surpasse significativement l'impact combiné de tous les autres jeux.

Pour illustrer concrètement ce point, prenons un exemple simple. Un marchand de primeurs organise chaque mois une ou plusieurs opérations promotionnelles

---

* *Battlefield (Bad Compagny 2)*, *God of War 3*, *Halo (Reach)*, *Dead Rising 2*, *Medal of Honor*, *Fallout (New Vegas)*, *Saw 2*, etc.

** *Assassin's Creed (Brotherhood)*, *Battlefield (Bad Compagny 2 Vietnam)*, *Dead Space 2*, *Mortal Kombat*, *Gears of War 3*, *Dark Souls*, *The Elder Scrolls V*, *Assassin's Creed (Revelations)*, etc.

en fonction des arrivages : janvier [semaine 1 : litchis, semaine 2 : clémentines, semaine 4 : pommes] ; février [semaine 2 : avocats, semaine 4 : ananas] ; etc. Notre homme désire savoir si ces promotions ont un effet sur son chiffre d'affaires. Pour cela il choisit une référence (le pamplemousse – mars, semaine 1) et une durée (six mois ; il suspecte en effet que l'impact de la promotion pourrait s'étaler dans le temps parce que cette dernière pourrait donner envie aux clients de racheter des pamplemousses hors promotion et/ou que les consommateurs pourraient considérer que cela vaut le coup de revenir dans ce magasin car il offre souvent d'intéressantes promotions). L'homme regarde donc l'évolution de son chiffre d'affaires sur les six mois qui précèdent et suivent la promotion. Sans surprise, il ne trouve rien. Pourtant cet échec ne traduit pas l'absence d'effet, sur les ventes, des opérations commerciales mises en place, mais la stupidité du modèle expérimental employé ; car ce modèle ne tient pas compte de l'impact des promotions précédentes et suivantes.

L'étude ici évoquée sur les jeux vidéo souffre de la même infirmité méthodologique. En effet, encore une fois, la logique déployée pour savoir si *Call of Duty* affecte la criminalité n'aurait de sens que si aucun produit de même type n'était arrivé sur le marché dans les mois et semaines précédant ou suivant la sortie du jeu. Comme ce n'est pas le cas, il est impossible de tirer quelque conclusion que ce soit du travail présenté. D'autant plus impossible qu'il est bien difficile de croire que les joueurs ne jouaient pas à un autre jeu avant la sortie de *Call of Duty*. En fait, pour que le raisonnement avancé tienne debout, il faudrait s'assurer aussi que la sortie de *Call of Duty* occasionne bien une augmentation significative du temps de pratique et pas un simple changement de jeu (le joueur remplaçant alors tout bêtement, par exemple, *Medal of Honor*, sorti le mois précédent, par le plus récent *Call of Duty*). Et même si l'on admet que les joueurs augmentent temporairement leur temps de pratique, qui nous dit que ce surcroît est suffisant pour engendrer un changement de comportement notable ? D'un côté l'augmentation peut être trop faible pour avoir une influence détectable ; d'un autre côté elle peut aussi se situer au-delà du seuil d'impact optimal (on peut légitimement penser que l'effet comportemental ne variera guère lorsque la durée de consommation quotidienne passe momentanément de 4 heures à 6 heures).

Un outil de lobbyisme

Bref, scientifiquement, au-delà du vernis de surface, l'étude de corrélation ici décrite n'a fondamentalement aucun sens. Cela n'empêche pas certains journalistes de se lancer dans d'incroyables envolées lyriques pour affirmer, par exemple, que ces résultats certes « ne permettent pas de prouver avec certitude l'effet bénéfique du jeu vidéo sur la criminalité mais détruisent néanmoins au passage l'éternelle assertion selon laquelle la violence virtuelle encouragerait la violence réelle[622] ». « Le cliché, nous dit-on, ne date pas d'hier. Née dans les milieux politiques puritains, la conviction simpliste a rapidement contaminé de nombreuses couches d'une société dans l'incompréhension d'un phénomène qui la dépasse. » Rien que ça. À titre personnel, j'ignore si je suis puritain et submergé par l'incompréhension, mais il me semble clair que, avant de balancer un propos de ce genre en place publique, il serait bon de s'appuyer sur des études propres et sensées. À moins, évidemment, que l'intention ne soit pas d'informer, mais de convaincre. En effet, l'intérêt majeur des corrélations bâtardes ici discutées est de fournir aux lobbyistes une base argumentaire pour leurs activités. Et le moins que l'on puisse dire, c'est que ces braves gens ne se privent pas d'épuiser le filon[596, 623]. L'intox, sans doute, est alors de bonne guerre. Ce n'est plus le cas lorsque la coulée propagandiste commence à s'appuyer sur des relais journalistiques censément garants d'une information sérieuse et objective. Une règle simple permet cependant de se protéger de ce genre de manœuvre : si l'on vous dit que deux phénomènes sont indépendants parce que leurs variations ne sont apparemment pas corrélées, soyez outrageusement circonspect. Demandez-vous toujours si ces phénomènes sont déterminés par plusieurs causes. Lorsque c'est le cas (et c'est presque toujours le cas), demandez-vous si ces causes sont prises en compte dans le modèle statistique. Lorsque la réponse est négative, c'est sans doute le signe que ce qui vient de vous être affirmé relève moins de la fière science que de la triste fumisterie.

« Pas de preuves de dangerosité des écrans pour le développement des jeunes enfants »

Depuis la mise en garde originelle de l'Académie américaine de pédiatrie il y a déjà vingt ans[290], et en dehors de quelques dérapages dont nous avons eu l'occasion de parler dans le chapitre 2, une large unanimité semblait s'être établie pour reconnaître que les très jeunes enfants, au moins, devaient être protégés de l'action néfaste des écrans. Apparemment, ce consensus repose sur une base scientifique fallacieuse. C'est en tout cas ce qui ressort de récentes auditions au Sénat français, consacrées à la discussion d'un projet de loi ayant pour double ambition : « [d']obliger les fabricants d'ordinateurs, de tablettes et de tout autre jeu ludopédagogique disposant d'un écran à assortir les emballages de ces produits d'un message à caractère sanitaire avertissant des dangers liés à leur utilisation par des enfants de moins de 3 ans pour leur développement psychomoteur ; [d']exhorter le ministère chargé de la santé à engager chaque année une campagne nationale de sensibilisation aux bonnes pratiques en matière d'exposition aux écrans[624]. » Rien de bien terrible avouons-le. Mais, apparemment, encore trop ambitieux. Ainsi, prenant part aux débats, la représentante du gouvernement s'éleva contre ces deux propositions au motif que « les données manquent quant à l'ampleur de l'exposition des enfants de moins de 3 ans aux écrans et surtout quant aux effets d'une surexposition des très jeunes enfants aux écrans [...]. Il n'y a pas de cohérence dans les études ni de visibilité scientifique sur l'impact réel des écrans sur l'enfant[625] ». Il est à ce titre évident que les recommandations établies par l'Académie américaine de pédiatrie[339, 626], la Société canadienne de pédiatrie[347] ou le ministère australien de la Santé[627] ne sont fondées que sur d'équivoques présomptions. Des textes rédigés, à n'en pas douter, par de dangereux entristes réactionnaires. D'ailleurs, comme l'explique le site internet d'une radio nationale qui a couvert l'affaire, « les risques d'une surconsommation ont été démontrés par de nombreuses études, mais aucune ne fait autorité mondialement[628] ». Plus précisément, « si les études scientifiques sont dans leur très grande majorité unanimes à dire qu'une surexposition aux écrans peut perturber le développement cognitif des jeunes enfants (âgés de 0 à 3 ans), il est impossible d'établir un lien de cause à effet* ». Autrement dit, il y aurait une sorte d'impossibilité, au-delà des corrélations observées, à prouver l'existence d'une réelle chaîne causale depuis l'écran jusqu'au comportement. « Par exemple, indique ainsi la rédactrice du texte, il est démontré que la surconsommation d'écrans est un

* Pour bien souligner le problème, l'expression « il est impossible d'établir un lien de cause à effet » est présentée en gras dans le texte original.

terreau fertile à un retard du développement du langage, mais rien ne permet d'affirmer qu'un enfant en retard est trop resté devant des écrans. » L'action préjudiciable des écrans sur le langage ne pourrait donc être confirmée au motif qu'il existe d'autres facteurs étiologiques possibles. Impressionnant. D'ailleurs, pour être sûr que chacun comprenne bien la fulgurance du raisonnement engagé, essayons d'étendre la logique mise en œuvre à un autre exemple plus concret : « Les vaches ont une queue et 4 pattes, mais rien ne permet d'affirmer qu'un animal possédant une queue et 4 pattes est une vache. » *Donc*, on ne peut conclure avec certitude que les vaches ont une queue et 4 pattes. Que n'y avait-on pensé plus tôt !

Une neutralité trompeuse

L'argument de causalité ici développé est repris, sous une forme il est vrai un peu plus subtile, dans une enquête supposée répondre à l'interrogation d'un lecteur : « D'où vient cette "info" sur la dangerosité des écrans pour les petits ? Recherches cliniques étayées ? Rumeurs scientifiques ? Jugement moral[629] ? » Le verdict offre un chef-d'œuvre d'équilibrisme journalistique. L'auteur commence par expliquer que le consensus, effectivement, n'existe pas. Ainsi, écrit-il, « parler avec des spécialistes de l'enfance, du développement, ou de la cognition, c'est l'assurance d'avoir des avis très divergents ». Pour le prouver, l'homme oppose côté pile certains de mes écrits et côté face « plusieurs scientifiques [qui] ont signé une tribune dans le *Guardian*, affirmant que "le message que beaucoup de parents vont entendre, c'est que les écrans sont intrinsèquement nocifs. Cela n'est tout simplement basé sur aucune recherche ni aucune preuve solide" ». Une tribune d'à peu près cinq cents mots, dépourvue du moindre élément expérimental, dans laquelle on retrouve l'inénarrable Christopher Ferguson*, divers étudiants et nombre de chercheurs ne justifiant d'aucune publication scientifique digne de ce nom sur le thème des écrans[630]. Une tribune, écrite en réponse à un texte précédent encore plus court (à peu près trois cents mots) dans lequel un groupe disparate de signataires s'alarmait de l'impact des écrans sur la santé et le bien-être des enfants[631]. Une tribune dont on peut donc comprendre qu'elle soit essentiellement focalisée sur la question générale du « bien-être » et qu'elle n'ait absolument rien à voir avec la problématique des « écrans pour les petits ». Assurément, il aurait été bien de choisir une opposition en ligne avec la question traitée, mais cela ne semble pas simple à trouver ; et explique peut-être que notre journaliste se soit ainsi vu obligé de sortir du chapeau une tribune étrangère à son sujet. Par ailleurs, il aurait été *fair-play* d'indiquer que, au-delà de l'auteur du présent ouvrage, la grande majorité des institutions pédiatriques et sanitaires ayant étudié la question avait, elle aussi, abouti à des recommandations négatives[339, 347, 626-627].

Mais il est vrai que l'article mentionne le travail de l'une de ces institutions, la Société canadienne de pédiatrie (CPS)[347]. La citation est la suivante : « Si la CPS recommande un usage modéré des écrans chez les plus petits, elle note toutefois que dès "l'âge d'environ 2 ans, des émissions de télévision de qualité bien conçues, adaptées à l'âge et comportant des objectifs éducatifs précis peuvent représenter un moyen supplémentaire de favoriser le langage et l'alphabétisation des enfants". » Intéressant. Cependant, quelques précisions additionnelles auraient été bienvenues. Le texte des pédiatres canadiens précise en effet que « ces bienfaits potentiels pour le développement » dépendent de la présence d'un

* Voir p. 142.

adulte avec lequel l'enfant pourra interagir (prérequis qui représente l'exception bien plus que la règle). La conclusion du paragraphe dont est issue la citation va encore plus loin en indiquant que « même si les écrans peuvent contribuer à l'apprentissage linguistique de l'enfant d'âge préscolaire lorsqu'un parent ou une personne qui s'occupe de lui regarde le contenu avec lui et lui en parle, celui-ci apprend mieux (sur le plan de l'expression et du vocabulaire) lors d'échanges réels et dynamiques avec des adultes qui se préoccupent de lui[347] ». Voilà qui change sensiblement la nature du message en montrant que les écrans peuvent certes avoir des effets positifs s'ils sont un support d'échange avec l'adulte, mais que l'effet mesuré reste malgré tout significativement supérieur lorsque les écrans ne sont pas là. En clair, les échanges organisés autour d'un écran sont possibles mais moins riches et nourrissants que les mêmes échanges établis sans écrans.

Notons pour être complet que les auteurs du rapport ne se sont pas contentés d'analyser les impacts potentiellement positifs des écrans. Ils ont aussi synthétisé les possibles éléments de « risques ». Au final, après avoir confronté ces deux domaines, ils écrivent : « Puisque l'exposition aux médias ne s'associe à aucun bienfait démontré pour les nourrissons et les tout-petits, mais qu'elle est liée à des risques connus sur le plan du développement, il faut conseiller aux parents de limiter le temps d'écrans des jeunes enfants. Ainsi, ils dégageront du temps pour les échanges directs, qui constituent le meilleur mode d'apprentissage des enfants[347]. » Il n'est pas certain que ce message soit pleinement cohérent avec le fragment de citation présenté dans l'article de presse ici discuté.

La tarte à la crème de la complexité

Ce n'est là toutefois que le premier étage de la fusée. Tout à sa tentative de démontrer que la littérature scientifique disponible est « à la fois foisonnante et limitée dans la portée de ses conclusions », notre journaliste souligne que la diversité des opinions affichées par les spécialistes « s'explique, en partie, par la difficulté de mener à bien des études convaincantes. "Les liens entre la télévision et le développement des enfants sont complexes", affirment les auteurs d'une analyse de 76 études sur le sujet ». En quoi sont-ils complexes ? Quelle réalité, exactement, trouve-t-on derrière ce terme ? Il aurait été important de le préciser en détaillant quelque peu les conclusions du travail évoqué. Celles-ci montrent deux choses. Premièrement, l'exposition à des programmes non éducatifs et/ou non adaptés à l'âge est unanimement délétère. Deuxièmement, des programmes éducatifs de qualité peuvent avoir une action positive, sur certains enfants. Les auteurs de l'étude écrivent ainsi « [qu']une découverte robuste est que l'âge importe. La télévision éducative semble améliorer l'apprentissage des enfants d'âge préscolaire. À l'inverse, les preuves de bénéfice pour les enfants d'âge scolaire sont très limitées. De plus, l'exposition à certains programmes éducatifs s'est révélée négativement corrélée au développement langagier des petits enfants. En fait, les études qui ont mesuré l'exposition durant la petite enfance (avec ou sans analyse de contenus) ont démontré de manière constante que regarder la télévision est associé à des conséquences développementales négatives. Cela est observé pour l'attention, les performances éducatives, les fonctions exécutives et les productions langagières[632] ». Autrement dit, pour les jeunes enfants, l'impact de la télévision n'est nullement complexe. Il est immuablement néfaste. Point. Il aurait été bien de le dire plutôt que d'agiter l'éternelle tarte à la crème de la complexité. Une tarte toutefois bien pratique, comme l'expliquait Fritz Zorn* peu avant sa mort. Selon ce fils de bonne famille, « c'était un mérite particulier de mes parents que de trouver tout "compliqué", cela me semblait être la preuve d'un niveau supérieur [...]. Nous n'avions jamais à nous engager ; il nous suffisait de trouver toujours tout "compliqué"[633] ».

Bien sûr, il ne s'agit pas d'affirmer que tout est toujours simple, limpide et manifeste. Certains sujets sont indéniablement complexes. Mais, même en ce cas, des conclusions émergent qu'il faut accepter de formuler sans se cacher derrière une fausse neutralité. Ainsi, concernant la question qui nous occupe ici, la complexité ne provient pas, contrairement à ce que laisse entendre notre journaliste, d'une difficulté à « mener à bien des études convaincantes », mais d'une certaine inhomogénéité des résultats obtenus. Plus précisément, au-delà de la petite enfance, les programmes « éducatifs » semblent faciliter certains aspects du développement cognitif. Cette influence disparaît toutefois rapidement chez les sujets plus âgés. Les auteurs de l'étude précisent alors que « l'exposition répétée à des contenus éducatifs a le pouvoir d'améliorer les compétences basiques en alphabétisation et numération chez des enfants avec de faibles compétences pré-interventionnelles ; toutefois elle n'est pas aussi efficace pour favoriser l'apprentissage de compétences plus complexes, comme la lecture[632] ». Autrement dit, lorsque le milieu se révèle insuffisamment structurant, la télévision éducative peut constituer un palliatif partiel, permettant l'apprentissage de certaines aptitudes élémentaires (compter jusqu'à 10, apprendre les couleurs, apprendre le nom des fruits ou légumes courants, etc.). Mais, au-delà de ces compréhensions de

* Un pseudonyme littéraire signifiant « colère » en allemand.

base, le prodige s'estompe et la béquille devient inopérante. Ces conclusions sont-elles tellement « complexes » qu'elles ne peuvent être distinctement formulées dans un article de vulgarisation ? À chacun d'en juger.

Faire dire à une étude l'inverse de ce qu'elle affirme

Dernier problème, déjà évoqué et sur lequel il est temps de revenir, la causalité que les études existantes échoueraient à établir. Au terme de son article, notre journaliste explique « [qu']une exposition forte et récurrente aux écrans est souvent corrélée (sans causalité démontrée) à des troubles du développement, du langage ou de la sociabilité[629] ». Plus avant dans le texte apparaissent, sur le même thème, les conclusions d'une étude montrant « des associations négatives entre une exposition à la télévision avant 3 ans et des résultats moins bons aux tests cognitifs à 6 ou 7 ans[297] ». Toutefois, est-il alors précisé, « les auteurs ne parlent pas de causalité[629] ». Ce dernier commentaire est tout bonnement stupéfiant. En effet, dans la phrase qui suit la citation sélectionnée par notre journaliste, les auteurs disent exactement… le contraire : « L'inclusion de contrôles extensifs pour les préférences parentales, aptitudes parentales et investissement des parents dans le développement cognitif de leurs enfants suggère que ces associations peuvent, d'une manière directe ou indirecte, être causales[297]. » Suit une discussion relative aux mécanismes potentiellement impliqués (comme la raréfaction du temps consacré aux jeux créatifs, la diminution des interactions enfants/adultes, etc.). Autrement dit, les auteurs de l'étude ne se contentent pas de postuler l'existence d'une action nocive causale de la télévision sur le développement. Ils exposent les possibles vecteurs de cette causalité.

Bien évidemment, nous l'avons amplement souligné ci-dessus, les corrélations simples n'ont aucun sens. Mais ce n'est pas ce dont il est question dans l'étude ici évoquée. En effet, comme toutes les recherches dignes de ce nom, celle-ci rapporte des corrélations partielles, c'est-à-dire des corrélations exprimées après prise en compte des nécessaires covariables. Dès lors, qu'est-ce qui pourrait bien interdire, condamner ou invalider *a priori* l'interprétation causale des associations identifiées ? Prenez le lien entre consommation audiovisuelle précoce et déficits cognitifs tardifs. Même avec la meilleure volonté du monde, il semble diantrement difficile de rejeter l'hypothèse de causalité sachant, par exemple, que : (1) la présence d'une télé dans une maison effondre la fréquence, la durée et la qualité des interactions intrafamiliales[634-638] ; (2) ces interactions sont fondamentales pour le développement cognitif du jeune enfant[639-642] ; (3) certains outils statistiques reposant sur des protocoles dits « longitudinaux* » ont permis d'établir la nature causale du lien observé, chez le jeune enfant, entre l'accroissement du temps d'écrans et l'émergence de retards développementaux[643]. À l'aune de ces remarques apparaît l'absolue déloyauté de l'affirmation selon laquelle les corrélations ne pourraient, par nature, faire l'objet d'aucune interprétation causale. Journalistes ou responsables politiques en mal d'argumentaires se permettraient-ils d'écrire que les corrélations partielles entre consommation tabagique et cancer du poumon, entre consommation alcoolique et accidentologie routière ou entre fréquence des rapports sexuels non protégés et contamination par le virus du sida ne permettent d'établir aucune relation de cause à effet ? Évidemment non, parce que nombre d'éléments expérimentaux permettent non seulement d'expliquer les liens observés, mais aussi de les prédire. Il en va exactement

* Les performances de l'enfant sont alors mesurées à différents moments du développement, par exemple 24, 36 et 60 mois.

de même lorsque l'on parle de l'influence des écrans sur le développement.

Il est clair, cependant, que l'appréhension de tous ces éléments demande du temps. La littérature relative à l'impact des écrans sur le tout-petit est colossale. Elle ne se digère pas en quelques heures, quelques jours ou quelques coups de fil passés à deux ou trois supposés spécialistes. Or, une rapide recherche indique qu'entre le 30 août et 30 novembre 2018 (l'article ici discuté est paru le 30 octobre), soit trois mois, notre journaliste a publié plus de cinquante articles, sous l'égide d'un grand quotidien national, au sein d'une rubrique intitulée « CheckNews », définie de la façon suivante : « Un nouveau type de moteur de recherche géré par des journalistes. Posez vos questions, nous prendrons le temps d'enquêter avant de vous répondre[644]. » Parmi les questions traitées par notre homme dans ce court laps de temps : « Est-il vrai que les véhicules électriques polluent plus que les véhicules thermiques ? » ; « Peut-on vacciner les jeunes filles avec le Gardasil sans craindre d'effets indésirables ? » ; « Est-ce qu'il y a des progrès scientifiques ou médicaux pour lutter contre le cancer ? » ; « Vaut-il mieux, pour la santé, être végétarien, vegan ou omnivore ? » ; etc. Cela fait plus de quinze articles par mois, soit, en moyenne, un peu plus d'un papier tous les deux jours (week-end inclus). Comment s'étonner, à ce rythme, sachant l'ampleur, la diversité et la complexité des sujets abordés, que la qualité ne soit pas toujours (c'est le moins que l'on puisse dire) au rendez-vous ? Une telle superficialité s'avère incontestablement gênante pour des médias de premier plan supposément « sérieux » ; d'autant plus gênante que l'on prétend faire passer ce genre d'articulets pour de l'information.

En conclusion

Du présent chapitre, une chose principale est à retenir : en matière d'écrans, lorsque les médias décrivent une étude particulière, soyez toujours extrêmement circonspect vis-à-vis des conclusions avancées, surtout si la mariée semble trop belle. Cela ne veut pas dire que toutes les productions médiatiques sont déficientes ou associées à des études boiteuses. Cela signifie juste qu'il existe suffisamment de mauvais comptes rendus et choix éditoriaux discutables pour commander, *a priori*, la plus grande prudence.

En pratique, il faut être particulièrement suspicieux vis-à-vis des études « iconoclastes », qui contredisent des résultats solidement établis par des dizaines de travaux antérieurs. Ce genre de hiatus est inhérent aux outils mêmes de la recherche. Typiquement, la communauté scientifique considère qu'une différence entre deux groupes expérimentaux est statistiquement significative quand elle a moins de cinq chances sur cent de se produire « par hasard ». Autrement dit, toutes les cents études, vous en trouverez au moins cinq pour dire qu'il y a une différence même s'il n'y en a pas. De même dans l'autre sens. Vous trouverez toujours quelques travaux pour affirmer qu'il n'y a pas d'effet quand il y en a un (même lorsque la méthodologie utilisée est irréprochable). Les médias et les lobbyistes (mais dans ce dernier cas on peut comprendre) semblent particulièrement prompts à s'emparer de ces cas particuliers pour attiser les flammes du doute et claironner, par exemple, que les jeux vidéo violents n'ont pas d'effet sur l'agressivité.

******

Au final, toutes les errances décrites dans cette première partie et relatives aux discours folkloriques quasi légendaires (chapitre 1), aux puissants biais d'expertise (chapitre 2) et au poids des études boiteuses (chapitre 3) se combinent pour installer dans l'imaginaire collectif le mythe de l'Homo numericus. Un mythe bien éloigné des dures réalités scientifiques, comme nous allons maintenant le voir dans la deuxième partie.

Deuxième partie

HOMO NUMERICUS

La réalité d'une intelligence entravée et d'une santé menacée

Aucune génération dans l'histoire humaine n'a ouvert une telle faille entre ses conditions matérielles et ses accomplissements intellectuels.

MARK BAUERLEIN,
professeur d'université[1]

Nous voilà donc débarrassés du mythe. Mais qu'en est-il de la réalité ? Tous ces « numericus » en devenir, nourris au sein du digital, à quoi ressemblent-ils vraiment ? Quel est leur présent ? Que peut-on dire de leur avenir ? Qu'en est-il de leur parcours scolaire, de leur développement intellectuel, de leur équilibre émotionnel et de leur santé ? Sont-ils heureux ? Comment se situent-ils par rapport à la petite fraction des enfants « rescapés » que leurs parents protègent strictement des écrans récréatifs ? Et ces derniers, qu'offrent-ils vraiment, que volent-ils à nos enfants ? C'est le genre d'interrogations que nous aborderons dans la présente partie. Celle-ci sera articulée autour de quatre grandes problématiques : quels usages les enfants et adolescents font-ils de leurs écrans (chapitre 4) ? ; comment cette consommation influence-t-elle la réussite scolaire (chapitre 5), le développement, intellectuel notamment (chapitre 6), et la santé (chapitre 7) ?

Nous répondrons à ces questions aussi objectivement qu'il est possible, en essayant de substituer à la frivolité des opinions personnelles la solidité des faits scientifiques.

En préambule

Toutefois, avant de commencer, deux remarques s'imposent. L'une pour clarifier les termes du débat et circonscrire précisément l'objet de cette partie. L'autre pour souligner qu'il est facile de sous-estimer l'influence des consommations numériques sur le développement lorsque l'on n'aborde pas le problème dans sa globalité.

Un progrès incontestable

S'agissant des questions qui nous occupent ici, il est d'usage de tout mélanger, comme si tout se valait. « Le » numérique se conçoit alors comme une réalité indivisible, une sorte d'intouchable totem de la modernité. Du coup, la moindre allégation critique expose quasi immanquablement son auteur à un procès en ringardise. Apparemment, pour l'adorateur bêlant des « nouvelles technologies », toute réserve, aussi infime soit-elle, ne peut qu'être dictée par l'amer ressentiment d'une pensée obsolète, vouée, à terme, aux gémonies de l'extinction.

Pour qui a consacré des centaines d'heures à éplucher la littérature académique relative aux écrans, rien n'est plus navrant que ce genre d'anathème frelaté. Ainsi, par exemple, comment ne pas être consterné quand on lit sous la plume conjointe d'une journaliste et d'un dessinateur de presse, au sujet d'une vidéo postée par un médecin travaillant dans une institution de protection de l'enfance, que « sa théorie du "les écrans, c'est pas mignon pour ta santé", il faut, tout de même, la regarder sur un… écran ! Ironie du sort quand tu me tiens… Aussi pertinent qu'un tract dénonçant l'existence du papier et la déforestation intensive[2] ! ». Ces ricaneurs à l'ironie facile ne voient-ils pas qu'il existe une différence fondamentale entre utiliser son écran pour regarder un programme abêtissant de téléréalité ou lire un quotidien au format numérique ? Sont-ils vraiment incapables de comprendre que ce n'est pas tout à fait la même chose d'enchaîner quatre heures par jour un jeune enfant à ses dessins animés ou un analyste financier à son moniteur de contrôle des cours de la Bourse ?

Alors, puisqu'il faut absolument en passer par là et enfoncer les portes ouvertes, soyons clair : aucun critique n'est assez idiot pour rejeter « Le » numérique dans son ensemble et réclamer, sans nuance, le retour du télégraphe filaire, de la roue Pascaline ou des radios à lampes. En nombre de domaines – liés, par exemple, à la santé, aux télécommunications, à la production agricole ou à l'activité industrielle –, l'apport extrêmement fécond du numérique ne peut être contesté. Qui peut se plaindre de voir des automates effectuer dans les champs, les mines ou les usines toutes sortes de tâches brutales, répétitives et destructrices qui jusqu'alors devaient être réalisées par des hommes et des femmes au prix de leur santé ? Qui peut contester l'énorme impact que les outils de calculs, de simulation, de stockage et de partage de données ont eu, en particulier sur la recherche scientifique et médicale ? Qui peut remettre en cause l'intérêt des logiciels de traitement de texte, de gestion, de conception mécanique ou de dessin industriel ? Personne évidemment.

Cela étant dit, il est clair aussi que l'intrusion toujours plus massive du numérique dans nos existences ne promet pas que des avancées bienfaisantes. À côté des nombreuses applications favorables qui viennent d'être évoquées s'accumule quantité de développements néfastes. Dans leur grande majorité, ceux-ci se rapportent aux consommations dites « récréatives ». Bien sûr, il est facile de trouver à ces dernières toutes sortes de traits positifs accessoires. L'idée est alors assez simple. Elle consiste à cacher la forêt du désastre derrière l'arbre de l'anomalie ponctuelle. Exemples. On ne dira jamais que

30 à 60 minutes d'exposition quotidienne aux réseaux sociaux, à la télévision ou aux jeux vidéo suffisent, quel que soit l'âge, à affecter tant le développement cognitif que les résultats scolaires de l'enfant. On vantera plutôt, avec des trémolos dans la voix, le cas de ces heureux écoliers qui, grâce à WhatsApp, peuvent chaque jour dialoguer avec leurs grands-parents exilés à l'autre bout du monde. De même, on célébrera dans un bel enthousiasme la hardiesse intellectuelle de ces jeunes enfants qui, au contact de *Dora l'exploratrice*[*], ont réussi à apprendre quelques mots épars d'espagnol ou d'anglais. Pour les plus grands, on encensera les partages coopératifs de contenus scolaires sur Facebook et la puissance démocratique de hashtags citoyens comme #MeToo ou #BalanceTonRaciste. Et si cela ne suffit pas, on glorifiera l'incroyable rapidité de pensée de tous ces *gamers* farouches qui, au cœur d'un fatras de lettres aléatoires, arrivent à repérer le « b » 0,3 seconde plus vite que l'individu lambda (voir le chapitre 2).

Alors oui, à l'évidence, on peut toujours, en cherchant bien, identifier des effets positifs secondaires à n'importe quel usage numérique, même le pire. Personne ne le conteste. Mais là n'est pas le problème. En effet, ce qu'il convient ici d'interroger, ce n'est pas l'écume de l'exception, mais le bilan global. Autrement dit, peu importent les bienfaits de surface, seule compte la réalité d'ensemble. C'est d'autant plus vrai qu'on peut très facilement, presque terme à terme, pour chacun des éléments ponctuellement bénéfiques ci-dessus évoqués, identifier un contre-exemple dévastateur : harcèlement scolaire pouvant aller jusqu'au suicide ; hashtags racistes

* Série de dessins animés, d'origine américaine, diffusée sur TF1. Le personnage de Dora, âgé de 8 ans, raconte ses péripéties en ponctuant ses phrases de mots anglais (ou espagnols pour le jeune public américain).

et haineux ; contenus inadaptés pornographiques, violents ou commerciaux ; etc.

Dans ce contexte, il n'existe pas d'autre solution pour quitter le brouillard des arguties stériles que d'évaluer l'état du rapport bénéfices/coûts. La question du tabac illustre bien l'approche. On sait que l'arrêt de la cigarette entraîne typiquement une petite prise de poids (autour de 2,5 kg[3]). Cet impact négatif est toutefois négligeable au regard des influences massivement favorables engendrées par ce même arrêt (réduction du risque de cancers, de maladies cardio-vasculaires, de pathologies respiratoires, etc.)[4-5]. Tout bien considéré, on peut donc affirmer, sans équivoque, que cesser de fumer s'avère une excellente idée. La même logique doit s'appliquer à la question des écrans. Mais, de grâce, puisse-t-on alors nous épargner tous ces usuels délires à trois sous sur l'accablant retour du puritanisme et l'infâme résurgence de je ne sais quel hygiénisme liberticide[6-9]. Il n'est ici question, encore une fois, ni d'imposer ni d'interdire. Il ne s'agit que d'informer. À chacun ensuite d'arbitrer en se demandant si les avantages éprouvés outrepassent (ou non) les périls encourus. Par exemple, quand un parent me dit, d'une manière parfaitement éclairée, « chaque jour après l'école je donne une tablette à ma fille de 3 ans ; je sais que ce n'est sans doute pas super, mais elle adore vraiment ça et puis cela me permet de souffler un peu et de finir mon travail », j'entends et je n'ai rien à objecter. En revanche, lorsqu'un parent m'explique enthousiaste, « ma petite fille passe beaucoup de temps sur sa tablette, c'est bon pour son développement sensorimoteur et cognitif », alors là, non, je n'entends plus et trouve cela insupportable parce que ce parent a été indignement trompé sur la marchandise et parce que sa liberté de choix lui a, de fait, été iniquement dérobée par les propagandes industrielles.

Ainsi donc, pour résumer, il n'est pas question ici de récuser les apports positifs de certains développements numériques, notamment professionnels. En d'autres termes, il n'est pas question de diaboliser, condamner ou rejeter « Le » numérique dans son ensemble ; ce serait aussi idiot qu'injustifiable. La seule chose dont il est question, c'est d'apprécier l'impact de cette explosion digitale sur nos enfants et adolescents.

Des préjudices multiples et intriqués

Évaluer l'influence des écrans sur le comportement et le développement n'est cependant pas chose facile, pour au moins deux raisons.

Premièrement, la diversité des domaines concernés. Les outils numériques affectent les quatre piliers constitutifs de notre identité : le cognitif, l'émotionnel, le social et le sanitaire. Or, les travaux académiques tendent à aborder ces différents espaces de manière analytique et cloisonnée. Dès lors, la littérature scientifique ressemble davantage à un paysage disloqué qu'à un panorama homogène. Ce morcellement contribue largement à masquer la vastité du problème. Toutefois, quand on prend le temps de connecter les morceaux du puzzle, l'illusion de relative bénignité s'évapore rapidement et l'ampleur du désastre apparaît plus clairement.

Deuxièmement, la complexité des mécanismes d'action. Ceux-ci sont rarement simples et directs. Ils agissent fréquemment par des voies dérobées, en cascade, avec délais et de manière synergique. C'est ennuyeux. D'abord, pour les chercheurs, au sens où certains facteurs d'impact se révèlent difficiles non seulement à identifier, mais aussi, secondairement, à expliquer. Ensuite, pour le grand public, dans la mesure où nombre d'affirmations paraissent tellement extravagantes dans leur primitif dépouillement qu'elles se trouvent spontanément récusées par les partisans du sacro-saint « bon sens ». L'influence des écrans sur la réussite scolaire, via les atteintes faites au sommeil, en offre une excellente illustration.

Il est aujourd'hui solidement établi, nous y reviendrons plus en détail, que les écrans ont, sur la durée et la qualité de nos nuits, un impact profondément délétère. À partir de là :

• *Certaines influences se révèlent relativement directes* ; par exemple : quand le sommeil est altéré, la mémorisation, les facultés d'apprentissage et le fonctionnement intellectuel diurne sont perturbés[10-13], ce qui érode mécaniquement la performance scolaire[14-17].

• *Certaines influences s'avèrent plus indirectes* ; par exemple : quand le sommeil est altéré, le système immunitaire est affaibli[18-20], l'enfant risque davantage d'être malade et donc absent, ce qui contribue à augmenter les difficultés scolaires[21-23].

• *Certaines influences émergent avec retard* ; par exemple : quand le sommeil est altéré, la maturation cérébrale est affectée[13, 24-26], ce qui, à long terme, restreint le potentiel individuel (en particulier cognitif) et donc, mécaniquement, le rendement scolaire.

• *Certaines influences opèrent en cascade* selon des processus peu intuitifs ; par exemple, le manque de sommeil est un facteur majeur d'obésité[27-30]. Or, l'obésité est associée à une diminution des performances scolaires, notamment en raison d'un absentéisme accru et du caractère destructeur des stéréotypes (souvent implicites) associés à cet état sanitaire (veulerie, aboulie, malpropreté, déloyauté, maladresse, paresse, grossièreté, etc.)[31-37]. Ces stéréotypes sont en grande partie liés à la représentation du « gros » dans la sphère médiatique, qu'il s'agisse de films, de séries télévisées, de clips musicaux ou d'articles de la presse féminine[38]. Ils œuvrent selon deux grands axes[33-35]. D'une part, ils favorisent les atteintes vexatoires par les pairs, ce qui n'aide pas à évoluer sereinement dans la classe. D'autre part, ils modifient significativement les normes de notation, les enseignants ayant tendance à être plus sévères dans leurs appréciations, remarques et évaluations avec les écoliers obèses ou en surpoids.

• *La plupart des influences sont multiples* et il est évident que l'impact négatif des écrans récréatifs sur la réussite scolaire ne repose pas exclusivement sur la détérioration du sommeil. Ce dernier levier opère ses méfaits en synergie avec d'autres agents dont – nous y reviendrons largement – la baisse du temps consacré aux devoirs ou l'effondrement des capacités langagières et attentionnelles. Dans le même temps, cependant, il est clair aussi que l'influence négative des écrans récréatifs sur le sommeil agit bien au-delà du seul champ scolaire. Dormir convenablement se révèle essentiel pour abaisser le risque d'accident, réguler l'humeur et les émotions, sauvegarder la santé, protéger le cerveau d'un vieillissement prématuré, etc.[13, 39-44].

• *La plupart des influences dépassent le cadre des écrans* et il serait absurde de vouloir imputer à ces derniers l'entière responsabilité des difficultés académiques que rencontrent de plus en plus d'enfants. En effet, l'accomplissement scolaire dépend également, personne n'en doute, de facteurs non numériques, d'ordre démographiques, sociaux et familiaux (facteurs, encore une fois, que les études relatives à l'influence des écrans tentent de contrôler au mieux).

La question de l'impact du numérique est donc effectivement loin d'être triviale. Mais restons un instant sur la thématique, brièvement évoquée, du vieillissement cérébral. Celle-ci est intéressante d'un point de vue méthodologique. En effet, elle permet d'illustrer assez clairement le problème des « facteurs masqués », agissant en sous-main, à l'insu des savoirs établis. Chez l'adulte, une étude a montré que le risque de développer la maladie d'Alzheimer augmentait de 30 % pour chaque heure quotidienne supplémentaire de télévision (après prise en compte des covariables connues pour être liées au développement de cette pathologie : caractéristiques sociodémographiques, degré de stimulation cognitive et niveau d'activité physique)[45]. Assurément, ce résultat ne signifie pas que la télé « inocule » au patient la maladie d'Alzheimer. Il indique simplement l'existence d'un levier « caché », à la fois prédictif du développement de la maladie et soumis à l'action du petit écran. En d'autres termes, l'effet télé révèle ici un mode d'action secondaire vers la maladie, mode d'action que des études ultérieures devront identifier. Dans le cas présent, parmi les hypothèses explicatives possibles, on peut mentionner le sommeil, dont les dérèglements engendrent, nombre de résultats récents l'ont montré, certaines perturbations biochimiques favorables à l'apparition de démences dégénératives[44, 46-50]. Tout cela pour dire qu'un résultat peut sembler obscur du point de vue de sa causalité, sans être fautif pour autant.

En résumé, trois points essentiels sont ici à retenir. Premièrement, ce n'est pas parce qu'une observation s'avère contre intuitive et/ou difficile à appréhender qu'elle doit être rejetée : certains leviers opèrent bien au-delà des évidences immédiates. Deuxièmement, dire que les écrans ont un impact donné ne veut pas dire qu'ils sont seuls à agir ou même que leur action s'avère la plus massive : les caricatures délusoires du genre « à entendre l'auteur, les écrans seraient responsables de tous les maux, etc. » sont aussi grotesques que déloyales. Troisièmement, enfin, l'impact des usages numériques sur les nouvelles générations ne peut apparaître qu'à la lumière d'une vision intégrative et panoramique ; peu importent les éventuelles aspérités ou contre-exemples ponctuels, ce qui compte, à l'arrivée, c'est le bilan global.

4

Des usages abusifs (trop) répandus

En matière d'usages du numérique à des fins récréatives, trois questions doivent être explorées : quoi, combien et qui ?

Quoi ? Le problème consiste à déterminer quels écrans sont utilisés et à quelles fins. Le présent chapitre cherchera donc à identifier, non pas l'usage théorique optimal que les nouvelles générations pourraient faire des écrans, mais bien l'usage concret qu'elles en font. Autrement dit, ce qui nous intéressera ici ce n'est pas tant de savoir comment les écrans pourraient être employés dans un absolu idéalisé, mais bien de comprendre comment ils sont effectivement utilisés au quotidien.

Combien ? Dans un récent article grand public, Daphné Bavelier, spécialiste des effets positifs des jeux vidéo d'action sur l'attention visuelle, indiquait « qu'il faut parler des usages des écrans et non des écrans eux-mêmes. Différents usages impliquent différents impacts. Les réseaux sociaux ont un impact autre que la recherche sur Internet ou encore les jeux vidéo. Il faut apprendre à "consommer des écrans" intelligemment comme on apprend à manger équilibré[51] ». L'argument rejoint grossièrement l'idée précédemment évoquée selon laquelle « Le » numérique est une matière hétérogène dont on ne peut parler comme d'un tout syncrétique. Pas de problème donc quant à la validité générale du propos ; à deux clarifications près cependant. Premièrement, si l'on s'en ux seuls écrans récréatifs, les influences négatives rvées sont largement transversales, au sens où elles pendent, pour une grande part, du temps volé à d'autres occupations plus favorables au développement de l'enfant (interactions intrafamiliales, lecture, musique, jeux créatifs, dessin, activité physique, sommeil, etc.). Dès lors, il s'avère tout à fait pertinent, au-delà des considérations spécifiques à chaque usage, d'examiner aussi l'impact résultant global. En d'autres termes, lorsque l'on se focalise sur les pratiques récréatives, parler « des écrans » de manière indissociée n'a rien de fallacieux. Deuxièmement, le problème des usages ne doit pas faire oublier la question temporelle. En effet, « manger équilibré », pour reprendre la métaphore de Daphné Bavelier, n'empêche pas de manger trop et de finir obèse. D'où la nécessité d'estimer non seulement les durées de consommation, mais aussi le seuil de « l'excès » numérique. Dans la plupart des cas, nous le verrons, ce dernier est indiqué de manière purement qualitative, sans précision chiffrée ; ce qui, avouons-le, n'a pas grand intérêt pratique. Le présent chapitre tâchera d'éviter cet écueil en précisant le temps à partir duquel les écrans récréatifs affectent négativement le développement. Par exemple, peut-on sans péril exposer un enfant de 4 ans à quinze minutes quotidiennes de dessins animés non violents supposément adaptés (comme *Franklin la tortue* ou *Clifford le chien*) ? Qu'en est-il lorsque l'on passe à une demi-heure, une heure ou plus ? Autrement dit, à partir de quel seuil doit-on s'inquiéter et craindre un détriment ?

Qui ? Cette question, curieusement, est largement absente des discours des zélateurs du numérique. Pourtant, l'usage des écrans est loin d'être homogène parmi les jeunes. Seul l'âge est généralement évoqué, alors que d'autres facteurs, liés notamment au sexe ou au milieu socio-économique, jouent un rôle fondamental. Leur identification n'est pas sans intérêt lorsque l'on se penche, entre autres, sur les questions de réussite scolaire et sur certains arguments bien trop répandus du genre « étant donné que dans les nouvelles générations nées “dans le numérique”, il ne sera possible que de réduire à la marge le temps d’exposition aux écrans », comme le prétendait notre vénérable Académie des sciences dans un rapport précédemment évoqué[52].

Des estimations forcément approximatives

Avant d’entrer dans le vif du sujet, une remarque s’impose : identifier les modalités d’usage numérique d’une population, quelle qu’elle soit, n’est pas un exercice facile[53]. En pratique, l’idéal serait bien sûr de demander à une armée de chercheurs de marquer à la culotte, 24 heures sur 24 pendant un ou deux mois, une armée de jeunes usagers et de noter obsessionnellement l’activité numérique de ces derniers. Idéal mais… infaisable. Une alternative consisterait à placer des logiciels de traçage dans les appareils digitaux utilisés par chaque individu (smartphone, tablette, télé, console, etc.) et à agréger ensuite, sur plusieurs semaines, les données obtenues. Techniquement envisageable, sans doute, mais délicat pour la protection de la vie privée (Nathan n’a pas forcément envie de révéler qu’il est fan de YouPorn) et compliqué pour les appareils mutualisés (comment savoir, par exemple, qui regarde la télé : Pierre, Jeanne, tout le monde ou personne ?). En tout cas, à ma connaissance, aucune étude globale de ce genre n’est encore disponible.

À ce jour, l’approche la plus courante repose sur des méthodes d’interviews ou de sondages. Or, celles-ci sont loin d’être parfaites[53]. D’abord, les gens se trompent et ont généralement tendance à sous-estimer leur consommation personnelle et celle de leurs enfants[54-59]. Ensuite, nombre d’études parmi les plus fréquemment citées[60-64] additionnent les usages (télé + smartphone + jeux vidéo, etc.) sans se préoccuper des recouvrements possibles (Célia regarde souvent la télé tout en chattant avec son smartphone sur les réseaux sociaux) qui augmentent le temps total de consommation. Enfin, des variables importantes ne sont pas toujours prises en compte, comme la saison (le même sondage réalisé l'hiver ou l'été ne donnera pas forcément le même résultat[65]) ou l'origine géographique de l'échantillon observé (un sondage réalisé sur des enfants vivant exclusivement en milieu urbain[66] risque d'aboutir à une sous-estimation du temps d'écrans[67]). Tout cela pour dire que, en matière de numérique, les études d'usage doivent être considérées avec une certaine prudence.

Les travaux présentés ici, à titre de référence, sont parmi les plus minutieusement conduits. Ils impliquent de larges populations et reposent sur des protocoles d'interview rigoureux. Cela ne résout pas, cependant, tous les problèmes. Les biais d'autoévaluation (je mésestime ma consommation et celle de mes enfants) et d'usages parallèles (je néglige les consommations simultanées), notamment, restent fréquents. Des analyses quantitatives ont toutefois suggéré que ces facteurs pourraient avoir, en valeur absolue, des impacts grossièrement comparables ; autour de 20 à 50 % vers le haut pour l'autoévaluation et vers le bas pour les usages parallèles[54, 58-59, 68]. Dès lors, on peut penser qu'ils vont, au moins pour partie, annuler leurs effets. Mais, évidemment, nous sommes loin de la parfaite rigueur chirurgicale.

Pour autant, il serait aberrant de rejeter d'un bloc l'ensemble de ces études. En effet, les mieux conduites ont permis d'obtenir des données qui, sans être irréprochables, ont peu de chances d'être absurdes. En d'autres termes, même si les résultats présentés au sein de ce chapitre ne doivent pas être pris au pied de la lettre, ils fournissent globalement une base de réflexion crédible.

Sans doute est-il important de souligner, pour éviter toute ambiguïté, que ces résultats proviennent essentiellement de recherches conduites aux États-Unis[60-61, 69-70]. Nous aurions aimé pouvoir présenter, pour le cas français, des travaux indépendants d'ampleur et de qualité méthodologique équivalentes. Nous n'en avons malheureusement pas trouvé. Ce n'est sans doute pas un hasard si l'on considère le coût élevé de ce genre d'investigation et le peu d'intérêt que semblent accorder, à cette question, nos agences de financement. Dès lors, on pourrait craindre que les chiffres et habitudes de consommation discutés ci-après n'aient aucune validité hors des États-Unis. Ce serait une erreur. En effet, quand on confronte les données américaines (encore une fois les plus robustes et précises) aux observations acquises dans d'autres pays économiquement comparables comme la France[63-64, 71], l'Angleterre[72], la Norvège[73] ou l'Australie[74], on constate un fort degré de convergence. Autrement dit, en matière d'usages du numérique, l'exception culturelle a vécu et les habitudes des petits Français, Australiens, Anglais ou Américains sont désormais fortement similaires ; pour le meilleur ou le pire, chacun en décidera.

Enfance : l'imprégnation

L'étude des usages précoces du numérique est particulièrement importante, pour au moins deux raisons.

Premièrement, c'est sur ces consommations que s'organisent, en grande partie, les utilisations tardives. Plus tôt l'enfant se trouve confronté aux écrans, plus il a de chances de devenir subséquemment un usager prolixe et assidu[55, 75-79]. Cela n'a rien d'étonnant. Nous sommes des êtres d'habitude et, à l'image de ce qui se passe pour les routines alimentaires, scolaires, sociales ou de lecture[56,

[76, 80-81], les pratiques numériques tardives s'enracinent profondément dans les usages de la petite enfance.

Deuxièmement, les premières années d'existence sont fondamentales en matière d'apprentissage et de maturation cérébrale. Comme nous aurons l'occasion de l'illustrer plus en détail, ce qui est alors « raté », parce que les écrans privent l'enfant d'un certain nombre de stimulations et expériences essentielles, se révèle très difficile à rattraper[82-90]. C'est d'autant plus dommage que les (in)aptitudes numériques, elles, se compensent sans problème à tout âge. Ainsi, nous l'avons souligné dans la première partie, n'importe quel adulte ou adolescent normalement constitué est capable d'apprendre rapidement à utiliser réseaux sociaux, logiciels bureautiques, sites marchands, plate-formes de téléchargement, tablettes tactiles, smartphones, cyber-clouds et autres joyeusetés du genre. Ce n'est pas le cas pour les savoirs primordiaux de l'enfance. En effet, ce qui ne s'est pas mis en place durant les âges précoces du développement en termes de langage, de coordination motrice, de prérequis mathématiques, d'habitus sociaux, de gestion émotionnelle, etc., s'avère de plus en plus coûteux à acquérir au fur et à mesure que le temps passe.

Pour le comprendre, on peut se représenter le cerveau comme une sorte de pâte à modeler dont la texture durcirait graduellement au fil des années. Bien sûr l'adulte apprend encore, mais pas comme l'enfant. Schématiquement, on pourrait dire qu'il apprend principalement en réarrangeant les circuits neuronaux disponibles quand l'enfant, lui, en construit de nouveaux. Une analogie permet d'illustrer simplement cette divergence fondamentale. Imaginons qu'il faille aller de Paris à Marseille. Pour y parvenir, l'enfant va prendre sa tractopelle et tracer une route optimale dans son champ neuronal. L'adulte, lui, n'a plus de tractopelle. Il lui reste tout juste une modeste truelle. Armé de cette dernière, il parviendra, au mieux, à se frayer un modeste chemin jusqu'à la gare voisine. Ensuite, pour parvenir à destination, il devra emprunter des chemins déjà construits. Ainsi, par exemple, compte tenu de ses expériences passées, il pourra s'offrir un Paris-Limoges, puis Limoges-Toulouse, puis Toulouse-Lyon et enfin Lyon-Marseille. Au début, malgré ces détours, il fera mieux que l'enfant ; construire une route prend du temps. Mais rapidement ce dernier surpassera son aîné jusqu'à le ridiculiser sans espoir de retour. Si vous en doutez, mettez-vous au violon en même temps que votre fille de 5 ans. Profitez bien alors de votre supériorité initiale… elle risque d'être brève. Si vous n'aimez pas le violon, rendez-vous dans une gare et essayez de courir à côté d'un train qui démarre. L'expérience s'avérera similaire. Au début vous irez bien plus vite que la machine ; mais progressivement celle-ci vous rattrapera avant de vous laisser sur place.

C'est à l'aune de ces éléments que le temps accaparé par les consommations précoces du numérique doit être envisagé. Deux périodes sont alors à distinguer. L'une, englobant grossièrement les 24 premiers mois, enclenche si l'on peut dire la pompe. L'autre, s'écoulant ensuite de 2 à 8 ans, marque une claire phase de stabilisation avant l'envolée de la préadolescence.

Le pied à l'étrier : 0-1 an

Les enfants de moins de deux ans consacrent, en moyenne, chaque jour, une cinquantaine de minutes aux écrans. Cette durée est restée étonnamment stable sur la dernière décennie[61, 69, 70]. Un effet, sans doute, de ces campagnes d'information censément préventives, déjà évoquées, et qui se cachent habilement derrière une sévère dénonciation des usages précoces (moins de 2-3 ans) pour soutenir, en creux, le bien-fondé des consommations « tardives » (au-delà de 2-3 ans). Il faut croire que le cynisme, en ce domaine, constitue un investissement rentable. Mais voyons tout cela d'un peu plus près.

Cinquante minutes. La valeur paraît sans doute raisonnable de prime abord… elle ne l'est pas. Elle représente presque 10 % de la durée de veille de l'enfant[91-92] ; et 15 % de son temps « libre », c'est-à-dire du temps disponible une fois que l'on a retiré les activités « contraintes » telles que manger (sept fois par jour en moyenne avant 2 ans[93-94]), s'habiller, se laver ou changer de couche[95-97]. Bien évidemment, ces activités contraintes participent grandement au développement de l'enfant (notamment parce qu'elles s'accompagnent d'interactions sociales, émotionnelles et langagières avec l'adulte) ; mais les expériences ne sont pas les mêmes que lors des temps « buissonniers ». Ceux-ci sont principalement structurés autour de l'observation active du monde, des jeux spontanés, des explorations motrices ou autres activités inopinées. L'enfant est parfois seul, parfois accompagné. Dans ce dernier cas, les échanges qui se mettent en place avec papa ou maman sont d'autant plus essentiels qu'ils sont très différents de ceux qui se développent au moment du bain ou des repas.

Le problème renvoie ici au gouffre qui sépare la fécondité de ces épisodes d'apprentissages non contraints et l'effroyable destructivité des temps d'usage du numérique. C'est à l'aune de cet antagonisme que doivent s'apprécier les cinquante « petites » minutes que les très jeunes enfants offrent quotidiennement aux écrans. Cumulées sur 24 mois, ces minutes représentent plus de 600 heures. Cela équivaut à peu près aux trois quarts d'une année de maternelle[98] ; ou, en matière de langage, à 200 000 énoncés perdus, soit à peu près 850 000 mots non entendus[99].

Et qu'on ne vienne pas nous dire que les outils numériques sont de formidables vecteurs de partage, notamment pour le langage. Seule une moitié de parents déclarent être présents « tout le temps » ou « la plupart du temps » lorsque l'enfant est face à un écran[61, 100]. Et encore, être présent ne veut pas dire interagir ! Une étude a ainsi montré, pour des bambins de 6 mois, qu'à peu près 85 % du temps d'écrans était silencieux, c'est-à-dire opéré sans intervention langagière adulte[101]. Un résultat compatible avec les données d'une autre recherche ayant établi, pour la télévision, sur des enfants de 6 à 18 mois, que la notion d'usage partagé se résumait dans près de 90 % des cas à poser le gamin à côté du parent lorsque celui-ci regardait ses propres programmes « tous publics[102] ».

La télévision phagocyte, à elle seule, 70 % du temps d'écrans des très jeunes enfants[61]. Quand ils sont utilisés, les autres supports, notamment mobiles, font surtout fonction de télés auxiliaires pour visionner des DVD ou des vidéos. Bon an mal an, plus de 95 % du temps d'écrans des 0-1 an est consacré à ces consommations audiovisuelles. Ce chiffre masque toutefois une grande disparité de situations : 29 % des enfants ne sont jamais exposés ; 34 % le sont chaque jour ; 37 % se promènent quelque part entre ces deux extrêmes. Pour le seul sous-groupe des usagers quotidiens, la moyenne de consommation s'établit à presque 90 minutes. Autrement dit, plus d'un tiers des enfants de moins d'un an ingurgitent une heure trente d'écrans par jour. Ces gros utilisateurs se rencontrent principalement dans les milieux socioculturels les moins favorisés.

Quelques études portent spécifiquement sur les pratiques du numérique dans ces milieux. Le résultat est accablant. En fonction des groupes étudiés, il oscille entre 1 h 30 et 3 h 30 d'usage journalier[101, 103-104]. Principale raison avancée par les parents pour expliquer cette incroyable orgie : faire tenir les gamins tranquilles dans les lieux publics (65 %), pendant les courses (70 %) et/ou lors des tâches ménagères (58 %). Chaque jour, près de 90 % des enfants défavorisés regardent la télé ; 65 %

utilisent des outils mobiles (tablette ou smartphones) ; 15 % sont exposés à des consoles de jeux vidéo. En quatre ans, la proportion de bambins de moins de 12 mois utilisant des écrans mobiles est passée de 40 à 92 %[104]. Que ceux qui verraient d'un bon œil cette évolution, au motif que les écrans permettent – même s'ils sont encore surtout utilisés comme récepteurs vidéo – de télécharger toutes sortes d'applications éducatives bienfaisantes, m'autorisent une petite citation tirée du dernier rapport de l'Académie américaine de pédiatrie : « Des évaluations récentes de centaines d'applications étiquetées éducatives, destinées aux bambins et enfants d'âge préscolaire, ont démontré que la plupart de ces applications affichent un faible potentiel éducatif, ciblent des compétences scolaires machinales (ex : ABC, couleurs), ne sont pas basées sur des progressions validées et n'incluent quasiment aucun apport de spécialistes du développement ou d'éducateurs[105]. » Mais peu importe tout cela, soyons de notre temps, honorons sieur progrès et beuglons d'enthousiasme avec la foultitude : « Vive les tablettes dès le berceau ; vive les écrans interactifs ! »

Le premier palier : 2-8 ans

Il faut attendre la seconde année pour que l'enfant passe, si l'on peut dire, aux choses sérieuses. Sa consommation numérique augmente alors brutalement pour atteindre, entre 2 et 4 ans, 2 h 45 par jour. L'explosion se tasse ensuite pour plafonner autour de 3 h 00. Ces valeurs sont phénoménales. Sur la dernière décennie, elles ont augmenté de plus de 30 %[61, 69-70]. Elles représentent quasiment un quart du temps normal de veille de l'enfant[91-92]. Sur une année, leur poids cumulé dépasse allègrement 1 000 heures. Cela veut dire qu'entre 2 et 8 ans un enfant « moyen » consacre aux écrans récréatifs l'équivalent de 7 années scolaires complètes[98] ou

460 jours de vie éveillée (une année un quart), ou encore l'exacte quotité du temps de travail personnel requis pour devenir un solide violoniste[106].

Plus de 90 % du temps numérique des enfants de 2 à 8 ans est consacré à l'absorption de programmes audiovisuels (télé, vidéos et DVD) et à la pratique de jeux vidéo. On peut toutefois noter une petite différence liée à l'âge : chez les 2-4 ans, l'audiovisuel domine un peu plus largement les jeux vidéo (77 % contre 13 %) que chez les 5-8 ans (65 % contre 24 %)[61]. Évidemment, ces chiffres doivent être pondérés au regard des caractéristiques socioculturelles du foyer. Il apparaît, sans grande surprise, que les enfants de milieux défavorisés ont une consommation numérique récréative presque deux fois plus importante que leurs homologues favorisés (3 h 30 contre 1 h 50)[61]. Ceux-ci auraient pourtant tort de se réjouir trop vite. En effet, plusieurs études relatives à la réussite scolaire montrent que les écrans n'exercent pas leur action délétère de manière homogène. Plus l'enfant est issu d'un foyer socioculturel privilégié, plus le temps gaspillé devant la télévision[55, 107-109] ou les jeux vidéo[110] s'avère pénalisant. Autrement dit, dans les milieux favorisés, le temps total d'écrans est certes moindre, mais les heures perdues coûtent plus cher car elles s'opèrent au détriment d'expériences plus riches et formatives (lecture, interactions verbales, pratiques musicales, sportives ou artistiques, sorties culturelles, etc.). Une analogie permet d'illustrer assez simplement ce mécanisme : si vous enlevez à un enfant deux litres d'une soupe claire composée à 25 % de légumes fanés, l'impact nutritionnel sera moindre que si vous privez ce même enfant d'un litre d'une soupe dense composée à 60 % de légumes frais. Pour les écrans, c'est la même chose : les enfants favorisés gâchent moins de « soupe », mais chaque fraction de cette « soupe » apporte plus au développement individuel.

Précisons que les consommations numériques ici décrites se font, en majorité, comme pour les 0-2 ans, loin du regard parental. Ainsi, pour les 2-5 ans, indépendamment du type d'écran, seule une petite minorité de parents (environ 30 %) déclarent être présents « tout le temps » ou « la plupart du temps »[61, 100]. Pour les 6-8 ans, la situation est davantage diversifiée. La télévision jouit du niveau de contrôle le plus élevé avec à peu près 25 % des parents qui déclarent être présents « tout le temps » ou « la plupart du temps ». Un pourcentage qui tombe autour de 10 % pour les outils mobiles et les jeux vidéo.

Préadolescence : l'amplification

Durant la préadolescence, que nous situerons ici entre 8 et 12 ans, les enfants voient leur besoin de sommeil diminuer sensiblement. Chaque jour, ils gagnent naturellement entre 1 h 30 et 1 h 45 d'éveil[91]. Cette « conquête », dans sa quasi-totalité, ils l'offrent à leurs babioles numériques. Ainsi, entre 8 et 12 ans, le temps d'écrans journalier grimpe à presque 4 h 40, contre 3 heures précédemment[60]. Quatre heures quarante (!), ce n'est pas rien. Cela représente environ un tiers du temps normal de veille[91]. Cumulé sur un an, cela fait 1 700 heures, l'équivalent de deux années scolaires[98, 111] ou, si vous préférez, d'un an d'emploi salarié à plein-temps[112]. Effarant, mais pas forcément surprenant pour qui veut bien considérer l'incroyable état de « saturation digitale » dans lequel se trouvent aujourd'hui placés les préados : 53 % possèdent leur propre tablette, 47 % ont une télé et 22 % une console de jeux vidéo dans la chambre, 42 % ont un terminal de jeu portable personnel, 24 % ont un smartphone, etc. De quoi ravir, n'en doutons pas, les nababs de la nouvelle économie… à défaut de nourrir l'édification des esprits de demain.

Côté activités, l'évolution est incontestablement moins drastique[60]. On reste en effet, *grosso modo*, dans la lignée des pratiques antérieures avec 85 % du temps d'écrans consacré aux matériaux audiovisuels (2 h 30) et jeux vidéo (1 h 20). L'usage des réseaux sociaux demeure encore, à cet âge, relativement marginal (8 % ; 20 minutes), de même que le temps passé à surfer sur la Toile (4 % ; 10 minutes). En tête de liste de leurs activités numériques favorites, les préados mentionnent (par ordre de préférence) : jouer aux jeux vidéo sur console, regarder la télé, regarder des vidéos en ligne, jouer à des jeux vidéo sur des supports mobiles et utiliser les réseaux sociaux. En queue de peloton, ils placent les activités d'élaboration telles que fabriquer des contenus graphiques, écrire pour alimenter un blog et produire des vidéos. Au total, ces pratiques créatives (qu'aiment tant mettre en avant les laudateurs du numérique) pèsent 3 % de l'usage digital des préados. Pas vraiment ébouriffant, même si ces observations doivent évidemment être modulées en fonction des caractéristiques socioculturelles du foyer. Il s'avère alors que les préados issus de milieux défavorisés consacrent chaque jour presque deux heures de plus aux écrans que leurs homologues plus privilégiés. Pour sa plus grande partie, cet écart provient d'un usage accru d'une part des contenus audiovisuels (+ 1 h 15) et d'autre part des réseaux sociaux (+ 30 minutes). Aucune différence n'est observée pour les jeux vidéo qui sont utilisés avec la même fréquence, quel que soit le milieu. Ce dernier point est intéressant. Il est tentant de l'associer aux campagnes médiatiques récemment menées pour défendre l'influence positive des jeux vidéo (notamment d'action) sur les aptitudes décisionnelles, la concentration et la performance scolaire ; campagnes dont nous avons eu l'occasion de discuter en détail la remarquable probité et dont on peut penser qu'elles n'ont pas été sans effet sur les arbitrages parentaux.

Les comportements « moyens » ici rapportés masquent cependant d'importantes spécificités individuelles. Certains préadolescents (mais cela est vrai aussi des adolescents dont nous reparlerons) aiment plutôt se goinfrer de télé quand d'autres préfèrent se gaver de jeux vidéo ou de réseaux sociaux, tandis que d'autres, enfin, choisissent de mixer l'ensemble de ces pratiques[60]. Cette variabilité se retrouve dans le temps consacré aux écrans (figure 1, p. 46). Près de 35 % des préados consomment moins de deux heures d'écrans par jour, dont 19 % sont à moins d'une heure et 6 % à zéro. On retrouve d'ailleurs ce chiffre de 6 % à l'adolescence, ce qui suggère qu'il existe un petit groupe d'enfants, issus probablement de milieux sociaux favorisés, que leurs parents maintiennent scrupuleusement à l'écart de toute exposition numérique récréative.

Question : ces réfractaires sont-ils par nature ou deviennent-ils à force d'isolement, comme le veut la légende, de tristes parias sociaux, isolés du monde des pairs et des humains ? Apparemment pas, si l'on en croit l'analyse croisée des temps d'écrans et de certains marqueurs du fonctionnement social. Cette analyse n'identifie en effet aucun préjudice chez les enfants privés d'écrans. Pire, elle suggère « [qu']il existe une corrélation négative entre le bien-être socio-émotionnel et le temps consacré aux écrans[60] ». Autrement dit, les préados et ados qui passent le moins de temps dans le monde merveilleux du cyber-divertissement sont aussi ceux qui se portent le mieux ! Depuis vingt ans, nombre d'études, de rapports, de méta-analyses et de revues de synthèse ont largement confirmé ce triste constat[113-130]. Conclusion : nos gamins peuvent très bien se passer d'écrans ; cette abstinence ne compromet ni leur équilibre émotionnel ni leur intégration sociale. Bien au contraire !

Adolescence : la submersion

À l'adolescence, que nous situerons ici entre 13 et 18 ans, le temps d'écrans augmente encore sensiblement sous l'effet notamment de la généralisation des smartphones. La consommation quotidienne de numérique atteint alors 6 h 40[60]. Est-il nécessaire de préciser à quel point ce chiffre s'avère stratosphérique ? Il équivaut à un quart de journée et 40 % du temps normal de veille[91]. Cumulé sur un an, cela représente plus de 2 400 heures, 100 jours, 2,5 années scolaires ou encore la totalité du temps consacré de la sixième à la terminale, pour un élève de filière scientifique, à l'enseignement du français, des mathématiques et des Sciences de la Vie et de la Terre (SVT). Autrement dit, sur une simple année, les écrans absorbent autant de temps qu'il y a d'heures cumulées d'enseignement du français, des maths et des SVT durant tout le secondaire. Mais cela n'empêche pas les sempiternelles ruminations sur l'emploi du temps trop chargé des écoliers[131-133]. Pauvres petits martyrs privilégiés de nos sociétés d'opulence, écrasés de travail et privés de loisirs. Ayoub, un jeune collégien, est de ceux-là, lui qui interrogé par un grand quotidien national expliquait que « moi, si on raccourcissait mes journées de cours, j'en profiterais pour jouer plus à la Playstation, ou pour regarder la télé[132] ». C'est ce qu'on appelle un projet gagnant-gagnant-gagnant : Ayoub s'éclate, Sony se remplit les poches et le ministère de l'Éducation nationale fait des économies (moins d'heures de cours, c'est moins de profs à rémunérer)[134]. L'extraordinaire réussite de certains programmes scolaires privés à but non lucratif, aux États-Unis, montre que c'est là l'exact contraire de ce qu'il convient de faire pour gagner la bataille éducative, notamment dans les milieux défavorisés[135-136] ! Mais il serait idiot de s'en préoccuper. Ces données, après tout, datent du monde « d'avant »... avant que l'on comprenne qu'il est moins utile de faire ses devoirs que de jouer aux jeux vidéo pour se construire un cerveau et réussir à l'école.

Revenons aux questions d'usage. En cette matière, l'adolescence ne change pas grand-chose aux habitudes précédemment établies[60]. Légèrement plus de contenus audiovisuels (2 h 40 contre 2 h 30), autant de jeux vidéo (1 h 20), beaucoup plus de médias sociaux (1 h 30 contre 20 minutes) et un peu plus de temps à surfer sur la Toile (40 minutes contre 10). Bon an mal an, ces activités concentrent 90 % du temps numérique des adolescents. Bien sûr, les caractéristiques socioculturelles du foyer jouent là aussi un rôle important. Les adolescents des milieux défavorisés consacrent chaque jour 2 h 30 de plus aux écrans que leurs homologues plus privilégiés. Rien d'étonnant. Cela ne fait que confirmer les tendances observées à tous les âges antérieurs.

Environnement familial : des facteurs aggravants

Bien sûr, encore une fois, toute moyenne d'usage masque un large degré de variation interindividuelle. Les lignes précédentes montrent que les consommations du numérique changent fortement avec le niveau socio-économique du foyer et l'âge des sujets. On aurait pu ajouter le genre au tableau. En effet, filles et garçons n'organisent pas leur temps d'écrans récréatifs de la même façon. La différence n'émerge toutefois que de manière assez progressive pour ne devenir évidente qu'à l'adolescence. À cet âge, les réseaux sociaux sont bien plus présents chez les filles que chez les garçons (1 h 30 contre 50 minutes chaque jour) ; à l'inverse des jeux vidéo (10 minutes contre 1 heure). Ces variations tendent toutefois à se compenser les unes les autres, de sorte que le temps total d'usage des filles et des garçons s'avère globalement équivalent (environ 6 h 40 par jour)[60] ; même si plusieurs études ont suggéré que la durée d'exposition pourrait, *in fine,* être légèrement supérieure chez les garçons[63-64, 68, 73].

Limiter l'accès et donner l'exemple

Pour importants qu'ils soient, ces facteurs sociodémographiques sont cependant loin de dire l'ensemble de l'histoire. D'autres caractéristiques, plus « environnementales », sont aussi à considérer lorsque l'on veut cerner le comportement des enfants vis-à-vis du numérique. Celles-ci comprennent, en premier lieu, la facilité d'accès aux divers types d'écrans. Avoir plusieurs télés, consoles, smartphones ou tablettes à la maison favorise la consommation et ce d'autant plus que la chambre est concernée[137-146]. En d'autres termes, si vous voulez exalter l'exposition de votre progéniture au numérique, assurez-vous que le petit possède en propre son smartphone et sa tablette et équipez sa chambre en télé et console. Cette dernière attention pourrira son sommeil[141, 143, 147-149], sa santé[137, 141, 145] et ses résultats scolaires[56, 138, 149], mais au moins il se tiendra tranquille et vous aurez la paix[100]. Une étude récente s'est intéressée au comportement de plus de trois mille enfants de 5 ans[150]. Ceux qui possédaient une télé dans leur chambre étaient quasiment trois fois plus nombreux à avoir une consommation quotidienne supérieure à 2 heures. Idem côté console de jeux. Les enfants qui en détenaient une dans leur chambre avaient trois fois plus de risque de présenter un usage quotidien supérieur à 30 minutes. Les mêmes résultats ont été rapportés chez les sujets plus âgés, qu'ils soient préadolescents ou adolescents[139-140, 142, 145]. Bref, si vous voulez réduire l'exposition numérique de vos enfants, une excellente solution consiste à retirer les écrans de leur chambre à coucher et à retarder aussi longtemps qu'il est possible leur équipement personnel en outils mobiles divers. En ce domaine, s'il s'agit simplement, comme le disent souvent les parents, de « pouvoir garder le contact avec le petit pour s'assurer que tout va bien », un portable basique, sans accès à Internet convient tout à fait ; pas besoin d'un smartphone interstellaire.

À ces facteurs d'accès s'ajoutent – qui en sera surpris – le poids des habitudes familiales. Nombre d'études ont ainsi montré que la consommation des enfants croissait avec celle des parents[77, 140, 144, 151-156]. Un triple mécanisme explique cette liaison : (1) les temps d'écrans partagés (jeux vidéo ou télé par exemple) augmentent globalement les durées individuelles d'exposition (parce que les utilisations communes, pour une bonne part, ne se substituent pas mais s'ajoutent aux pratiques solitaires) ; (2) les enfants tendent à imiter le comportement immodéré de leurs parents (selon un mécanisme bien connu d'apprentissage social[157-158]) ; (3) les gros consommateurs adultes ont une vision plus positive de l'impact des écrans sur le développement[100], ce qui les conduit à imposer des règles d'usage moins restrictives à leur progéniture. Or, concernant ce dernier point, plusieurs études ont montré que l'absence de règles restrictives favorisait l'accès aux contenus inadaptés et stimulait fortement les durées d'utilisation[77, 140, 142, 150, 155]. Ainsi, pour la télévision, un travail expérimental a comparé trois « styles » parentaux chez des enfants de 10-11 ans : permissif (pas de règles), autoritaire (règles rigidement imposées), persuasif (règles expliquées)[159]. Pour chacun de ces styles, la proportion d'enfants susceptibles de regarder la télé plus de 4 heures par jour s'établissait respectivement à 20 %, 13 % et 7 %.

Ce dernier résultat souligne l'intérêt d'expliquer, dès l'enfance, la raison d'être des limites imposées. En clair, pour être pleinement efficace à long terme, le cadre restrictif ne doit pas être perçu comme une punition arbitraire, mais comme une exigence positive. Il est important que l'enfant adhère à la démarche et en intériorise les bénéfices. Quand il demande pourquoi il n'a « pas le droit » alors que ses copains font « ce qu'ils veulent », il faut lui expliquer que les parents de ses copains n'ont peut-être pas suffisamment étudié la question ; il faut lui dire que les écrans ont sur son cerveau, son intelligence, sa concentration, ses résultats scolaires, sa santé, etc., des influences lourdement négatives ; et il faut lui préciser pourquoi : moins de sommeil ; moins de temps passé à des activités plus nourrissantes, dont lire, jouer d'un instrument de musique, faire du sport ou parler avec les autres ; moins de temps passé à faire ses devoirs ; etc. Mais tout cela, évidemment, n'est crédible que si l'on n'est pas soi-même constamment le nez sur un écran récréatif. Au pire, il faut alors essayer d'expliquer à l'enfant que ce qui est mauvais pour lui ne l'est pas forcément pour un adulte, parce que le cerveau de ce dernier est « achevé » alors que celui de l'enfant est encore « en train de se construire ».

Établir des règles, ça marche !

In fine, tous ces éléments opposent un brutal démenti aux cassandres de l'inéluctable. En effet, dire que la consommation d'écrans dépend de facteurs environnementaux sur lesquels il est possible d'agir, c'est dénier au présent tout caractère de fatalité. Un large contingent d'études le démontre clairement. Dans ce cadre, les chercheurs ne se contentent plus d'observer leurs ouailles. Ils mettent en place des protocoles expérimentaux visant à abaisser la consommation d'écrans récréatifs. Une méta-analyse* récente a combiné les résultats d'une

---

* Voir la note p. 128.

douzaine d'études proprement réalisées sous l'égide de ce simple objectif[160-161]. Résultat : lorsque les parents (et les enfants dans certaines de ces études) sont informés des influences néfastes du numérique récréatif et lorsqu'ils se voient, sur cette base, proposer la mise en place de règles restrictives précises (durée maximale hebdomadaire ou quotidienne, pas d'écrans dans la chambre, pas d'écrans le matin avant l'école, pas de télé allumée quand personne ne regarde, etc.), le niveau de consommation chute substantiellement ; en moyenne, de moitié. Pour les douze études considérées, qui impliquaient majoritairement des sujets de 13 ans et moins, l'intervention avait fait passer le temps quotidien d'usage d'un peu plus de 2 h 30 à un peu moins de 1 h 15. Notons que ce déclin, loin d'être éphémère, se révéla remarquablement stable sur des périodes de suivi allant jusqu'à deux ans (la moyenne se situant un peu au-dessus de six mois).

Ainsi donc, amener les nouvelles générations à réduire leur consommation du numérique récréatif n'a rien d'insurmontable. Les études disponibles montrent qu'il est possible d'obtenir d'imposants résultats en édictant des règles d'usage précises et en limitant les opportunités d'accès. Encore une fois, cependant, pour que le processus fonctionne à long terme, il faut solliciter sans relâche l'adhésion des enfants et adolescents. Contrairement à ce que semblent croire bien des gens, cette ténacité explicative ne s'oppose aucunement à l'existence d'un cadre contraignant. Au contraire ! Contrainte et responsabilisation sont les mamelles complémentaires du succès. En effet, c'est parce qu'il peut prendre appui sur un jeu de règles explicitement définies que l'enfant va parvenir à construire peu à peu ses capacités d'autorégulation ; capacités qui, en retour, se révéleront d'autant plus efficaces qu'elles seront soutenues par un environnement favorable. Au fond, l'idée directrice est ici assez simple : il est plus aisé de résister à une envie quand les moyens de sa satisfaction sont absents, verrouillés et/ou coûteux à mettre en œuvre[38, 162]. Par exemple, il est bien plus facile de se plier à la décision formelle de ne pas regarder la télé en mangeant quand il n'y a pas d'écran dans la cuisine. De même, il est bien plus simple de ne pas se laisser dévorer par son smartphone quand on n'en possède pas (un enfant de 10, 12 ou 15 ans a-t-il *vraiment* besoin d'un smartphone ?), quand des règles précises d'usage existent (par exemple, après 20 heures et pendant les devoirs le smartphone est impérativement déposé éteint, sur la commode du salon) et/ou quand des assistants logiciels sont utilisés pour appuyer la volonté (nombre d'applications simples permettent de circonscrire, au quotidien, les durées et plages horaires d'utilisation). Et, surtout, que l'on ne vienne pas alors me parler de flicage ou de déresponsabilisation. D'une part, le pouvoir d'objectivation de ces outils aide réellement l'individu à prendre conscience de ses consommations abusives. D'autre part, accepter de se faire aider quand on a du mal à éviter les affres d'un usage excessif s'avère, quel que soit le domaine (alcool, jeux d'argent, écrans, etc.), un signe plutôt rassurant d'intelligence et de maturité psychique. Ultimement, ces « béquilles » initiales favorisent le développement d'habitudes positives pérennes.

Réorienter les activités

En pratique donc, agir sur l'environnement familial permet de réduire efficacement le temps d'écrans. Mais ce n'est pas tout ; et surtout ce n'est pas le plus intéressant. En effet, cette approche permet aussi, plus globalement, d'orienter le champ d'activité des enfants. Imaginons qu'un écolier ait le choix entre lire un livre ou regarder la télé. Dans la quasi-totalité des cas, il choisit cette seconde option[75, 163]. Mais que se passe-t-il si l'on retire la télé ? Eh bien, même s'il déteste ça, l'enfant va se mettre à lire. Trop beau pour être vrai ? Même pas ! Plusieurs études récentes ont en effet montré que notre brave cerveau supportait très mal le désœuvrement[164, 165]. Il a ainsi été observé, par exemple, que 20 minutes passées à ne rien faire entraînaient un niveau de fatigue mental plus important que 20 minutes passées à réaliser une tâche complexe de manipulation des nombres (ajouter 3 à chaque chiffre d'un nombre de 4 chiffres : 6 243 => 9 576)[166]. Dès lors, plutôt que de s'ennuyer, la majorité des gens préfère sauter sur la première occupation venue même si celle-ci s'avère *a priori* rébarbative ou, pire, consiste à s'infliger une série de chocs électriques douloureux[167-168]. Cette puissance prescriptive du vide, la journaliste américaine Susan Maushart l'a observée de première main, le jour où elle a décidé de déconnecter ses trois zombies adolescents[169]. Privés de leurs gadgets électroniques, nos heureux élus commencèrent par se cabrer avant, progressivement, de s'adapter et de se (re)mettre à lire, à jouer du saxo, à sortir le chien sur la plage, à faire la cuisine, à manger en famille, à parler avec maman, à dormir davantage, etc. ; bref, avant de se (re)mettre à vivre.

Quelles limites à l'usage des écrans ?

Quand l'usage excessif des écrans est publiquement mis en cause, les formules sont souvent nébuleuses. On lit et entend ainsi fréquemment, par exemple, que « trop de temps d'écran endommage le cerveau[170] », que « l'excès de temps d'écran est nuisible à la santé mentale[171] », que « trop de médias sociaux augmentent la solitude et l'envie[172] », que « les adolescents passant beaucoup de temps devant un écran ont un risque accru de connaître des symptômes insomniaques[173] », ou « [qu']il faut favoriser un usage raisonnable des écrans[174] ». Mais, en pratique, que faire de tout cela ? « Raisonnable » ça fait combien ? Où débute « l'excès » ? À partir de quelle durée pénètre-t-on le « trop » ? Ces questions trouvent rarement les réponses qu'elles méritent. Et pourtant, la littérature scientifique regorge de données.

Addict ou pas, trop c'est trop !

L'addiction représente, évidemment, une première piste de réflexion. Des dizaines d'études tant comportementales que neurophysiologiques établissent aujourd'hui clairement la réalité du phénomène[175-185]. Malgré tout, la caractérisation pathologique reste mouvante et les échelles de classification s'avèrent largement inhomogènes, au-delà du principe général selon lequel l'addiction aux écrans caractérise un usage compulsif portant préjudice au fonctionnement quotidien, notamment dans les domaines sociaux et professionnels[186-189]. En proportion, les valeurs moyennes estimées restent (encore ?) relativement faibles, autour de 3 à 10 % des usagers ; même si une grande variabilité est, là aussi, observée[176, 182-183, 187, 190-192]. Au regard de cette modicité, il est tentant de conclure que « les usages excessifs » ne touchent finalement qu'une fraction assez minoritaire de la population. Rassurante idée qui appelle toutefois deux commentaires. Premièrement, un faible pourcentage d'une large population, cela finit par faire beaucoup de monde : pour la France 5 % des 14-24 ans, cela représente près de 400 000 individus[193] ; pour les États-Unis, c'est six fois plus, soit autour de 2,5 millions d'âmes[194]. Deuxièmement, un comportement n'a pas à être pathologique pour se révéler délétère. Autrement dit, ce n'est pas parce qu'un gamin n'est pas, au sens clinique, « addict » à son smartphone, ses plateformes de réseaux sociaux ou sa console de jeux qu'il est à l'abri de toute influence négative. Croire le contraire est d'autant plus dangereux que l'imaginaire collectif assimile « l'addict » à une sorte d'épave fracassée dont le toxicomane erratique et l'alcoolique turpide des séries télévisuelles sont les ordinaires parangons. Difficile pour les parents d'identifier leurs enfants à ce triste modèle. Difficile aussi, pour ces enfants eux-mêmes, de se reconnaître dans l'archétype proposé[195]. D'autant plus difficile, d'ailleurs, qu'il en va du numérique comme des autres addictions : le déni est tenace et fréquent[196-198].

L'importance de l'âge

Le problème reste donc entier : où placer les frontières de l'excès ? La réponse dépend de l'âge. Pour le comprendre, il faut réaliser que le développement de l'être humain n'a rien d'un long fleuve tranquille. S'agissant de la construction cérébrale, notamment, certaines périodes, dites « sensibles », pèsent, nous l'avons déjà mentionné, bien plus lourd que d'autres[82-90]. Si les neurones se voient alors proposer une « nourriture » inadéquate en qualité et/ou quantité, ils ne peuvent « apprendre » de manière optimale ; et plus la carence s'étire dans le temps, plus elle devient difficile à combler. Par exemple, des chatons soumis à l'occlusion d'un œil pendant les trois premiers mois de leur vie ne récupèrent jamais une vision binoculaire normale[199]. Pareillement, des rats exposés à une fréquence sonore particulière durant la deuxième semaine de leur existence subissent une expansion persistante de la région du cerveau associée au déchiffrage de cette fréquence (au détriment des autres, évidemment)[200]. Un résultat qu'il est tentant de rapprocher d'observations cliniques montrant, chez l'enfant sourd de naissance, que l'efficacité à long terme des prothèses cochléaires varie fortement avec l'âge d'implantation. Le déploiement des capacités de discrimination des sons, notamment dans le champ du langage, est ainsi excellent avant 3 ou

4 ans. Il se détériore ensuite progressivement jusqu'à devenir très insatisfaisant au-delà de 8-10 ans[201-202]. De la même manière, chez les musiciens adultes, l'ampleur des réorganisations du cortex cérébral engendré par la pratique assidue d'un instrument dépend beaucoup plus de la précocité de l'apprentissage (avant 7 ans) que du temps total d'entraînement[203-204]. Semblablement, dans les populations immigrées, la maîtrise du langage du pays d'adoption relève moins du nombre d'années passées sur place que de l'âge d'arrivée. Lorsque celui-ci dépasse 7 ans, la difficulté devient notable (hors acquisition du lexique qui semble pouvoir se développer sans limite d'âge)[205-206]. Ainsi, au bout du compte, après des années de présence dans leur pays d'accueil, des jumeaux n'afficheront pas le même degré de maîtrise langagière selon qu'ils seront arrivés à 4 ou 8 ans. Cela étant dit, en comparaison des natifs, les immigrés précoces pourront eux aussi présenter des déficits de long terme s'ils sont soumis à des tests suffisamment précis. En effet, pour nombre d'aptitudes linguistiques, la « cristallisation » cérébrale débute bien avant la barrière des 7 ans[207-209]. Dans le champ phonétique, par exemple, des Anglophones « de souche » s'avèrent capables, lorsqu'ils sont suffisamment attentifs, de distinguer l'existence d'un léger accent chez des immigrés adultes arrivés en Amérique du Nord à l'âge de 3 ans[210]. Même chose pour la grammaire. Des adultes chinois accueillis aux États-Unis durant leur prime enfance, entre 1 et 3 ans, affichent des capacités syntaxiques altérées par rapport à leurs homologues natifs[211]. Certes, l'atteinte se révèle alors subtile, mais elle est détectable.

On pourrait, sur des dizaines de pages, multiplier ce genre d'observations. Le message toutefois, resterait inchangé : les expériences précoces sont d'une importance primordiale. Cela ne veut pas dire que *Tout se joue avant 6 ans*, comme le claironne abusivement le titre français* d'un *best-seller* américain des années 1970[212]. Mais cela signifie certainement que ce qui se joue entre 0 et 6 ans influence profondément la vie future de l'enfant. Au fond, dire cela, c'est affirmer un truisme. C'est stipuler que l'apprentissage ne sort pas du néant. Il procède de manière graduelle par transformation, combinaison et enrichissement des compétences déjà acquises[213]. Dès lors, fragiliser l'établissement des armatures précoces, notamment durant les « périodes sensibles », c'est compromettre l'ensemble des déploiements tardifs. Les statisticiens appellent cela « l'effet Matthieu », en référence à une mémorable sentence biblique : « Car celui qui a, on lui donnera et il aura du surplus, mais celui qui n'a pas, même ce qu'il a lui sera enlevé[214]. » L'idée est assez simple. Elle énonce que la nature cumulative du savoir conduit mécaniquement à un accroissement progressif des retards initiaux. Ce phénomène a été documenté dans de nombreux domaines allant du langage au sport, en passant par l'économie et les trajectoires professionnelles[135, 215-219]. Bien sûr, dans de nombreux cas, la tendance peut être renversée, au moins partiellement[220]. Mais, encore une fois, cela devient de plus en plus difficile au fur et à mesure que l'on s'éloigne des périodes optimales de plasticité cérébrale. Les efforts alors demandés se révèlent très largement supérieurs à ce qu'aurait commandé une prévention originelle. Là aussi, comme le stipule l'adage, « mieux vaut prévenir que guérir ». Pour ceux qui en douteraient encore, le travail de James Heckman pourrait se révéler intéressant[221]. En effet, ce Prix Nobel d'économie est notamment connu pour avoir démontré que l'impact des investissements éducatifs décroissait très fortement avec l'âge des enfants. Bref, le message est clair : en matière de développement,

* *Comment éduquer* serait sans doute une traduction plus conforme au titre original : *How to Parent*.

mieux vaut éviter de gaspiller le potentiel inégalable des premières années !

Pas d'écran avant (au moins) 6 ans !

Cette notion de « période sensible », rien, sans doute, ne l'exprime mieux que l'ampleur dantesque des apprentissages cumulés par l'enfant durant ses premières années de vie. Aucune autre phase de l'existence ne concentre une telle densité de transformations. En 6 ans, au-delà d'un monceau de conventions sociales et abstraction faite des activités « facultatives » comme la danse, le tennis ou le violon, le petit humain apprend à s'asseoir, à se tenir debout, à marcher, à courir, à maîtriser ses excrétions, à manger seul, à contrôler et coordonner ses mains (pour dessiner, faire ses lacets ou manipuler les objets), à parler, à penser, à maîtriser les bases de la numération et du code écrit, à discipliner ses déchaînements d'émotions et de pulsions, etc. Dans ce contexte, chaque minute compte. Cela ne veut évidemment pas dire qu'il faut surstimuler l'enfant et faire de sa vie un enfer compulsif[222]. Cela signifie « juste » qu'il faut le placer dans un environnement incitatif, où la « nourriture » nécessaire est généreusement accessible. Or, les écrans ne font pas partie de cet environnement. Comme nous le verrons dans la suite de cet ouvrage, leur puissance structurante est très inférieure à celle offerte par n'importe quel milieu de vie standard, pour peu, bien sûr, que ce dernier ne soit pas maltraitant. Plusieurs études, sur lesquelles nous reviendrons également, ont ainsi montré qu'il suffisait, chez le jeune enfant, d'une exposition quotidienne moyenne de 10 à 30 minutes pour provoquer des atteintes significatives dans les domaines sanitaire (par exemple l'obésité) et intellectuel (par exemple le langage)[223-226]. Ce dont a besoin notre descendance pour bien grandir, ce n'est donc ni d'Apple, ni de PIWI, ni de Teletubbies ; c'est d'humain. Elle a besoin de mots, de sourires, de câlins. Elle a besoin d'expérimenter, de mobiliser son corps, de courir, de sauter, de toucher, de manipuler des formes riches. Elle a besoin de dormir, de rêver, de s'ennuyer, de jouer à « faire semblant ». Elle a besoin de regarder le monde qui l'entoure, d'interagir avec d'autres enfants. Elle a besoin d'apprendre à lire, à écrire, à compter, à penser.

Au cœur de ce bouillonnement, les écrans sont un courant glaciaire. Non seulement ils volent au développement un temps précieux, non seulement ils posent les fondations des hyperusages ultérieurs, mais en plus ils déstructurent nombre d'apprentissages fondamentaux liés, par exemple, à l'attention. Quand vous mettez un gamin de 2, 3 ou 5 ans devant une télé ou un jeu vidéo « d'action » vous stimulez massivement son attention visuelle (voir la première partie). Littéralement c'est alors la « distractibilité », comprise comme une capacité à s'orienter rapidement vers toutes sortes de stimuli externes (visuels ou auditifs), que vous inscrivez dans son cerveau ; et ce à l'heure (redisons-le !) où celui-ci traverse sa période la plus aiguë de plasticité. Ce choix est d'autant moins compréhensible que, comme nous avons déjà eu l'occasion de le souligner, le coût de l'abstinence est nul ! Autrement dit, il n'y a que des avantages à préserver les jeunes enfants de ces outils prédateurs. Dès lors, la barre de l'excès est assez facile à définir. Elle commence à la première minute. Pour les gamins de 6 ans et moins (voire 7 ans, si l'on inclut l'année fondamentale de cours préparatoire consacrée à poser les fondations de la lecture et de la numération), la seule recommandation sensée tient en trois mots : pas d'écrans !

Ceux qui verront derrière cette préconisation la marque d'une pensée outrancière peuvent consulter la récente prise de position de l'OMS[227]. Pour cette institution, « le temps consacré à des activités sédentaires de qualité sans écran fondées sur l'interactivité avec un aidant – lecture, chant, histoires racontées ou jeux éducatifs par exemple – est capital pour le développement de l'enfant ». Dès lors, « il n'est pas recommandé de placer un enfant d'un an devant un écran ». Ensuite, jusqu'à 5 ans « une heure devant l'écran doit être un maximum ; moins, c'est mieux ». Autrement dit, pour toute la prime enfance, l'idéal c'est zéro. Encore un petit effort et nos spécialistes internationaux trouveront peut-être le courage politique de l'affirmer clairement plutôt que de se cacher derrière d'élégantes périphrases. Conclusion d'un membre du groupe d'experts de l'Académie américaine de pédiatrie : « Quand on n'a pas de preuve que c'est bon et qu'il y a quelque raison que ce soit de croire que c'est mauvais, pourquoi le faire[228] ? »

Au-delà de 6 ans, moins d'une heure par jour

Il reste maintenant à spécifier le seuil d'usage délétère au-delà de ces six (voire sept) premières années de vie. La question est moins compliquée qu'il n'y paraît. En effet, les études statistiques prennent souvent « l'heure par jour » comme unité de référence. En compilant les résultats obtenus, on observe que nombre de problèmes émergent dès la première heure quotidienne. En d'autres termes, pour tous les âges postérieurs à la prime enfance, les écrans récréatifs (de toutes natures : télé, jeux vidéo, tablettes, etc.) ont des impacts nuisibles mesurables dès 60 minutes d'usage journalier. Sont concernés, par exemple*, les relations intrafamiliales[229], la réussite scolaire[230], la concentration[231], l'obésité[232], le sommeil[233], le développement du système cardio-vasculaire[234] ou

---

* Les domaines et références ici mentionnés le sont à titre purement illustratif. Un état des lieux bien plus complet et détaillé sera évidemment présenté dans les chapitres à venir.

l'espérance de vie[235]. Malheureusement, il s'avère impossible de déterminer exactement si le problème commence dès 30 minutes ou s'il ne survient qu'après trois quarts d'heure ou une heure complète. Alors, en première intention, soyons pusillanime et choisissons la version « haute ». Cette dernière peut se formuler comme suit : au-delà de la prime enfance, toute consommation d'écrans récréatifs supérieure à une heure quotidienne entraîne des préjudices quantitativement détectables et peut donc être considérée comme excessive. À la lumière des éléments présentés, toutefois, la formulation d'un seuil alternatif, « prudent », calé sur 30 minutes, n'aurait rien d'outrageant. On peut donc, en dernière analyse, recommander de maintenir en deçà de 30 (borne prudente) à 60 (borne tolérante) minutes l'exposition quotidienne aux écrans récréatifs des individus de 6 ans et plus. Précisons toutefois que ces bornes peuvent être formulées sur une base hebdomadaire plutôt que journalière. Ainsi, un enfant qui ne consommerait aucun écran récréatif les jours d'école et regarderait un dessin animé ou jouerait aux jeux vidéo pendant 90 minutes les mercredis et samedis resterait largement dans les clous. Précisons aussi que le temps, évidemment, n'est pas tout et que les bornes ici définies s'entendent pour des contenus adaptés et/ou consommés à des heures acceptables. Ainsi, GTA, jeu vidéo hyperviolent farci de contenus sexuels explicites (fellations, coïts, etc.)*, à 12, 14 ou même 16 ans, cela devrait être « non », quelle que soit la quotité horaire. Pareillement, la télé jusqu'à 23 heures le dimanche soir pour un gamin de 6, 8 ou 10 ans qui doit se lever le lendemain pour aller

* Pour s'en faire une idée, je suggère aux sceptiques d'aller sur YouTube et de taper dans la barre de recherche quelques expressions comme : « GTA porn » ; « GTA sex » ; « GTA torture » ; ou « GTA violence ».

à l'école, cela devrait être « non », même pour la plus débonnaire des comédies familiales.

Un point doit être souligné : ce n'est pas parce que les contenus et contextes d'usages ont une importance indiscutable, voire primordiale, dans certains domaines psychosociaux (agressivité, anxiété, initiation tabagique ou alcoolique, etc.)[55, 236-237] que l'on peut se permettre d'affirmer, comme l'a récemment fait la journaliste d'un grand quotidien national anglais, que « le temps d'écran, en lui-même, n'est pas nocif[238] ». En fait, nous explique cette spécialiste du jeu vidéo[239], sur la base d'une analogie alimentaire décidément fort répandue, « plutôt que de compter les calories (ou le temps d'écran), pensez à ce que vous mangez ». Mais, encore une fois, la comparaison se révèle hasardeuse. En effet, on peut s'en tenir aux règles alimentaires les plus vertueuses et être obèse. Des dizaines d'études scientifiques, synthétisées par ailleurs[38, 162], montrent ainsi clairement que « l'apport calorique global (et non la teneur variable en macronutriments) est un facteur majeur dans les effets pondéraux d'un régime », comme le résume un épais rapport de la très officielle Agence nationale de sécurité sanitaire[240]. Autrement dit, trop c'est trop, quand bien même l'assiette se conforme en tout point au nec plus ultra des recommandations alimentaires !

Pour les écrans récréatifs, c'est la même chose. Accorder 3, 4, 5 ou 6 heures quotidiennes à ce genre d'activité, c'est trop, c'est simplement trop ; même si l'individu n'est pas pathologiquement « dépendant » et que sa consommation reste cantonnée à des contenus supposément « adaptés ». Affirmer, comme le fait notre journaliste, à partir d'une ahurissante démarche de *cherry-picking**, que pareille déferlante temporelle n'aurait aucun

---

* Voir p. 115.

impact, c'est se moquer du monde (surtout quand on ose prétendre que cette ineptie fait aujourd'hui « consensus »). Un grand nombre d'études, nous l'avons signalé et nous y reviendrons, identifie des effets néfastes dès 60 minutes quotidiennes, indépendamment des contenus consommés[55, 230-235]. Pour partie, cette influence est liée à un processus aujourd'hui bien identifié de « temps volé ». Dans ce cadre, l'atteinte se moque totalement de la nature des activités numériques préemptives. La seule chose qui compte, au final, c'est que l'usage s'opère au détriment d'autres occupations, bien plus essentielles et/ou « nourricières » pour l'organisme en développement. Par ailleurs, l'effet « contenu », quand il existe, n'opère pas indépendamment du temps d'imprégnation. Ces deux facteurs cumulent leurs incidences de sorte que le degré de nocivité d'un contenu inadapté croît avec la durée d'exposition[55, 236]. Initiations tabagiques[241-245] et émergence de comportements sexuels à risque[246-249] en fournissent d'excellentes illustrations. Pas de quoi cependant perturber l'argumentaire de notre chère plumitive. Pensant peut-être livrer à ses lecteurs un glorieux trait d'humour, celle-ci évoque rapidement, avant de la balayer d'un effarant mépris, la vision contrariante émise par un groupe de chercheurs reconnus. On apprend alors que « la suggestion d'une heure quotidienne d'écrans pour un adolescent est risible pour toute personne essayant d'en élever un[238] ».

Passé le premier sentiment de consternation, on peut répondre trois choses à ce genre de fadaise. Premièrement, les éléments ci-dessus exposés montrent que certains enfants/ados réussissent (par eux-mêmes et/ou avec l'aide de leurs parents) à respecter ce seuil et que ces jeunes sont loin d'être les plus malheureux et les plus attardés. Deuxièmement, cumulée entre 6 et 18 ans, cette « risible » petite heure quotidienne représente la modique somme de cinq années scolaires[98, 111] ou, dit autrement, de deux ans et demi d'activité salariée à plein-temps[112]. Troisièmement, enfin, l'histoire humaine est riche de suggestions « risibles » (égalité d'intelligence entre Noirs et Blancs ou entre hommes et femmes ; enseignement du langage des signes aux enfants sourds ; pouvoir cancérogène du tabac ; évolution darwinienne ; dérive des continents ; etc.) qui sont devenues de solides vérités parce que quelques abrutis ont un jour décidé de s'en tenir aux faits plutôt que de se coucher devant l'inertie des opinions mondaines et pseudo-dogmes censément « établis ». Neil Postman fut l'un des abrutis en question. Au cœur des années 1980, ce professeur en culture et communication à l'université de New York s'alarma de l'impact colossal de la télévision sur nos manières de voir et de penser le monde. Il entreprit alors en quelque deux cents pages remarquablement documentées de montrer que le contenu importait au final bien moins que le contenant ou, plus exactement, que le contenant façonnait intimement le contenu. Selon les termes de ce chercheur, « nous ne parlons plus de ce qu'est la télévision mais seulement de ce qu'il y *a** à la télévision, c'est-à-dire de son contenu. Son écologie, qui inclut non seulement ses caractéristiques physiques et son code symbolique, mais aussi les conditions dans lesquelles nous la regardons normalement, est tenue pour admise et considérée comme allant de soi [...]. Pour entrer dans la grande conversation de la télévision, toutes les institutions culturelles américaines apprennent, les unes après les autres, à parler son langage. Autrement dit, la télévision est en train de transformer notre culture en une vaste arène pour le show-biz. Il est possible qu'en définitive nous en soyons ravis, et que nous ne souhaitions pas autre chose. C'était bien la crainte d'Aldous Huxley il y a cinquante ans[250] ».

---

* Souligné dans le texte original.

En conclusion

Du présent chapitre, trois grands points sont à retenir.

Premièrement, nos enfants consacrent un temps non seulement stratosphérique, mais aussi continûment croissant à leurs activités numériques récréatives.

Deuxièmement, contrairement aux fadaises marketing usuelles, ces comportements et tendances n'ont rien d'inéluctable. Ils peuvent être combattus efficacement en posant des règles d'usages claires (pas d'écrans récréatifs avant l'école, ni le soir avant d'aller dormir, ni pendant les devoirs, etc.) et en minimisant les sollicitations ambiantes (pas de télé ou de console de jeux dans la chambre, un téléphone basique plutôt qu'un smartphone, etc.). Un point toutefois est important : pour être pleinement opérantes, ces règles et dispositions ne doivent pas être brutalement imposées. Elles doivent être expliquées et justifiées, toujours, dès le plus jeune âge. Il faut marteler avec des mots simples que les écrans sapent l'intelligence, perturbent le développement du cerveau, abîment la santé, favorisent l'obésité, désagrègent le sommeil, etc.

Troisièmement, l'impact préjudiciable des écrans récréatifs sur la santé et le développement cognitif surgit bien en deçà des seuils d'usages moyens observés. À partir de la littérature scientifique disponible, on peut formuler deux recommandations formelles : (1) pas d'écrans récréatifs avant 6 ans (voire 7 ans si l'on inclut l'année charnière de cours préparatoire) ; (2) au-delà de 6 ans, pas plus de 60 minutes quotidiennes, tous usages cumulés (voire 30 minutes si l'on privilégie une lecture prudente des données disponibles).

Dans leur ensemble, ces éléments ne sont évidemment pas de nature à soutenir les propos lénifiants des thuriféraires de tous ordres. Il faut vraiment être rêveur, candide, insensé, irresponsable ou stipendié pour laisser croire que l'orgie d'écrans récréatifs à laquelle sont soumises les nouvelles générations peut s'opérer sans conséquences majeures. Pour mémoire, nous parlons ici, en moyenne, de presque 3 heures par jour chez les enfants de 2 à 4 ans et 7 heures chez les adolescents. Des heures passées principalement à consommer des flux audiovisuels (films, séries, clips, etc.), à jouer aux jeux vidéo et, pour les plus grands, à palabrer sur les réseaux sociaux à coups de *lol, like, tweet, yolo, post* et *selfies*. Des heures arides, dépourvues de fertilité développementale. Des heures anéanties qui ne se rattraperont plus une fois refermées les grandes périodes de plasticité cérébrale propres à l'enfance et à l'adolescence.

5

Réussite scolaire : attention, danger !

L'un de mes étudiants intervient le soir pour une entreprise de cours particuliers. Cela lui permet d'arrondir ses fins de mois. Il y a peu, je l'ai croisé dans les couloirs du laboratoire. Il m'avait entendu, à la radio, parler de l'influence néfaste des écrans sur le développement de l'enfant. Hilare, il m'expliqua alors que ce n'était pas très sympa et qu'il risquait rapidement de se retrouver au chômage si les parents décidaient soudain de priver leur progéniture de smartphones, tablettes, télé et consoles de jeux vidéo. Une boutade certes, mais qui mérite qu'on lui prête attention. C'est d'autant plus vrai que la réussite scolaire constitue un paramètre d'aptitude relativement général. En effet, même si elle ne dit pas tout de l'enfant, c'est évident, elle dit beaucoup de son fonctionnement intellectuel, social et émotionnel.

Par souci de clarté, nous distinguerons ici deux questions relevant respectivement des consommations d'écrans dans l'espace domestique* et en milieu scolaire.

---

* Ce terme définit tous les écrans accessibles en dehors de l'école, que ceux-ci soient « personnels » (smartphone, télé dans la chambre, console de jeu, ordinateur, etc.) ou « familiaux » (télé dans le salon, tablette commune, ordinateur partagé, etc.).

Écrans domestiques et résultats scolaires ne font pas bon ménage

Au-delà de quelques études ineptes et/ou iconoclastes, dont la première partie de ce livre fournit plusieurs exemples, la littérature scientifique démontre de façon claire et convergente un effet délétère significatif des écrans domestiques sur la réussite scolaire : indépendamment du sexe, de l'âge, du milieu d'origine et/ou des protocoles d'analyses, la durée de consommation se révèle associée de manière négative à la performance académique. Autrement dit, plus les enfants, adolescents et étudiants passent de temps avec leurs doudous numériques, plus leurs notes chutent.

Les recherches les plus générales considèrent le temps d'écrans dans son ensemble. Cela inclut typiquement la télévision, les jeux vidéo, le téléphone portable, la tablette et l'ordinateur. Tous ces supports sont essentiellement utilisés à des fins récréatives. L'usage cumulé prédit alors, sans surprise, une diminution significative de la performance scolaire[251-261]. Par exemple, une étude anglaise porte sur le certificat de fin d'étude secondaire (plus ou moins l'équivalent de notre brevet en fin de classe de 3e)[251]. L'examen se passe vers 16 ans. La réussite est cotée en huit catégories allant de l'excellence (A*) à l'insuffisance (G). Dans la mesure où l'effet négatif « instantané » des écrans ne fait plus guère de doute, les auteurs se sont penchés sur l'existence de possibles influences « lointaines » (après prise en compte, évidemment, des covariables d'usage : âge, sexe, état pondéral, dépression, type d'école, statut socio-économique, etc.)*. Les résultats montrèrent que la consommation numérique

* Par souci de lisibilité, dans la suite du texte, nous négligerons cette clarification et considérerons, par défaut, qu'elle s'applique aux travaux discutés. Si une étude a omis ce genre de contrôle, alors qu'il s'imposait, nous le préciserons.

affichée dix-huit mois avant l'examen affectait très sérieusement la réussite finale. Ainsi, pour chaque heure d'écrans consommée par jour à 14,5 ans, la note obtenue baissait de neuf points. Comme l'indique la figure 4, cela représente plus d'un niveau de notation. Supposons, par exemple, que Paul ait décroché un A* avec une consommation numérique nulle ; 1 heure quotidienne l'aurait fait tomber à B et 2 heures à C.

Bien sûr, ces données « moyennes » ne rendent pas compte des variabilités interindividuelles. Il est clair que tous les ados privés d'écrans n'atteignent pas l'excellence. De même, il est évident que certains collégiens cumulant 2, 3 ou même 4 heures d'utilisation journalière obtiennent de très bonnes notes. De fait, il n'est pas rare de croiser

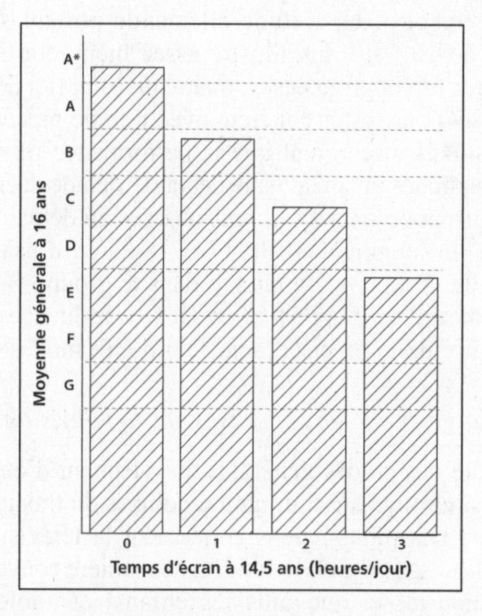

Figure 4. Impact du temps total d'écran sur la performance scolaire. Est ici mesurée l'influence « lointaine » (18 mois avant l'épreuve) de la consommation numérique sur la réussite à un examen de fin d'étude secondaire présenté à 16 ans. D'après[251]. Voir détails dans le texte.

des parents qui vous expliquent que leur ado hyperconnecté affiche des résultats satisfaisants. À cela, on peut répondre deux choses. Premièrement, même si certains s'en sortent bien malgré un usage numérique important, il est clair que le coût sociétal est majeur et que, collectivement, la performance d'un groupe de collégiens consommant une heure d'écrans par jour sera significativement moins bonne que la performance d'un groupe sociodémographiquement comparable ne consommant pas d'écrans. Deuxièmement, le fait que les notes d'un ado lambda hyperconnecté soient bonnes ne veut pas dire qu'elles ne seraient pas significativement meilleures hors écrans. Autrement dit, si l'on ne peut prédire la performance de Paul « avec écrans » (A, B ou C), on peut dire, sans grand risque, que celle-ci serait supérieure « sans écrans ». Une étude allemande portant sur des élèves de 10 à 17 ans illustre assez bien cette idée[261]. Les notes furent groupées en quatre niveaux (ici désignés de A à D pour rester cohérent avec l'étude précédente). Les résultats montrèrent que la performance relevée en mathématiques un an après le début de l'étude décroissait à proportion du temps d'écrans observé au démarrage de l'étude. En augmentant de 17 % la durée d'usage des élèves du groupe A, on chutait dans le groupe B ; 50 % nous amenait en C et 57 % en D. Ces influences, est-il nécessaire de le préciser, sont loin d'être modestes.

Un large et ancien consensus sur la télévision

À côté des études générales qui viennent d'être évoquées, on trouve aussi un grand nombre de travaux spécifiques. Les plus anciens concernent la télévision. Le résultat est sans appel. Il montre, de manière convergente et incontestable, que plus les enfants et adolescents consacrent de temps à la petite lucarne et plus leurs résultats scolaires chutent[55, 109, 138, 149, 226, 230, 262-270]. Par exemple, les mêmes individus (près d'un millier) ont été suivis pendant plus de deux décennies dans une étude particulièrement intéressante[230]. Les dernières analyses, menées alors que les participants avaient 26 ans, établirent que chaque heure de télévision consommée quotidiennement entre 5 et 15 ans diminuait de 15 % la probabilité de voir l'individu décrocher un diplôme universitaire et augmentait de plus d'un tiers le risque de le voir sortir du système scolaire sans qualification. Une autre recherche a étendu ces résultats à une cohorte plus précoce en montrant que la consommation quotidienne d'une heure de télévision à l'âge de 2,5 ans entraînait une diminution de plus de 40 % des performances en mathématiques quelques années plus tard, à 10 ans[226].

Une autre étude encore a révélé que des enfants de primaire n'ayant pas de télévision dans leur chambre affichaient de meilleures notes en mathématiques (+ 19 %), expression écrite (+ 17 %) et compréhension écrite (+ 15 %) que leurs congénères équipés[138]. Enfin, pour prendre un dernier exemple, un travail impliquant plus de 4 500 élèves de 9 à 15 ans a montré que le nombre de collégiens décrochant une moyenne d'excellence (A sur une échelle décroissante de A à D) diminuait quasi linéairement en fonction du temps passé devant la télévision, en semaine, et passait de 49 % pour le groupe sans télé à 24 % pour le groupe affichant des usages supérieurs à 4 heures quotidiennes[268]. Là encore, il semble difficile de trouver bénignes ces influences. C'est d'autant plus vrai que l'étude de long terme évoquée plus haut[230] a depuis été étendue au domaine professionnel[271]. Il fut alors montré, chez les garçons, que chaque heure quotidienne supplémentaire de télévision consommée entre 5 et 15 ans multipliait par plus de deux le risque de connaître une période de chômage supérieure à 24 mois entre 18 et 32 ans. La même tendance fut identifiée chez les filles (risque multiplié par 1,6), sans atteindre toutefois le seuil de significativité statistique.

Ces données prennent un cachet particulier lorsqu'on les considère à la lumière de déclarations politiques récentes, ayant conduit deux ministres titulaires du prestigieux portefeuille de la Culture à expliquer, pour l'une que les enfants se sont détournés de l'audiovisuel public, ce qui semble terrible parce que « manquer cette génération, c'est manquer les suivantes[272] » ; pour l'autre qu'il est important de peaufiner l'offre numérique publique au motif que « les jeunes ne regardent quasiment plus la télévision sur l'écran traditionnel. Nous devons chercher le moyen le plus adapté pour les reconquérir[273] ». Voilà qui rassure tant sur l'avenir de nos enfants que sur la trempe visionnaire de nos chers gouvernants.

Aucun doute, non plus, pour les jeux vidéo

Les chercheurs se sont aussi penchés, bien sûr, sur les jeux vidéo. Là encore, les données sont d'une régularité confondante : plus le temps passé à jouer est important, plus les notes chutent[110, 149, 268-269, 274-283]. Un travail conduit aux États-Unis se révèle particulièrement intéressant[283]. Des familles furent recrutées à travers une annonce de presse qui disait rechercher des volontaires pour étudier « le développement académique et comportemental des garçons* ». En guise de rétribution, les participants se voyaient promettre une console (PlayStation) et des jeux vidéo (classés tous publics). Seuls furent sélectionnés des garçons affichant des résultats scolaires satisfaisants, ne présentant aucun trouble du comportement et n'ayant

---

* Ce choix fut fait, non parce que les filles ne méritent pas l'attention des chercheurs, mais pour éviter les effets de genre et en considération du fait que les garçons jouent davantage (et sont donc *a priori* plus « à risque » que les filles).

aucune console de jeux dans leur foyer. La moitié des familles reçut sa « récompense » immédiatement ; l'autre moitié dut attendre la fin de l'étude (soit quatre mois). Ce protocole est terriblement ingénieux. En effet, il permet d'étudier, sans biais, l'évolution de la réussite scolaire après l'acquisition d'une console de jeux, en comparant deux groupes homogènes, initialement identiques. Sans surprise, les enfants du groupe « console » ne laissèrent pas cette dernière dans la boîte, mais l'utilisèrent à raison de 40 minutes quotidiennes, en moyenne ; soit 30 minutes de plus que ceux du groupe « contrôle » (dont les membres jouaient vraisemblablement un peu hors du foyer, notamment chez leurs copains le week-end ou après l'école). Pour moitié, le temps de jeux supplémentaire fut prélevé sur les devoirs qui passèrent, en gros, de 30 à 15 minutes journalières. Une telle « capture » ne pouvait laisser indemne la performance scolaire. À la fin de l'étude, le groupe « contrôle » affichait de meilleurs résultats que le groupe « console » dans les trois domaines académiques considérés : compréhension écrite (+ 7 %), expression écrite (+ 5 %) et mathématiques (+ 2 %, la différence observée n'atteignant cependant pas le seuil de significativité dans ce dernier cas). De manière intéressante, les chercheurs demandèrent aussi aux enseignants de remplir une échelle psychométrique standard, indicative d'éventuelles difficultés scolaires (notamment d'apprentissage et d'attention). Les résultats montrèrent une augmentation très significative de ces difficultés pour les élèves du groupe « console » (+ 9 %). Tous ces effets s'avèrent d'autant plus éloquents qu'ils résultent, rappelons-le, d'une durée d'exposition relativement brève (quatre mois) et d'un accroissement d'usage très modéré (30 minutes par jour).

Dans une autre étude, conduite elle aussi aux États-Unis, des économistes ont confirmé ces résultats pour une population plus âgée, constituée de jeunes adultes entrant à l'université[282]. Le protocole, « quasi expérimental », était pour le moins astucieux. À leur arrivée, en première année, les étudiants se voyaient aléatoirement attribuer un compagnon de chambre. Dans certains cas, ce compagnon apportait une console de jeux. Les auteurs comparèrent alors les résultats académiques des étudiants dont le compagnon avait ou n'avait pas de console (avec l'idée que la console du compagnon de chambre serait partagée et/ou prêtée). Les résultats montrèrent une diminution significative de performance chez les individus cohabitant avec des propriétaires de consoles (– 10 %). Après prise en compte d'une large liste de facteurs explicatifs possibles (sommeil, alcoolisation, absentéisme, emploi salarié, etc.), les analyses pointèrent l'impact dominant du temps de travail personnel. Les étudiants dont le compagnon de chambre n'avait pas de console consacraient quotidiennement presque trois quarts d'heure de plus à réviser que les étudiants dont le compagnon de chambre possédait une console. Sans surprise, cette différence se retrouvait dans l'augmentation des temps de jeux. Ainsi, les membres du groupe « console » passaient chaque jour presque 30 minutes de plus à taquiner le *joystick* que leurs homologues du groupe « contrôle » ; 30 minutes pour un différentiel académique final de 10 %. Nous sommes, là encore, très loin d'un effet marginal, surtout si l'on veut bien se rappeler, comme indiqué précédemment, que la consommation journalière moyenne des ados et préados avoisine 1 h 30.

Des notes en berne avec le smartphone

Récemment, les chercheurs ont aussi commencé à s'intéresser aux outils mobiles dont, évidemment, l'omniprésent smartphone. Cette plate-forme de distraction massive concentre l'intégralité (ou presque) des fonctions numériques récréatives. Elle permet d'accéder à toutes sortes de contenus audiovisuels, de jouer aux jeux vidéo, de surfer sur Internet, d'échanger photos, images et messages, de se connecter aux réseaux sociaux, etc. ; et elle permet tout cela sans la moindre contrainte ni de temps ni de lieu. Le smartphone (littéralement « téléphone intelligent ») nous suit partout, sans faiblesse ni répit. Il est le graal des suceurs de cerveaux, l'ultime cheval de Troie de notre décérébration. Plus ses applications deviennent « intelligentes », plus elles se substituent à notre réflexion et plus elles nous permettent de devenir idiots. Déjà elles choisissent nos restaurants, trient les informations qui nous sont accessibles, sélectionnent les publicités qui nous sont envoyées, déterminent les routes qu'il nous faut emprunter, proposent des réponses automatiques à certaines de nos interrogations verbales et aux courriels qui nous sont envoyés, domestiquent nos enfants dès le plus jeune âge, etc. Encore un effort et elles finiront par vraiment penser à notre place[284].

L'impact négatif de l'usage du smartphone s'exprime avec clarté sur la réussite scolaire : plus la consommation augmente, plus les résultats chutent[270, 285-296]. Une étude récente est de ce point de vue très intéressante[296]. En effet, le protocole expérimental ne se contentait pas d'interroger les participants (en l'occurrence des étudiants en management) sur leurs notes et l'usage qu'ils faisaient de leurs téléphones. Il impliquait aussi une mesure objective des données. Ainsi, avec l'accord écrit de chaque participant et sous couvert d'un strict engagement de confidentialité et d'anonymat, les auteurs obtinrent que l'administration leur transmette les résultats d'examens ; et que les participants autorisent, pour une période limitée de deux semaines, l'installation sur leur smartphone d'un logiciel « espion » permettant d'enregistrer objectivement, sans interférence, les temps d'usage réels. Selon les conclusions mêmes de l'étude, les effets mesurés se révélèrent d'une amplitude « alarmante ». Tout d'abord, il se confirma que les participants passaient bien plus de temps à manipuler leurs smartphones (3 h 50 par jour en moyenne) qu'ils ne le pensaient (2 h 55 par jour en moyenne). Ensuite, il apparut que plus le temps d'usage augmentait et plus les résultats académiques diminuaient.

Pour faciliter l'appréciation quantitative du phénomène, les auteurs ramenèrent leurs données à une population normalisée de cent individus. Ils montrèrent alors que chaque heure offerte quotidiennement à maître smartphone entraînait un recul de quasiment quatre places au classement. Ce n'est pas très grave, sans doute, lorsqu'il s'agit juste d'obtenir un diplôme qualifiant, non sélectif. C'est bien plus ennuyeux, cependant, dans l'univers brutal des filières d'excellence. Les études de médecine en offrent une bonne illustration. En France, le concours d'entrée admet, en moyenne, dix-huit candidats sur cent[297]. À ce niveau d'exigence le smartphone devient rapidement un handicap insurmontable. Prenez, par exemple, un étudiant non équipé qui se classerait 240e sur 2 000 et réussirait son concours. Deux heures quotidiennes de smartphone le conduiraient à une 400e place éliminatoire. Et, bien sûr, les choses empirent encore si vous vous permettez, comme le font un très grand nombre d'étudiants, de manipuler votre appareil durant les cours eux-mêmes. La « punition » s'établit alors, en moyenne, à presque huit places par heure d'usage.

Soulignons, une dernière fois, qu'il n'est ici question que de moyennes de population. On peut toujours trouver des cas particuliers qui contestent la règle sur un mode égotiste du type : « oui mais moi, mon fils, il est toujours sur son smartphone et il a réussi médecine ». Ce genre d'exemple existe, c'est vrai. Il existe d'autant plus que la quasi-totalité des étudiants possèdent aujourd'hui un smartphone. Ce n'est plus alors en valeur absolue, mais en décalage relatif, qu'il faut aborder les problèmes. Autrement dit, quand la moyenne d'usage frôle les 4 heures par jour, 120 minutes peuvent se révéler suffisamment « raisonnables » pour vous conduire au but… mais cela ne signifie pas (loin de là !) que ces 120 minutes ont été sans impact. Au fond, pour être parfaitement clair, on pourrait reformuler comme suit les observations précédentes : la performance académique se dégrade à proportion du temps offert au despotisme de monseigneur smartphone ; moins un élève s'avère parcimonieux, plus ses résultats baissent.

Et à la fin, c'est toujours l'usage abêtissant qui gagne

À toutes ces études, on pourrait ajouter d'autres recherches, encore plus spécifiques portant, par exemple, sur l'usage des réseaux sociaux. Là encore, les résultats sont aussi cohérents qu'opiniâtrement négatifs. Plus les élèves (adolescents et étudiants principalement) consacrent de temps à ces outils, plus les performances scolaires s'étiolent[270, 286, 298-306]. Un bémol toutefois, relatif à certaines expériences pédagogiques impliquant, via la création de groupes de discussion fermés, le partage de ressources et informations académiques ciblées. Dans ce cadre, une augmentation marginalement positive des notes a été rapportée chez des étudiants en mathématiques[307]. Une étude récente de grande ampleur n'a cependant pas permis de généraliser cette observation[305]. Malgré tout, les données obtenues ont permis de confirmer que l'usage strictement scolaire des réseaux sociaux avait au moins le bon goût de ne pas se révéler délétère. Mais, au fond, quand bien même on admettrait la possibilité d'un impact modestement positif, cela ne changerait pas grand-chose tant les consommations purement académiques sont noyées dans le flot des exploitations récréatives débilitantes. C'est pour cela que les études globales citées précédemment révèlent, en bout de chaîne, un bilan aussi négatif.

Le même problème se pose pour les ordinateurs domestiques. Pour une part, ceux-ci offrent un accès quasi illimité à toutes sortes de contenus récréatifs dont nous venons d'évoquer le caractère nocif. Dans le même temps, toutefois, nul ne saurait décemment contester que ces outils permettent aussi d'accéder, via Internet notamment, à un inépuisable espace de ressources éducatives, même s'il ne faut alors pas confondre disponibilité et exploitabilité : c'est une chose de pouvoir suivre, en ligne, un cours de l'université Harvard ou du MIT ; c'en est une autre de posséder les compétences attentionnelles, motivationnelles et académiques nécessaires à l'assimilation des savoirs exposés[308-310]. Nous en reparlerons plus loin. En attendant, revenons à ces chers ordinateurs. Que dire de leur impact global ? Au final qui pèse le plus lourd dans la balance, les usages abêtissants ou les pratiques nourricières ? La réponse dépend, pour partie, des études consultées. Si l'on s'en tient aux recherches bien conduites, d'envergure importante, les impacts s'échelonnent de nul[311-312] à négatif[313-315]. Autrement dit, les apports favorables des ordinateurs domestiques suffisent tout juste, dans le meilleur des cas, à contrebalancer les influences dommageables. Et encore, est-ce là l'interprétation la plus accommodante. En effet, les études ayant échoué à montrer la moindre influence négative globale[311-312] reposent sur des protocoles de distribution d'ordinateurs à des collégiens très défavorisés. Or, ceux-ci, dans leur grande majorité, n'ont pas de connexion internet à domicile et passent fort peu de temps avec l'appareil qui leur a été octroyé. L'accroissement d'usage (à peu près 20 minutes par jour) n'a d'ailleurs aucun impact sur la durée des devoirs, de toute façon très faible. Au fond, ce que confirme ce genre de recherche, c'est que la distribution gratuite d'ordinateurs aux enfants défavorisés dans le but de réduire la sacro-sainte « fracture numérique » n'a d'intérêt que pour les acteurs économiques engagés. Une conclusion qui confirme les données du dispendieux programme « One laptop per child » dont nous avons parlé dans la première partie*. Mais les choses pourraient changer lorsque la distribution d'ordinateurs comprendra une connexion internet associée. Les gamins verront alors s'ouvrir devant eux la merveilleuse promesse d'un abrutissement sans contraintes : jeux vidéo, films, séries, clips musicaux, réseaux sociaux, sites pornos, plate-formes marchandes, etc. Les quelques travaux ayant conclu à l'absence d'impact des ordinateurs domestiques sur la réussite scolaire pourront alors rapidement rejoindre l'imposante cohorte des études négatives ; et Aldous Huxley ressurgira du néant lui qui, il y a près de quatre-vingts ans déjà, anticipait « la dictature parfaite [...]. Une prison sans murs dont les prisonniers ne songeraient pas à s'évader. Un système d'esclavage où, grâce à la consommation et au divertissement, les esclaves auraient l'amour de leur servitude[316] » ; et l'on repensera finalement, mais un peu tard sans doute, au titre amèrement prophétique de l'ouvrage de Neil Postman : *Se distraire à en mourir*[250].

Cette domination du divertissement sur l'effort, nulle question ne l'illustre mieux que celle des devoirs. Ceux-ci sont un ingrédient important de la performance académique[317-321]. À court terme, ils opèrent principalement en favorisant l'assimilation et la mémorisation des contenus d'intérêt. À plus long terme, ils permettent aussi le développement de certaines aptitudes d'autodiscipline et d'autorégulation[322-325] absolument essentielles à la réussite scolaire[326-331]. Car en pratique, pour le dire simplement,

* Les résultats relatifs à ce programme (qui, eux aussi, vont de nuls à négatifs) n'ont pas été repris ici car les ordinateurs distribués ne sont alors pas réservés à une consommation strictement domestique. Ils ont aussi vocation à être utilisés dans un cadre scolaire.

on ne naît pas consciencieux, studieux et/ou apte à assurer l'essentiel (comme finir sa rédaction) au détriment du contingent (par exemple, jouer aux jeux vidéo ou chatter sur Facebook) ; on le devient[56, 332], et les devoirs sont un élément primordial de cette évolution. Or, comme souligné précédemment, le travail académique personnel paye un lourd tribut aux usages numériques récréatifs. L'atteinte relève alors à la fois d'un abrégement du temps dédié aux devoirs[139, 229, 264, 282-283, 333-335] et d'une tendance à la dispersion (le *multitasking*) peu favorable à la compréhension et à la mémorisation des contenus appréhendés[286, 336-343]. Cette atteinte portée à la quantité et à la qualité des devoirs offre une explication directe et flagrante à l'impact négatif des écrans récréatifs sur la réussite scolaire. Ce n'est évidemment pas la seule. Nous y reviendrons en détail dans le chapitre 6, lorsque nous aborderons les questions de développement cognitif.

Le monde merveilleux du numérique à l'école

« Les livres seront bientôt obsolètes à l'école [...]. Notre système scolaire va complètement changer en dix ans[344]. » Belle citation qui, avouons-le, ne manque pas d'actualité... sauf qu'elle date de 1913 et de l'émerveillement affiché par l'inventeur et industriel américain Thomas Edison au sujet des innombrables potentialités pédagogiques du cinéma. À l'époque, ce média était en effet supposé « révolutionner le système éducatif[345] » et « permettre l'enseignement de toutes les branches du savoir humain[344] ». On attend toujours que ce bien joli rêve devienne réalité. Mais cela n'a pas empêché que le même genre de discours apparaisse, dans les années 1930, au sujet de la radio, censée « amener le monde à l'intérieur de la classe pour rendre universellement disponibles les services des meilleurs enseignants[346] ».

Plus près de nous, dans les années 1960, ce fut au tour de la télévision d'être portée aux nues. Grâce à cette superbe invention, nous disaient les encenseurs de l'époque, il allait rapidement devenir « possible de multiplier les meilleurs enseignants, c'est-à-dire, de sélectionner le meilleur de tous les professeurs et d'offrir aux élèves les bénéfices d'une instruction supérieure [...]. La télé fait de chaque salon, de chaque bureau, de chaque grenier, etc., une salle de classe potentielle[347] ». Une vision largement partagée par le président américain du moment, Lyndon Johnson, célèbre pour avoir lancé (en parallèle de la guerre du Vietnam et sans plus de succès) une guerre contre la pauvreté dont la télévision devait être l'un des fers de lance. En voyage dans le Pacifique, ce distingué visiteur déclarait ainsi, en 1968, que grâce au petit écran, « les enfants des [îles] Samoa apprenaient deux fois plus vite qu'ils ne le faisaient par le passé et retenaient ce qu'ils apprenaient [...]. Malheureusement, le monde ne possède qu'une fraction des enseignants dont il a besoin. Les Samoa ont résolu ce problème grâce à la télévision éducative[348] ». Est-il utile de souligner que les résultats ne furent pas, là non plus, à la hauteur de l'espérance originelle[55] ? Mais, peu importe, l'hydre n'était pas prête à mourir ; « vingt fois sur le métier remettez votre ouvrage », disait le grand Nicolas Boileau dans son *Art poétique*[349].

De quoi parle-t-on ?

Et c'est ainsi que la télé fut remplacée par les « technologies de l'information et de la communication pour l'enseignement » ; ces célèbres TICE* dont un parlementaire français nous expliquait en 2011 qu'elles apparaissaient « comme une réponse adaptée aux enjeux

* Voir la note p. 171.

de l'éducation du XXIe siècle : lutter contre l'échec scolaire ; favoriser l'égalité des chances ; redonner aux élèves le plaisir d'aller à l'école et d'apprendre ; revaloriser le métier d'enseignant qui doit retrouver toute sa place avec ce rôle de "metteur en scène du savoir" [...]. Car ce n'est pas sur l'éducation d'hier que nous bâtirons les talents de demain[350] ». Avouons que la promesse était d'ampleur et le verbe émouvant... et puis, vraiment, ramener l'enseignant au statut de simple « metteur en scène », cela ne manquait pas de cachet. Nous y reviendrons. Mais, avant cela, demandons-nous si ces merveilleuses TICE ont finalement confirmé leurs éminentes promesses. Commençons, pour éviter toute ambiguïté, par une petite précision. Bien des gens semblent confondre (pour certains volontairement) l'apprentissage « du » numérique avec l'apprentissage « par » le numérique. Le second dépend partiellement du premier car il faut, à l'évidence, posséder une maîtrise minimale des outils informatiques pour pouvoir apprendre « par » le numérique. Mais, au-delà de ce recouvrement fragmentaire, il serait trompeur d'amalgamer ces deux problématiques. Concernant la première, les questions à poser sont multiples. Par exemple, abstraction faite des quelques connaissances basiques éventuellement nécessaires à l'apprentissage « par » le numérique (allumer un ordinateur ou une tablette, lancer et utiliser les logiciels requis, etc.), qu'est-ce qui doit être enseigné « du » numérique ? Tous les élèves doivent-ils savoir utiliser les suites bureautiques standards (Word, Excel, PowerPoint, etc.) ? Tous les élèves doivent-ils apprendre certains langages de programmation (Python, C++, etc.) ? Tous les élèves doivent-ils maîtriser l'usage d'une caméra digitale et des logiciels de post-traitements associés (Adobe Photoshop ou Premiere, etc.) ? Si oui, à quels âges convient-il d'introduire ces savoirs et quel est alors leur degré de priorité par rapport aux connaissances plus « traditionnelles » (français, mathématiques, histoire, langues étrangères, etc.) ? Ces interrogations sont loin d'être triviales.

En pratique, évidemment, personne ne conteste le fait que certains outils numériques peuvent faciliter le travail de l'élève. Ceux qui, comme l'auteur de ces lignes, ont connu les temps anciens de la recherche scientifique, savent mieux que quiconque l'apport « technique » de la récente révolution digitale. Mais, justement, par définition, les outils et logiciels qui nous rendent la vie plus facile retirent *de facto* au cerveau une partie de ses substrats nourriciers. Plus nous abandonnons à la machine une part importante de nos activités cognitives et moins nos neurones trouvent matière à se structurer, s'organiser et se câbler[284, 351]. Dans ce contexte, il devient essentiel de séparer l'expert et l'apprenant au sens où ce qui est utile au premier peut s'avérer nocif pour le second. Ainsi, par exemple, ce n'est pas parce qu'une machine à calculer fait gagner du temps à l'élève de terminale qui sait déjà compter qu'elle aide le gamin de cours préparatoire à maîtriser la numération, les subtilités de la base dix et le principe de la soustraction avec retenue. De même, ce n'est pas parce que Word facilite (grandement !) la vie des chercheurs, secrétaires, écrivains, greffiers ou journalistes que l'utilisation d'un logiciel de traitement de texte favorise l'apprentissage de l'écriture. Au contraire, si l'on en croit les études disponibles. Celles-ci montrent clairement que les enfants qui apprennent à écrire sur ordinateur, avec un clavier, ont beaucoup plus de mal à retenir et reconnaître les lettres que ceux qui apprennent avec un crayon et une feuille de papier[352-354]. Ils ont également plus de difficultés à apprendre à lire[355], ce qui n'est guère surprenant pour qui veut bien considérer que le développement de l'écriture soutient fortement celui de la lecture – et inversement[356-361]. Au bout du compte, une fois acquise l'habitude du clavier, ces enfants présentent également, par rapport aux utilisateurs de bons vieux stylos, un déficit de compréhension et de mémorisation de leurs cours[362]. Bref, si vous voulez rendre aussi difficile que possible l'accès d'un enfant d'abord au monde de l'écrit, puis à l'univers de la réussite académique, soyez moderne et (le mot est tellement à la mode) progressiste. Faites preuve de « bon sens », oubliez la plume ; passez directement, dès la maternelle, à Twitter et au traitement de texte[363].

Il est donc important de se demander ce qui doit être appris « du » numérique et, corrélativement, sachant que le temps n'est pas extensible à l'infini, de s'interroger sur ce qu'il convient d'effacer des savoirs de l'ancien monde. Mais ce n'est là qu'une (petite) partie du problème, car la vraie question porte, au fond, sur le sujet plus général de l'apprentissage « par » le numérique. Autrement dit, c'est une chose de s'interroger sur les compétences digitales que doit posséder chaque élève ; c'en est une autre de se demander s'il est possible, souhaitable et efficient de confier à la médiation numérique, pour partie ou en totalité, l'enseignement des savoirs non digitaux (français, mathématiques, histoire, langues étrangères, etc.).

Là encore, soyons clair. Il ne s'agit pas de diaboliser l'approche *a priori*. Ce serait aussi idiot qu'insensé. Personne ne conteste que certains outils numériques, liés ou non à Internet, peuvent constituer des supports d'apprentissage pertinents, dans le cadre de projets éducatifs ciblés, mis en place par des enseignants qualifiés. Mais est-ce vraiment de cela qu'il est question ? On peut en douter, tant le modèle idéal ici défini tranche avec les réalités de terrain. Plus précisément, l'idée d'un usage ponctuel, conceptuellement maîtrisé et strictement assujetti aux besoins pédagogiques semble très éloignée de l'extravagante technofrénésie ambiante ; une technofrénésie qui tend à ériger « le » numérique en ultime graal éducatif et voit dans la distribution obstinée de tablettes, ordinateurs, tableaux blancs interactifs et connexions internet le pinacle de l'excellence pédagogique. En d'autres termes, ce qui est ici contesté ce sont les fondements théoriques et soubassements expérimentaux des politiques effrénées de numérisation du système scolaire, depuis la maternelle jusqu'à la faculté. Ce qui est contesté, c'est l'idée folle selon laquelle « la pédagogie doit s'adapter à l'outil [numérique][364] » et non l'inverse.

Bien sûr, il est extrêmement facile de montrer qu'un élève peut apprendre plus avec tel ou tel programme boiteux qu'avec rien du tout. Même le plus pitoyable logiciel ou cours en ligne de mathématiques, d'anglais ou de français enseigne « quelque chose » à l'enfant. Mais là n'est pas l'important. Pour être convaincant, il faut aller plus loin et satisfaire à une double contrainte. Premièrement, il faut attester que ce qui est appris a une valeur générale ; cela revient à montrer que les acquisitions réalisées se transfèrent au-delà des caractéristiques spécifiques des outils utilisés (c'est-à-dire affectent positivement la performance scolaire et/ou la réussite à des tests normalisés standard)*. Deuxièmement, il faut établir que l'investissement numérique offre une réelle plus-value éducative. Dans ce cadre, deux formes d'usage doivent être distinguées. L'une exclusive, impliquant que le numérique se substitue à l'enseignant : il apparaît alors essentiel de comparer quantitativement les impacts respectifs du numérique et d'un prof bien formé. L'autre combinée, supposant que le numérique est utilisé comme « simple » support pédagogique : il apparaît alors fondamental de

---

* Question que l'on peut évidemment évacuer sans dommage en brisant le thermomètre comme le suggérait un rapport parlementaire pour le moins technophile. Selon les termes de ce rapport, en effet, « les études ne répertoriant pas d'impact positif sur les résultats scolaires soulèvent l'épineux problème de la pertinence du maintien des examens "traditionnels", n'utilisant pas les outils numériques, dans un système éducatif en mutation[365] ». Quelqu'un a dit ubuesque ?

montrer que les résultats produits sont significativement supérieurs à ceux enregistrés lorsque l'enseignant agit « seul » (la réponse obtenue amenant évidemment à se demander si les moyens engagés ne pourraient pas être mieux alloués). Pour l'heure, les défenseurs du numérique scolaire sont encore très loin d'avoir apporté à ces divers prérequis le moindre étai crédible[366-371]. Une faille qui interroge sérieusement l'affirmation selon laquelle la numérisation forcenée à tout-va du système scolaire serait scientifiquement fondée, expérimentalement validée et, par conséquent, au bout du compte, réalisée au profit des élèves (voire, accessoirement, des professeurs).

Des résultats pour le moins décevants

Intéressons-nous, pour commencer, aux études d'impact menées depuis une vingtaine d'années dans nombre de pays industrialisés ou en développement. Globalement, malgré des investissements massifs, les résultats se sont révélés terriblement décevants. Au mieux, la dépense est apparue inutile[313, 372-379] ; au pire, elle s'est montrée néfaste[372, 380]. L'enquête la plus récente, diligentée par l'OCDE dans le cadre du programme PISA*, est à ce titre intéressante[381]. Pas besoin de pousser bien loin la lecture du document pour mesurer l'ampleur de la débâcle. Certes, le résumé de la version française abrégée[382] fait état de « messages très nuancés », mais c'est à se demander si les auteurs de ce bel euphémisme ont réellement jeté un coup d'œil aux données. Loin d'être nuancées, celles-ci

* Dans la première partie, nous avons remis en cause la qualité de certaines mesures PISA (voir pp. 171-172). Précisons donc, pour éviter toute ambiguïté, que les données ici discutées font partie de celles que l'on peut considérer *a priori* comme robustes : résultats aux tests, investissements digitaux transnationaux, taux de pénétration numérique dans les établissements (nombre d'ordinateurs par élève, de connexions internet), etc.

se révèlent en réalité accablantes. Citons, pour éviter toute suspicion, les termes mêmes du rapport[381]. Le chapitre consacré à l'influence des TICE sur la performance académique est d'abord récapitulé dans un encadré de synthèse : « Malgré des investissements considérables en ordinateurs, connexions internet et logiciels éducatifs, il y a peu de preuves solides montrant qu'un usage accru des ordinateurs par les élèves conduit à de meilleurs scores en mathématiques et lecture. » En parcourant le texte, on apprend que, après prise en compte des disparités économiques entre États et du niveau de performance initiale des élèves, « les pays qui ont moins investi dans l'introduction des ordinateurs à l'école ont progressé plus vite, en moyenne, que les pays ayant investi davantage. Les résultats sont identiques pour la lecture, les mathématiques et les sciences » (figure 5 page suivante). Ces tristes conclusions pourraient indiquer que les ressources numériques offertes « n'ont pas été utilisées pour apprendre. Toutefois, globalement, même les mesures d'usage des TICE dans les classes et écoles montrent souvent des associations négatives avec la performance des élèves ». Ainsi, par exemple, « dans les pays dans lesquels il est le plus courant pour les étudiants d'utiliser Internet à l'école pour le travail scolaire, la performance des étudiants en lecture a diminué, en moyenne. De la même manière la compétence mathématique tend à être inférieure dans les pays/économies dans lesquels la part d'étudiants qui utilisent des ordinateurs pendant les leçons de mathématiques est plus importante ». Il se pourrait bien sûr « que les ressources investies dans l'équipement des écoles en technologie digitale aient bénéficié à d'autres champs d'apprentissages, tels que les aptitudes "digitales", les transitions vers le marché du travail, ou d'autres aptitudes qui seraient différentes de la lecture, des mathématiques ou des sciences. Toutefois, les associations avec l'utilisation/l'accès aux TICE est faible, et parfois négative, même

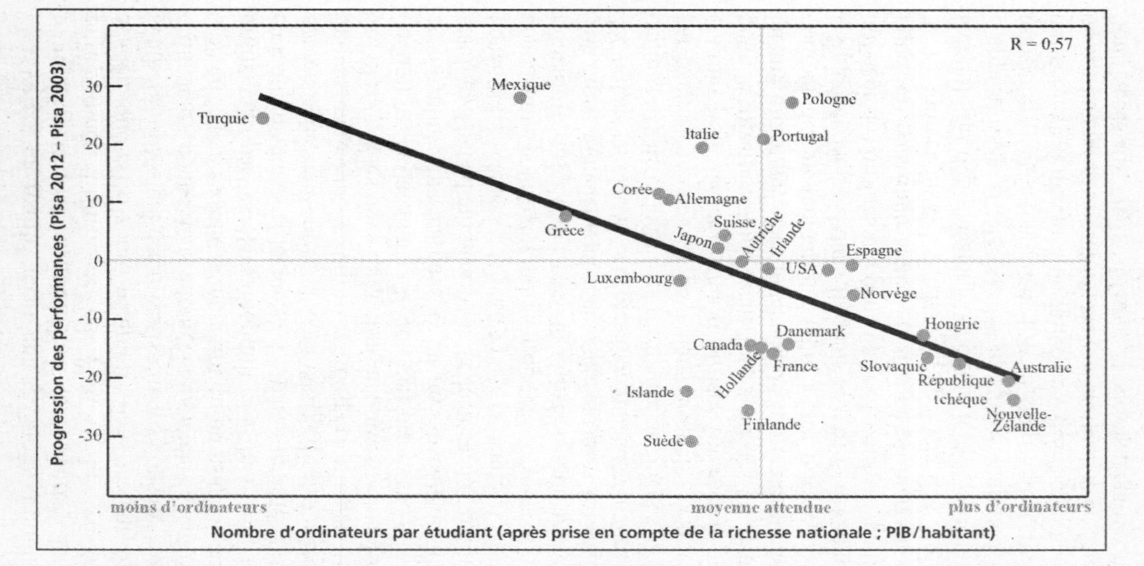

Figure 5. Impact des investissements numériques sur la performance scolaire. La figure considère les résultats en mathématiques, pour les pays de l'OCDE (les tendances sont identiques pour la lecture et les sciences). Elle montre que les pays qui ont le plus investi sont ceux qui ont vu les performances de leurs élèves diminuer le plus sévèrement. D'après[381]. Voir détails dans le texte.

lorsque sont examinés les résultats en lecture digitale et en mathématiques sur ordinateur, plutôt que les résultats basés sur des tests papiers ». Autre constat, bien éloigné des promesses dominantes, « constat peut-être le plus décevant de ce rapport », nous dit d'ailleurs Andreas Schleicher, responsable du programme PISA, dans son avant-propos : « Les nouvelles technologies ne sont pas d'un grand secours pour combler les écarts de compétences entre élèves favorisés et défavorisés. En un mot, le fait de garantir l'acquisition par chaque enfant d'un niveau de compétences de base en compréhension de l'écrit et en mathématiques semble bien plus utile pour améliorer l'égalité des chances dans notre monde numérique que l'élargissement ou la subvention de l'accès aux appareils et services de haute technologie. »

Conclusion, s'il en fallait une : « La technologie peut permettre d'optimiser un enseignement d'excellente qualité, mais elle ne pourra jamais, aussi avancée soit-elle, pallier un enseignement de piètre qualité[382]. » Cette sentence, rien ne l'étaye mieux que deux études réalisées, à peu près au même moment, sous l'égide du ministère américain de l'Éducation. Dans la première, entreprise à la demande du Congrès, les auteurs se sont demandé si l'usage de logiciels éducatifs à l'école primaire (lecture, mathématiques) avait un effet sur la performance des élèves[383]. Résultat : bien que tous les enseignants aient été formés à l'utilisation de ces logiciels, de manière satisfaisante selon leurs propres dires, aucune influence positive sur les élèves ne put être détectée*. Dans la seconde étude, c'est le rôle d'une cinquantaine d'heures de formation pédagogique des enseignants qui fut évaluée à partir d'une importante revue de la littérature scientifique[384].

---

* Ce qui constitue plutôt une bonne nouvelle au regard des données PISA qui montrent, pour leur part, que l'utilisation de ce type de logiciels a un impact négatif sur la performance des élèves[381].

Résultat : un impact fortement positif représentant, pour les élèves, une amélioration de performance légèrement supérieure à 20 %. Cela signifie que si un élève se révèle « moyen » et que vous le collez devant je ne sais quel logiciel « éducatif », au mieux il restera moyen, au pire il deviendra fragile. Maintenant, si vous mettez ce gamin devant des enseignants compétents, solidement formés, il progressera significativement et finira dans le premier tiers de sa classe. Ce facteur « enseignant » est loin d'être une surprise. En effet, au-delà des différences de rythmes, d'approches et de méthodes, la qualité du corps professoral constitue le trait fondamental commun aux systèmes éducatifs les plus performants de la planète[385-389]. La synthèse du dernier rapport PISA consacré à cette question le souligne explicitement. Selon les termes de ce travail, « les enseignants sont la plus importante ressource dans les écoles d'aujourd'hui [...]. Contrairement à ce qui est souvent supposé, les systèmes hautement performants ne jouissent pas d'un privilège naturel venant d'un respect traditionnel accordé aux enseignants ; ils ont aussi construit une force d'enseignement de haute qualité grâce à des choix politiques délibérés, soigneusement mis en place sur la durée[390] »... Et encore une fois, pour que les choses soient claires, rappelons que ces systèmes « hautement performants » sont aussi ceux, quel hasard (!), qui investissent le moins dans l'équipement et la transition numérique de leurs écoles[381]. Comment ne pas repenser ici à Bill Joy, cofondateur de Sun Microsystem et programmeur de génie, concluant comme suit une discussion sur les vertus pédagogiques du numérique : « Tout cela [...] ressemble à une gigantesque perte de temps. Si j'étais en compétition avec les États-Unis, j'adorerais que les étudiants avec lesquels je suis en compétition passent leur temps avec ce genre de merde[391]. » Un peu rugueux, mais délicieusement limpide.

À la lumière de ces éléments et commentaires, on aurait pu espérer une certaine remise en cause des politiques numériques actuelles. Il n'en est rien. Bien au contraire. Plutôt que d'affronter l'aridité des faits, les discours institutionnels dominants continuent à clamer, sans la moindre vergogne, que le problème ne vient pas du numérique lui-même mais des acteurs chargés de son exploitation : les enseignants. Ancrés dans les naphtalines du passé, inaptes aux nouvelles technologies, adeptes d'un savoir rigide frontalement délivré, ces fossiles dépassés utiliseraient tellement mal les outils du nouveau monde que tout espoir de profit deviendrait illusoire. C'est ce qu'explique, par exemple, de manière joliment policée, un récent rapport de la Commission européenne : « Le manque de formation adéquate des enseignants dans le domaine des apprentissages digitaux et pédagogies digitales est un défi largement admis et documenté à travers toute l'Europe. Un certain nombre de pays travaillent à actualiser les programmes de formation de leurs enseignants pour inclure des techniques et stratégies permettant l'apprentissage digital, mais il reste encore beaucoup à faire[392]. » Cette hypothèse, Andreas Schleicher l'évoque, lui aussi, en des termes assez proches. Pour ce spécialiste des politiques éducatives, si les résultats ne sont pas plus encourageants, c'est peut-être parce que « nous ne maîtrisons pas encore assez le type d'approches pédagogiques permettant de tirer pleinement profit des nouvelles technologies, et qu'en nous contentant d'ajouter les technologies du XXIe siècle aux pratiques pédagogiques du XXe siècle, nous ne faisons qu'amoindrir l'efficacité de l'enseignement[382] ». Cependant, ce n'est pas vraiment ce que montre l'analyse détaillée des données PISA présentées plus haut. Aussi, Schleicher avance-t-il une autre hypothèse selon laquelle « le développement d'une compréhension conceptuelle et d'une réflexion approfondies requiert des interactions intensives entre enseignants et élèves – un engagement humain précieux duquel la technologie peut parfois nous détourner[382] ». Cette dernière idée mérite incontestablement d'être considérée.

Avant tout, une source de distraction

Débutons pour ce faire, par une brève anecdote. Il y a peu, la direction d'une grande université lyonnaise s'est émue de l'engorgement de ses infrastructures informatiques. Voici ce que l'on pouvait lire dans un message adressé aux étudiants : « Nous constatons depuis quelque temps une saturation importante sur le réseau Wifi. Une analyse plus poussée des flux montre que la bande passante est utilisée massivement à destination d'applications externes telles que Facebook, Netflix, Snapchat, YouTube ou Instagram et très marginalement vers les ressources universitaires[393]. » Autrement dit, les supports pédagogiques mis à la disposition des élèves engendreraient un trafic ridicule par rapport aux plate-formes de réseaux sociaux et sites de vidéos à la demande[394]. Ce constat n'a rien de singulier ; il est la norme bien plus que l'exception. En ce domaine plus qu'en tout autre, il est maintenant clair que la fiction d'un usage vertueux se fracasse cruellement sur la réalité objective des pratiques nuisibles. Un nombre sans cesse croissant d'études montre ainsi que l'introduction du numérique dans les classes est avant tout une source de distraction pour les élèves et, par suite, un facteur significatif de difficultés scolaires[296, 395-409]. L'affaissement des notes résulte alors d'un double mouvement : stérilité des usages strictement académiques et nocivité des emplois distractifs[404] ; et comme a pu le suggérer l'anecdote précédente, ces derniers sont considérables[397, 410-416]. Une recherche, par exemple, a examiné l'usage que les étudiants faisaient de leurs ordinateurs pendant un cours de géographie[415]. Celui-ci durait 2 h 45 et incluait la projection dynamique d'images, de graphiques et de vidéos afin de solliciter la participation active des élèves. À l'arrivée, les heureux possesseurs d'ordinateurs portables consacraient quasiment les deux tiers de leur temps à des tâches distractives, non académiques. D'autres études ont toutefois suggéré que cette « interférence » diminuait un peu lorsque la leçon était plus courte. Ainsi, par exemple, dans une recherche réalisée à l'université du Vermont (États-Unis), pour un cours de 1 h 15, le temps volé par les activités distractives atteignait 42 %[416]. C'est à peu près la moyenne « basse » des travaux disponibles. Est-il vraiment nécessaire d'insister sur le caractère astronomique de cette valeur ?

Évidemment, les chercheurs ne se sont pas contentés de ces résultats « de terrain ». Soucieux de préciser la nature et l'ampleur de leurs observations, ils ont aussi entrepris la réalisation d'études formelles, rigoureusement contrôlées. À quelques variations locales près, ces dernières furent toutes réalisées sur un mode similaire : évaluer la compréhension/rétention d'un contenu académique donné dans deux populations comparables, dont une seule était exposée à une source digitale distractive. Les résultats se révélèrent sans appel : tout dérivatif numérique (SMS, réseaux sociaux, courriels, etc.) se traduit par une baisse significative du niveau de compréhension et de mémorisation des éléments présentés[343, 417-426]. Par exemple, dans une recherche récente, des étudiants suivaient un cours de 45 minutes, après quoi ils devaient répondre à une quarantaine de questions[424]. La moitié des participants n'employaient leurs ordinateurs que pour la prise de notes ; l'autre moitié les utilisait aussi pour des activités distractives. Les étudiants du premier groupe présentèrent un pourcentage de bonnes réponses sensiblement supérieures à ceux du second groupe (+ 11 %). Plus surprenant, pour les étudiants centrés sur la seule prise de notes, le simple fait d'avoir été placé derrière un pair « volage » (dont l'écran était visible) provoquait une substantielle baisse de performance (– 17 %). De manière intéressante, une étude comparable avait précédemment montré que l'usage de l'ordinateur se révélait délétère même lorsqu'il servait à accéder à des contenus académiques liés à la leçon en cours[417]. Le message était alors assez simple : si vous écartez votre attention de l'enseignement dispensé, vous perdez de l'information, et, au final, forcément, comprenez moins bien ce qui vous est expliqué. Autrement dit, se renseigner sur les circonstances de la bataille de Bouvines via Internet est une excellente idée dans le cadre d'une leçon d'histoire médiévale… mais après le cours, pas pendant !

Bien sûr, ce qui est vrai pour l'ordinateur l'est aussi pour le smartphone. Ainsi, dans un autre travail représentatif de la littérature existante, les auteurs ont établi que les étudiants qui échangeaient des SMS pendant un cours comprenaient et retenaient moins bien le contenu de ce dernier. Soumis à un test final, ils affichaient 60 % de bonnes réponses, contre 80 % pour les sujets d'un groupe contrôle non distrait[425]. Une étude antérieure avait d'ailleurs indiqué qu'il n'était même pas nécessaire de répondre aux messages reçus pour être perturbé[420]. Il suffit, pour altérer la prise d'information, qu'un téléphone sonne dans la salle (ou vibre dans notre poche). Pour le montrer, deux conditions expérimentales furent comparées. Dans la première, le cours, enregistré sur vidéo, se déroulait sans perturbation. Dans la seconde, ce même cours était interrompu deux fois par la sonnerie d'un téléphone portable. La compréhension et mémorisation des éléments présentés au moment des interruptions se révélèrent, sans surprise, fortement dégradées : le nombre de réponses correctes à un test final chutait d'à peu près 30 % par rapport à la condition sans sonneries. Mais il y a plus surprenant encore ! Un travail récent a établi que le simple fait de demander à un étudiant de poser son téléphone sur sa table, pendant un cours, suscitait une captation de l'attention suffisante pour perturber la performance cognitive ; et ce même lorsque le téléphone restait inerte et silencieux[426].

Assurément, tout cela contredit frontalement la glorieuse mythologie du *digital native* et, plus précisément, l'idée selon laquelle les nouvelles générations auraient un cerveau différent, plus rapide, plus agile et plus apte aux traitements cognitifs parallèles. Le plus ennuyeux, c'est que ce canular pseudo-scientifique est désormais tellement profus que nos descendants, eux-mêmes, ont fini par lui donner crédit. Ainsi, dans leur majorité, les élèves actuels pensent qu'ils peuvent, sans détriment, suivre un cours ou faire leurs devoirs tout en regardant des clips musicaux, visionnant des séries, surfant sur les réseaux sociaux et/ou échangeant des SMS[60, 405-406]. Ce n'est malheureusement pas le cas, nous venons de le souligner.

Une logique plus économique que pédagogique

Ainsi donc, pour résumer, les études disponibles montrent au mieux l'inaptitude et au pire la nocivité pédagogique des politiques de numérisation du système scolaire. Se pose, dès lors, une question assez simple : pourquoi ? Pourquoi une telle frénésie ? Pourquoi une telle ardeur à vouloir digitaliser le système scolaire, depuis la maternelle jusqu'à l'université, alors que les résultats s'affirment aussi peu convaincants ? Pourquoi une telle avalanche de discours laudateurs quand les éléments disponibles plaident en faveur d'un réel scepticisme ? Un article de 1996, publié par un économiste français, apporte à ces questions un éclairage intéressant[427]. Évaluant le risque politique de diverses mesures d'économies budgétaires mises en place dans certains pays en développement, cet ancien cadre dirigeant de l'OCDE retenait quelques approches « peu dangereuses » ; des approches qui « ne créent aucune difficulté politique ». Par exemple, « si l'on diminue les dépenses de fonctionnement, il faut veiller à ne pas diminuer la quantité de service, quitte à ce que la qualité baisse. On peut réduire, par exemple, les crédits de fonctionnement aux écoles ou aux universités, mais il serait dangereux de restreindre le nombre d'élèves ou d'étudiants. Les familles réagiront violemment à un refus d'inscription de leurs enfants, mais non à une baisse graduelle de la qualité de l'enseignement ».

C'est exactement ce qui se passe avec l'actuelle numérisation du système scolaire. En effet, alors que les premières études n'avaient globalement montré aucune influence probante de cette dernière sur la réussite des élèves, les données les plus récentes, issues notamment du programme PISA, révèlent un fort impact négatif. Curieusement, rien n'est fait pour stopper ou ralentir le processus, bien au contraire. Il n'existe qu'une explication rationnelle à cette absurdité. Elle est d'ordre économique : en substituant, de manière plus ou moins partielle, le numérique à l'humain il est possible, à terme, d'envisager une belle réduction des coûts d'enseignement. Bien sûr, la démarche s'accompagne d'un raz-de-marée marketing visant à persuader les parents et plus largement la société civile dans son ensemble que la numérisation, à marche forcée, du système scolaire, non seulement ne constitue pas un renoncement éducatif, mais représente un formidable progrès pédagogique. Le président américain Lyndon Johnson, au moins, nous l'avons vu, avait eu l'honnêteté (ou la naïveté) de reconnaître que la télévision éducative constituait une remarquable opportunité pour les enfants, au seul motif que « le monde ne possède qu'une fraction des enseignants dont il a besoin ». Car le cœur du problème est bien là. Avec la massification de l'enseignement, trouver des professeurs qualifiés se révèle de plus en plus compliqué, surtout si l'on considère les questions de rémunération[428-430]. Pour résoudre l'équation, difficile d'envisager meilleure solution que la fameuse « révolution numérique ». En effet, comme l'ont expérimenté certains États américains, celle-ci autorise *de facto* le recrutement d'enseignants peu qualifiés, ramenés au rang de simples « médiateurs » ou « metteurs en scène » d'un savoir délivré par des outils logiciels pré-installés. Le « professeur » devient alors une sorte de passe-plat anthropomorphe dont l'activité se résume, pour l'essentiel, à indiquer aux élèves leur programme numérique quotidien tout en s'assurant que nos braves *digital natives* restent à peu près tranquilles sur leurs sièges. Il est évidemment facile de continuer à nommer « enseignants » de simples « gardes-chiourmes 2.0 », sous-qualifiés et sous-payés ; et ce faisant, comme indiqué plus haut par notre économiste, d'abaisser les coûts de fonctionnement sans risquer une révolution parentale. On peut bien sûr, par surcroît de prudence, habiller toute l'affaire d'une belle rhétorique creuse en évoquant un « apprentissage mixte » ou mieux encore un processus de « blended learning ». On peut aussi cependant (surtout quand on n'a pas le choix) reconnaître le réel pour ce qu'il est et assumer le saccage. C'est ce qu'ont fait notamment plusieurs États américains dont l'Idaho[431] et la Floride[432]. Pour cette dernière, par exemple, les autorités administratives se sont révélées incapables de recruter suffisamment d'enseignants pour répondre à une contrainte législative limitant le nombre d'élèves par classe (vingt-cinq au lycée). Elles ont donc décidé de créer des classes digitales, sans professeurs. Dans ce cadre, les élèves apprennent seuls, face à un ordinateur, avec pour unique support humain un « facilitateur » dont le rôle se limite à régler les petits problèmes techniques et à s'assurer que les élèves travaillent effectivement. Une approche « criminelle » selon un enseignant, mais une approche « nécessaire » aux dires des autorités scolaires.

Pour celles-ci, la mutation est d'autant plus intéressante qu'il n'y a guère de limite au nombre d'élèves (trente, quarante ou même cinquante) que peut « encadrer » un facilitateur. Autrement dit, la numérisation des classes autorise une double économie qualitative et quantitative. Moins d'enseignants/facilitateurs (peu importe le nom) payés moins cher : pas facile de résister à la beauté de l'équation quand on tient la calculette ; surtout si l'on a soi-même les moyens de mettre sa progéniture dans une école privée, payante et dotée de « vrais » professeurs qualifiés. Les enseignants de l'Idaho l'ont bien compris, eux qui se sont élevés en masse contre l'amputation de leurs salaires et protections sociales ; une mesure destinée à financer un plan de numérisation grâce auquel, pourtant, tous ces professeurs poussiéreux allaient se voir promus au remarquable rang de « guide aidant les élèves à partir de cours délivrés sur des ordinateurs[431] ». Il serait évidemment déplacé d'établir le moindre lien entre ces éléments et les résultats d'une étude récente montrant que la Floride et l'Idaho sont parmi les États américains qui rémunèrent le moins bien leurs enseignants, présentent les taux les plus bas d'obtention d'un diplôme d'étude secondaire et dépensent le moins pour l'éducation de chaque enfant[433].

Des classes sans profs ?

Ces considérations économiques, nombre d'aficionados du tout numérique en reconnaissent volontiers la pertinence. Ainsi, par exemple, dans un ouvrage récent, un journaliste français, supposément « expert » de la question éducative, soulignait que « l'éducation est avant tout une industrie de main-d'œuvre. 95 % du budget de l'Éducation nationale passe en salaires ! [...] L'un des apports majeurs du numérique, notamment sous la forme des

MOOC*, est de permettre des économies significatives sur ce poste de dépense. Là où vous devez aujourd'hui payer chaque année des enseignants pour délivrer des cours magistraux à des amphis de quelques centaines d'étudiants, vous pourrez demain, pour le même prix, délivrer ces cours à un nombre potentiellement infini d'étudiants. Le coût de la matière première va chuter[434] ».

L'argument est irréfutable et il devrait, en théorie, se suffire à lui-même. La plupart du temps, cependant, ce n'est pas le cas ; comme si la seule raison économique ne pouvait emporter d'adhésion sociétale. Pour rendre les MOOC (tout comme l'ensemble des logiciels « éducatifs ») présentables, il semble nécessaire de les parer de solides vertus pédagogiques. Ainsi, pour notre journaliste, ces MOOC permettent de passer « de l'école qui enseigne à l'école où l'on apprend[435] ». Délivrés en vidéo, ils se présentent « sous une forme nettement plus attractive que les polycopiés d'antan ». Par ailleurs, ils « sont assortis de ressources complémentaires extrêmement riches – liens vers d'autres cours, des textes de référence, etc. Parce qu'à chaque étape du cours, une série d'exercices est proposée, afin de vérifier que vous avez acquis les notions présentées – on ne laisse pas s'installer ces petites lacunes qui, mises bout à bout, finissent par bloquer les apprentissages. Parce que la communauté des étudiants est désormais reliée et peut s'entraider, en temps réel, ce qui permet de limiter le décrochage et de gagner un temps d'encadrement ou de

* MOOC : *Massive Open Online Course*. Le MOOC est un cours (ou une série de cours), sur un sujet donné, dispensé via Internet. Cette définition recouvre toutefois des réalités extrêmement disparates. Les versions les plus rudimentaires se résument à de simples vidéos de cours. Les versions plus abouties comprennent des tests d'évaluation successifs, un forum de discussion pour les participants et l'attribution finale d'un certificat de compétence.

tutorat considérable[434] ». Faut-il comprendre qu'avant la « révolution MOOC[435] », l'enseignement ne visait pas l'apprentissage ? Faut-il comprendre que les enseignants n'évaluaient pas la compréhension des élèves et ne proposaient pas à ces derniers, en cas de besoin, des contenus, exercices et/ou explications complémentaires ? Faut-il comprendre, de même, qu'avant l'avènement du numérique les élèves erraient dans le néant tel un amas torpide, sans jamais se parler, ni interagir, ni s'entraider, ni poser de questions à leurs professeurs ? Sérieusement, qui peut donner créance à cette grotesque caricature ? Pour tomber si bas, il faut vraiment que manquent cruellement les arguments solides.

Mais passons car l'essentiel n'est pas là. Il se situe, nous dit la directrice d'une école de management, dans la puissance didactique de l'outil. Ainsi, « les MOOCs obligent l'enseignement supérieur (ou, du moins, les enseignants qui veulent affronter la question) à sortir d'un déni : les étudiants ont le sentiment de ne pas apprendre grand-chose en cours et, surtout, de s'y ennuyer profondément. [...] Il faut admettre que le savoir vertical pur, typique du cours magistral, est en voie de disparition et qu'on peut en apprendre beaucoup plus et beaucoup plus rapidement en allant sur la Toile. Paradoxalement, les MOOCs réhabilitent le savoir vertical mais permettent de revoir sa formule en tirant la qualité pédagogique vers le haut[436] ». Rien que ça ! Dommage qu'aucune donnée précise n'apparaisse à l'appui de ces affirmations. En effet, autant il est facile de reconnaître que les MOOC peuvent être des outils d'apprentissage, autant il n'est pas aisé de comprendre comment leur nature désincarnée pourrait se révéler plus incitative, mobilisatrice et opérante qu'une vraie présence humaine. Autrement dit, personne ne doute qu'un MOOC puisse permettre d'appréhender la démonstration du théorème de Pythagore par la méthode des triangles semblables[437] ; ce qui pose problème, c'est l'idée qu'il puisse le faire universellement et de manière plus efficace qu'un enseignant qualifié. L'hésitation semble d'autant plus justifiée que l'hypothèse d'une motivation supérieure suscitée par les MOOC concorde bien mal avec les résultats expérimentaux disponibles. Prenez, par exemple, ce cours de microéconomie produit par l'université américaine de Pennsylvanie. Sur 35 819 inscrits, seuls 886 candidats (2,5 %) eurent assez de persévérance pour arriver à l'examen final, dont 740 (2,1 %) obtinrent leur certification[438]. Un désastre quantitatif qui, hélas, est loin d'être isolé. Le taux d'abandon observé pour ce genre de cours en ligne, supposément hyperfuns, engageants et mobilisateurs, dépasse typiquement les 90-95 %[439-441] ; avec des pointes supérieures à 99 % pour les enseignements les plus exigeants[309]. Et que dire de l'immense efficacité de ces MOOC quand on sait qu'en 2013, déjà, après seulement quelques mois d'expérimentation, l'université américaine de San José, en Californie, avait brutalement choisi d'interrompre sa coopération avec une plate-forme spécialisée (Udacity), en raison d'un taux d'échec ahurissant, compris, selon les cours, entre 49 % et 71 %[310]. Dans un article du *New York Times*, le cofondateur de cette plate-forme reconnaissait d'ailleurs, après avoir abandonné le monde académique pour recentrer son activité sur la formation professionnelle, que ces outils « sont une excellente chose pour les 5 % des meilleurs étudiants, mais ne sont pas une bonne chose pour les 95 % les moins bons[442] ». Un constat qui rejoint les conclusions d'une large étude expérimentale, portant sur l'efficacité d'un MOOC de physique. Selon les termes des auteurs, « le MOOC est comme un médicament ciblant une population spécifique. Quand il marche, il marche bien, mais il marche pour une petite minorité [...]. Les MOOCs sont des outils d'apprentissage efficients seulement pour une petite population sélectionnée – individus plus âgés, solidement éduqués, avec une excellente formation en physique et possédant une combinaison d'autodiscipline et de motivation[443] ».

Bref, ces braves MOOC sont loin, manifestement, de déclencher, chez la plupart de leurs utilisateurs, les enthousiasmes escomptés. Pour ne rien arranger, il apparaît aussi, en prime, que ces instruments renforcent dangereusement les inégalités sociales en favorisant les élèves issus des milieux les plus privilégiés. Ainsi, par exemple, une étude menée sur soixante-huit cours proposés par l'université Harvard et le MIT, aux États-Unis, a permis de montrer qu'un adolescent dont un parent au moins possédait une licence universitaire avait, toutes choses étant comparables par ailleurs, quasiment deux fois plus de chances d'obtenir sa certification finale qu'un adolescent dont aucun parent ne possédait ce diplôme[308]. Ce différentiel traduisait, en grande partie, la meilleure qualité des soutiens académiques et motivationnels offerts aux élèves favorisés par leur milieu sociofamilial. Cela confirme, s'il en était encore besoin, que les MOOC ne sont pas, pour la majorité des étudiants, une solution facile, motivante et efficace. Leur assimilation demande du temps, des efforts, du travail, de robustes connaissances préalables et une (très) solide maturité intellectuelle. En d'autres termes, et quoi qu'en disent les louangeurs béats, il est infiniment plus astreignant d'apprendre avec un MOOC qu'avec un enseignant qualifié. Il semble heureusement que cette évidence finisse doucement par s'imposer au sein de la sphère médiatique, comme l'indique cet article récemment paru dans *Le Monde* sous le titre : « Les MOOCs font pschitt[444] » ; un titre qui résonne joliment avec celui-ci d'un texte antérieur appelant, dans les colonnes du *New York Times*, à une « démystification des MOOCs[442] ». Apparemment, la bulle se dégonfle, comme s'étaient en leur temps dégonflées les glorieuses révolutions pédagogiques promises par le cinéma, la radio et la télévision.

Internet ou l'illusion des savoirs disponibles

Au-delà de la seule problématique des MOOC, c'est bien le potentiel didactique d'Internet qu'il conviendrait d'interroger. Certes la Toile renferme (en théorie) tous les savoirs du monde. Mais dans le même temps elle contient aussi, malheureusement, toutes les absurdités de l'univers. Même des sites supposément sérieux, de nature universitaire, institutionnelle, journalistique ou encyclopédique (dont Wikipédia), sont loin d'être toujours fiables, honnêtes et complets, comme nous avons pu l'illustrer dans la première partie de ce livre et comme le montrent nombre d'études académiques[445-450]. Comment dès lors isoler les documents crédibles des écrits imbéciles, positions fallacieuses, allégations stipendiées ou autres informations fantaisistes ? Comment, ensuite, sélectionner, organiser, hiérarchiser et synthétiser les connaissances obtenues ? Ces questions sont d'autant plus cruciales que les algorithmes de recherche se soucient comme d'une guigne de la validité scientifique des résultats retournés. Lorsque ces algorithmes répondent à une requête, ils ne s'interrogent pas sur la rigueur factuelle des contenus identifiés. Typiquement, ils cherchent quelques mots-clés et analysent divers éléments techniques tels que l'ancienneté du nom de domaine, la taille et la fréquentation du site, son adaptation aux supports mobiles, le temps de chargement des pages, la date de publication du lien, etc. Résultat de cette tambouille interne, lorsque Michael Lynch, professeur de philosophie à l'université du Connecticut, a demandé à Google « What happened to the dinosaurs ? », le premier lien l'a envoyé sur un site créationniste[451]. Dubitatif, j'ai tenté la même requête en français (« Qu'est-il arrivé aux dinosaures ? »). Quarté gagnant : (1) un blog créationniste, dans lequel on peut lire que « le témoignage des fossiles ne confirme donc pas la théorie de l'évolution[452] » ; (2) un site créationniste expliquant « [qu']il n'existe aucune preuve d'aucune sorte permettant d'affirmer que le monde et ses couches fossilifères soient âgés de millions d'années[453] » ; (3) un site d'information traitant de la fin de Nortel, un « dinosaure » des télécommunications[454] ; (4) la page d'accueil d'un site chrétien prosélyte dans lequel on trouve un article expliquant que « les dinosaures et la Bible vont ensemble, mais les dinosaures et l'évolution ne le font pas[455] ».

Bref, en matière de recherche documentaire, mieux vaut ne pas trop faire confiance à Google et ses semblables pour trier le bon grain de l'ivraie. C'est d'autant plus vrai que l'exemple ici rapporté n'est ni isolé ni surprenant. Il est inscrit dans la « bêtise » même des moteurs de recherche. En effet, pour se prononcer sur la crédibilité d'une source, il faut non seulement analyser finement cette dernière, mais aussi la confronter aux autres éléments factuels disponibles. Cela veut dire que l'évaluateur doit comprendre et soupeser l'ensemble des arguments présentés. Aucune machine ne sait faire cela, au moins pour le moment*. Et ce qui est vrai pour la machine l'est aussi, hélas, pour le sujet naïf, au sens où il ne peut y avoir de compréhension factuelle, d'esprit critique, d'aptitude à la hiérarchisation des données ou de pouvoir de synthèse sans maîtrise disciplinaire aiguë[456-458]. Autrement dit, en ces matières, les compétences « générales » n'existent pas[459]. D'ailleurs, les tentatives faites pour enseigner ce genre de capacités universelles à des adolescents, dans le cadre de programmes indifférenciés d'éducation aux médias, se sont révélées bien peu concluantes[460, 461]. Une étude menée sur la lecture semble à ce titre particulièrement éloquente[462]. Des collégiens américains se virent

* Et si un moteur de recherche finissait un jour par acquérir cette capacité, devrait-on lui permettre de décider à notre place ce qui doit être cru ou non ? Le risque de manipulation ne serait-il pas, alors, absolument majeur ?

présenter un texte décrivant une partie de baseball. Deux facteurs expérimentaux furent explorés : connaissance du baseball (oui/non) et compétence en lecture (haute/basse ; estimée à partir d'un test psychométrique standardisé). En associant ces facteurs, les auteurs constituèrent quatre groupes d'intérêt : (1) bonne connaissance du baseball et bons lecteurs ; (2) bonne connaissance du baseball et faibles lecteurs ; (3) faible connaissance du baseball et bons lecteurs ; (4) faible connaissance du baseball et faibles lecteurs. Les résultats montrèrent que les mauvais lecteurs ayant une connaissance préalable du baseball comprirent beaucoup mieux le texte et se rappelèrent ensuite bien plus précisément les détails factuels rapportés que les bons lecteurs ignorant tout de ce sport. Aucune différence ne fut par ailleurs observée entre les bons et mauvais lecteurs qui ne connaissaient rien au baseball.

Cette incontournable soumission de la compréhension aux savoirs internalisés disponibles explique, en grande partie, l'incapacité précédemment décrite des jeunes générations à utiliser Internet à des fins documentaires[463-469]. En effet, comment des élèves dépourvus de connaissances disciplinaires précises, pourraient-ils évaluer et critiquer la pertinence d'affirmations trouvées sur le Web telles que : « Indépendamment du risque cancéreux, le tabagisme améliore significativement les capacités d'endurance des sportifs de très haut niveau en favorisant la production endogène d'hémoglobine sanguine » ; « L'usage des jeux vidéo d'action booste le volume de matière grise cérébrale, améliore la concentration et favorise la réussite scolaire » ; etc. ? Plus généralement, comment des élèves ou étudiants pourraient-ils s'en sortir efficacement quand chacune de leurs requêtes engendre un flot infini de liens cacophoniques, disparates et contradictoires ? C'est tout bonnement impossible. Il est d'ailleurs aujourd'hui établi que les non-experts apprennent bien mieux lorsque les contenus informationnels sont présentés sous une forme linéaire, hiérarchiquement structurée (à l'image d'un livre, d'un cours magistral ou d'une série de travaux pratiques, lorsque l'auteur a pris à sa charge le travail d'agencement des savoirs) ; et bien plus difficilement lorsque ces mêmes contenus sont présentés selon une organisation réticulaire, anarchiquement fragmentée (à l'image de ce que produit une recherche sur Internet, quand toute la masse des données accessibles vous tombe d'un coup sur la tête, sans canevas ni souci de hiérarchie, de pertinence ou de crédibilité)[470-475].

Dès lors, en matière pédagogique, il ne s'agit pas de savoir si les éléments de connaissance sont disponibles. Il s'agit de déterminer si l'information est présentée de façon à pouvoir être comprise et assimilée. À cette aune, la structure dédaléenne et labyrinthique de la Toile se révèle peu optimale. Un enseignant qualifié est de loin préférable car c'est justement la fonction du « professeur » que d'ordonner et de hiérarchiser son champ de connaissances pour le rendre accessible à l'élève. C'est parce que l'enseignant connaît son sujet (et les outils pédagogiques de sa transmission) qu'il peut guider autrui en agençant de manière cohérente la succession des cours, exercices et activités qui vont permettre l'acquisition progressive des connaissances et compétences désirées.

Dans ce cadre, il doit être clair que tous les savoirs ne se valent pas. Ceux d'un élève en formation ne peuvent en aucun cas être comparés à ceux d'un enseignant qualifié. Les uns ne sont faits que d'îlots épars, inconsistants et lacunaires quand les autres construisent un univers ordonné, cohérent et structuré. Cette implacable asymétrie n'empêche évidemment pas certains « experts » d'expliquer du fin fond de je ne sais quel délire relativiste que « vous [les enseignants] avez parfaitement compris que fournir des terminaux numériques aux élèves conduisait inéluctablement à la contestation de votre enseignement. Vous avez compris ce qu'ils font de ça : ils lisent, ils cherchent, ils recoupent les informations, ils critiquent votre message magistral, ils contestent donc votre autorité et vous font descendre de votre estrade… C'est extrêmement déstabilisant. C'est bien la peine d'avoir fait tant d'années d'études pour en arriver là[476] ! ». Comme si étudier n'avait servi à rien, comme si savoir de quoi l'on parle était sans importance pour enseigner… Comme si, effectivement, n'importe quel quidam pouvait devenir enseignant pour peu qu'on offre à ses élèves une connexion internet. Toujours le même discours. Toujours le même prosélytisme creux, façonné au verbiage thaumaturgique plutôt qu'à la truelle expérimentale.

En conclusion

Du présent chapitre, deux grands points sont à retenir.

Le premier porte sur les écrans domestiques. En ce domaine, la littérature scientifique est claire, cohérente et indiscutable : plus les élèves regardent la télévision, plus ils jouent aux jeux vidéo, plus ils utilisent leur smartphone, plus ils sont actifs sur les réseaux sociaux et plus leurs notes s'effondrent. Même l'ordinateur domestique, dont on nous vante sans fin la puissance éducative, n'exerce aucune action positive sur la performance scolaire. Cela ne veut pas dire que l'outil est dépourvu de vertus potentielles. Cela signifie simplement que, quand vous offrez un ordinateur à un enfant (ou un adolescent), les utilisations ludiques défavorables l'emportent très rapidement sur les usages éducatifs formateurs.

Le second concerne les écrans à usage scolaire. Là encore la littérature scientifique est sans appel. Plus les États investissent dans les « technologies de l'information et de la communication pour l'enseignement » (les fameuses TICE), plus la performance des élèves chute. En parallèle, plus les élèves passent de temps avec ces technologies et plus leurs notes baissent. Collectivement, ces données suggèrent que l'actuel mouvement de numérisation du système scolaire relève d'une logique bien plus économique que pédagogique. Dans les faits, contrairement à la *doxa* officielle, le « numérique » n'est pas une simple ressource éducative mise à la disposition d'enseignants qualifiés et utilisable par ces derniers, s'ils le jugent pertinent, dans le cadre de projets pédagogiques ciblés (personne n'aurait rien à redire à cela et le seul axe possible de divergence concernerait alors, éventuellement, la possibilité d'utiliser plus efficacement les subsides investis). Non ; dans les faits le numérique est avant tout un moyen de résorber l'ampleur des dépenses éducatives. Il projette l'enseignant qualifié sur la longue liste des espèces menacées. Cet enseignant coûte cher, très cher, trop (?) cher. Par ailleurs, il est dur à former et, du fait de la pression concurrentielle de secteurs économiques plus favorisés, il s'avère très difficile à recruter. Le numérique apporte au problème une fort élégante solution. Bien sûr, le fait que cette solution se fasse au détriment de la qualité éducative rend le point inflammable et, donc, difficilement avouable. Dès lors, pour faire passer la pilule et éviter les fureurs parentales, il faut habiller l'affaire d'un élégant verbiage pédagogiste. Il faut transformer le cautère digital en une « révolution éducative », un « tsunami didactique » réalisé, évidemment, aux seuls profits des élèves. Il faut camoufler la paupérisation intellectuelle du corps enseignant et encenser la mutation des vieux dinosaures prédigitaux en pétillants (au choix !) guides, médiateurs, facilitateurs, metteurs en scène ou passeurs de savoir. Il faut masquer l'impact catastrophique de cette « révolution » sur la perpétuation et le creusement des inégalités sociales. Enfin, il faut éluder la réalité des usages essentiellement distractifs que les élèves font de ces outils.

Bref, pour faire passer la pilule, il faut sérieusement ombrager le réel. Mais, malgré tout, en dépit de ces petits arrangements lénitifs, le malaise demeure car, comme le résumait une enseignante de l'Idaho, ancienne officier de police dans le corps des Marines, « [mes élèves], je leur apprends à penser profondément, à *penser* *. Un ordinateur ne peut pas faire cela[431] ». Un ordinateur ne peut pas non plus sourire, accompagner, guider, consoler, encourager, stimuler, rassurer, émouvoir ou faire preuve d'empathie. Or, ce sont là des éléments essentiels de la transmission et de l'envie d'apprendre[477]. « Sans vous, écrivait ainsi Albert Camus à son ancien maître, après avoir reçu le prix Nobel de littérature, sans cette main affectueuse que vous avez tendue au petit enfant pauvre que j'étais, sans votre enseignement, et votre exemple, rien de tout cela ne serait arrivé. Je ne me fais pas un monde de cette sorte d'honneur mais celui-là est du moins une occasion pour vous dire ce que vous avez été, et êtes toujours pour moi, et pour vous assurer que vos efforts, votre travail et le cœur généreux que vous y mettiez sont toujours vivants chez un de vos petits écoliers qui, malgré l'âge, n'a pas cessé d'être votre reconnaissant élève[478] ». À l'aune de ces mots, peut-être est-il plus facile de réaliser le coût astronomique de cette prétendue « révolution numérique ».

---

* Souligné dans le texte original.

6

Développement : l'intelligence, première victime

Si l'usage des écrans affecte aussi lourdement la réussite scolaire, c'est évidemment parce que leur action s'étend bien au-delà de la simple sphère académique. Les notes sont alors le symptôme d'une meurtrissure plus large, aveuglément infligée aux piliers cardinaux de notre développement. Ce qui est ici frappé, c'est l'essence même de l'édifice humain en développement, depuis le langage jusqu'à la concentration en passant par la mémoire, le QI, la sociabilité et le contrôle des émotions. Une agression silencieuse, menée sans états d'âme ni tempérance, pour le profit de quelques-uns, au détriment de presque tous.

Des interactions humaines mutilées

On sait aujourd'hui que le nouveau-né n'a rien d'une *tabula rasa*. Dès sa naissance, le petit humain affiche de bien belles aptitudes sociales, cognitives et langagières[479-482]. Beaucoup s'en émerveillent, à juste titre. Pourtant, ces compétences originelles ne doivent pas masquer la forêt des inconstruits latents. En effet, pour impressionnant qu'il soit, le bagage primordial de nos progénitures reste très lacunaire. *In fine*, on pourrait le représenter comme une sorte de programme de fonctionnement minimal à partir duquel s'opèrent les déploiements futurs. Ce qu'il faut alors comprendre et souligner, c'est que cette immaturité primitive n'est nullement une déficience, bien au contraire. Elle est le socle indispensable de nos capacités d'adaptation, c'est-à-dire, en dernière analyse, de notre intelligence au sens où Jean Piaget l'entendait[483]. D'un strict point de vue physiologique, on pourrait dire que l'immaturité force la plasticité. Évidemment, le prodige développemental alors mis en œuvre n'est pas sans coût. Il fait reposer sur le monde environnant une grande partie de la structuration cérébrale. Dès lors, si le milieu se montre défaillant, l'individu ne peut exprimer qu'une fraction de ses possibles. Ce point a été largement abordé dans les pages précédentes, à travers le concept de « période sensible ».

Le bagage primordial du nouveau-né n'est cependant pas un assemblage œcuménique. Il est méthodiquement et obsessionnellement orienté vers l'humain. Dès sa conception, l'enfant est câblé pour les interactions sociales. Ainsi, comme l'explique un récent travail de synthèse, « à la naissance, les nourrissons présentent un certain nombre de biais qui les orientent préférentiellement vers les stimuli socialement pertinents. En particulier, il a été montré que les nouveau-nés préfèrent les visages aux autres types de stimuli visuels, les voix aux autres types de stimuli auditifs, et le mouvement biologique [c'est-à-dire produit par un organisme vivant] aux autres types de mouvements[482] ». Cet équipement primitif, le bébé l'étoffe progressivement en réponse aux sollicitations de son environnement, notamment intrafamilial. Les interactions promues (ou entravées) vont alors façonner, de manière décisive, l'ensemble du développement, depuis le cognitif jusqu'à l'émotionnel, en passant par le social[99, 206, 484-488]. À ce sujet, toutefois, trois points doivent être soulignés pour éviter toute ambiguïté.

Premièrement, même si elles sont alors particulièrement essentielles, les relations intrafamiliales ne limitent pas leur importance au seul stade infantile ; elles continuent à jouer un rôle majeur tout au long de l'adolescence, notamment pour la réussite scolaire, la stabilité émotionnelle et la prévention des conduites à risque[484, 489-493].

Deuxièmement, même des niveaux de stimulations (ou de carences) apparemment « modestes » peuvent avoir des impacts importants, surtout s'ils se cumulent dans le temps. Chez le bébé singe, par exemple, pendant les quatre premières semaines d'existence, il suffit de quelques minutes quotidiennes d'interactions faciales avec l'animalier pour favoriser, à long terme, l'insertion sociale de l'animal dans le groupe des pairs[494]. De même chez le jeune humain, le fait que les parents prennent chaque soir un moment pour partager un imagier, une histoire ou un livre favorise grandement le développement du langage, l'acquisition de l'écriture et la réussite scolaire[217, 495]. Une observation corroborée de manière indirecte, mais passionnante, par les études de fratrie. Celles-ci partent d'un constat aussi simple que troublant : en moyenne, dans les familles comptant plusieurs enfants, l'aîné s'en sort mieux que ses suivants en termes de QI, de performance académique, de salaire et de risque judiciaire[496-499]. Comme le démontre une étude récente, le « préjudice » subi par les benjamins reflète essentiellement la progressive saturation de l'engagement parental (notamment maternel) lorsque la taille de la fratrie s'accroît[499]. Autrement dit, dans la mesure où le premier né a ses parents « pour lui tout seul », il bénéficie, en comparaison de ses frères et sœurs à venir, d'interactions plus riches, et donc d'une trajectoire développementale bonifiée. Bien sûr, encore une fois, cela ne veut pas dire que tous les aînés s'en sortent mieux dans toutes les familles. Cela signifie simplement qu'il existe, à l'échelle des populations, un biais significatif de réussite en faveur des aînés et que ce biais est principalement associé à un plus grand niveau de stimulation parentale aux âges précoces.

Un humain « en vidéo » ou « en vrai », ce n'est pas la même chose

Cela nous amène à notre troisième point, l'humain. Pour que la magie relationnelle opère, un élément s'avère fondamental : il faut que « l'autre » soit physiquement présent. Pour notre cerveau, un humain « en vrai », ce n'est pas du tout la même chose qu'un humain « en vidéo ». Pier Francesco Ferrari en a fourni, à sa grande déception, l'une des démonstrations les plus flagrantes. Ce chercheur est l'un des meilleurs spécialistes mondiaux du développement social chez le primate. Il étudie notamment le rôle des célèbres « neurones miroirs ». Ceux-ci doivent leur nom au fait qu'ils s'activent de manière similaire lorsque le sujet produit lui-même ou voit produire par un tiers une action particulière (par exemple, un faciès de colère). Cette concomitance permet la mise en résonance des comportements d'autrui avec nos propres ressentis et, ce faisant, elle place les neurones miroirs au cœur de nos comportements sociaux[500-502]. Pour étudier le versant perceptif de ces étonnantes cellules, les chercheurs mesurent typiquement l'activité cérébrale engendrée par l'observation d'un mouvement physique. Toutefois, dans une étude réalisée chez l'animal, Ferrari décida, pour gagner du temps et mieux contrôler ses paramètres expérimentaux, de remplacer le mouvement par une vidéo de mouvement[503]. Mal lui en prit ! En effet, « les neurones miroirs qui montraient de bonnes réponses à une action de la main réalisée par l'expérimentateur montraient des réponses faibles ou pas de réponse lorsque la même action, préalablement enregistrée, était montrée sur un écran ». Ce manque de réactivité face à l'écran a depuis été largement généralisé à l'espèce humaine. Il touche alors aussi bien l'enfant que l'adulte[504-508]. Cela confirme, s'il en était encore besoin, que nous sommes bien des animaux sociaux et que notre cerveau répond avec beaucoup plus d'acuité à la présence réelle d'un humain qu'à l'image indirecte de cet humain sur une vidéo. Chacun, je pense, a pu en faire par lui-même l'expérience. Pour ma part, il y a bien des années, j'ai eu la chance d'être invité à l'Opéra. Quel ravissement ! Quelques semaines plus tard, constatant que le *Nabucco* de Verdi passait à la télé, je décidai de regarder. Quelle déception ! L'ennui fut abyssal. Heureusement que je n'avais pas commencé par cette triste expérience. Cela m'aurait à jamais, je crois, guéri de l'Opéra.

Bref, le cerveau humain s'avère, quel que soit son âge, bien moins sensible à une représentation vidéo qu'à une présence humaine effective. C'est pour cette raison, notamment, que la puissance pédagogique d'un être de chair et d'os surpasse aussi irrévocablement celle de la machine. Les données sur le sujet sont aujourd'hui tellement convaincantes que les chercheurs ont décidé d'offrir un nom au phénomène : le « déficit vidéo ». Nous avons déjà amplement croisé ce dernier dans le chapitre précédent, lorsqu'ont été évoqués les piteux accomplissements du numérique scolaire, des MOOC et de nombreux programmes audiovisuels et logiciels prétendument éducatifs. Ce dernier domaine fournit d'ailleurs un nombre impressionnant d'études expérimentales montrant que l'enfant apprend, comprend, utilise et retient mieux les informations présentées lorsque celles-ci sont délivrées par un humain plutôt que par une vidéo de ce même humain[509-516]. Par exemple, dans un travail souvent cité, des enfants de 12 à 18 mois voyaient l'expérimentateur manipuler une poupée[517]. Celle-ci portait à l'extrémité de sa main droite, fixée par un velcro, une moufle dans laquelle était inséré un grelot. La présentation avait lieu en direct ou en vidéo. Elle comprenait trois étapes : (1) retirer la moufle ; (2) faire tinter le grelot ; (3) remettre la moufle. La poupée était ensuite placée devant les enfants, soit immédiatement soit après un délai de 24 heures. Résultat, la capacité des participants à reproduire ce qu'ils avaient vu était systématiquement moins bonne dans la « condition vidéo ». Les mêmes résultats furent rapportés dans une étude impliquant des sujets plus âgés de 24 et 30 mois[518]. La figure 6 ci-dessous illustre ces observations.

Dans un autre travail, ce sont de brèves saynètes pédagogiques, comparables à celles que l'on peut trouver dans les programmes audiovisuels éducatifs, qui furent utilisées avec des enfants de maternelle (3-6 ans)[519]. Sans surprise, la « condition vidéo » révéla un niveau de compréhension et de mémorisation très inférieur à la

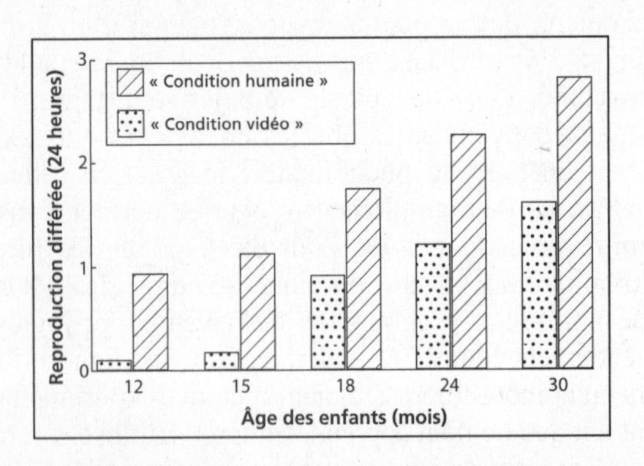

Figure 6. Le phénomène du « déficit vidéo ». Des enfants de 12 à 30 mois voient un adulte utiliser un objet. La démonstration comprend toujours trois étapes (ex. : retirer un gant contenant un grelot de la main d'une poupée ; secouer le gant pour faire tinter le grelot ; remettre le gant). Elle est effectuée soit en direct (l'adulte est devant l'enfant ; « condition humaine », barres noires), soit en vidéo (l'enfant voit l'adulte effectuer l'action sur un écran ; « condition vidéo », barres grises). Vingt-quatre heures après la démonstration, l'enfant est mis en contact avec l'objet. Chaque étape reproduite donne un point à l'enfant (3 constitue donc le maximum possible pour une reproduction parfaite). Les scores obtenus sont systématiquement supérieurs dans la « condition humaine ». La figure agrège les données de deux recherches similaires (enfants de 12 à 18 mois[517] ; enfants de 24 à 30 mois[518]).

présentation directe. Enfin, dans une autre étude encore, des enfants de 6 à 24 mois, issus de familles favorisées, furent exposés sur un smartphone à des vidéos YouTube[520]. Les auteurs testèrent différents apprentissages impliquant, notamment, de reconnaître la même personne quand elle apparaissait dans plusieurs vidéos différentes (une aptitude que les humains sont capables de développer bien avant l'âge de 2 ans, dans la vraie vie). Ces auteurs se demandèrent aussi si les enfants comprenaient vraiment ce qu'ils faisaient lorsqu'ils interagissaient avec les boutons tactiles contrôlant le flux de vidéo. Conclusion de l'étude : « Les enfants jusqu'à 2 ans, pouvaient être divertis et maintenus occupés par le visionnage de vidéoclips sur un smartphone, mais ils n'apprenaient rien de ces vidéos. » Concernant les boutons tactiles « les enfants ne comprenaient pas leur usage et s'évertuaient à les presser de manière aléatoire ».

Plus d'écrans, c'est moins d'échanges et de partages

In fine, le constat peut se résumer de manière assez simple : pour favoriser le développement d'un enfant, mieux vaut accorder du temps aux interactions humaines, notamment intrafamiliales, qu'aux écrans. Un enseignement récemment confirmé par une étude montrant l'action négative du temps global d'écran sur le développement moteur, social et cognitif de l'enfant[521]. Conclusion des auteurs, « l'une des méthodes les plus efficaces pour améliorer le développement de l'enfant passe par les interactions de haute qualité entre l'adulte et l'enfant, sans la distraction des écrans ». Malheureusement, nous l'avons vu, telle n'est pas la tendance actuelle. Les activités numériques colonisent une part toujours plus importante de notre quotidien ; et comme les journées ne sont pas extensibles, ce temps offert à l'orgie digitale, il faut bien le prélever « quelque part ». Parmi les sources contributives majeures, on trouve les devoirs (nous en avons parlé), le sommeil, le jeu créatif, la lecture (nous y reviendrons) et, évidemment, les interactions intrafamiliales. Concernant ces dernières, les données de la littérature sont aussi prévisibles que convergentes : plus enfants et parents passent de temps sur leurs écrans, plus l'ampleur et la richesse de leurs relations réciproques se réduisent[229, 522-533].

Une étude souvent citée à l'appui de ce constat porte sur la télévision (mais, au fond, peu importe tant les impacts ici décrits sont indépendants des supports utilisés et des contenus consommés)[229]. Elle implique des enfants de 0 à 12 ans et considère séparément les consommations de semaine et celles de week-end. Les résultats montrent que le temps offert à la télévision ampute unanimement la durée des interactions parents-enfant. Par exemple, pour chaque heure passée devant le petit écran durant la semaine, un enfant de 4 ans perd 45 minutes d'échanges avec ses parents ; un bébé de 18 mois abandonne pour sa part 52 minutes et un préadolescent de 10 ans 23 minutes. Pour ceux qui jugeraient que l'affaire n'est après tout pas si grave, raisonnons à nouveau en termes cumulés. Il apparaît alors que le temps total d'interaction volé par 60 minutes quotidiennes de télé sur les douze premières années de vie d'un enfant s'élève à 2 500 heures. Cela représente 156 journées de veille*, presque 3 années scolaires et 18 mois d'emploi salarié à temps complet. Pas vraiment une paille, surtout si l'on rapporte ces données à des consommations non plus de une, mais de deux ou trois heures quotidiennes. Et, à ce désastre, il faut encore ajouter l'altération relationnelle engendrée par les expositions d'arrière-plan. Autrement dit, même quand

* En considérant une moyenne de 8 heures par nuit, soit 16 heures d'activité diurne.

enfants et parents se parlent, la télé n'est pas sans effet. C'est ce que démontre l'étude suivante.

Dans un grand nombre de foyers (de 35 % à 45 % selon les enquêtes[60-61, 100, 534]), le petit écran est toujours, ou quasiment toujours, allumé, même lorsque personne ne le regarde. Afin d'évaluer l'impact de cette présence sur les relations intrafamiliales, un groupe de chercheurs de l'université du Massachusetts, aux États-Unis, a, pendant une heure, observé des parents (principalement des mères) en train de jouer avec leur enfant (de 1, 2 ou 3 ans)[531]. Une télé se trouvait dans la pièce et était aléatoirement allumée pendant les trente premières ou dernières minutes de l'expérience. Les analyses révélèrent un fort effet d'interférence. Parent et enfant passaient significativement moins de temps à communiquer et jouer lorsque le poste fonctionnait. Par exemple, un parent consacrait 33 % du temps à jouer activement avec son enfant de 24 mois lorsque la télé était éteinte. Cette valeur chutait de moitié (17 %) lorsque l'écran s'éveillait. Ce résultat ne surprendra pas ceux qui ont un jour été dîner au restaurant alors qu'une télé allumée vomissait ses programmes dans la salle. Même quand on « ne veut pas » on finit généralement par regarder, ne serait-ce que furtivement ; et, irrévocablement, on perd le fil du dialogue avec ses proches. Notre cerveau, en effet, est programmé pour répondre aux stimuli externes (sonores ou visuels), saillants, soudains et inattendus[55, 535-539]. Bien sûr, on peut choisir de « résister ». Mais, dans ce cas, l'effort est tel qu'il détourne une large fraction de notre potentiel cognitif ; ce qui conduit au même résultat que les coups d'œil intempestifs : dégrader l'échange.

Une étude récente généralise ces données au comportement parental[524]. Elle concerne les téléphones portables et repose sur un protocole assez simple. Des couples mère-enfant étaient observés pendant quatre périodes consécutives de 4 minutes. Au début de chaque période l'expérimentateur apportait un aliment différent. La mère et l'enfant étaient alors invités, s'ils le désiraient, à goûter et évaluer ces aliments dont certains s'avéraient familiers (par exemple des cupcakes) et d'autres nouveaux (par exemple de l'halva – une pâtisserie orientale). Durant l'expérience, un quart des mères utilisèrent spontanément leur téléphone portable. Cela entraîna une forte baisse des échanges tant verbaux que non verbaux. Cet appauvrissement se révéla particulièrement sensible pour les interactions dites « encourageantes » (exemple verbal : « allez, essaye de goûter, c'est bon » ; exemple non verbal : la mère rapproche l'aliment de l'enfant) et pour les aliments inconnus qui, chez les mères sans portable, engendraient les plus hauts niveaux d'interaction. Ainsi, concernant l'halva, la présence du téléphone entraîna une chute de 72 % des encouragements maternels et de 33 % de l'ensemble des interactions verbales. Ces données sont cohérentes avec d'autres observations réalisées par le même groupe de recherche, dans plusieurs restaurants de la région de Boston ; des observations montrant que l'utilisation du smartphone entraîne un moindre engagement parental et un mode d'interaction plus « robotique » (selon le mot des auteurs)[525]. Rien de surprenant en fait, car l'humain ne peut être attentif à la fois à ses outils numériques et à l'environnement. Autrement dit, quand un parent ou un enfant s'occupe de son smartphone, il ne peut accorder à autrui qu'une attention distraite[522, 527].

D'ailleurs, l'appareil n'a même pas à être utilisé pour être perturbant. Sa seule présence accapare suffisamment l'attention (le plus fréquemment à notre insu) pour altérer la qualité de l'échange ; et ce d'autant plus que la matière débattue est jugée importante par les protagonistes[540]. Cette puissance distractive explique du reste, en grande partie, la remarquable capacité de nos smartphones à engendrer de lourds conflits lorsqu'ils sont manipulés au sein du foyer (entre parents et enfants ou entre parents[522,

[525, 541-544]). Personne n'aime ressentir qu'il est, aux yeux de ses proches, moins important et digne d'attention qu'un téléphone mobile. Les tensions alors engendrées favorisent l'émergence d'insatisfactions relationnelles, de comportements agressifs, voire d'états dépressifs et d'un certain mal-être existentiel[526, 541-544]. Des résultats similaires ont été rapportés pour la télé et les consoles de jeux[75, 545-546]. Ces considérations sont loin d'être anecdotiques quand on sait le poids majeur du « climat » familial sur le développement social, émotionnel et cognitif de l'enfant[547-549].

Un langage amputé

Le langage est la pierre angulaire de notre humanité. Il est l'ultime frontière qui nous sépare de l'animal. C'est grâce à lui principalement que nous pensons, que nous communiquons et que nous sauvegardons les savoirs importants. Un large lien existe d'ailleurs entre développement du langage et performance intellectuelle[99]. Comme l'explique Robert Sternberg, professeur de psychologie cognitive à l'université Yale, « le vocabulaire [qui reflète assez bien l'état général du développement langagier] est probablement le meilleur indicateur singulier du niveau d'intelligence générale d'une personne[550] ». Depuis l'aube de la préhistoire, nos aptitudes verbales se sont continûment développées, étoffées et enrichies. Or, ce vertueux processus semble aujourd'hui enrayé. Les écrans ne sont pas, loin s'en faut, étrangers au problème, même si évidemment ils n'agissent pas seuls. D'autres coupables potentiels existent, par exemple scolaires (baisse du nombre d'heures d'enseignement, réformes pédagogiques discutables, dégradation de la formation des professeurs)[551] ou environnementaux (rôle toxique des perturbateurs endocriniens sur le développement cognitif)[552].

Une dégradation stupéfiante

L'une des illustrations les plus frappantes du déclin langagier ici évoqué renvoie à l'abaissement progressif des ambitions du système éducatif. Prenons deux dictées prises au hasard dans deux ouvrages scolaires représentatifs (figure 7) : le livre de grammaire, cours moyen, que mon père utilisait en 1931[553] ; et un livre de dictées, cours moyen, conforme au programme 2018[554]. Apparaît alors un double mouvement : simplification de l'orthographe et appauvrissement des textes. Aujourd'hui, on expose nos enfants de 10 ans à d'insipides et laconiques articulets. Il y a seulement quelques décennies, on leur offrait encore Littré, Hugo, Voltaire, Rousseau, Buffon et Chateaubriand[553]. Et qu'on ne vienne pas nous dire

« Si la famille est cause de joies infinies, elle est aussi cause de beaucoup de douleurs. Il y a des larmes bien amères, mais je n'en connais pas de plus amères que celles que fait verser la perte des siens. On perd les jeunes, on perd les vieux, et l'unique inclémence de la nature intervertit souvent les dates de la mort. Mais même quand l'ordre de l'âge est suivi, ce n'est pas sans déchirement qu'on se sépare de ceux qui ont présidé au foyer domestique, qu'on se sépare d'une vieille mère qui nous a élevés. Après une maladie que nous ne pûmes arrêter, ma mère se sépara de moi, disant : "Il faut aller retrouver les siens !" Elle avait été fille ardente et dévouée ; qu'on juge ce qu'elle fut pour son fils ! Aussi, même à présent que j'ai dépassé les années qu'il lui fut donné d'atteindre, le deuil me ressaisit ; que je pense à la dernière nuit, à la nuit de mort, et l'amertume me pénètre le cœur. »

« Assis sur un pliant, un homme coiffé d'un chapeau de paille pêche au bord de la rivière. Il surveille sa ligne en fumant sa pipe. Tout à coup, le bouchon s'enfonce : un poisson a sûrement mordu à l'hameçon. L'homme se lève, tire d'un coup sec sur la ligne, et quelques secondes plus tard, apparaît un goujon dont les écailles brillent. De la main gauche, il saisit l'épuisette pour y déposer sa prise. »

Figure 7. Évolution dans le temps des attentes scolaires en dictée pour le cours moyen. La dictée de gauche[553] date de 1931, celle de droite[554] de 2019. Voir détails dans le texte.

que le problème relève du processus de « massification » de l'enseignement. L'école primaire est obligatoire pour tous les enfants de 6 à 13 ans depuis 1882[555] ! Au reste, il n'est pas besoin de remonter si loin pour corroborer la réalité du désastre. Trente ans de recul suffisent amplement, comme le démontre un récent rapport officiel[556]. Soumis à une dictée simple de quelques lignes, 59 % des élèves de CM2 faisaient, en 1987, moins de dix fautes ; 13 % en faisaient moins de deux. En 2015, ces proportions avaient été divisées respectivement par 2,4 (25 %) et 6,5 (2 %). En moyenne, les écoliers de 2015 commettaient 1,6 fois plus de fautes que ceux de 1987. Une tendance confirmée par l'augmentation continue, depuis une dizaine d'années, du nombre d'élèves de primaire souffrant officiellement de « troubles du langage et de la parole ». Entre 2010 et 2018, celui-ci a plus que doublé pour passer de 11 000 à 24 000 enfants[557-558].

Évidemment, l'atteinte faite au langage dépasse largement le cadre des évaluations académiques formelles. Elle s'incarne aussi dans la « vraie vie ». En ce domaine il apparaît ainsi, par exemple, que les enfants d'aujourd'hui sont incapables d'absorber les ouvrages de la « Bibliothèque rose » que lisaient aisément leurs ascendants dans les années 1960-1970. Pour ne pas condamner *Fantômette* ou *Le Club des Cinq* aux oubliettes, nos amis éditeurs ont dû se lancer dans une vaste opération de réécriture[559]. Tout est désormais court et concis (figure 8). On ne précise plus « le pique-nique marqua une halte agréable, dans un cadre champêtre à souhait[563] » ; on écrit « la famille s'arrête pique-niquer en haut d'une colline[564] ». Fini le passé simple, les mots sortant de l'ordinaire, les formes singulières, les descriptions fécondes ; trop compliqués pour ces pauvres enfants du XXIe siècle. Ô, bien sûr, on nous dit que les nouvelles générations ne sont pas moins compétentes que les précédentes et qu'elles savent juste « différemment ».

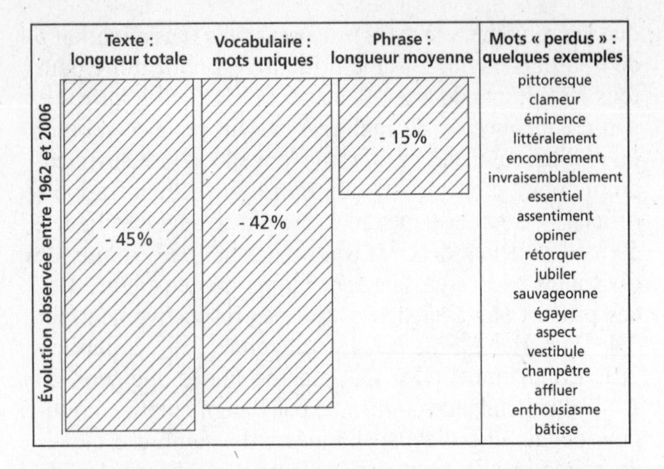

Figure 8. L'appauvrissement du vocabulaire dans l'écrit. Comparaison quantitative entre les versions originale (1962)[563] et récente (2006)[564] du *Club des Cinq et le trésor de l'île* (chap. 1). Colonne de droite : exemples de mots « perdus » dans la version récente.

Mais quels sont donc ces nouveaux savoirs, tellement phénoménaux, qui parviennent à racheter et compenser la perte du marqueur premier de notre humanité, le langage ? Les éléments développés dans la première partie de ce livre ne nous ont hélas pas permis de répondre à la question. Toutefois, il semblerait que nous ayons alors raté les conclusions d'un rapport PISA centré non sur la réussite scolaire, mais sur la capacité des collégiens à résoudre efficacement les problèmes concrets de leur vie quotidienne[560]. Un triomphe au dire d'une analyste de l'OCDE. « C'est vraiment une bonne surprise, expliqua cette dernière [...]. Hors du carcan scolaire, dans lequel les ados sont affectés par l'anxiété et un manque de confiance en eux, ils montrent qu'ils sont motivés, parfaitement capables de raisonnements logiques, de passer du concret vers l'abstrait en mettant en œuvre des stratégies pour comprendre, exploiter les informations, réajuster en cas d'erreur[561]. » De quoi clouer le bec aux pisse-froid de tous ordres… Enfin, jusqu'à ce que ceux-ci s'intéressent d'un peu plus près à la nature des compétences concernées : optimiser le fonctionnement d'un lecteur MP3, régler un climatiseur à l'aide du boîtier de commande digital, acheter des billets de train au meilleur tarif sur une borne, optimiser un plan de table pour un repas d'anniversaire, etc. Tout à coup la baudruche paraît bien moins affriolante. D'autant moins affriolante, d'ailleurs, qu'elle n'est pas sans rappeler ces tristes *gamma* du *Meilleur des mondes* d'Aldous Huxley[562]. Une caste subalterne d'exécutants zélés, prodigues et contents de leur sort. Une caste dépourvue de tout esprit critique, n'ayant besoin ni de langage, ni de pensée. Une caste qui, non contente de se laisser arracher des mains la lumière, l'étouffe elle-même sous ses pieds (pour plagier la citation placée en exergue du présent ouvrage).

L'enfant a besoin qu'on lui parle !

Redisons-le, il n'est pas question de faire porter aux écrans l'entière responsabilité des atteintes évoquées ci-dessus. Ce serait idiot. Mais, néanmoins, pas plus idiot que de nier toute forme d'implication. En effet, il existe aujourd'hui un grand nombre d'études montrant que la consommation d'écrans interfère fortement avec le développement du langage[103, 223, 225, 565-570]. Par exemple, chez des enfants de 18 mois, il a été montré que chaque demi-heure quotidienne supplémentaire passée avec un appareil mobile multipliait par presque 2,5 la probabilité d'observer des retards de langage[223]. De la même manière, chez des enfants de 24 à 30 mois, il a été rapporté que le risque de déficit langagier augmentait proportionnellement à la durée d'exposition télévisuelle[568]. Ainsi, par rapport aux petits consommateurs (moins de 1 heure par jour), les usagers modérés (1 à 2 heures par jour), moyens (2 à 3 heures par jour) et importants (plus de 3 heures par jour) multipliaient leur probabilité de retard dans l'acquisition du langage respectivement par 1,45, 2,75 et 3,05. Un résultat confirmé dans une autre étude ayant établi, toujours pour la télévision, que le risque de déficit était quadruplé, chez des enfants de 15 à 48 mois, quand la consommation dépassait 2 heures quotidiennes. Ce quadruplement se transformait même en sextuplement lorsque ces enfants avaient été initiés aux joies du petit écran avant 12 mois (sans considération de durée)[569]. Chez des sujets plus âgés, de 3,5 à 6,5 ans, un autre travail a montré que le fait de se retrouver le matin devant un écran, quel qu'il soit, avant d'aller à l'école ou à la crèche (c'est-à-dire à un moment potentiellement privilégié pour les interactions intrafamiliales), multipliait le risque de retards de langage par 3,5[570]. Des résultats cohérents avec ceux d'une étude épidémiologique de grande ampleur menée sur des enfants de 8 à 11 ans et révélant que le fait de ne pas respecter les recommandations de l'Académie américaine de pédiatrie (pas plus de 2 heures d'écrans récréatifs par jour) altérait fortement la performance intellectuelle globale (langage, attention, mémoire, etc.)[571]. Une conclusion elle-même compatible avec les observations de deux recherches indiquant, pour la télévision[572] et les jeux vidéo[573], l'existence d'une corrélation négative entre temps d'usage et QI verbal* chez des enfants de 6 à 18 ans. Autrement dit, plus les participants augmentaient leur consommation d'écrans et plus leur intelligence langagière diminuait. Notons que le lien alors identifié était comparable, par son ampleur, à l'association observée entre niveau d'intoxication au plomb (un puissant perturbateur endocrinien[574]) et QI

---

* Les tests de QI comprennent plusieurs tâches, dont certaines ont une composante verbale. En groupant ces dernières, on peut calculer un « QI verbal » qui définit, en quelque sorte, l'intelligence langagière du sujet.

verbal[575]. Cela signifie que, si vous détestez l'insupportable marmot de vos horribles voisins et que vous rêvez de lui pourrir la vie autant que faire se peut, inutile de mettre du plomb dans sa gourde. Offrez-lui plutôt une télé, une tablette ou une console de jeux. L'impact cognitif sera tout aussi dévastateur pour un risque judiciaire nul.

En pratique, l'influence délétère des écrans récréatifs sur le langage n'est pas très difficile à expliquer. Chez le jeune enfant, elle s'enracine dans l'appauvrissement des relations verbales précoces, notamment intrafamiliales. En effet, ces dernières soutiennent non seulement le développement linguistique mais aussi, plus profondément, l'ensemble du déploiement intellectuel[99, 576-582]. Un travail récent a établi, par exemple, que l'ampleur des interactions verbales précoces (de 18 à 24 mois) prédisait les performances langagières et le QI de l'enfant à échéance de dix ans[583]. Selon les auteurs, ce résultat pourrait refléter l'importance critique de la prime enfance dans le processus de maturation cognitive ; nous en avons parlé. Le problème, c'est que plus les membres du foyer passent de temps avec leurs gadgets numériques, moins ils échangent de mots[229, 524-525, 531, 533, 569] ; et dès lors, plus ils compromettent les développements langagiers et intellectuels précoces. Des chercheurs, par exemple, ont équipé des enfants de 2 à 48 mois d'un magnétophone, dont les enregistrements étaient ensuite automatiquement décodés[530]. En moyenne, sur la journée, les enfants entendaient 925 mots par heure. Lorsque la télévision était allumée, ce compte tombait à 155 mots, soit une baisse de 85 %. De la même manière, le temps de vocalisation quotidien des enfants s'élevait à 22 minutes. Chaque heure de télévision retirait cinq unités à ce total, soit quasiment un quart.

La triste chimère des programmes « éducatifs »

Si encore les écrans avaient quelque chose de positif à offrir. Mais ce n'est pas le cas. Là encore, le « déficit vidéo* » prévaut et le numérique ne peut remplacer l'humain. Prenez, par exemple, cette étude relative aux capacités de discrimination des sons[511]. L'aptitude des enfants à reconnaître les sonorités étrangères à leur langue, on le sait, se détériore brutalement entre 6 et 12 mois[206]. Partant de cette problématique, Patricia Kuhl et ses collègues ont exposé des bébés américains de 9 mois à la langue mandarine, selon deux conditions : l'une réelle (un expérimentateur était présent face à l'enfant), l'autre indirecte (le visage du même expérimentateur était présenté, en gros plan, sur une vidéo face à l'enfant). Résultat, alors que la « condition réelle » permit de préserver les capacités discriminatives des bébés, la « condition vidéo » se révéla stérile. Cela signifie que si vous espérez soigner l'accent anglais, allemand, chinois ou finlandais de vos enfants en les gavant précocement de programmes en VO, vous risquez d'être terriblement déçu.

Évidemment, ce « déficit vidéo » ne concerne pas que la phonétique. Il s'applique aussi, notamment, au lexique. Ainsi, avant 3 ans, la capacité des programmes prétendument éducatifs à accroître le vocabulaire des enfants est au pire négative, au mieux inexistante[567, 584-587]. Dans une étude souvent citée, des enfants de 12 à 18 mois furent exposés au visionnage d'un DVD commercial à succès de 39 minutes, censé développer le langage[588]. Vingt-cinq mots simples décrivant des objets courants (table, pendule, arbre, etc.) étaient alors présentés trois fois de manière non consécutive (chaque répétition du même mot était espacée de plusieurs minutes). Les enfants voyaient le DVD cinq fois par semaine pendant quatre

* Voir pp. 293-295.

semaines, soit un total de soixante présentations ; une ampleur extravagante au regard des quelques répétitions typiquement nécessaires à un enfant (ou un chien[589] !) pour mémoriser ce genre de mots en situation « réelle »[581, 590]. Au final, et contrairement à ce que pensaient de nombreux parents, aucun apprentissage ne fut observé, même lorsque le visionnage avait lieu en présence d'un adulte. Conclusion des auteurs : « Les enfants ayant été exposés de manière extensive à une vidéo infantile populaire sur un mois complet, avec leurs parents ou seuls, n'ont pas appris un mot de plus que les enfants n'ayant eu aucune exposition à la vidéo. » Ce résultat fut toutefois contredit par une étude ultérieure impliquant un protocole expérimental similaire mais beaucoup plus « ramassé »[591]. Le DVD durait alors 20 minutes et ne comprenait que trois mots présentés chacun neuf fois. Au bout de 15 jours, les enfants avaient vu le DVD à six reprises, en moyenne, soit pour chaque mot, 40 minutes de pilonnage et 54 répétitions. Avant 17 mois, cette avalanche ne produisit aucun effet. Au-delà, cependant, selon les termes de l'auteur, les enfants « bénéficièrent de l'exposition répétée au DVD ». Impossible de dire, hélas, à partir des moyennes rapportées, combien d'enfants avaient appris combien de mots. Mais peu importe car ce qui frappe ici, même si l'on se place dans l'option la plus favorable (tous les enfants ont appris les trois mots), c'est l'incroyable décalage existant entre l'énormité du temps consenti et la cuisante insignifiance des acquisitions observées. Heureusement que la vraie vie n'est pas aussi gloutonne et sait, en matière d'apprentissage du vocabulaire, se contenter de quelques rencontres éparses ; parfois même d'une seule[581, 590]. Le jour où l'on substituera le numérique à l'humain, ce n'est plus trente mois (comme actuellement) mais dix ans qu'il faudra à nos enfants pour atteindre un volume lexical de 750 à 1 000 mots[99, 581].

À cette sinistre prédiction, on pourrait évidemment objecter que ce qui échoue à 18 ou 30 mois peut tout à fait réussir à 4 ans. Ce n'est pas faux. D'ailleurs, nombre d'études indiquent assez clairement que les programmes audiovisuels éducatifs permettent certaines acquisitions lexicales basiques chez les enfants de maternelle[584]. Toutefois ces études montrent aussi que les choses se gâtent sérieusement lorsque est dépassée cette période préscolaire et que sont considérées des compétences plus complexes[584], par exemple grammaticales[592] ; une limitation que l'on retrouve aussi dans le cadre d'expériences impliquant l'usage de films sous-titrés pour l'apprentissage de langues étrangères chez des adolescents[593]. Or, ce sont précisément ces compétences complexes qui constituent le cœur du langage et sont le plus soumises aux contraintes imposées par les fenêtres sensibles du développement. Le vocabulaire peut s'acquérir à tout âge, pas la syntaxe[206] ! Autrement dit, encore une fois, l'apparent bénéfice superficiel cache l'invisible sacrifice primordial, au sens où ce qui est appris pèse d'un poids dérisoire au regard de ce qui est perdu. Car une chose ici doit être claire : ce n'est pas parce qu'un enfant arrive à beugler *yellow* ou *pear* en anglais devant sa télé (ou n'importe quelle application de pacotille) quand une marionnette lui montre une poire qu'il apprend à parler. Une étude récente le démontre joliment[594]. Cette fois-ci, les auteurs ne s'intéressèrent pas aux noms mais aux verbes, ces « ange[s] du mouvement, qui donne[nt] le branle à la phrase », disait le poète Charles Baudelaire[595]. Deux résultats majeurs furent rapportés. Avant 3 ans, les enfants se révélèrent incapables d'apprendre à l'aide d'une vidéo éducative les verbes simples (comme « secouer » ou « balancer ») qu'ils acquéraient aisément sur la base d'une interaction humaine. Entre 36 et 42 mois, ces mêmes enfants parvenaient à apprendre le sens des verbes proposés, mais sans pouvoir toutefois généraliser l'acquisition à de nouveaux personnages ou de nouvelles situations, comme ils le faisaient aisément lorsque l'apprentissage impliquait un humain. En d'autres termes, même lorsqu'ils semblaient apprendre quelque chose, les enfants apprenaient moins bien et moins profondément avec l'écran. Constat attendu qui ne fait que confirmer le phénomène, déjà largement évoqué, de « déficit vidéo ».

Mais, au fond, lorsque l'on prend le temps de réfléchir au problème, cette incapacité des programmes dits « éducatifs » à enrichir significativement le langage des jeunes enfants n'a rien d'inattendu ; et ce pour au moins trois raisons. Premièrement, nous l'avons dit, notre cerveau est bien moins attentif aux stimuli vidéo qu'aux incarnations humaines. Or, l'attention favorise grandement la mémorisation[596]. Il n'est dès lors pas étonnant que papa et maman se révèlent des enseignants infiniment plus efficaces que n'importe quel contenu audiovisuel supposément éducatif. Deuxièmement, aucun apprentissage ne peut avoir lieu si le spectateur regarde ses pieds quand la vidéo lui désigne le verre. Or, contrairement aux parents, l'écran ne vérifie jamais, avant de nommer un objet, l'ancrage visuel de l'enfant. Comment s'étonner que celui-ci éprouve quelques difficultés d'apprentissage s'il est en train, lorsque claque le mot « verre », de fixer la mouche qui vient de se poser sur la table ou la drôle de marionnette qui désigne ce verre, plutôt que le verre lui-même. À cela s'ajoute le fait que le processus d'acquisition lexicale est plus efficace quand l'enfant entend le nom d'un objet sur lequel son attention est déjà fixée que quand il lui faut d'abord focaliser cette attention sur l'objet d'intérêt[597]. Enfin, troisièmement, et par-dessus tout, l'interaction humaine est irrévocablement nécessaire aux apprentissages langagiers initiaux. Pour une part, elle encourage la répétition active des mots entendus ; répétition qui elle-même, en retour, favorise grandement le processus de mémorisation[598-599]. Pour une autre part, elle incarne seule le langage dans sa dimension communicationnelle[597]. À la différence des parents, la vidéo ne répond jamais quand l'enfant parle ou montre. Elle ne s'adapte pas à son niveau de connaissance et à ses éventuels messages corporels d'incompréhension. Elle ne sourit pas et ne tend pas la pomme quand l'enfant dit « pomme ». Elle ne reprend pas ce dernier avec bienveillance quand il prononce « ome » plutôt que « pomme ». Elle ne fait pas de chaque approximation phonétique un fertile jeu d'imitations sur le mode du « à toi, à moi ». Plus tard, elle ne reformule pas les expressions de l'enfant, elle n'enrichit pas ces dernières de mots nouveaux et elle ne corrige pas les syntaxes hasardeuses.

Bref, en matière de langage, l'inefficacité des programmes audiovisuels éducatifs est non seulement expérimentalement avérée, mais aussi théoriquement inéluctable. Peut-être que cela ne durera pas. Peut-être que, dans quelques années ou décennies, des applications mobiles arriveront à compenser les déficiences ici décrites. Peut-être même que des robots anthropomorphes pourront, un jour, éduquer nos enfants à notre place, interpréter leurs babillages, nourrir leur curiosité, veiller sur leur sommeil, sourire à leurs mimiques, changer leurs couches, leur apporter ce qu'ils demandent ou désignent, leur faire des câlins, etc. Plus besoin de papa, de maman, de *baby-sitter*, d'enseignant, de précepteur, d'ami, de famille, de fratrie. L'enfant sans les tracas, la descendance sans charge d'élever. Google et ses algorithmes s'occuperont de tout ; un vrai « meilleur des mondes numérique » ! Assurément, nous en sommes encore loin tant les applications actuelles restent, selon un récent constat de l'Académie américaine de pédiatrie, d'une primitivité pathétique[600]. Mais, à terme, qui sait ; tous les cauchemars sont permis.

Au-delà des âges précoces,
sans lecture, point de salut...

Cela étant dit, même si ces cauchemars devenaient réalité, tout ne serait pas réglé ; loin de là. En effet, au-delà des âges précoces, le langage demande bien plus que des paroles pour assurer son déploiement ; il demande des livres[217, 601]. À ce titre l'une de mes amies orthophonistes avait coutume de dire que ses filles étaient bilingues oral/écrit. L'idée peut faire sourire. Elle est pourtant d'une remarquable pertinence. Il suffit pour s'en convaincre de jeter un coup d'œil aux études ayant comparé la complexité respective de différents corpus langagiers oraux et écrits[217, 602, 603]. Typiquement, ces études se fondent sur des échelles normatives permettant d'ordonner tous les mots existants en fonction de leur fréquence d'usage*. On observe alors que « le » est numéro 1 (c'est-à-dire que « le » est le mot le plus fréquemment utilisé), que « il » est numéro 10 (c'est-à-dire que « il » est le dixième mot le plus fréquemment utilisé), que « savoir » est numéro 100, que « crevette » est numéro 5 000, etc. Partant de ce classement, il est facile de déterminer la complexité « moyenne » d'un texte (par exemple, en ordonnant tous les mots de ce texte et en prenant le rang du mot médian) et, par suite, la complexité moyenne d'un grand nombre de textes similaires (romans, films, dessins animés pour enfants, etc.). Lorsqu'ils firent cela, les chercheurs constatèrent l'extrême pauvreté des corpus oraux par rapport à leurs équivalents écrits. Comme l'illustre la figure 9, en moyenne, le langage est plus complexe et les mots « rares »

---

* Les études ici discutées sont anglophones. Je n'ai pas trouvé d'équivalent en français. Dans un souci de simplicité les mots anglais ont été traduits. Le lecteur pourra évidemment, s'il désire consulter les données brutes, se rapporter aux publications originales[217, 602-603].

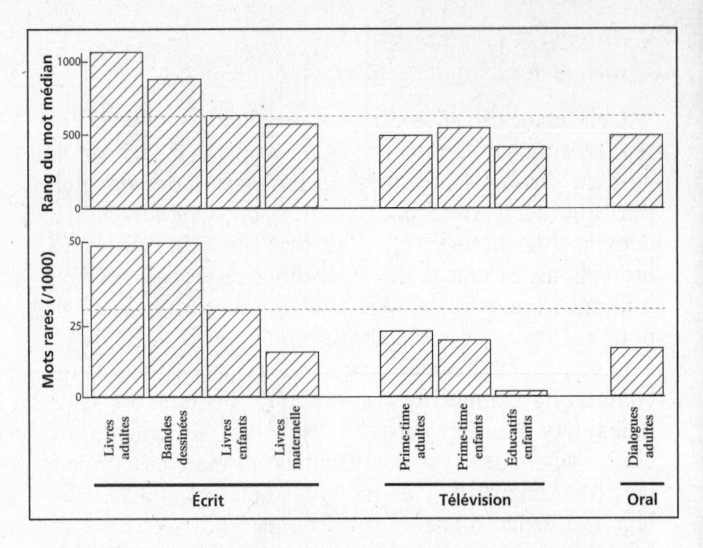

Figure 9. La richesse du langage est concentrée dans l'écrit. La complexité langagière de différents supports est mesurée de deux façons : en déterminant le rang du mot médian ; en évaluant la proportion de mots rares (pour 1 000 mots). On peut voir que, en moyenne, les programmes de télévision et les conversations ordinaires entre adultes renferment moins de mots que les livres pour enfants (trait horizontal gris). La pauvreté langagière des programmes télévisuels dits éducatifs (*Sesame Street* et *Mr Rogers*) est particulièrement frappante. D'après[602-603]. Voir détails dans le texte.

(mots situés au-delà du 10 000e rang) plus fréquents dans les livres pour enfants que dans n'importe quels programmes de télévision ou conversations ordinaires entre adultes*. Cela ne veut pas dire, cependant, que les textes pour la jeunesse sont truffés de termes ésotériques, hyperspécialisés et jargonnants. Non ; cela signifie plutôt

* Ces données, encore une fois, sont issues de recherches anglophones. Elles ne tiennent pas compte du processus de simplification langagière initié en France, depuis quelques années, dans certaines collections de livres jeunesse (voir la figure 8, p. 302). Toutefois, cette réserve et l'origine nord-américaine des travaux présentés ne changent rien au message général : ultimement, c'est dans les livres que se trouvent la richesse et les subtilités de la langue.

que l'espace oral propose généralement assez peu de richesses lexicales et syntaxiques. Autrement dit, nos échanges quotidiens mobilisent un langage singulièrement modeste. Des mots comme « équation », « gravité », « invariable » ou « littéral », par exemple, dont la maîtrise ne semble pas vraiment superflue, se rencontrent infiniment moins souvent à l'oral qu'à l'écrit[603]. De même pour des termes comme « infernal » ou « xénophobie », qu'ignorent respectivement 40 % des élèves de troisième[551] et 25 % des étudiants de lettres[604].

Bref, tout cela pour dire qu'au-delà d'un socle fondamental, oralement construit au cours des premiers âges de la vie, c'est dans les livres et seulement dans les livres que l'enfant va pouvoir enrichir et développer pleinement son langage. Une étude est à ce titre intéressante[605]. Elle montre, si l'on peut dire, l'excellent « rapport qualité/prix » du livre chez des enfants de cours moyen. En moyenne, ces derniers lisaient dix minutes par jour, « pour le plaisir »* ; soit le treizième du temps qu'ils consacraient à dame télévision. Sur une année, ces maigres dix minutes représentaient près de 600 000 mots. Seuls 2 % des enfants passaient chaque jour plus d'une heure à lire. Pour ceux-là, le total annuel frisait les 5 millions de mots (!) ; et, encore une fois, ces derniers se situaient pour une large fraction hors des sentiers appauvris de la communication verbale. Des chiffres qui, incontestablement, font écho aux observations d'Anne Cunningham et Keith Stanovich. Pour ces deux chercheurs américains ayant consacré toute leur carrière académique à l'étude de la lecture : « Premièrement, il est difficile d'exagérer l'importance d'assurer aux enfants les conditions d'un départ réussi en lecture. [...] Deuxièmement, nous devrions apporter aux enfants, indépendamment de leur niveau,

---

* Expression utilisée pour désigner la lecture personnelle, réalisée en dehors du cadre et des nécessités scolaires.

autant d'expérience en lecture qu'il est possible. [...] Un message encourageant pour les enseignants d'élèves en difficulté [et pourrait-on ajouter pour tous les parents !] est ici implicite. Nous désespérons souvent de pouvoir changer les compétences de nos élèves, mais il existe au moins une habitude partiellement malléable qui par elle-même développe des compétences – lire[603] ! ». En accord avec cette dernière remarque, nombre d'études ont démontré l'influence positive de la lecture, « pour le plaisir », sur les performances scolaires[218, 264, 606-609]. Un résultat qu'il est intéressant de contraster avec l'impact fortement négatif des écrans récréatifs.

Le problème, chacun l'aura compris, c'est que plus le temps d'écrans est important moins les enfants sont exposés aux bienfaits de l'écrit. Deux mécanismes sont alors impliqués. Premièrement, une diminution du temps passé à lire avec les parents[532]. Deuxièmement, une baisse du temps consacré à la lecture solitaire[68, 139, 149, 254, 264, 333, 606, 610-611]. Ainsi, par exemple, une étude souvent citée a montré que la fréquence avec laquelle les parents lisaient des histoires à leurs enfants de maternelle diminuait d'un tiers lorsque ces derniers consommaient quotidiennement plus de 2 heures d'écrans[532]. De la même manière, un autre travail a établi, pour une population adolescente, que chaque heure quotidienne de jeux vidéo entraînait un affaissement de 30 % du temps passé à lire seul[334]. Des éléments qui expliquent, au moins pour partie, l'impact négatif des écrans récréatifs sur l'acquisition du code écrit[612-614] ; impact qui compromet lui-même, en retour, le déploiement du langage. Tout est alors en place pour que se développe une boucle pernicieuse auto-entretenue : comme il est moins confronté à l'écrit, l'enfant a plus de mal à apprendre à lire ; comme il a plus de mal à lire, il a tendance à éviter l'écrit et donc à lire moins ; comme il lit moins, ses compétences langagières ne se développent pas au niveau escompté et il a de plus en plus de mal à affronter les attendus de son âge. Remarquable illustration du célèbre « effet Matthieu » déjà évoqué* ou, si l'on préfère, du fameux adage populaire selon lequel, « on ne prête qu'aux riches ».

Certes, concernant ce dernier point, pléthore de spécialistes nous expliquent désormais que « les jeunes n'ont jamais autant lu qu'aujourd'hui [...] mais sur Internet, pas dans des livres, en cherchant ce qui leur est utile[615] ». Pour nos experts de la chose numérique, « dire que les "jeunes lisent moins qu'avant" n'a plus aucun sens à l'heure d'Internet[616] ». De nos jours, décrypte ainsi une sociologue ayant analysé de manière fort documentée les pratiques culturelles des nouvelles générations[617], « les séquences de lecture des jeunes sont plus courtes, souvent liées à leurs échanges écrits sur Internet, et donc sont très liées à la sociabilité[618] ». Admettons. Il n'en reste pas moins que ces « nouvelles » activités n'ont pas du tout le même potentiel structurant que ces bons vieux bouquins si chers aux dinosaures des ères prénumériques.

Deux recherches récentes ont ainsi montré l'existence d'une claire hiérarchie formatrice entre ouvrages « traditionnels » et contenus digitaux. Les premiers exercent une forte influence positive sur l'acquisition d'un lexique et le développement des capacités de compréhension de l'écrit ; les seconds voient leur impact osciller entre nul et négatif[619-620]. Trois hypothèses complémentaires permettent d'expliquer ce résultat. Premièrement, les contenus communément produits et consultés par les jeunes générations sur Internet présentent une richesse langagière trop restreinte pour rivaliser avec le livre traditionnel. Deuxièmement, sur le Web, le format éclaté de l'information et les constantes sollicitations distractives (courriels, liens hypertextes, pubs, etc.) perturbent le développement

---

* Voir p. 234.

des capacités de concentration nécessaires à l'appréhension de documents écrits complexes. Troisièmement, pour notre cerveau, le format « livre » est plus facile à manipuler et appréhender que le format « écran »[621]. Nombre d'études ont ainsi montré qu'un texte donné était en général plus précisément compris sous sa forme papier que dans sa version écran ; et ce indépendamment de l'âge des lecteurs[622-623]. En d'autres termes, quand il s'agit de lire et de comprendre un document, même les supposés *digital natives* sont plus à l'aise avec le livre qu'avec l'écran ; ce qui ne les empêche pas, dans leur majorité, d'affirmer le contraire[624] ! Autre exemple, si nécessaire, de l'infirmité structurelle de nos ressentis subjectifs.

Une attention saccagée

Comme indiqué dans la première partie de ce livre, derrière le concept apparemment unitaire « d'attention » se cachent des réalités comportementales et neurophysiologiques fort disparates. Les jeux vidéo d'action, par exemple, sollicitent une attention « distribuée », extrinsèquement stimulée et largement ouverte sur les effervescences du monde. À l'inverse, la lecture d'un livre, la rédaction d'un document de synthèse ou la résolution d'un problème de mathématiques requièrent une attention « focalisée », intrinsèquement maintenue et peu perméable aux agitations environnantes et pensées parasites. Dans la suite de ce texte, nous utiliserons les qualificatifs « exogène » ou « visuel » pour caractériser le type d'attention développée par les jeux vidéo d'action. Dans le même temps, en accord avec l'usage commun, nous parlerons simplement « d'attention » ou de « concentration » pour caractériser l'attention « focalisée » mobilisée par les activités réflexives comme la lecture d'un livre.

Des preuves accablantes

Depuis une quinzaine d'années, cela a été largement discuté au sein de la première partie, nombre d'études ont souligné l'influence positive des jeux vidéo d'action sur certaines modalités d'attention exogène[625-627]. Partant de là, il a été affirmé que la pratique de ces jeux favorisait le développement des facultés d'attention et de concentration[52]. Cette généralisation a servi de base à l'instauration d'un clivage fonctionnel entre d'une part les écrans non interactifs reconnus préjudiciables (télévision, DVD) et d'autre part les écrans interactifs supposés bienfaisants (jeux vidéo)[52]. Malheureusement, pour séduisante qu'elle puisse paraître, cette distinction est erronée. En effet, la quasi-totalité des travaux disponibles montrent de manière convergente que les écrans récréatifs ont, dans leur globalité[628-630], un profond impact délétère sur les capacités de concentration. Autrement dit, et contrairement au discours ambiant : en matière d'attention, les jeux vidéo[276-277, 279, 631-636] se révèlent tout aussi nocifs que la télévision[263, 266, 633-635, 637-640] et les médias mobiles[231, 292, 641-642]. Par exemple, une large méta-analyse fondée sur 45 études impliquant plus de 150 000 enfants de moins de 18 ans a identifié une corrélation positive entre consommation d'écrans récréatifs (jeux vidéo et/ou télévision) et déficits attentionnels[630]. Cette relation a une force comparable à celle observée entre QI et résultats scolaires[326, 643] ou, alternativement, entre tabagisme et cancer du poumon[644]. L'impact individuel des jeux vidéo se révéla strictement identique à celui de la télévision. De même, les contenus non violents apparurent tout aussi nocifs que les contenus violents.

Dans une autre étude, les auteurs montrèrent que chaque heure quotidienne passée devant le petit écran lorsque l'enfant était à l'école primaire augmentait de presque 50 % la probabilité d'apparition de troubles majeurs de l'attention au collège[638]. Un résultat identique fut rapporté dans un travail subséquent[266] montrant que le fait de passer quotidiennement entre 1 et 3 heures devant la télévision à 14 ans multipliait par 1,4 le risque d'observer des difficultés attentionnelles à 16 ans*. Au-delà de 3 heures, on atteignait un quasi-triplement (figure 10). Des chiffres inquiétants au regard d'un résultat complémentaire montrant que l'existence de troubles de l'attention à 16 ans quadruplait presque le risque d'échec scolaire à 22 ans. Nombre d'études ont de fait confirmé l'importance fondamentale de l'attention endogène pour la réussite scolaire[645-652]. Dans un autre travail, les auteurs ont directement comparé l'effet des jeux vidéo et de la télévision dans deux populations, l'une d'enfants (6 à 12 ans), l'autre de jeunes adultes (18 à 32 ans)[634]. Les résultats montrèrent que les deux activités altéraient

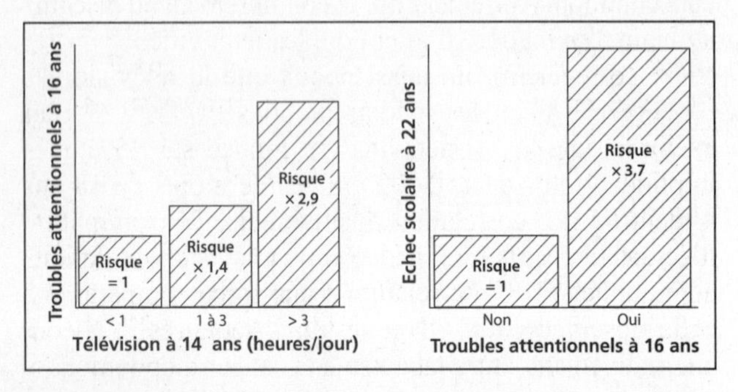

Figure 10. Impact des écrans sur l'attention. Le risque d'observer des troubles de l'attention à 16 ans augmente en fonction du temps passé devant la télévision à 14 ans (panel de gauche) ; dans le même temps, le risque d'échec scolaire constaté à 22 ans croît significativement chez les adolescents présentant des troubles de l'attention à 16 ans (panel de droite). D'après[266]. Voir détails dans le texte.

---

* Après prise en compte évidemment, en dehors des variables standard (âge, sexe, niveau socio-économique, etc.), d'éventuels troubles attentionnels ou d'apprentissage à 14 ans.

l'attention de manière quantitativement équivalente, quel que soit l'âge. En moyenne, les participants qui dépassaient deux heures d'usage quotidien (télé et/ou jeux vidéo) avaient deux fois plus de risques de souffrir de difficultés attentionnelles. De manière intéressante, les analyses indiquèrent que la consommation initiale d'écrans (télé et jeux vidéo) prédisait l'aggravation des troubles de l'attention au cours de la période de suivi (13 mois). Dans une autre étude encore, des résultats comparables furent obtenus pour les usages mobiles chez des sujets de 12 à 20 ans[231]. Ceux qui possédaient un smartphone avaient, par rapport à leurs comparses non équipés, presque trois fois plus de risques de présenter des déficits de l'attention. Les consommations récréatives (jeux, vidéos, etc.) se révélèrent alors particulièrement nuisibles. En effet, les individus qui consacraient plus de une heure par jour à ce genre d'activités affichaient un quasi-doublement de leur risque attentionnel en comparaison de ceux qui se maintenaient en dessous de 20 minutes. Des observations préoccupantes, mais qui pourraient presque sembler « raisonnables » au regard d'une recherche récente, menée chez des enfants de 5 ans[653]. C'est alors le temps total d'écrans qui fut considéré (télé, consoles, supports mobiles, etc.). Résultat, les sujets affichant une consommation numérique supérieure à 2 heures quotidiennes avaient, par rapport à ceux qui ne dépassaient pas 30 minutes, six fois plus de risque de présenter des troubles de l'attention.

Pour les sceptiques, une dernière étude mérite sans doute d'être ici mentionnée. Elle n'émane pas d'un groupe académique, mais du service marketing de Microsoft Canada[654]. Ce travail, curieusement rendu public, commence par expliquer que les capacités d'attention de notre belle humanité n'ont cessé de se dégrader depuis quinze ans ; elles auraient aujourd'hui atteint un plus bas historique et seraient inférieures à celles du… poisson rouge (*goldfish*). Cette altération serait directement liée au développement des technologies numériques. Ainsi, selon les termes du document, « les modes de vie digitaux affectent la capacité à rester concentré sur des périodes de temps prolongées. Les Canadiens avec des modes de vie plus digitaux (ceux qui consomment plus de médias sont des utilisateurs multi-écrans, les enthousiastes des réseaux sociaux et les adoptants précoces des nouvelles technologies) se débattent pour rester concentrés dans des environnements où une attention soutenue est nécessaire ». Conclusions à l'usage des régies publicitaires : « Soyez clair, personnel, pertinent et allez (rapidement) droit au but [...]. Soyez différent. Sortez du lot, défiez la norme. » Ce qui en langage ordinaire pourrait se traduire par : chers partenaires, pour vos campagnes marketing, ne dépassez pas quelques secondes si vous ne voulez pas outrepasser les capacités d'attention de vos chers consommateurs poissons rouges ; et optez pour des messages incisifs, racoleurs, provocateurs, truculents, etc., si vous ne voulez pas que votre communication se noie anonymement dans l'océan déchaîné des stimulations digitales. Tout un programme !

Apprendre à disperser l'attention

L'impact négatif des écrans sur la concentration sollicite de multiples leviers complémentaires. Ceux-ci agissent d'une manière plus ou moins directe, selon des constantes temporelles plus ou moins longues. Prenez le sommeil par exemple. On sait aujourd'hui qu'il existe un lien fort entre le fonctionnement attentionnel diurne et l'efficacité des verrouillages nocturnes[655-658]. Autrement dit, lorsque le cerveau ne dort pas assez et/ou pas assez bien, il ne peut se concentrer efficacement sur ses tâches quotidiennes. Or, il est clairement établi, nous y reviendrons dans le chapitre suivant, que plus les consommations numériques sont importantes, plus la qualité et la durée du sommeil sont altérées. C'est là une source essentielle d'inattention. À ce sujet, il m'arrive assez souvent d'intervenir dans des classes de primaire et de secondaire pour parler des écrans. Je suis alors systématiquement frappé par le nombre d'élèves somnolents, luttant pour garder les yeux ouverts et bâillant pesamment à s'en décrocher la mâchoire. Quel que soit leur désir d'apprendre, ces enfants sont physiologiquement incapables d'absorber la moindre connaissance. C'est d'autant plus vrai que nombre d'entre eux voient leur attention exogène généreusement sollicitée, chaque matin, avant l'école, par des jeux vidéo ou programmes audiovisuels excitants*. Or, il est aujourd'hui établi que cette pratique altère durablement les capacités de concentration et, par suite, la performance intellectuelle[659-662]. Une étude fréquemment citée l'illustre joliment. Des enfants de 4 à 5 ans furent soumis à divers tests cognitifs après avoir été exposés, pendant 9 minutes, à un dessin animé fantastique, fortement rythmé (*Bob l'éponge*)[663]. Les résultats se révélèrent significativement moins bons que ceux obtenus dans deux conditions « contrôle » (9 minutes de coloriage ou de visionnage d'un dessin animé éducatif lent). Lors d'un test « d'impulsivité », par exemple, les enfants avaient devant eux un grelot et deux assiettes : l'une contenait deux bonbons, l'autre dix. La consigne

---

* Je n'ai pas trouvé de chiffres d'usage précis, mais les éléments disponibles laissent peu de doute quant à l'ampleur du problème. En 2018, par exemple, Médiamétrie comptabilisait plus de 720 000 enfants de 4 à 10 ans devant la télévision le matin avant 8 heures (contre plus de 800 000 en 2017 ; chiffres communiqués par Benoît David, attaché de presse à Médiamétrie que je tiens à remercier ici pour son aide). Pour ma part, quand je passe dans les classes de primaire et collège, j'observe toujours entre un tiers à une moitié de réponses positives lorsque je demande qui a joué aux jeux vidéo ou regardé la télé avant de venir en cours.

était la suivante : si tu attends que je revienne (au bout de 5,5 minutes), tu pourras manger les dix bonbons ; si tu ne veux pas attendre, tu peux à tout moment faire sonner le grelot et manger les deux bonbons. Les participants résistèrent 146 secondes dans la « condition Bob l'éponge », contre 250 secondes, en moyenne, dans les « conditions contrôle » (+ 71 %). Dans une autre tâche de « concentration », l'expérimentateur disait à l'enfant : « Lorsque je dis "touche ta tête", je veux que tu touches tes orteils ; mais quand je dis "touche tes orteils", je veux que tu touches ta tête. » Après dix essais, la consigne changeait (épaule/genou) ; et après dix nouveaux essais elle changeait encore, une dernière fois (tête/épaule). L'enfant obtenait deux points par essai réussi et un point par essai erroné mais corrigé (l'enfant allait d'abord vers la mauvaise cible, avant de revenir vers la bonne). Les participants totalisèrent 20 points dans la « condition Bob l'éponge », contre 32, en moyenne, dans les « conditions contrôle » (+ 60 %). Bref, exciter les circuits d'attention exogène avant de demander à un enfant de mobiliser sa concentration sur toutes sortes de tâches réflexives n'est pas une bonne idée ; au même titre, pour prendre une analogie, qu'il n'est pas particulièrement judicieux de s'offrir un petit concentré de caféine le soir avant d'aller dormir.

À ces préjudices ponctuels s'ajoute évidemment, sur le long terme, l'action conditionnante d'un environnement toujours plus distractif. Les outils mobiles sont alors en première ligne. En ce domaine, même si l'on admet l'extrême variabilité des études d'usage (principalement des sondages), on ne peut qu'être frappé par l'ampleur du problème. Chaque jour, en moyenne, les possesseurs de smartphone, adultes ou adolescents, subiraient entre cinquante et cent cinquante interruptions, soit une toutes les 10 à 30 minutes ; voire une toutes les 7 à 20 minutes si l'on retire 7 heures de sommeil à nos journées[395, 654, 664-665].

Pour moitié, ces interruptions seraient liées à la survenue de sollicitations externes intrusives (messages, SMS, appels, etc.)[666-667]. Pour l'autre moitié, elles proviendraient d'un mouvement endogène compulsif. Celui-ci serait inné. Il refléterait la sélection progressive, au cours du processus biologique d'évolution, des individus les plus « curieux », c'est-à-dire les plus prompts à recueillir et analyser l'information en provenance de leur environnement (en termes d'opportunités ou de dangers). Cette curiosité serait elle-même entretenue par l'activation du système cérébral de récompense[*, 395, 668-670]. Autrement dit, si nous consultons aussi frénétiquement nos appareils mobiles, en dehors de toute nécessité objective, ce serait d'une part parce que nous avons peur (inconsciemment) de rater une information vitale, et d'autre part parce que l'accomplissement du processus de vérification nous offre un petit *shoot* de dopamine fort agréable (et addictif). Ce double mécanisme est désormais fréquemment évoqué à travers l'acronyme anglo-saxon FoMO : *Fear of Missing Out* (que l'on pourrait traduire par, « peur de louper/rater/manquer quelque chose »)[671-673].

En accord avec cette idée, une recherche récente a montré combien il était difficile de résister à « l'appel du portable[301] ». Une population diverse d'élèves (du collège à l'université) fut observée pendant une session de travail d'un quart d'heure. En moyenne, les participants ne passèrent que 10 minutes à étudier. Malgré la présence inquisitive d'un expérimentateur, ils ne parvinrent pas à excéder 6 minutes de concentration avant de se jeter comme des morts de faim sur leurs gadgets électroniques. Six minutes, c'est mieux sans doute que le poisson rouge standard de Microsoft[654] ; mais ce n'est quand même pas faramineux ! Ce résultat fait écho à une

* Voir la note p. 58.

autre étude précédemment citée, montrant que le seul fait d'avoir un portable à portée de main suscite une captation suffisante de l'attention pour perturber la performance intellectuelle ; et ce même si l'appareil demeure inerte. On peut associer cette observation à l'existence d'un âpre combat intérieur mené contre l'impulsif besoin de « vérifier » l'environnement, c'est-à-dire de s'assurer que l'on n'a pas raté une information importante. Le processus est similaire à celui qui s'engage lorsque surgit une sommation externe (bip, sonnerie, vibration, etc.) ; la seule différence tenant alors à la nature du stimulus déclencheur (exogène *versus* endogène). Dans les deux cas, le résultat est le même : le fonctionnement cognitif est perturbé, la concentration souffre et la performance intellectuelle déchoit[426, 674].

Ce qu'il faut réaliser ici, c'est qu'une interruption n'a pas besoin d'être persistante pour être délétère. Selon les termes d'une étude récente, deux à trois secondes d'inattention suffisent largement à « faire dérailler le train de la pensée[675] » ; sans doute parce que ce dernier s'avère étonnamment fragile et qu'une fois déstabilisé, il ne se rétablit pas facilement. Imaginons, par exemple, que l'on vous demande de réaliser un travail de synthèse. Vous êtes en train d'ordonner vos arguments, de les sélectionner, de les trier, de les structurer… et soudain votre téléphone vibre ou émet un bip d'avertissement. Que vous le vouliez ou non, votre attention s'oriente immédiatement vers le message entrant. S'ensuivent plusieurs questions : dois-je regarder, dois-je patienter, dois-je répondre, qui cela peut-il être, etc. ? Le problème, c'est que, même si vous décidez rapidement d'ignorer la perturbation, le mal est fait au sens où il ne s'agit plus alors, comme on pourrait le croire, de récupérer le fil d'une réflexion momentanément interrompue mais fidèlement stockée quelque part dans votre cerveau ; une réflexion qu'il suffirait de « recharger » au cœur de la machinerie neuronale. Non, après l'interruption, il faut reconstruire le flux réflexif, retrouver ses éléments constitutifs et les réassembler pour revenir à l'état originel d'avant l'interruption. Le temps et l'énergie dépensés pour ce faire affectent évidemment, de manière considérable, la fiabilité et la productivité cognitives[676-679]. Et encore, est-ce là le cas de figure le plus favorable. Le détriment empire en effet mécaniquement lorsque la pensée s'active sur des informations offertes « au fil de l'eau », durant un cours, une conférence ou un simple dialogue. Dans ces situations, la suspension attentionnelle crée une double brèche dans l'accès à l'information et le processus de réflexion ; ce qui évidemment se révèle peu propice à l'appréhension des contenus présentés. Ce point a été largement discuté dans le chapitre précédent lorsque furent évoqués les impacts du numérique scolaire sur le développement cognitif. À cette discussion on aurait pu ajouter les nombreuses données expérimentales montrant, dans le cas de la conduite automobile, l'incroyable capacité des notifications et usages mobiles à kidnapper l'attention et, par ce fait, à augmenter massivement le risque d'accident[680-681]. Pour les « textos », par exemple, ce dernier serait multiplié par 23, selon les résultats d'une large étude du ministère américain des transports[682]. Cela n'empêche pas 50 % des parents de consulter leurs messages alors qu'ils conduisent en présence de leurs enfants ; 30 % se permettant même de « texter » activement[683] ! Disant cela, le but n'est pas de culpabiliser qui que ce soit, mais de souligner l'incroyable puissance compulsionnelle de nos outils mobiles.

Faire plusieurs choses à la fois

Au-delà des problèmes d'interruption, c'est bien le sujet général du *multitasking*, autrement dit le fait de réaliser simultanément plusieurs opérations, qui doit être abordé.

Certes, on nous explique que les jeunes auraient changé, que leur cerveau serait aujourd'hui différent, plus vif, plus rapide, plus adapté à la structure éclatée des espaces digitaux. On nous raconte qu'après des millénaires d'entravement l'organisation neuronale des nouvelles générations se serait enfin affranchie des affres de l'accomplissement séquentiel (tâche après tâche) pour atteindre le nirvana des opérations simultanées (le *multitasking*). L'histoire est belle. Mais elle est absurde. Jeune ou vieux, moderne ou ancien, le cerveau humain est parfaitement incapable de faire deux choses à la fois sans perdre en précision, justesse et productivité[343, 679, 684-685]. Notre encéphale n'est pas un processeur informatique. Tout ce qu'il sait faire lorsqu'il doit traiter plusieurs problèmes en même temps, c'est jongler[686-689]. Grossièrement, l'affaire se passe alors de la façon suivante : (1) nous traitons la première tâche (comme lire un texte), puis nous décidons de passer à la seconde ; (2) nous suspendons alors les traitements liés à la tâche 1 et entreposons les éléments acquis dans une mémoire temporaire ; (3) puis nous attaquons la tâche 2 (par exemple, répondre aux messages de Camille sur Snapchat) ; (4) jusqu'à ce que nous décidions qu'il est temps de revenir à la tâche 1 ; (5) nous interrompons alors la tâche 2 et entreposons les éléments pertinents dans une mémoire temporaire ; (6) ensuite, nous récupérons les données relatives à la première tâche (en espérant que rien n'a été oublié et/ou corrompu) et reprenons notre travail là où (supposément) nous l'avions laissé ; (7) et ainsi de suite. Chaque transition demande du temps et favorise la survenue d'erreurs, d'omissions et de perte d'information. Par ailleurs, pour chaque tâche, l'engagement cognitif ne peut être que partiel et mutilé. En effet, le processus de jonglage mobilise, pour son seul fonctionnement, une part très importante des ressources cérébrales. Les tâches cibles doivent alors être traitées avec le reliquat neuronal disponible. Au final, la compréhension du texte lu et la qualité des réponses faites à cette pauvre Camille ont toutes les chances de finir très loin de l'optimum désirable.

Mais ce n'est pas tout. Il est probable aussi que le processus de *multitasking* altérera la mise en mémoire des opérations réalisées[342, 690-691]. En effet, il existe un lien étroit entre la rétention d'un contenu donné et le niveau d'attention qui a été accordé au traitement de ce contenu ; niveau qui, en termes énergétiques, traduit l'ampleur de l'effort cognitif consenti[596]. Or, en situation de *multitasking*, l'attention survole les tâches plus qu'elle ne les pénètre. Il n'est dès lors pas étonnant que la mémorisation, aussi, soit pénalisée lorsque nous faisons plusieurs choses à la fois.

Le même mécanisme rend compte, pour les tâches de prises de notes, de la considérable supériorité du crayon sur l'ordinateur[362, 692]. À ce sujet, les chercheurs ont montré qu'il était plus rapide et moins pénible de taper que d'écrire (chez les individus ayant un minimum d'habitude, évidemment). Dès lors, là où le clavier permet une prise de notes relativement fluide et exhaustive, la main force la parcimonie. Ce faisant, elle impose un effort de synthèse et de reformulation très favorable au processus de mémorisation. Ce lien entre mémorisation et effort cognitif est d'ailleurs assez facile à isoler expérimentalement. Il a ainsi été montré, par exemple, qu'une même information écrite était mieux retenue lorsqu'elle était présentée dans un format moins aisément lisible[693]. De même, il a été établi que la mémorisation de listes lexicales était significativement supérieure lorsque les mots cibles étaient amputés de quelques lettres (ce qui les rendait plus difficilement déchiffrables)[694].

Le potentiel de distraction des univers numériques s'avère donc considérable. Résister à ce déferlement de tentations est difficile ; et ce d'autant plus que les sommations de nos chers outils digitaux activent, nous l'avons vu, les failles les plus intimes de notre organisation neuronale. Nos enfants sont jeunes, c'est vrai ; mais leur cerveau est ancestral. Ce dernier est génétiquement programmé pour acquérir de l'information et recevoir une « récompense » – sous la forme d'un petit *shoot* de dopamine – chaque fois qu'il y parvient[395, 668-670]. Cette réalité, les acteurs économiques d'Internet la maîtrisent remarquablement. Il y a peu, Sean Parker, ancien président de Facebook, admettait d'ailleurs que les réseaux sociaux avaient été pensés, en toute lucidité, pour « exploiter une vulnérabilité de la psychologie humaine[695] ». Pour notre homme, « le truc qui motive les gens qui ont créé ces réseaux c'est : "Comment consommer le maximum de votre temps et de vos capacités d'attention"[696] ? » Dans ce contexte, pour vous garder captif, « il faut vous libérer un peu de dopamine, de façon suffisamment régulière. D'où le *like* ou le commentaire que vous recevez sur une photo, une publication… Cela va vous pousser à contribuer de plus en plus et donc à recevoir de plus en plus de commentaires et de *likes*, etc. C'est une forme de boucle sans fin de jugement par le nombre[696] ». Un discours que l'on retrouve quasiment mot pour mot chez Chamath Palihapitiya, ancien vice-président de Facebook, chargé des questions de croissance et d'audience[697]. La conclusion de ce cadre repenti (qui déclare aujourd'hui se sentir « immensément coupable ») est sans appel : « Je peux contrôler ce que font mes enfants, et ils ne sont pas autorisés à utiliser cette merde ! » Le mot est-il trop fort ? Pas sûr si l'on se réfère au nombre croissant d'études montrant que les comportements de *multitasking* associés aux incessantes sollicitations du monde numérique (notamment des réseaux sociaux) ancrent l'inattention et l'impulsivité cognitives au cœur non seulement de nos habitudes comportementales[691, 698-704], mais aussi, plus intimement, de notre fonctionnement cérébral[705].

À l'aune de ces résultats, il est bien sûr légitime d'envisager l'existence d'une causalité inverse. Comme indiqué dans un article de référence, la question se pose alors comme suit : « Est-ce que plus de *multitasking* numérique cause des différences neuronales et cognitives, ou est-ce que des individus porteurs de telles différences préexistantes tendent à présenter plus de comportements de *multitasking*[706] ? » La réponse est désormais connue et c'est bien le *multitasking* qui, au moins pour une part, est la source des adaptations ci-dessus évoquées. Un premier élément de preuve provient d'une étude expérimentale récente dans laquelle un groupe de jeunes adultes non équipés se vit confier un smartphone durant trois mois[707]. Au terme de cette (relativement brève) période, les participants accusaient une dégradation de performance très significative à un test d'arithmétique rapide sollicitant massivement la fonction attentionnelle. Par ailleurs, ils voyaient leur niveau d'impulsivité cognitive augmenter proportionnellement au temps passé sur le smartphone.

Une seconde preuve de causalité, plus décisive encore, se trouve dans les conclusions, malheureusement assez sombres, de plusieurs études récemment menées chez l'animal. L'idée sous-jacente est alors assez simple : ce que l'on ne peut pas faire avec des humains, on peut parfois le faire assez facilement avec des animaux. En particulier, on peut mettre en place des protocoles de stimulation de l'attention exogène similaires à ceux produits par les environnements numériques auxquels sont exposés les enfants et évaluer les perturbations développementales induites. Une remarque s'impose toutefois. Il ne s'agit pas ici de mettre les animaux dans un environnement enrichi, c'est-à-dire dans un environnement physique et social favorable aux explorations, interactions et apprentissages actifs*. Il s'agit plutôt de les soumettre à une répétition de stimulations sensorielles exogènes sonores, visuelles et/ou olfactives. De manière simple, on pourrait dire que cette différence entre protocoles d'enrichissement et de sollicitation sensorielle recouvre la dualité sémantique du verbe « stimuler ». En effet, celui-ci signifie à la fois « mettre quelqu'un ou quelque chose dans les conditions propres à le faire agir ou réagir » et « soumettre à une excitation, à l'action d'un stimulus »[708]. L'enrichissement relève du premier sens ; la stimulation sensorielle du second. À l'arrivée, l'impact de ces deux démarches sur le développement social, émotionnel, cognitif et cérébral des animaux est évidemment très différent : les situations d'enrichissement se révèlent extrêmement positives[709-711], tandis que les protocoles de stimulations sensorielles s'affirment lourdement nocifs[222]. C'est ce second point qui nous concerne ici. Il a été abordé initialement, chez la souris, par l'équipe de Dimitri Christakis, à l'université de Washington[712]. Les animaux étaient soumis à des stimulations audiovisuelles reproduisant les effets de la télévision. Une exposition quotidienne de 6 heures était maintenue sur une période de quarante-deux jours couvrant l'enfance et l'adolescence des rongeurs. Ces derniers entendaient des bandes-son de dessins animés pour la jeunesse (par exemple *Pokemon* ou *Bakugan*). Ce flux sonore, d'intensité modérée (équivalente à ce que capte typiquement un enfant regardant la télé), était associé au fonctionnement de sources lumineuses colorées (vertes, rouges, bleues et jaunes). À l'âge adulte,

---

* Dans ce cas, typiquement, les animaux sont élevés en groupe, dans des cages spacieuses, dotées d'éléments physiques attrayants, favorables à l'exploration (balles, rampes, roues, tunnels, etc.) et changés régulièrement.

par rapport à des souris standard, les souris stimulées se révélèrent hyperactives, moins stressées et plus enclines à prendre des risques (par exemple, en s'éloignant des murs de la cage ou des espaces sombres). Elles montrèrent aussi des difficultés significatives d'apprentissage et de mémorisation. Le même protocole expérimental fut utilisé dans une étude subséquente[713]. Les auteurs confirmèrent l'émergence de conduites hyperactives sans augmentation du niveau de stress (ce dernier paramètre étant cette fois mesuré directement sur la base de prélèvements sanguins de corticostérone, l'hormone du stress). Toutefois, et c'est là un point essentiel, l'étude montra aussi la plus grande vulnérabilité à l'addiction des animaux stimulés ; vulnérabilité elle-même associée à des modifications profondes du circuit cérébral de récompense. Chez l'humain, ce circuit joue un rôle majeur dans les pathologies de l'addiction et les troubles de déficit de l'attention avec hyperactivité (TDAH) ; deux atteintes souvent liées[714-716].

Ces résultats ne sont toutefois pas spécifiques aux stimulations audiovisuelles. Ils s'expriment de façon similaire dans le cadre de manipulations olfactives[717]. Une recherche récente a, par exemple, étudié deux populations de rats. La première (groupe expérimental) fut soumise quotidiennement, pendant une heure, sur une période de cinq semaines (correspondant grossièrement à l'adolescence de l'animal), à une succession d'odeurs différentes (une toutes les 5 minutes). La seconde (groupe contrôle) fut pour sa part exposée à une odeur unique (résultant du mélange de toutes les odeurs présentées aux rats du premier groupe). À l'âge adulte, les animaux du groupe expérimental présentaient d'importants troubles de l'attention, par rapport à leurs congénères du groupe contrôle.

Bien évidemment, il est impossible, pour d'évidentes raisons éthiques, de conduire ce genre d'expérimentations chez l'humain. Toutefois, plusieurs travaux anciens, menés en crèches ou dans des familles socialement défavorisées, ont confirmé les conclusions des études animales ici rapportées. Ces travaux montrent en effet que l'ampleur du bruit ambiant et, plus globalement, du niveau de stimulation sensorielle, a un impact négatif important sur le développement cognitif[718-720], et en particulier les capacités d'attention[721].

Dans leur ensemble, toutes ces données suggèrent donc fortement qu'un excès de stimulations sensorielles durant l'enfance et l'adolescence agit négativement sur le déploiement cérébral. Trop d'images, de sons et de sollicitations diverses semblent créer des conditions favorables à la survenue de déficits de concentration, de symptômes d'hyperactivité et de conduites addictives. Il est évidemment tentant de rapprocher ces conclusions d'observations épidémiologiques montrant une forte augmentation des diagnostics de TDAH (et des prescriptions médicamenteuses associées) au cours des deux dernières décennies[722-724]. Il est tentant, aussi, de rappeler que la consommation d'écrans récréatifs est, au-delà de ses effets précédemment documentés sur la concentration, significativement associée au risque de TDAH chez l'enfant et l'adolescent[630, 653, 725-726].

En conclusion

Du présent chapitre, il faut retenir que les écrans sapent les trois piliers les plus essentiels du développement de l'enfant.

Le premier concerne les interactions humaines. Plus l'enfant passe de temps avec son smartphone, sa télé, son ordinateur, sa tablette ou sa console de jeux, plus les échanges intrafamiliaux s'altèrent en quantité et en qualité. De la même manière, plus papa et maman s'immergent dans les méandres digitaux, moins ils sont disponibles. Ce double mouvement serait anodin si les écrans fournissaient à l'enfant une « nourriture » cérébrale adéquate, c'est-à-dire possédant une valeur nutritive égale ou supérieure à celle des rapports vivants et incarnés. Mais tel n'est pas le cas. Pour le développement, l'écran est une fournaise quand l'humain est une forge.

Le deuxième touche au langage. En ce domaine, l'action des écrans opère selon deux axes complémentaires. D'abord, en altérant le volume et la qualité des échanges verbaux précoces. Ensuite, en entravant l'entrée dans le monde de l'écrit. Bien sûr, au-delà de l'âge de 3 ans, certains contenus audiovisuels dits « éducatifs » peuvent enseigner quelques éléments lexicaux à l'enfant. Les acquis alors enregistrés sont toutefois infiniment plus chronophages, parcellaires et superficiels que ceux offerts par la « vraie vie ». Autrement dit, en matière de développement du langage, ce n'est pas parce qu'il est préférable de mettre l'enfant devant un écran plutôt que de l'enfermer seul dans le noir d'un placard à balais[727] que l'on peut sans dommage, en l'absence de placard, remplacer l'humain par l'écran. Car, encore une fois, l'enfant n'a besoin pour déployer son verbe ni de vidéos ni d'applications mobiles ; il a besoin qu'on lui parle, qu'on sollicite ses mots, qu'on l'encourage à nommer les objets, qu'on l'incite à organiser ses réponses, qu'on lui raconte des histoires et qu'on l'invite à lire.

Le troisième point porte sur la concentration. Sans elle, pas moyen de mobiliser la pensée sur un but. Or, les jeunes générations sont immergées dans un environnement numérique dangereusement distractif. L'influence des jeux vidéo n'est pas moins nocive que celle de la télé ou des outils mobiles. D'ailleurs, peu importe le support et peu importe le contenu ; la réalité c'est que le cerveau humain n'a simplement pas été conçu pour une telle densité de sollicitations exogènes. Soumis à un flux sensoriel constant, il « souffre » et il se construit mal. Dans quelques dizaines ou centaines de milliers d'années, les choses auront peut-être changé, si notre brillante espèce n'a pas, d'ici là, disparu de la planète. En attendant, c'est à un véritable saccage intellectuel que nous sommes en train d'assister.

7

Santé : une agression silencieuse

La communauté scientifique affirme depuis des années que « les médias [électroniques] doivent être reconnus comme un problème majeur de santé publique[728] ». Il faut dire que le corpus de recherche associant consommations numériques récréatives et risques sanitaires est exorbitant. La liste des champs touchés paraît sans fin : obésité, comportement alimentaire (anorexie/boulimie), tabagisme, alcoolisme, toxicomanie, violence, sexualité non protégée, dépression, sédentarité, etc.[55, 236, 729]. À l'aune de ces données, on peut affirmer, sans ciller, que les écrans sont parmi les pires faiseurs de maladies de notre temps (les médecins diraient les pires « morbifiques »). Or, le sujet reste encore largement ignoré des articles et ouvrages de vulgarisation. Mieux, j'en ai parlé dans la première partie, il semble offrir à la cohorte des esbroufeurs médiatiques ses meilleures occasions de railleries. Alors faisons trois choses : suspendons un instant les ironies vaseuses ; regardons précisément les données ; et demandons-nous effectivement s'il y a vraiment là matière à rire et persifler.

Encore une fois, il ne sera pas question de prétendre ici à l'exhaustivité tant les recherches potentiellement pertinentes sont variées et profuses. Nous nous limiterons à l'essentiel et nous concentrerons sur trois problématiques solidement étudiées, relatives à l'impact, sur la santé, des troubles du sommeil, de la sédentarité et des contenus « à risque » (sexe, violence, tabagisme, etc.).

Un sommeil brutalement mis à mal

Au sujet des écrans, bien des ouvrages et rapports abordent la question du sommeil. Toutefois, dans la plupart des cas, cette évocation prend la forme d'une simple et brève mention. Elle ne fait l'objet d'aucun développement précis et documenté[52, 75, 730-732]. Comme si la question n'était pas, après tout, de première gravité. Comme s'il s'agissait là, finalement, d'une difficulté relativement secondaire. Les parents eux-mêmes semblent, d'ailleurs, partager cette vision, si j'en crois mon expérience personnelle. Jamais, en effet, je n'ai été relancé sur le thème du sommeil à l'issue des nombreuses conférences que j'ai consacrées à la question du numérique. Cela tient, je crois, à la conviction populaire selon laquelle on dort pour se reposer ; et si l'on ne se repose pas tout à fait assez, ce n'est pas dramatique. On est juste un tantinet fatigué, on bâille un peu plus que de coutume, mais on s'en sort quand même.

Pendant que nous dormons, le cerveau travaille

Le souci, c'est qu'on ne dort pas pour se reposer. On dort parce qu'il est des tâches que notre cerveau ne peut conduire lorsque nous sommes actifs. Une analogie (schématique) permet de clarifier ce point. Imaginez un supermarché le premier jour des soldes. Dès l'ouverture une masse de clients envahit les rayons. Des produits sont enlevés, d'autres déplacés, d'autres cassés. Déchets, rebuts et balayures jonchent le sol. Débordés, les employés tentent de parer au plus pressé. Ils s'activent pour ravitailler les gondoles, enlever les détritus, informer les clients, tenir les caisses, etc. Mais, malgré leurs efforts, la situation se détériore inexorablement. Arrive alors le soir et le moment de fermer le magasin. Les clients s'en vont. Le calme revient. Les salariés peuvent enfin réparer les dégâts. Ils restaurent ce qui doit l'être, nettoient les sols, approvisionnent les rayons, inventorient les stocks, comptent les recettes des caisses, préparent le jour à venir, etc. Notre organisme est un peu à l'image de ce supermarché. En journée, les « employés neuronaux » s'affairent à contrôler la frénésie courante. Tout travail de fond s'avère inaccessible. Puis tombe l'heure de la « fermeture », lorsque perce le sommeil. Le cerveau se trouve opportunément libéré d'une bonne part de sa charge. Il peut se consacrer à ses missions essentielles d'entretien. Le corps est réparé. Les souvenirs sont triés et rangés, les apprentissages stabilisés, la croissance stimulée, les infections et maladies combattues, etc. Au terme de la nuit, voilà la machine remise sur pied, prête à affronter la fougue du jour naissant. Le rideau se relève et le sommeil s'estompe.

Imaginons maintenant que la période de « fermeture » soit juste un peu trop courte ou trop perturbée pour autoriser la complète réalisation des nécessaires opérations de maintenance. Si l'incident est rare, il ne posera aucun problème majeur. Par contre, s'il devient chronique, il finira par causer d'importants dégâts. En effet, lorsque l'organisme n'est plus correctement entretenu, son fonctionnement se détériore. Comme le montre la table 1 p. 339, c'est alors l'intégrité de l'individu tout entier qui se trouve ébranlée dans ses dimensions cognitives, émotionnelles et sanitaires les plus cardinales. Au fond, le message porté par l'énorme champ de recherches disponible sur le sujet peut se résumer de manière assez simple : un humain (enfant, adolescent ou adulte) qui ne dort pas bien et/ou pas assez ne peut fonctionner correctement[39, 733, 734]. Quelques études représentatives permettent de le démontrer.

Santé, émotions, cognition : le sommeil contrôle tout

Commençons par les émotions et un travail mené sur une large population adolescente (environ 16 000 jeunes). Il s'agissait, pour les auteurs, d'analyser le rôle des consignes parentales et, plus précisément, de l'heure imposée du sommeil. Les résultats montrèrent une augmentation substantielle du risque de dépression (+ 25 %) et des pensées suicidaires (+ 20 %) chez les adolescents autorisés à se coucher au-delà de minuit (adolescents qui, de fait, présentaient un temps de sommeil amoindri)[735]. Ces résultats font écho à plusieurs recherches récentes montrant que le manque de sommeil perturbe la réactivité et la connectivité des circuits cérébraux impliqués dans la gestion des émotions[40, 736-737].

En matière de santé, nombre de travaux se sont intéressés à la question de l'obésité[38, 162]. Une étude a établi, par exemple, que des sujets de poids normal triplaient leur risque de devenir obèse à échéance de six ans lorsqu'ils ne dormaient pas assez (moins de 6 heures par jour)[738]. Un résultat, là encore, peu surprenant si l'on considère que le manque de sommeil (à travers notamment les dérèglements biochimiques – en particulier hormonaux – qu'il induit), stimule la faim[739], oriente le cerveau vers les aliments hédoniques les plus obésigènes[740] et diminue la dépense énergétique diurne[741].

Concernant enfin la sphère cognitive, une étude récente est particulièrement intéressante[742]. Les auteurs ont suivi quelque 1 200 enfants depuis l'entrée en maternelle jusqu'à la fin du primaire (entre 2,5 et 10 ans). Les résultats révélèrent une durée de sommeil relativement stable au cours du temps pour la plupart des participants.

De manière frappante, à l'âge de 10 ans, le groupe des petits dormeurs (entre 8 h 30 et 9 heures de sommeil par nuit) avait, par rapport au groupe de référence (11 heures de sommeil par nuit), 2,7 fois plus de risques de présenter des retards de langage. Cet accroissement n'était « que » de 1,7 pour les dormeurs moyens (10 heures de sommeil par nuit). Là encore, ces données n'ont rien de surprenant quand on sait l'importance du sommeil pour le fonctionnement de la mémoire, l'efficience de l'attention et le processus de maturation cérébrale (*cf.* table 1 ci-dessous).

Terminons par une recherche un peu plus légère montrant que même les mécaniques les mieux réglées se dégradent lorsque le sommeil fait défaut[743]. Les auteurs se sont intéressés aux basketteurs de la ligue professionnelle

Cognition	↘ Prise de décision, notamment dans le cadre de tâches complexes[744-746] ↘ Attention[11, 12, 655-658, 747] ↘ Mémorisation[12, 748-750] ↘ Maturation cérébrale et développement cognitif[13, 24-26, 742, 751-752] ↘ Créativité (résolution de problème complexes)[753] ↘ Résultats scolaires[14, 16-17, 754-756] ↘ Productivité au travail[757-758]
Émotion	↗ Désordres émotionnels (dépression, suicide, anxiété, etc.)[40, 735-737, 759-765] ↗ Impulsivité, hyperactivité, troubles du comportement[16, 655, 747, 752, 756, 766-769] ↗ Agressivité[17, 761, 770]
Santé	↗ Obésité[28-30, 38, 162, 738, 771-773] ↗ Diabète de type 2[774-775] ↗ Risque cardio-métabolique (hypertension, diabète, infarctus, etc.)[42, 776-779] ↘ Réponse immunitaire[18, 20, 780] ↘ Intégrité cellulaire (en particulier, correction des dommages infligés à l'ADN par l'activité cellulaire)[781] ↗ Mortalité[782-783] ↗ Accidents de la route et du travail[41, 784-785] ↗ Risque de démence[44, 46-50]

Table 1. Impact du manque de sommeil sur l'individu. Lorsque le sommeil est chroniquement altéré, l'ensemble de notre fonctionnement cognitif, émotionnel et sanitaire est malmené (les flèches ↘ diminution et ↗ augmentation soulignent l'effet d'un sommeil durablement perturbé et/ou insuffisant sur la fonction considérée ; par exemple : ↘ diminution des facultés d'attention et ↗ augmentation du risque d'obésité).

américaine* ayant maintenu un compte Twitter actif sur la période 2009-2016. Cent douze joueurs furent identifiés. Pour chacun d'entre eux, deux informations furent collectées : (1) les statistiques de performance ; (2) l'émission (ou non) de tweets tardifs (au-delà de 23 heures) la veille des matchs. Ces informations furent ensuite croisées pour déterminer si la performance changeait lorsque le joueur s'était couché plus tard le soir précédant la rencontre (ce dernier paramètre étant inféré à partir des activités observées sur Twitter). Sans surprise, nos amis basketteurs se montrèrent plus performants lorsqu'ils avaient pris soin de leur sommeil. Ils marquèrent alors plus de points (+ 12 %) et gagnèrent plus de rebonds (+ 12 %).

Dormir moins et moins bien par la faute des écrans

On pourrait, presque à l'infini, multiplier ce genre d'exemples. Mais cela ne changerait rien au constat d'ensemble, à savoir que le sommeil est la clé de voûte de notre intégrité émotionnelle, sanitaire et cognitive. C'est particulièrement vrai chez l'enfant et l'adolescent, lorsque le corps et le cerveau se développent activement. Cela étant dit, il faut se garder de croire que seuls comptent ici les grands chambardements. Depuis cinquante ans, en effet, bien des études ont démontré que des modulations apparemment modestes du temps de sommeil pouvaient avoir des influences majeures sur le fonctionnement de l'individu. Il est ainsi possible de l'améliorer (ou de le dégrader) très significativement en allongeant (ou en raccourcissant) de 30 à 60 minutes les nuits de notre progéniture[10, 786-790].

Des valeurs qu'il est assurément tentant de rapporter à l'orgie numérique expérimentée chaque jour par les

* La fameuse NBA : National Basket Association.

jeunes générations. Ce parallèle semble d'autant plus fondé qu'il renvoie à une double réalité aujourd'hui largement établie. Premièrement, un grand nombre d'enfants et d'adolescents (entre 30 % et 90 % selon l'âge, les pays et les seuils retenus) présentent un temps de sommeil très inférieur aux minima recommandés[733, 791-796]. Deuxièmement, pour une part significative, cette dette de sommeil, en sérieuse augmentation depuis vingt ans[792, 795, 797], est liée à des consommations numériques de plus en plus massives[55, 105, 796, 798-799]. Tous les supports et usages sont alors concernés, depuis la télé jusqu'aux jeux vidéo, en passant par le smartphone, la tablette et les réseaux sociaux[73, 148, 795, 800-806]. De même, tous les paramètres du sommeil sont touchés, qu'ils soient qualitatifs (nuits fractionnées, difficultés d'endormissement, parasomnies, etc.) ou quantitatifs (durée).

Par exemple, une vaste méta-analyse regroupant plus de 125 000 individus de 6 à 19 ans a récemment identifié « une association forte et robuste entre l'usage d'appareils numériques [portables] à l'heure du coucher et une quantité de sommeil inadéquat (risque multiplié par 2,17), une qualité de sommeil médiocre (risque multiplié par 1,46) et une somnolence diurne excessive (risque multiplié par 2,72)[799] ». Des résultats compatibles avec ceux d'un autre travail ayant montré, chez des sujets de 11 à 13 ans, que l'usage fréquent d'outils numériques divers avant le coucher augmentait significativement la probabilité de voir l'enfant endurer, plusieurs fois par semaine, des nuits incomplètes, en raison d'un éveil prématuré sans possibilité de ré-endormissement. Le risque était précisément multiplié par 4,1 pour la télévision ; 2,7 pour les jeux vidéo ; 2,9 pour le téléphone portable ; et 3,5 pour les réseaux sociaux[800]. Dans un autre travail encore, il fut établi que les adolescents qui consommaient plus de 4 heures d'écrans par jour avaient 3,6 fois plus de risques de dormir très peu (moins de 5 heures), 2,7 fois plus de risques de dormir peu (5-6 heures) et 2,1 fois plus de risques de dormir insuffisamment (6-7 heures)[73]. Une observation confirmée par une recherche ultérieure montrant que plus de la moitié des gros consommateurs d'écrans (plus de 5 heures par jour) dormaient moins de 7 heures par nuit. Cette proportion n'était que d'un tiers chez les petits utilisateurs (moins de 1 heure par jour)[795].

Au-delà des populations d'âge scolaire, les chercheurs se sont aussi penchés sur le cas des bébés et jeunes enfants. Il a alors été montré, par exemple, pour des gaillards de 6 à 36 mois, que chaque heure quotidienne passée à taquiner la tablette ou le smartphone réduisait le temps de sommeil nocturne de presque 30 minutes[802]. Dans une autre recherche, impliquant des sujets de 3 ans, c'est l'impact de la télévision qui fut étudié. Les analyses révélèrent que les participants disposant d'un poste dans leur chambre avaient, lorsqu'on les comparait à leurs pairs non équipés, presque 2,5 fois plus de risques d'endurer un sommeil troublé et peu réparateur (cauchemars, terreurs nocturnes, fatigue au réveil, etc.)[148]. Des résultats compatibles avec les conclusions d'un travail antérieur ayant montré que les enfants de 2 à 5 ans qui passaient plus de deux heures par jour sur un écran mobile avaient, par rapport à leurs homologues plus parcimonieux (moins de 1 heure par jour), presque deux fois plus de risques de présenter une durée de sommeil insuffisante. Pour les 0-1 an, ce risque était allègrement quadruplé[805].

Là encore, on pourrait multiplier les exemples. Mais cela ne changerait rien au message d'ensemble : les consommations numériques récréatives ont un impact délétère majeur sur le sommeil des enfants et adolescents. En termes de causalité, cette association n'est nullement mystérieuse. Elle s'appuie sur quatre grands leviers[55, 105, 796, 798-799]. Premièrement, les écrans retardent l'heure du coucher. Ce faisant, ils écourtent la durée du sommeil, en particulier les jours de semaine, lorsque l'heure de réveil est imposée par le rythme scolaire. Concernant cette observation, il a d'ailleurs été montré que le fait de retarder le début des cours affectait positivement le temps de sommeil et, par suite, la performance scolaire[733, 807-808]. Deuxièmement, les écrans augmentent la latence d'endormissement (c'est-à-dire le temps qui s'écoule entre le coucher et l'instant où Morphée vous saisit). Le problème est alors dû, notamment, à l'action perturbatrice des terminaux visuels modernes sur la sécrétion de mélatonine[*, 809-811]. Troisièmement, les écrans (en particulier les écrans mobiles) interrompent la continuité de nos nuits. Ce faisant, ils affaissent tant la durée que la qualité du sommeil. Une étude récente a ainsi montré que près de 50 % des jeunes adultes répondaient à des sollicitations entrantes (SMS, courriels) et consultaient leur smartphone (pour autre chose que l'heure) au moins une fois par nuit[812]. Dans une autre recherche, ce sont quasiment 20 % des adolescents qui déclarèrent être réveillés par leur smartphone plusieurs nuits par semaine[813]. Ces discontinuités imposées au sommeil ont évidemment un lourd impact sur le fonctionnement cognitif et émotionnel des utilisateurs[814-818]. Quatrièmement, enfin, certains contenus particulièrement excitants, stressants et/ou anxiogènes retardent l'endormissement et altèrent la qualité du sommeil. Par exemple, dans un travail déjà évoqué au sein de la première partie[819], des collégiens jouaient à un jeu vidéo d'action (course automobile) pendant 60 minutes, 2 à 3 heures avant d'aller dormir (un délai conséquent). Deux résultats majeurs furent obtenus : d'abord, une

---

* La mélatonine, dite « hormone du sommeil », est impliquée dans le contrôle du cycle veille-sommeil. Sa sécrétion dépend des caractéristiques de luminosité. Or, lorsque le soir tombe, certaines composantes de la lumière émise par les écrans font « croire » au cerveau qu'il fait encore jour, ce qui inhibe la sécrétion de mélatonine et, *in fine*, retarde l'endormissement.

forte augmentation du temps écoulé entre le coucher et l'endormissement (+ 22 minutes) ; ensuite, une plus grande difficulté à entrer en sommeil profond (impliqué notamment dans les processus de mémorisation[820-821] : celui-ci représentait 34 % du temps total de sommeil en « condition contrôle », contre seulement 29 % en « condition jeux vidéo »). Dans un autre travail, c'est l'impact de la télé qui fut étudié, sur une population de jeunes enfants (5-6 ans)[822]. Ceux qui étaient régulièrement exposés à des programmes qui ne leur étaient pas destinés avaient trois fois plus de risques de présenter un sommeil fortement perturbé (difficulté d'endormissement, réveils nocturnes, etc.). Peu importe alors la nature active (l'enfant regarde la télé) ou passive (l'enfant fait autre chose pendant que la télé fonctionne à proximité) de l'exposition.

Une remarque s'impose ici. Lorsqu'un enfant se couche le soir à des heures aberrantes, lorsqu'il multiplie les cauchemars et les réveils nocturnes, lorsqu'il s'endort sur sa table à l'école, lorsqu'il témoigne d'une irritabilité exagérée, il est aisé de comprendre (pour autrui) et de ressentir (pour l'enfant) que quelque chose dysfonctionne au pays de Morphée. L'affaire se complique quand le degré d'atteinte se révèle moins grossier. Ainsi, lorsqu'un enfant qui se couche raisonnablement tôt met juste un peu trop de temps à s'endormir, lorsqu'un adolescent qui semble fonctionner convenablement paraît un poil trop nonchalant, lorsqu'un sommeil qui montre une durée manifestement respectable change un tantinet de structure au détriment des phases profondes, le problème peut facilement échapper à la vigilance du dormeur et de son entourage. Cette cécité n'est pas sans conséquence. Elle explique, par exemple, que les parents soient aussi nombreux à démentir l'action négative de la télévision sur le sommeil (90 %) et à faire du petit écran un élément régulier des routines d'endormissement du jeune enfant (77 %)[806]. Un tiers des adultes qui mettent une télé dans la chambre de leur progéniture vont jusqu'à affirmer que cela favorise l'endormissement[823].

Les éléments ici présentés montrent l'extravagance de ce type de croyances. Bien sûr, si l'on reste le soir devant un écran, quel qu'il soit, on finit par être fatigué. Il est alors tentant de penser que c'est l'écran qui nous porte au sommeil. Dans la réalité, malheureusement, c'est l'inverse qui se passe : les activités digitales nocturnes ne suscitent pas l'endormissement, elles le repoussent jusqu'à ce que l'impression de fatigue devienne trop impérieuse pour être dédaignée. Autrement dit, on croit que l'écran nous a patiemment endormis quand il n'a fait que retarder indûment notre plongée dans le sommeil. S'il en fallait une ultime preuve, on pourrait la trouver dans une étude destinée à mesurer, sur une population adolescente, le « potentiel dormitif » de quatre activités courantes : télé, jeux vidéo, musique et livre[824]. Résultat : les participants qui utilisaient un média électronique pour s'endormir (télé, jeux vidéo et/ou musique) se couchaient plus tard et présentaient un temps de sommeil notablement réduit (environ 30 minutes). Une influence inverse fut observée pour les livres dont l'action sur le temps sommeil se révéla, via l'anticipation de l'heure de coucher, légèrement positive (de l'ordre de 20 minutes).

Au fond, ces données ne font que révéler, une nouvelle fois, la totale inadaptation de notre ancestrale physiologie aux sacro-saintes injonctions de la modernité numérique. L'organisme peut se passer d'Instagram, Facebook, Netflix ou *GTA* ; il ne peut pas se priver d'un sommeil optimal, ou tout du moins pas sans conséquences majeures. Perturber une fonction aussi vitale pour satisfaire des distractions à ce point subalternes relève de la folie furieuse. Mais, cette folie, on ne peut la reprocher à ses victimes. Elle est inscrite en nous, portée par les fragilités de notre système cérébral de récompense*, système que les activités numériques savent solliciter avec un rare talent. Au regard de sa susceptibilité hédonique, le cerveau de nos enfants n'est guère différent de celui de tous ces bons vieux rats de laboratoire. Des rats capables de sacrifier leurs besoins les plus primitifs (alimentation, reproduction, etc.) lorsqu'ils se voient offrir l'opportunité de stimuler électriquement, à l'aide d'une pédale, certaines cellules clés de leur système de récompense[825]. Il n'est vraiment pas facile pour un enfant ou un adolescent de lutter contre cette préséance physiologique ; surtout quand des armées de chercheurs offrent, sans honte, au monde industriel toutes les clés requises pour transformer chaque faiblesse biologique potentielle en bonnes devises sonnantes et trébuchantes.

Si encore cette orgie digitale rendait nos enfants heureux, on pourrait sans doute se faire une raison. Mais ce n'est pas le cas ! Depuis quelques années maintenant, les études s'accumulent pour montrer l'existence d'un lien étroit, au sein des jeunes générations, entre consommation numérique** et souffrance psychique (dépression, anxiété, mal-être, suicide, etc.)[113-130, 826]. L'impact des écrans sur le sommeil fournit une base explicative directe et solide à ce désastre.

Une sédentarité dévastatrice

Au-delà du sommeil, si l'on devait dresser un palmarès des préjudices méconnus du numérique, la sédentarité finirait à coup sûr lauréate. Un grand nombre d'ouvrages

---

* Voir la note p. 58.

** L'effet s'observe typiquement pour des usages supérieurs à 2-3 heures quotidiennes, même si certaines études ont rapporté un effet dès 60 minutes[128].

et rapports destinés au grand public ne mentionnent même pas le sujet[52, 75, 730-732, 827]. Il faut dire que celui-ci n'est pas trivial.

Typiquement, la sédentarité se définit de manière négative, par l'absence prolongée d'activité physique. Dans ce cadre, le sédentaire c'est celui qui reste assis ou couché sans bouger pendant de longues périodes (hors sommeil). Sous son apparence banale, la précision est importante. Elle indique, en effet, que l'on peut être à la fois sédentaire et actif. Un facteur, par exemple, peut marcher copieusement la journée au travail et se gaver chaque soir de séries télévisuelles assis dans son fauteuil. De même, un lycéen peut courir ou jouer au foot régulièrement et rester assis pendant des heures derrière les manettes de sa console de jeux. Pour rendre compte de cette dissociation, des chercheurs ont récemment proposé le concept de « mollasson actif »[*, 828]. Par-delà son côté provocateur, l'expression porte un double message. Premièrement, les influences (positives) de l'activité physique et les impacts (délétères) de la sédentarité doivent être étudiés indépendamment. Deuxièmement, un niveau d'activité physique important ne préserve pas l'individu (ou en tout cas pas totalement) des méfaits de la sédentarité. Précisons que nous ne pourrons offrir ici une vision générale du problème (au travail, à l'école, dans les transports, etc.). Nous nous intéresserons uniquement aux comportements sédentaires relevant des consommations numériques récréatives.

---

* L'expression exacte est *active couch potato* (littéralement « patate de canapé active »). Elle fait référence à la formule *couch potato*, aujourd'hui courante chez les Anglo-Saxons pour caricaturer un spectateur passif et ventru qui regarde la télé en se gavant de chips et de soda.

Rester assis dégrade la santé

En préambule, sans doute est-il important de rappeler que la mécanique humaine n'a pas été conçue pour rester assise de manière chronique, sur de longues durées. La sédentarité abîme notre organisme. Pire, elle finit par le tuer prématurément[829]. Pour une part, ce triste constat repose sur l'étude d'un comportement très répandu : regarder la télévision. Dans ce domaine, l'une des premières études[235] a suivi pendant sept ans une large population adulte (près de 9 000 personnes ; âge supérieur à 25 ans). Les résultats montrèrent que chaque heure quotidienne passée devant le petit écran augmentait le risque de décès (toutes causes confondues) de presque 10 %*. Pour les seules pathologies cardio-vasculaires, la « punition » atteignait quasiment 15 %. Dans un autre travail, tout aussi bien contrôlé, c'est un large groupe de jeunes adultes (environ 13 500 personnes ; 37 ans d'âge moyen) qui fut suivi pendant huit ans[830]. Les résultats révélèrent un doublement du risque létal lorsque le niveau quotidien de consommation audiovisuelle passait de moins de une heure à plus de 3 heures. Une recherche plus récente (4 500 participants ; plus de 35 ans) a étendu ces données à l'ensemble des usages du numérique récréatif**, [831]. Le risque de décès était multiplié par 1,5 lorsque le temps quotidien d'écran passait de moins de 2 heures

---

* Même si la précision a généralement été omise (voir la note p. 246), peut-être n'est-il pas inutile de rappeler que toutes les données ici décrites sont obtenues après prise en compte de nombreuses covariables potentielles. Dans le cas présent, par exemple, cela inclut outre le niveau d'activité physique : le sexe, l'âge, l'alcoolisation, le tabagisme, l'obésité, le diamètre abdominal, le régime alimentaire, le niveau d'éducation, le taux de cholestérol, etc.

** Les temps d'usage non-récréatif étaient explicitement exclus de l'étude.

à plus de 4 heures. La probabilité de survenue d'une pathologie cardio-vasculaire (fatale ou non) était pour sa part doublée.

Récemment, plusieurs équipes ont entrepris de reformuler toutes ces données d'une manière moins austère. L'approche révéla qu'aux États-Unis l'espérance de vie augmenterait de presque un an et demi si la consommation télévisuelle moyenne passait sous la barre des deux heures quotidiennes[832]. Un résultat comparable fut rapporté par une équipe australienne, mais à rebours[833]. Les auteurs montrèrent en effet que la sédentarité télévisuelle amputait de quasiment deux ans l'espérance de vie des habitants de ce pays. Formulé différemment, cela veut dire « [qu'] en moyenne, chaque heure passée à regarder la télévision après 25 ans réduit l'espérance de vie du spectateur de 21,8 minutes ». En d'autres termes, publicité comprise, chaque épisode de *Mad Men*, *Dr House* ou *Game of Thrones* enlève presque 22 minutes à votre existence (et bien plus sans doute si l'on intègre, au-delà de la simple sédentarité, l'impact de la télé sur les consommations tabagiques, alimentaires, alcooliques, etc. ; nous y reviendrons plus loin). Toutes ces données ont récemment été corroborées et étendues au risque diabétique (de type 2) par une large méta-analyse[834]. D'autres travaux, cependant moins bien contrôlés, ont également associé l'excès d'écrans et de position assise à l'émergence de désordres émotionnels (dépression, anxiété, suicide)[835-838]. Chez le sujet âgé, un impact a aussi été observé sur le déclin cognitif et l'apparition de troubles neurodégénératifs (dont la maladie d'Alzheimer)[839].

À ce jour, malheureusement, les mécanismes susceptibles de rendre compte de toutes ces observations restent encore mal connus. La piste la plus prometteuse est d'ordre biochimique. Elle suggère que la position assise engendre, au niveau musculaire, des troubles métaboliques importants, dont l'accumulation se révèle dangereuse à long terme*, [828, 840-842].

Ne pas bouger menace le développement

Bref, il ressort de ces données que la sédentarité occasionnée par les consommations numériques est, par elle-même, un facteur important de risque sanitaire et (potentiellement) une source de pathologies émotionnelles et neurodégénératives. Autrement dit, ce n'est pas parce que Lucie fait beaucoup de sport que sa santé ne pâtira pas des heures qu'elle consacre quotidiennement à Netflix et sa console de jeux. Cela étant dit, les impacts potentiels sur son organisme seront vraisemblablement bien plus mesurés que ceux subis par le commun de la population. En effet, les « mollassons actifs » ne font nullement partie du groupe majoritaire. Ils sont l'exception, pas la règle. Cela se comprend facilement si l'on inclut le temps à l'équation. On voit alors qu'il n'est vraiment pas facile de conserver un espace suffisant d'activité physique quand on offre chaque jour 4, 5, 6 ou même 7 heures aux écrans récréatifs. Un grand nombre d'études ont d'ailleurs montré l'existence, chez l'enfant, l'adolescent et l'adulte, d'une relation négative entre temps d'écrans et activité physique[139, 226, 843-849] Ce lien transparaît indirectement dans la baisse graduelle, constatée au cours des quarante dernières années, des capacités cardio-vasculaires de nos enfants[850-852]. Un récent communiqué de la Fédération française de cardiologie résume bien le constat : « En

* De manière schématique, la sédentarité entraînerait une réduction de l'activité d'une enzyme (la lipoprotéine lipase ou LPL) impliquée dans le métabolisme des lipides et, plus précisément, dans le captage des acides gras circulant dans le sang. Par ce biais, la sédentarité provoquerait notamment une accumulation des graisses non captées au sein des organes (foie, cœur) et vaisseaux sanguins ; ce qui favoriserait le risque cardio-vasculaire.

1971 [soit à peu près au début du processus d'universalisation de la télévision], un enfant courait 800 mètres en 3 min, en 2013 pour cette même distance, il lui en faut 4[853]. »

Bien sûr, les écrans ne sont pas seuls en cause. Le développement d'une urbanisation toujours plus favorable à l'inactivité physique, par exemple, joue aussi un rôle indiscutable[854-855]. Mais ce rôle, et l'implication d'autres facteurs potentiels, ne saurait dédouaner la « révolution numérique » de sa responsabilité. Nombre d'études confirment d'ailleurs l'existence d'un lien délétère significatif entre consommation d'écrans et affaissement des capacités physiques, notamment en matière d'endurance[121, 856-860]. En outre, une recherche récente a montré, au sein d'une large population infantile (environ 4 500 enfants âgés de 6 ans), que une heure quotidienne d'écrans suffisait à perturber le développement du système cardio-vasculaire[234]. Bien qu'il n'existe encore, en ce domaine, aucune étude longitudinale (c'est-à-dire ayant suivi les mêmes sujets pendant plusieurs années), des indices convergents indiquent que les anomalies alors observées pourraient être associées à un accroissement du risque pathologique à un âge plus avancé[861-864]. Cet impact lointain pourrait expliquer, par exemple, en partie, l'augmentation impressionnante du nombre d'accidents vasculaires cérébraux (AVC) depuis une trentaine d'années chez le jeune adulte[865-866].

Évidemment, l'activité physique ne limite pas ses bienfaits au seul système cardio-vasculaire. Comme le sommeil, elle exerce une action positive profonde sur l'ensemble du fonctionnement individuel, depuis la mémoire, l'attention ou le développement cérébral, jusqu'à la protection contre l'obésité ou le risque de dépression[867-872]. Cette générosité a cependant un « coût ». Pour les enfants et adolescents, une relative unanimité se dégage pour placer celui-ci à 60 minutes quotidiennes d'activité physique modérée et/ou vigoureuse ; avec l'idée, toutefois, que c'est là une borne basse qui ne demande qu'à être dépassée[873-875]. Or, toutes les recherches disponibles indiquent, quel que soit le pays concerné, que nos chers *digital natives* ont toutes les peines du monde à atteindre ce jalon minimum[876]. En France, par exemple, seuls 20 % des enfants (âgés de moins de 11 ans) et 33 % des adolescents (11-17 ans) passent la barre fatidique[877]. Aux États-Unis, ces valeurs s'établissent à 43 % pour les 6-11 ans, 8 % pour les 12-15 ans et 5 % pour les 16-19 ans[878]. Une étude récente a montré qu'un adolescent de 18 ans affiche aujourd'hui à peu près le même niveau d'activité physique qu'un senior de 60 ans[879]. Dès lors, il est facile de comprendre que cette « épidémie d'inactivité », pour reprendre les termes d'un rapport de l'Académie américaine de pédiatrie[880], a des conséquences dramatiques sur le développement, tant de l'enfant que de l'adolescent. Il est clair qu'une limitation du temps d'écrans ne résoudra pas, à elle seule, la totalité du problème. Mais il est clair aussi que la mise en place d'une telle limitation contribuerait largement à réduire les atteintes.

L'influence des contenus numériques

Les éléments présentés jusqu'ici indiquent que l'influence délétère des écrans récréatifs est, pour une large part, aspécifique, c'est-à-dire indépendante des outils utilisés et programmes consommés. Cela ne veut pas dire, cependant, que la question des contenus est dépourvue d'importance ; bien au contraire. Les pages précédentes nous ont permis de le souligner en montrant, par exemple, le rôle négatif des jeux vidéo d'action et des images anxiogènes sur le sommeil. Dans ce qui suit, ce sujet est abordé sous un angle bien plus systématique, avec deux objectifs : (1) caractériser l'impact sur le comportement de certains contenus audiovisuels particuliers (en lien avec le tabac, le sexe, la violence, etc.) ; (2) décrire les mécanismes neurophysiologiques alors mis en jeu. C'est par ce second point que nous débuterons. En effet, une fois explicités les processus qui mènent du contenu à l'action, il sera plus facile d'appréhender l'ampleur et la pluralité des atteintes observées.

La mémoire : une machine à créer des liens

Dans une œuvre célèbre d'Antoine de Saint-Exupéry, un renard solitaire croise le chemin d'un petit prince mélancolique[881]. « Viens jouer avec moi », propose ce dernier. « Je ne puis pas jouer avec toi », répond l'animal, « je ne suis pas apprivoisé. » « Ah ! pardon », reprend l'enfant avant d'interroger, curieux : « Qu'est-ce que signifie "apprivoiser" ? » « C'est une chose trop oubliée », réplique le renard, « ça signifie "créer des liens..." ».

Créer des liens pour apprivoiser le monde et lui donner du sens, c'est exactement ce que fait notre mémoire. Car, contrairement à ce que l'on pourrait croire un peu hâtivement, celle-ci n'a rien d'une simple banque d'enregistrement. Elle est une véritable intelligence organisatrice, c'est-à-dire une intelligence capable de connecter entre eux nos différents savoirs[882-884]. Le processus est avantageux parce qu'une fois qu'ils ont été associés ces savoirs présentent une forte tendance à la « co-activation » ; ce qui veut dire que si vous chatouillez un nœud particulier du réseau de neurones impliqué dans la mémorisation, c'est toute la toile qui se met à vibrer et se place ainsi au service de la pensée ou de l'action. Cette tendance propagatrice explique, par exemple, que le mot « infirmière » soit reconnu plus vite après le mot « docteur » qu'après le mot « armoire »[885, 886]. De même, elle permet de comprendre comment des sujets peuvent être persuadés qu'ils ont entendu le verbe « dormir » alors qu'ils n'ont été exposés qu'à certains voisins sémantiques comme « lit », « repos », « rêver » ou « coussin »[887-888].

Le problème, malheureusement, c'est que notre mémoire n'est pas toujours très regardante sur les liens qu'elle tisse entre les choses. La remarque vaut surtout pour les associations opérées par « contiguïté temporelle ». Le processus engagé est dans ce cas assez simple. Il peut se résumer comme suit : si deux éléments sont présentés ensemble, de manière suffisamment fréquente, ils finissent par se connecter l'un à l'autre dans les réseaux de la mémoire[889-890]. Prenez le vin, par exemple. En ce domaine, « l'expérience » tend à nous enseigner que la qualité se paye et que plus une bouteille coûte cher, plus le produit est bon. Cela implique que les notions de prix et de plaisir vont progressivement se lier au sein de nos dédales neuronaux, jusqu'à s'activer réciproquement. Une étude réalisée par des chercheurs de l'Institut californien de technologie (Caltech, États-Unis) le montre joliment[891]. Trois résultats furent rapportés : (1) un même vin est mieux évalué lorsque son prix est plus élevé ; (2) cet effet d'appréciation repose sur l'activation d'une zone particulière du cortex (le cortex orbitofrontal médian) liée à l'émergence de ressentis plaisants ; (3) quel que soit le prix du vin, la réponse des aires cérébrales impliquées dans le traitement des informations sensorielles gustatives est identique. Autrement dit, l'idée que « c'est cher », d'une part entraîne le recrutement de populations de neurones contrôlant le sentiment de plaisir, et d'autre part n'a aucun impact détectable sur le ressenti sensoriel effectif ; ce qui, en langage courant, on pourrait traduire par : quand ça fait mal au portefeuille, le cerveau nous dit que c'est meilleur même lorsque c'est pareil.

De manière intéressante, un biais similaire est observé pour certaines marques agroalimentaires majeures. Une étude souvent citée a, par exemple, évalué les vertus respectives de Coca-Cola et Pepsi-Cola. Dans un premier test « aveugle », des sujets sains devaient comparer ces deux sodas présentés dans deux verres identiques[892]. Une majorité se dégagea en faveur de Pepsi (55 %). Dans un second test, en « semi-aveugle », les sujets faisaient à peu près la même chose, à deux détails près : (1) l'un des deux verres était explicitement identifié Coca ; (2) les deux verres contenaient du Coca (mais cela, les sujets l'ignoraient). Un net renversement de préférence fut mesuré. Soixante pour cent des participants estimèrent que le soda du verre marqué Coca était meilleur que le soda du verre non marqué.

De manière intéressante, l'étude entière fut ensuite reproduite avec des patients présentant une lésion du cortex préfrontal ventromédian (une région en avant et en bas du cerveau qui inclut la zone orbitofrontale évoquée ci-dessus au sujet du vin). Les résultats confirmèrent l'inclination majoritaire pour Pepsi dans la « condition aveugle » (63 %), mais échouèrent à valider l'effet du logo dans la « condition semi-aveugle ». En d'autres termes, l'association « Coca/meilleur », arbitrairement établie par le fabricant au prix d'intenses campagnes marketing, s'était brisée chez les patients du fait de leur atteinte cérébrale. Plusieurs travaux de neuro-imagerie confirment cette observation en montrant que la préférence généralement affichée pour Coca-Cola n'est pas liée à la supériorité gustative du produit, mais bien à la publicité qui permet de créer dans le cerveau d'artificielles connexions, au sein des réseaux mnésiques*, entre cette marque de soda et divers attributs émotionnels positifs[893-894].

Ce genre de biais n'est évidemment spécifique ni à Coca-Cola ni aux populations adultes. Il affecte les cerveaux les plus jeunes et concerne d'autres géants de

---

* Cette expression désigne les réseaux neuronaux impliqués dans le processus de mémorisation.

la consommation comme Nike, Apple ou McDonald's. Prenez cette dernière entreprise, par exemple. Dans une étude aujourd'hui bien connue, les chercheurs ont demandé à des enfants de 4 ans d'évaluer des aliments identiques, présentés dans un packaging neutre ou bien porteur du logo McDonald's[895]. 77 % des participants trouvèrent que les frites McDonald's étaient meilleures, contre 13 % qui penchèrent pour les frites sans étiquettes et 10 % qui ne virent pas de différence. Pour les nuggets, ces pourcentages étaient respectivement de 59 %, 18 % et 23 %. Même si aucune étude neurophysiologique ne put être menée en raison du jeune âge des enfants, les biais de préférence ici affichés reposaient clairement sur l'établissement, au sein des réseaux neuronaux naissants, d'une relation aberrante entre la marque McDonald's et divers attributs émotionnels positifs ; relation suscitée par d'intenses campagnes de matraquage publicitaire.

Assurément, le pouvoir associatif de ces « contiguïtés temporelles » excède largement la sphère des manipulations marketing. Le mécanisme est universel. C'est lui, par exemple, pour une bonne part, qui construit nos stéréotypes sociaux liés au genre, au handicap, à l'âge, à l'origine ethnique, à l'orientation sexuelle, etc.[896] Bien sûr, ces stéréotypes sont souvent implicites, c'est-à-dire lovés au cœur de nos fonctionnements les plus inconscients[897-898]. Mais cela n'empêche pas qu'ils soient en mesure de biaiser dangereusement nos comportements supposés « volontaires » et « éclairés »[899-902]. Les représentations de genre en fournissent une excellente illustration. Agissant le plus souvent à notre insu, elles sont capables d'affecter profondément non seulement le regard que nous portons sur autrui, mais aussi l'image que nous avons de nous-même. Deux études le montrent joliment. Dans la première, des sujets devaient engager un candidat pour réaliser un travail scientifique[903]. Un solide biais de sélection fut observé en faveur des hommes. En effet, lorsque l'information disponible se limitait au sexe (à partir de photos), les sujets recruteurs (qu'ils soient homme ou femme) retenaient deux fois plus souvent un candidat masculin que féminin. Lorsque des données objectives de compétence étaient ajoutées au tableau, le biais au détriment des femmes diminuait sans toutefois disparaître. De manière intéressante, ces choix arbitraires reflétaient directement l'existence de stéréotypes implicites de genre (du type « les femmes sont nulles en maths ») identifiés, chez les participants, grâce à un test standard d'association d'items*.

La seconde étude est encore plus frappante. Elle montre que l'on est parfois victime de ses propres *a priori*[904]. Des étudiantes asiatiques d'une grande université américaine furent d'abord réparties en trois groupes devant chacun répondre à un questionnaire habilement construit pour activer des réseaux mémoriels spécifiques (on parle alors de *priming* ou d'amorçage) : (1) version « neutre » (par exemple : quel est votre opérateur téléphonique ?, avez-vous la télé par câble ?, etc.) ; (2) version « genre », pour activer le stéréotype « je suis une fille, les filles sont nulles en maths » (par exemple : votre étage est-il mixte ou sexué ?, avez-vous une compagne de chambre ?, etc.) ; (3) version « ethnique », pour activer le stéréotype « je suis asiatique, les Asiatiques sont forts en maths » (par exemple : quelle langue parlez-vous à la maison ?, depuis combien de générations votre famille vit-elle aux

---

* Schématiquement, on présente aux sujets un item (image ou mot) appartenant aux catégories « homme » ou « femme » et on mesure le temps mis, ensuite, pour identifier un autre item appartenant aux catégories « scientifique » (par exemple : calcul, ingénieur, etc.) ou « sciences humaines » (comme littérature, arts, etc.). L'hypothèse sous-jacente, déjà évoquée dans le texte, veut que les items fonctionnellement liés au sein des réseaux de la mémoire vont être plus rapidement et facilement retrouvés.

États-Unis ?, etc.). Un même test de mathématiques était ensuite soumis aux trois groupes. Les résultats révélèrent un effet très significatif du questionnaire sur la réussite au test, à l'insu, évidemment, des participantes. Le nombre de problèmes traités avec succès s'établit à 49 % pour la « condition neutre », 43 % pour la « condition fille » et 54 % pour la « condition asiatique ». Autrement dit, les liens lentement tissés par contiguïté dans les banques de mémoire des participantes, entre « fille/nulle en maths » et « Asiatique/fort en maths », interféraient très sensiblement avec la performance cognitive.

Pour frappant qu'il soit, ce dernier résultat est loin d'être une surprise tant sont aujourd'hui nombreuses les observations du même ordre, au-delà des stéréotypes sociaux. Par exemple, des étudiants mettent plus longtemps à quitter une salle d'expérience pour atteindre l'ascenseur lorsqu'ils ont préalablement construit des phrases à partir de mots liés au concept de vieillesse (comme gris, rides, ancien, etc.)[905]. Pareillement, des individus mangent un quart de chocolat en moins, dans un bol placé devant eux, lorsque l'écran d'un ordinateur positionné à proximité (mais généralement non détecté consciemment par les participants) sollicite les idées de minceur, de poids et de régime en affichant l'image de certaines sculptures humanoïdes extrêmement filiformes d'Alberto Giacometti[906]. De même, des étudiants à qui l'on demande de serrer une poignée, sans consigne de force, produisent une pression significativement supérieure s'ils ont préalablement été exposés à des mots comme puissance ou vigueur[907] de manière subliminale (c'est-à-dire trop vite pour permettre une lecture consciente). Là encore, ce qui ressort de ces données, c'est le remarquable pouvoir des processus de « co-activations mnésiques » à infléchir nos pensées et comportements en dehors de toute contribution consciente.

Pour éviter tout malentendu[908], précisons qu'il ne s'agit pas ici à proprement parler « d'apprendre des choses », c'est-à-dire de construire une compétence (par exemple, jouer du violon) ou de mémoriser un savoir (par exemple, une poésie). Il s'agit juste de lier entre elles des représentations déjà construites. C'est pour cela que l'effort nécessaire est minimal, notamment au niveau attentionnel. Pour prendre une analogie, on pourrait dire que rédiger un livre et produire une sculpture sur marbre sont deux activités qui demandent de la patience, du travail et de l'énergie. Cependant, une fois que ces objets sont réalisés, il est très facile de les ranger dans la même armoire. Il n'y a donc pas de paradoxe entre la difficulté qu'éprouvent les enfants à « apprendre » avec un écran et la facilité avec laquelle ils parviennent à lier artificiellement au sein de leur mémoire des éléments déjà stockés (par exemple, la marque McDonald's avec des concepts comme cool, sympa, festif, etc.).

Bref, pour résumer, notre mémoire n'est pas un simple organe de stockage, mais une machine à créer des liens. Pour ce faire, elle utilise notamment des règles de contiguïté temporelle. Or, ces dernières manquent parfois de clairvoyance au sens où leur automaticité favorise la formation de connexions artificielles potentiellement nuisibles ; connexions qui, une fois établies, biaisent fortement nos perceptions, représentations, décisions et actions.

Les vendeurs de mort

Les faiblesses ici décrites de notre mémoire ouvrent évidemment d'immenses horizons lucratifs à tous les marchands de « temps de cerveau disponible » de la planète et autres mercenaires du neuromarketing. Ces gens n'ont aucun d'état d'âme. Appuyés sur les usages numériques de notre progéniture, ils n'hésitent pas, au nom de leurs profits, à nourrir trois des plus grands tueurs de la planète : le tabagisme, l'alcoolisme et l'obésité.

• **Le tabagisme.** D'abord quelques points généraux pour que chacun comprenne bien toute l'ampleur du problème. La cigarette tue plus de 7 millions de personnes par an[909], dont près de 500 000 aux États-Unis[910] et 80 000 en France[911]. Au total, c'est la population d'un pays comme la Bulgarie qui, tous les 365 jours, disparaît de la planète[912]. Pour la collectivité, le coût économique annuel tourne autour de 1 250 milliards d'euros[913], ce qui représente 165 euros par être humain. Pour un pays développé comme la France, qui offre une excellente couverture sociale, le prix du tabagisme s'élève chaque année à près de 1 800 euros par habitant[914]. Et de grâce qu'on ne vienne pas nous dire, comme je l'entends parfois, que l'État n'a pas à se plaindre tant il se gave de taxes et s'en met plein les poches. Les recettes fiscales couvrent à peine 40 % des coûts sanitaires engendrés par le tabagisme[914].

Bien sûr, la question ici posée n'est aucunement morale. Il ne s'agit pas de dénoncer ou de culpabiliser l'usager. Il s'agit juste de comprendre les mécanismes de conversion qui font qu'un enfant non-fumeur va un jour sombrer dans l'escarcelle des multinationales du tabac. Comme l'explique joliment l'OMS, « il faut beaucoup d'astuce pour vendre un produit qui tue jusqu'à la moitié de ses consommateurs[915] ». Le fait est qu'en ce domaine nos amis cigarettiers ne manquent pas de ressources. Soixante ans de rouerie l'ont à ce point démontré que même la précautionneuse OMS a fini par perdre son sang-froid et publier un « dossier d'information planétaire » pour dénoncer « l'ingérence de l'industrie du tabac [...]. Un secteur qui a beaucoup d'argent et n'éprouve aucun scrupule à l'utiliser de la manière la plus machiavélique[916] ». Parmi les stratégies délusoires dénoncées, on trouve notamment : « la discréditation des données scientifiques établies », « les manipulations de l'opinion publique », « l'intimidation des pouvoirs publics », « les manœuvres visant à détourner les procédures politiques ou législatives », etc.

Reconnaissons toutefois que la position des industriels n'est pas aisée, et ce pour au moins trois raisons. Premièrement, ils font face à des régulations, qui sans être parfaites dans bien des pays, ont néanmoins tendance à être de plus en plus drastiques et rigoureuses[917]. Deuxièmement, ils perdent rapidement leurs clients au profit des entreprises auxiliaires de pompes funèbres[909]. Troisièmement, ils ne disposent que d'une fenêtre temporelle extrêmement limitée pour recruter des remplaçants. Concernant ce dernier point, on sait aujourd'hui que le risque de conversion au tabagisme pèse de façon disproportionnée sur les mineurs et, au fond, concerne peu l'adulte. Ainsi, 98 % des fumeurs ont commencé avant 26 ans, dont 90 % avant 18 ans[918]. Et, comme le souligne encore une fois l'OMS, « plus les enfants sont jeunes quand ils fument pour la première fois, plus ils risquent de fumer régulièrement par la suite et moins ils ont de chances d'arrêter[915] ».

Bref, pour les cigarettiers, recruter de larges cohortes d'enfants et d'adolescents est une nécessité vitale. C'est là qu'intervient le soutien inespéré des industries de l'audiovisuel. Sous couvert de liberté créative et de grandeur artistique, celles-ci déversent sur nos progénitures, jour après jour, une avalanche de stéréotypes protabac. Au cinéma ou à la télévision, cigarettes et cigares sont devenus des symboles merveilleusement commodes de la virilité (Sylvester Stallone dans *Rocky*) ; de la sensualité (Sharon Stone dans *Basic Instinct*) ; de l'esprit de rébellion adolescent (James Dean dans *La Fureur de vivre*) ; du scientifique visionnaire (Sigourney Weaver dans *Avatar*) ; du pouvoir et du sexe (Jon Hamm dans *Mad Men*) ; de la liberté (Eric Lawson, le cow-boy de

Marlboro… mort d'un cancer du poumon[919]) ; etc. Quelle inventivité ! Le pire c'est que dans bien des pays, dont la France, les États-Unis, l'Allemagne ou l'Italie, ces œuvres reçoivent, pour un grand nombre d'entre elles, de généreuses subventions publiques[920-921].

Comme nous l'avons rappelé dans la première partie, toute l'affaire a débuté dans les années 1960-1970 avec le cinéma et la télé[922]. Pour les cigarettiers, ces « nouvelles technologies » furent le bras armé d'une intense campagne de normalisation de la consommation tabagique. Le but était simple : faire oublier la mort et associer le tabac à autant de vertus positives qu'il était possible. L'affaire dure donc maintenant depuis une bonne cinquantaine d'années, malheureusement, sans réelle évolution ni prise de conscience collective. Une récente étude a dépecé les 2 429 films les plus lucratifs*, introduits entre 2002 et 2018 sur le marché nord-américain (États-Unis et Canada) [923]. Cela représente plus de 95 % des entrées en salle pour la période considérée. Les analyses identifièrent un taux global de « pénétration » du tabac dans les films proche de 60 %. De fortes disparités furent toutefois identifiées, en fonction du classement des œuvres. Pour l'année 2018, 70 % des films signalés « restreints » (interdit aux moins de 17 ans non accompagnés) contenaient des scènes montrant des acteurs en train de fumer, avec une moyenne de 42 épisodes par œuvre. Pour les films signalés « 13 ans et plus » (mise en garde indiquant que certains contenus pourraient être inappropriés aux enfants de moins de 13 ans), ces valeurs s'élevaient à 38 % et 54 épisodes. Pour les films classés « audience générale » (ouverts à tous les publics), on était à 13 % et 6 épisodes. Comme le montre la table 2, si l'on considère le pourcentage de longs métrages affectés, les données dessinent une

* L'ensemble des films qui se sont placés à leur sortie au cinéma, pendant au moins une semaine, dans le top 10 des recettes.

orientation globale décroissante de 2002 à 2010, puis une phase de stabilisation. En revanche, si l'on s'intéresse au nombre d'épisodes par œuvre, la tendance est plutôt à la hausse, notamment pour les films ciblant directement les adolescents (« 13 ans et plus »). Autrement dit, depuis 2002, on fume dans moins de films (ce qui est positif), mais on fume davantage dans chaque film concerné par la présence du tabac (ce qui est un peu décourageant).

Classement		**2002**	**2010**	**2014**	**2018**
« Restreint »	**Fréquence**	79 %	72 %	59 %	70 %
	Épisodes	47	35	54	42
« 13 ans et plus »	**Fréquence**	77 %	43 %	39 %	38 %
	Épisodes	23	25	42	54
« Audience générale »	**Fréquence**	29 %	11 %	5 %	13 %
	Épisodes	8	7	9	6

Table 2. Prévalences des scènes de tabagisme au cinéma. Sont pris en compte tous les films du marché nord-américain classés dans le top 10 des recettes, durant au moins une semaine, lors de leur sortie. Fréquence : pourcentage de films montrant des acteurs en train de fumer. Épisodes : nombre de fois où l'on voit un acteur fumer. D'après[923].

Au-delà de ces quelques subtilités numériques, ce qu'il faut retenir c'est que le tabagisme reste toujours massivement présent dans les productions nord-américaines, notamment, sans surprise, dans les films classés « restreints » et « 13 ans et plus ». C'est d'autant plus ennuyeux que ces productions s'exportent généreusement et que le système de classification utilisé aux États-Unis est, dans l'ensemble, bien plus protecteur que celui mis en place dans d'autres pays, dont la France[920] – où il est fréquent de voir apparaître dans la catégorie « tous publics » des films classés « restreints » ou « 13 ans et plus » outre-Atlantique*. Notons que les producteurs américains ont

* Exemples de films classés « tout publics » en France. « Moins de 13 ans » (classement USA) : *Avatar*, *Titanic*, *Forrest Gump*, *Le Seigneur des Anneaux* (1), *Independence Day*, *Gravity*, etc. ;

plutôt tendance, cela pourra surprendre, à faire ici figure de bons élèves ; même si, encore une fois, leurs performances sont loin d'être excellentes. D'autres pays font pire, dont l'Allemagne, l'Italie, l'Argentine, l'Islande, le Mexique et la France[920, 924]. Pour cette dernière, une étude a analysé les 180 films autochtones ayant totalisé le plus d'entrées au cinéma sur une période de cinq ans (2005-2010)[925]. Résultat, 80 % des œuvres contenaient des images d'acteurs en train de fumer pour une durée moyenne de deux minutes et demie par film.

Il faut évidemment se garder de penser que le cinéma est seul touché par ce problème. Un travail récent s'est intéressé aux séries les plus populaires diffusées via les réseaux câblés et les sites de *streaming*[926]. À l'arrivée, les auteurs ont observé, dans la majorité des cas, une véritable orgie de consommation tabagique touchant des productions comme *Stranger Things*, *The Walking Dead*, *Orange is the New Black*, ou *House of Cards*. Les dignes successeurs, n'en doutons pas, de l'acclamé *Mad Men*.

Bien sûr, depuis une vingtaine d'années l'avalanche de tabagisme a investi l'ensemble des nouveaux supports numériques disponibles[927-931], depuis les réseaux sociaux[932-936], jusqu'aux jeux vidéo[937-942], en passant par les sites d'hébergement comme YouTube[943-948]. Par exemple, près de la moitié des clips musicaux de hip-hop les plus regardés sur différentes plate-formes Internet (YouTube, iTunes, Vimeo, etc.) entre 2013 et 2017 contiennent des scènes de tabagisme[949]. Même chose pour 42 % des jeux vidéo les plus utilisés par les adolescents[950] ; avec dans ce cas, cependant, comme pour la télé, de larges divergences liées au classement des œuvres. Le taux de présence du tabac est ainsi de 75 %

« Restreint » (USA) : *Le Flic de Beverly Hills* (1, 2 & 3), *Pretty Woman*, *Serial Noceurs*, *Bad Moms*, *Air Force One*, *Lettres d'Iwo Jima*, etc.

pour les produits signalés « mature » (17 ans et plus), de 30 % pour les produits signalés « adolescents » (13 ans et plus) et de 22 % pour les produits signalés « enfants » (10 ans et plus). Notons toutefois que ces labels sont loin d'être réellement protecteurs : 22 % des 8-11 ans, 41 % des 12-14 ans et 56 % des 15-18 ans jouent à des jeux classés « mature »[279]. Et encore, ce tableau est-il largement tempéré par le fusionnement des sexes : si l'on ne prend que les garçons, on tombe sur un niveau d'exposition très supérieur à 50 % chez les 8-18 ans.

La série de jeux vidéo *GTA* illustre parfaitement cette inquiétante réalité. Ce mastodonte économique[951-952] est aussi violent que gorgé de pornographie* et d'incitations à la consommation tabagique[940]. Pourtant, 70 % des garçons de 8 à 18 ans déclarent y avoir joué, dont 38 % des 8-10 ans, 74 % des 11-14 ans et 85 % des 15-18 ans[68]. Que l'on me permette de reformuler ce point : quatre gamins de cours moyen sur dix sont acteurs, à travers leur avatar virtuel, de comportements d'hyperviolence, le plus souvent gratuits ; d'actes de torture inouïs, dignes des pires heures de la guerre du Vietnam ou d'Algérie ; et de pratiques sexuelles explicites que ne renierait pas le plus sordide des films pornos.

Bref, il apparaît, pour résumer, que le monde numérique des enfants et adolescents est saturé d'images imprégnées de tabagisme : télévision, jeux vidéo, réseaux sociaux, sites de *streaming*, etc. ; nul espace n'échappe à la déferlante. Ce ne serait pas un problème, naturellement, si l'impact de la cigarette sur la santé était honnêtement présenté. Malheureusement, ce n'est pas le cas. Tous ces acteurs, chanteurs, rappeurs, influenceurs, instagrammeurs et personnages de jeux qui affichent leur plaisir de fumer sont rarement cancéreux, ils ne sont pas non

---

* Voir la note p. 238.

plus aphasiques ou hémiplégiques suite à un accident vasculaire cérébral, ils ne souffrent ni de cataracte ni de dégénérescence maculaire liée à l'âge, ils n'ont aucun trouble érectile, leurs fœtus ne naissent pas malformés, leur système immunitaire ne semble pas affaibli, etc.* Bien au contraire. Les fumeurs sont montrés sous un jour incroyablement favorable[936, 940-942, 953-956]. Dans l'écrasante majorité des cas, ces gens sont beaux, intelligents, socialement dominants, cool, fun, audacieux, rebelles, virils (pour les hommes), sensuels (pour les femmes), etc. Et c'est là, évidemment, qu'interviennent les failles de notre mémoire. En effet, à force de coïncidences temporelles judicieuses, la vision du tabac se connecte à toutes sortes d'attributs positifs au sein des réseaux neuronaux ; et, au bout du compte, quand le nœud « fumer » est sollicité par une image (de quelqu'un en train de fumer) et/ou une opportunité (essayer de fumer), c'est toute la toile des actions et représentations associées qui se trouve activée (cool, sexy, rebelle, viril, etc.), au détriment du processus de prise de décision.

Il n'est plus question aujourd'hui de se demander si l'exposition répétée à des images positives du tabagisme augmente les risques d'initiation chez les adolescents. Ce débat est définitivement tranché comme l'indiquent différents rapports récemment émis par les plus grandes institutions sanitaires de la planète[5, 920, 956-958]. Les conclusions alors avancées impliquent des dizaines d'études, rigoureusement conduites à partir de protocoles variés, dans un grand nombre de pays[55, 236, 920, 927]. Globalement, ce généreux corpus de données scientifiques montre que les adolescents les plus exposés ont, par rapport à leurs

* Encore une fois, soyons clair. Il ne s'agit pas de juger le fumeur. Il s'agit juste de comprendre comment l'enfant devient consommateur d'une substance dont la liste ici fournie dessine les terribles effets secondaires (de manière non exhaustive).

homologues les moins imprégnés, deux à trois fois plus de chances de se mettre à fumer[241, 245, 959-965]. Par exemple, une étude fréquemment citée a suivi 1 800 enfants de 10 à 14 ans pendant huit ans[243]. Dans un premier temps, tous les sujets étaient priés d'identifier, au sein d'une large liste, les films qu'ils avaient vus. Cela permit aux expérimentateurs d'évaluer, pour chaque participant, un degré d'exposition au tabac. Les résultats montrèrent que le quart des enfants les plus imprégnés entre 10 et 14 ans avaient deux fois plus de risques d'être devenus des fumeurs chroniques huit ans plus tard, en comparaison du quart des enfants les moins imprégnés*. Formulée différemment, cette observation signifie que 35 % des fumeurs ont succombé à l'addiction au tabac via un processus précoce d'imbibition audiovisuelle.

Dans une autre recherche similaire, ce sont près de 5 000 adolescents, âgés en moyenne de 12 ans, qui furent suivis pendant 24 mois[966]. Les résultats indiquèrent deux choses : (1) supprimer les scènes montrant des gens en train de fumer dans les films destinés aux adolescents (classés « 13 ans et plus ») diminuerait de 18 % le nombre des initiations tabagiques ; (2) ajouter à cette suppression un respect rigoureux de la signalétique des âges (classement « restreint ») permettrait d'améliorer encore sensiblement les choses et d'obtenir une réduction totale de 26 %. Dans une autre étude, c'est une cohorte de 1 000 enfants que les chercheurs ont suivie pendant plus de vingt ans[967]. Les résultats montrèrent que la conversion au tabac de 17 % des fumeurs adultes (26 ans) pouvait

* Là encore, peut-être n'est-il pas inutile de repréciser, pour éviter tout malentendu, que les données décrites dans cette section (et les suivantes) sont obtenues après prise en compte de nombreuses covariables potentielles. Dans le cas présent, par exemple : âge ; sexe ; tabagisme des parents, amis, frères et sœurs ; résultats scolaires ; attitude parentale par rapport au tabac ; tests de personnalité ; etc.

être attribuée à une consommation télévisuelle supérieure à 2 heures par jour entre 5 et 15 ans (et donc à une exposition globalement accrue aux images valorisant le tabac). Pour ceux qui trouveraient anodins ces pourcentages, une reformulation peut être intéressante. Considérons une diminution de 20 % du nombre de fumeurs (soit à peu près la moyenne estimée à partir des études précédentes). Cela représente un million et demi de morts évitées annuellement à l'échelle planétaire, dont 16 000 en France (l'équivalent d'une ville comme Orsay[968]). Pour les États-Unis, si l'on considère les chiffres communiqués par le Service de santé publique[5], on peut prédire que un million d'enfants ayant aujourd'hui moins de 18 ans ne se mettraient pas à fumer et ne mourraient pas prématurément d'une maladie liée à la cigarette. Pourtant, le simple fait de souligner l'omniprésence du tabac dans les contenus numériques accessibles aux jeunes ou de suggérer qu'il serait justifié de prendre des mesures législatives protectrices à destination des mineurs soulève des torrents d'indignations outragées[969]. Peut-être que les ayatollahs obtus de la liberté créative voudront bien se demander, un jour, si la haute opinion qu'ils ont d'eux-mêmes et de leur art sacro-saint justifie la boucherie actuelle.

Il ne faudrait pas croire que seuls les non-fumeurs sont victimes des images tabagiques généreusement produites par nos univers numériques. En effet, les usagers sont, eux aussi, lourdement affectés. Cela tient au phénomène de *priming* dont nous avons parlé plus haut. L'idée, rappelons-le, est assez simple : quand le cerveau est confronté à des stimuli tabagiques (cigarette, briquet, fumeur, etc.), cela active l'envie de fumer et, par voie de conséquence, accroît sensiblement le risque de passage à l'acte. Ce processus a deux conséquences : (1) la consommation quotidienne augmente, ce qui renforce le processus d'addiction[970] et donc le risque de pérennisation de la consommation tabagique chez le fumeur naissant, notamment adolescent ; (2) les efforts déployés pour cesser de fumer se font plus aléatoires et douloureux. Il a ainsi été observé que les fumeurs qui passent plus de temps devant la télévision fument davantage[971]. De même, il a été montré que la présence de stimuli tabagiques à l'écran attire plus fréquemment et plus longuement le regard des fumeurs[972], tout en provoquant chez ces derniers une substantielle pulsion de consommation[973-974]. Le phénomène est alors suffisamment intense pour être détecté au niveau physiologique le plus basique (température cutanée et sudation accrues)[975]. *In fine*, tous ces éléments conduisent, sans surprise, à la mise en œuvre de comportements d'assouvissement. Ainsi, dans une étude souvent citée, cent jeunes fumeurs d'une vingtaine d'années* voyaient un clip vidéo de 8 minutes contenant (groupe expérimental) ou non (groupe contrôle) des images en lien avec le tabac. Les membres du groupe expérimental avaient quatre fois plus de risques de s'accorder une cigarette dans les 30 minutes suivant la fin de la projection[976]. Un travail de neuroimagerie a récemment identifié un clair impact, sur le cerveau, de telles images[977]. Deux populations de fumeurs et non-fumeurs, âgées là encore d'une vingtaine d'années, furent exposées à des films contenant des stimuli tabagiques. Ces derniers entraînèrent chez les fumeurs, par rapport à leurs homologues non-fumeurs, une double activation impliquant les aires cérébrales liées (1) à l'émergence du désir de consommation et (2) à la planification du geste manuel. Autrement dit, tout se passait comme si le cerveau des sujets éprouvait une forte envie de fumer et simulait le

---

* Pour des raisons éthiques, les chercheurs ne sont pas autorisés à conduire ce genre d'études expérimentales (qui induisent un usage) chez des sujets plus jeunes n'ayant pas l'âge légal pour consommer et/ou acheter du tabac.

mouvement des acteurs (ou alternativement préparait la main à allumer une cigarette).

Bref, pour résumer, l'omniprésence des images de consommation tabagique au sein du monde numérique offre un double intérêt pour les industriels : (1) elle facilite fortement le recrutement de nouveaux usagers ; (2) elle rend beaucoup plus difficile le processus de cessation.

• **L'alcoolisme.** L'engrenage ci-dessus détaillé ne limite évidemment pas sa contribution au seul tabagisme. Il affecte aussi largement le domaine des usages alcooliques. C'est ce que nous nous proposons de démontrer ci-après. Cette section sera toutefois moins détaillée que la précédente. En effet, étant donné la similarité des mécanismes engagés, il paraît judicieux d'alléger la démonstration pour éviter de fastidieuses répétitions. Nous nous focaliserons donc ici principalement sur la chaîne causale qui conduit des images à l'alcoolisation.

Comme le tabac, l'alcool fait partie du peloton de tête des tueurs évitables, avec trois millions de morts annuels à son actif[978], dont cinquante mille en France[979]. Concernant les mineurs, la communauté scientifique considère de façon unanime que la seule consommation sûre est une consommation nulle[980-981]. Une conclusion cohérente avec la mise en place, dans la quasi-totalité des pays du monde, d'un âge légal en deçà duquel toute vente d'alcool est interdite. Cet âge est de 18 ans en France et de 21 ans aux États-Unis[982]. S'il fallait une justification à ce genre de prudence, on pourrait la trouver dans l'extrême fragilité du cerveau en développement. Boire à l'adolescence (et, *a fortiori,* avant), perturbe la maturation cérébrale[981, 983-984] et augmente le risque d'addiction à long terme[981, 985].

Or, même si elle semble décroître légèrement dans nombre de pays, notamment européens, la consommation d'alcool reste très élevée chez les jeunes[978]. En France, un quart des lycéens de 16 ans boivent régulièrement et se saoulent une fois par mois, au moins. Soixante pour cent des gamins de 11 ans ont déjà bu[979]. Les écrans, là encore, n'y sont pas pour rien. En effet, au sein des espaces numériques, l'usage alcoolique est à la fois omniprésent et décrit sous un jour abusivement favorable[948, 965, 986-998]. C'est ce qui nourrit les failles associatives de nos réseaux mnésiques. Soumis à une avalanche de représentations positives, ceux-ci vont progressivement lier l'alcool à toutes sortes de traits enviables : cool, festif, décontracté, rebelle, etc. Ces connexions vont ensuite encourager les initiations précoces et, une fois que celles-ci ont eu lieu, soutenir les consommations excessives (chroniques ou de *binge-drinking**)[999-1005].

Par exemple, une étude a suivi presque 3 000 adolescents allemands âgés en moyenne de 13 ans, n'ayant jamais ingéré d'alcool[1006]. Au bout d'un an, le quart des participants qui avaient absorbé le plus de films avec des contenus alcooliques (indépendamment du support) présentaient, par rapport au quart des participants les moins exposés, deux fois plus de risques d'avoir bu à l'insu du regard parental et 2,2 fois plus de risques de s'être livrés à des consommations dangereuses du type *binge-drinking*.

La bonne nouvelle, comme pour le tabac, c'est que la vigilance parentale paye. Dans une recherche souvent citée, 2 400 collégiens américains n'ayant jamais bu, furent suivis en moyenne pendant 18 mois[1007]. La probabilité d'initiation alcoolique fut mesurée en fonction de la propension parentale à accepter que l'enfant regarde des films classés « restreints » (dans lesquels l'usage d'alcool

---

* Une expression que l'on pourrait traduire par « biture expresse » et qui caractérise des comportements d'alcoolisation rapide et intense. Cette forme d'alcoolisation est dangereuse. Elle a des effets fortement toxiques sur le cerveau. Elle augmente aussi le risque d'accidents, de rapports sexuels non protégés, de coma éthylique, de comportements violents et de dépendance.

est plus fréquent). Et, de fait, cette dimension éducative se révéla fortement associée au risque encouru. Par rapport à la décision de référence « jamais », les risques que l'enfant se mette à boire pendant la période de suivi furent multipliés par 5,1, 5,6 et 7,3, respectivement pour les arbitrages « rarement », « de temps en temps » et « toujours ». Ces résultats confirment ceux d'une autre étude récente ayant impliqué plus de mille adolescents anglais de 11 à 17 ans[965]. Ceux qui avaient utilisé des jeux vidéo riches en contenus alcooliques (labellisés « adultes » pour la plupart – par exemple, *GTA V*, *Max Payne 3*, *Sleeping Dogs*, etc.) – présentaient trois fois plus de risques de consommer de l'alcool que leurs homologues non exposés.

Ajoutons, comme cela a été observé pour le tabac, que le fait de voir des gens boire à l'écran a aussi un effet significatif sur la consommation immédiate[1008-1010]. Autrement dit, quand le cerveau est confronté à des stimuli alcooliques, cela active l'idée de boire et, par voie de conséquence, accroît sensiblement le risque de passage à l'acte. On observe le même phénomène pour les sodas[1011].

Bref, pour résumer, l'omniprésence des images alcooliques dans le monde numérique présente un double intérêt pour les industriels : (1) elle abaisse substantiellement l'âge de la première initiation ; (2) elle gonfle opportunément le volume des consommations chroniques.

• **L'obésité.** Après le tabac et l'alcool, penchons-nous sur la question pondérale. Là encore, nous nous focaliserons sur l'essentiel et tâcherons principalement d'éclaircir la chaîne causale qui conduit des images au surpoids et à l'obésité.

À travers le monde, l'excès de poids touche 2 milliards d'adultes et 350 millions d'enfants[1012]. Chaque année, il tue environ 4 millions d'humains[1013]. Même si le problème a de multiples origines, plus personne ne conteste aujourd'hui sérieusement l'implication délétère de nos habitudes numériques, en particulier chez l'enfant et l'adolescent[236, 1014-1017]. Plusieurs leviers sont alors sollicités, dont le sommeil et la diminution du niveau d'activité physique, nous en avons parlé. La possible contribution du rouleau compresseur publicitaire serait, nous dit-on, plus incertaine. C'est peu crédible. En effet, comme indiqué dans la première partie, cette thèse d'inanité, défendue par les professionnels du secteur, repose sur des arguments pour le moins sommaires et fallacieux. Depuis quinze ans, toutes les publications scientifiques et institutionnelles majeures ont pointé la lourde responsabilité du marketing alimentaire, sous toutes ses formes, dans le risque d'obésité[55, 1018-1021]. Déjà en 2006, un rapport de consensus, présenté sous l'égide des Académies américaines des sciences et de médecine, affirmait « [qu'] il existe des preuves solides que la publicité à la télévision influence les préférences alimentaires (nourriture et boissons) et les demandes d'achat des enfants de 2 à 11 ans[1022] ». Quelques années plus tard, un article de synthèse enfonçait le clou en soulignant que : « La littérature scientifique montre que le marketing alimentaire destiné aux enfants est : (a) massif ; (b) en expansion dans plusieurs directions (placements de produits, jeux vidéo, Internet, téléphones cellulaires, etc.) ; (c) composé presque entièrement de messages pour des aliments pauvres en nutriments et riches en calories ; (d) a des effets néfastes ; (e) devient de plus en plus global et, de fait, difficile à réguler individuellement par chaque pays[1023]. »

Au fond, tout cela nous ramène à ce qui a déjà été dit pour l'alcool et le tabac ; à ceci près, toutefois, que la publicité alimentaire ne subit nulle restriction. Les annonceurs ont carte blanche pour agir et imprimer littéralement leurs marques et leurs produits au cœur du cerveau naissant de nos enfants. Une fois les structures de mémorisation infectées, c'est l'ensemble des préférences gustatives qui se trouve altéré, en faveur des aliments hypercaloriques les plus largement promus. À ce sujet, un grand nombre d'études montrent que la propension des enfants à réclamer, obtenir et consommer des produits transformés, ultra-obésigènes (snacks, fast-foods, sodas, etc.) croît avec l'intensité des pressions marketing exercées[1024-1030]. Qui peut sérieusement penser, ne serait-ce qu'une seconde, que l'excès énergétique alors induit va laisser indemne le statut pondéral de ces enfants[38, 162] ? Une étude a analysé, par exemple, l'impact d'une heure quotidienne de télévision à 3 ans sur le poids, l'activité physique et le comportement alimentaire exprimés à 10 ans[226]. Résultat : davantage de *junkfood* (sodas, snacks ; + 10 %), moins de fruits et de légumes (– 16 %), moins d'activité physique (– 13 %) et, sans surprise, un indice de masse corporelle* sensiblement plus élevé (+ 5 %). L'observation est d'autant plus troublante que les biais ici observés ont tendance à se propager bien au-delà de l'enfance. En effet, les inclinations gustatives précocement acquises persistent souvent tout au long de la vie[1031-1034]. Cela explique, pour partie – au-delà notamment de potentielles prédispositions génétiques –, l'aptitude de l'obésité infantile à poursuivre très longtemps ses victimes[1035-1036].

À tout cela s'ajoutent, évidemment, les problèmes de *priming* évoqués plus haut, car, bien sûr, le fait de voir des gens manger à l'écran augmente significativement notre consommation immédiate[1021, 1037]. Autrement dit, quand le cerveau est confronté à des stimuli alimentaires,

* L'indice de masse corporelle (IMC) s'obtient en divisant le poids (en kilogrammes) par le carré de la taille (en mètres) ; il s'exprime donc en kg/m^2. Lorsque l'IMC est situé entre 18,5 et 25, le sujet a un poids sain. En dessous de 18,5, il est en insuffisance pondérale. Entre 25 et 30, il est en surpoids. Au-delà de 30, il est obèse.

cela active l'idée de manger et, par voie de conséquence, accroît sensiblement le risque de grignotage[38, 162].

Bref, pris dans leur ensemble, ces éléments montrent que le marketing alimentaire, omniprésent à la télévision et sur l'ensemble des supports numériques, majore fortement le risque d'obésité chez l'enfant et l'adolescent.

Le poids inquiétant des normes

Au fond, les éléments précédents ne font que refléter la capacité générale des contenus audiovisuels de masse à formater nos représentations sociales. Youtube, les séries, les films, les clips musicaux, les jeux vidéo sont de véritables machines à fabriquer des normes, c'est-à-dire des règles, souvent implicites, de conduite, d'apparence ou d'expectation. Juliet Schor, professeure à l'université de Boston, fut l'une des premières à théoriser ce point au sujet de la télévision. Dans l'un de ses *best-sellers*, publié en 1998 et intitulé *L'Américain surendetté*, cette sociologue analysait brillamment le rôle du petit écran dans la fuite en avant consumériste de ses compatriotes[1038]. Bien que richement documentée, l'analyse est assez simple à résumer : avant, nous nous comparions à nos voisins, nos proches et nos amis ; maintenant, nous nous confrontons à nos *alter ego* télévisuels. Pour la classe moyenne, ce changement entraîna un incroyable sentiment de régression sociale tant le monde audiovisuel offrait de ce milieu sociologique une image déformée : vastes lofts à Manhattan, gigantesques maisons en banlieue, voitures spacieuses (une pour madame, une pour monsieur), vêtements et restaurants chics, etc. Au bout du compte, nous dit Schor, « l'histoire des années 1980-1990, c'est que des millions d'Américains ont fini avec plus en ayant le sentiment de posséder moins ». C'est ainsi que s'est engagée une perpétuelle course au statut, nourrie par l'emprunt, le stress, l'épuisement et une extension phénoménale du temps de travail[1039].

Une image altérée du corps

Depuis cette observation originelle, la puissance normative des contenus audiovisuels a été confirmée dans nombre de domaines. Prenons, par exemple, la problématique du statut pondéral. En France, près de 60 % des femmes et 30 % des hommes jouissant d'un poids médicalement sain souhaitent maigrir[1040]. L'apologie quasi universelle véhiculée par les médias, notamment numériques, de l'extrême minceur pour les femmes et de l'excessive muscularité pour les hommes n'est pas étrangère à cette extravagance. Chaque jour, en effet, nous sommes confrontés dans les films, séries, clips musicaux, jeux vidéo ou posts Instagram, à un tsunami de types physiques tout à fait « anormaux » (au sens mathématique du terme). Et le souci, c'est que, à force de ne voir que des corps aberrants, nous finissons par penser que ceux-ci sont la règle et que nous sommes l'exception. Considérons le cas féminin à titre de plus ample illustration. Comme j'ai eu l'occasion de le montrer en détail dans un ouvrage précédent[38], le sujet est bien documenté et les preuves de distorsion ne manquent pas. Par exemple, en un peu moins de un siècle, le poids des Miss Amérique est passé de la normalité à la quasi-anorexie. Aux États-Unis, la femme moyenne mesure 1,62 m pour 75 kg alors que le mannequin standard affiche 1,80 m pour 55 kg. Dans les séries télévisées de *prime time*, près d'un tiers des actrices ont un indice de masse corporelle qualificatif de l'état de maigreur ; 3 % sont obèses. Dans la vraie vie, ces chiffres sont rigoureusement inverses avec un tiers d'obésité et 2 % de maigreur.

Ce hiatus provoque chez bien des femmes du « vrai monde » un réel et violent sentiment d'insatisfaction, connu pour ouvrir la voie à une large gamme de souffrances psychiques (dépression, mésestime de soi, etc.) et troubles du comportement alimentaire (anorexie, boulimie, etc.)[38]. Une méta-analyse dévolue à cette problématique se conclut d'ailleurs en ces termes : « L'exposition médiatique est liée à l'insatisfaction généralisée des femmes vis-à-vis de leur corps, à l'accroissement de l'investissement consacré à l'apparence et à une augmentation de l'acceptation des comportements alimentaires déréglés[1041]. » Une étude fréquemment citée démontre magnifiquement ce dernier point. Des chercheurs américains de l'université Harvard se sont intéressés à une province des îles Fidji, dans le Pacifique, n'ayant pas encore de télévision, mais devant faire l'objet d'un raccordement prochain[1042]. L'existence de troubles du comportement alimentaire fut évaluée à partir d'un test standard dans deux populations comparables d'adolescentes sollicitées pour l'une avant (quelques semaines) et pour l'autre après (trois ans) l'arrivée du poste. Résultat : une nette augmentation du nombre de jeunes filles avouant se faire vomir pour ne pas grossir (0 à 11 %) et un quasi-triplement du nombre d'adolescentes considérées « à risque » par le test. Comme tous les foyers ne firent pas l'acquisition d'une télévision, les chercheurs purent comparer les participantes qui possédaient un poste chez elles avec celles qui n'en possédaient pas. La probabilité d'être détectées « à risque » était triplée chez les premières par rapport aux secondes.

Une sexualité plus débridée

La sexualité fournit des résultats similaires. En ce domaine, la focalisation porte souvent sur la question pornographique. Le sujet est assurément important. Toutefois, il ne doit pas masquer l'impact des films et séries ordinaires, éventuellement « tous publics », comme *Serial Noceurs*, *Pretty Woman*, *Bad Moms* ou *Avatar* pour reprendre quelques exemples précédemment évoqués. Certes, les épisodes sexuels ne sont alors pas brutalement explicites. Mais cela ne les empêche d'être réels, fréquents et, dans de nombreux cas, menaçants par leur propension à être présentés de manière passablement « désinvolte » (c'est-à-dire sans évocation des risques potentiels et mesures prophylactiques souhaitables)[55, 236, 1043-1045]. Le problème, c'est que le spectateur finit inconsciemment, à force de répétitions, par ériger cette désinvolture en norme comportementale. Dans ce cas, deux corollaires sont théoriquement attendus : une facilitation du passage à l'acte et un délaissement des conduites protectrices. C'est exactement ce que rapporte la littérature scientifique[248-249, 1046-1049]. Une étude, par exemple, s'est intéressée à la télévision. Près de 1 800 adolescents de 13 à 17 ans furent suivis pendant un an[1050]. Au terme de cette période, la probabilité d'avoir expérimenté un premier coït était multipliée par deux chez les 10 % de sujets ayant initialement été exposés au plus grand nombre de contenus sexuels, par rapport aux 10 % de sujets ayant été les moins exposés. Dans une autre recherche, elle aussi centrée sur la télévision, ce sont 1 700 adolescentes de 12 à 17 ans qui furent suivies pendant trois ans[247]. Sur cette période, la probabilité d'avoir enduré une grossesse précoce non désirée était multipliée par deux chez les 10 % de participantes exposées au plus grand nombre de contenus sexuels, par rapport aux 10 % de participantes les moins exposées. Dans un autre travail encore, c'est l'impact des vidéos de rap qui fut analysé[246]. Plus de 500 adolescentes de 14 à 18 ans furent suivies pendant un an. À l'arrivée, les probabilités d'avoir eu plusieurs partenaires et d'avoir contracté une maladie sexuellement transmissible étaient toutes deux doublées chez les participantes les plus exposées.

Une violence facilitée

Ainsi donc, la liste des contenus qui menacent nos enfants est loin d'être chétive et anodine. Elle s'étire généreusement du tabac à l'alcool, en passant par la *junkfood*, le sexe, le consumérisme et les stéréotypes corporels. Pourtant, un géant manque encore : la violence. Celle-ci s'avère si ubiquitaire au sein des espaces numériques qu'elle est devenue « une composante inéluctable de la vie des enfants », nous dit l'Académie américaine de pédiatrie[1051]. Comme cela a été expliqué dans la première partie de ce livre, un large consensus scientifique existe pour dire que cette composante stimule les pensées, ressentis et comportements agressifs. Malgré tout, la controverse médiatique demeure et les débats s'enchaînent, régulièrement nourris d'études et opinions iconoclastes. C'est invraisemblable ; et même si l'on oubliait la totalité des preuves expérimentales accumulées depuis cinquante ans, cela resterait invraisemblable ! En effet, les mécanismes associatifs et normatifs illustrés dans les pages précédentes opèrent de la même façon quel que soit le contenu. Dès lors, il n'y a aucune raison pour que ce qui réussit avec le tabac, l'alcool, le sexe ou l'image du corps échoue avec la violence. Au fond, sous l'angle du fonctionnement cérébral, la surprise ce n'est pas que les contenus violents aient une influence profonde sur le comportement ; la surprise ce serait qu'ils n'en aient pas.

Commençons par les études de contenus. Celles-ci montrent que les biais observés pour le tabac, l'alcool ou le sexe concernent aussi la violence. Dans le monde numérique, cette dernière n'est pas seulement ubiquitaire. Elle est également valorisée et associée à toutes sortes de traits positifs, dont le pouvoir, l'argent, l'opiniâtreté ou (pour les hommes) la virilité. Dans bien des cas, elle est présentée sous un angle singulièrement glamour et dépeinte comme un recours légitime, pour ne pas dire nécessaire. Ses effets traumatiques sont étonnamment sous-évalués tant à court qu'à long terme (quel humain pourrait essuyer, sans endurer des séquelles neurologiques irrévocables, le centième du pilonnage supporté par Rocky dans chacun de ses films ?)[55, 236-237, 1052]. Alors oui, à l'évidence, comme le confirment des centaines d'études diverses, convergentes et complémentaires, cette avalanche de violence délivrée à l'écran a un impact majeur sur les comportements de nos enfants[237, 1051, 1053-1068]. Une recherche, par exemple, a soumis 125 jeunes adultes (âgés de 18 ans) à un test permettant de déterminer le degré d'association existant, au sein des réseaux mnésiques, entre le concept de « moi » et divers attributs agressifs*. La connexion se révéla significativement plus forte chez les utilisateurs de jeux vidéo violents[1069]. Dans un autre travail, joliment complémentaire, 330 écoliers de 8-9 ans furent suivis pendant quinze ans[1070]. À partir de différentes données objectives d'agression, les auteurs comparèrent les 20 % d'individus qui avaient consommé le plus de contenus violents à la télé durant leur enfance, avec les 80 % qui en avaient consommé le moins. Pour les hommes, les risques d'avoir malmené physiquement leur partenaire, d'avoir subi une condamnation judiciaire ou d'avoir commis une infraction routière punissable d'amende étaient multipliés respectivement par 2, 3,5 et 1,5. Des résultats compatibles avec ceux d'une autre étude

---

* Schématiquement, on présente aux sujets un item pris dans une catégorie parmi deux : moi/autrui (cet item peut être un nom, un prénom, une date de naissance, une image, etc.). Ensuite, on mesure le temps mis pour identifier un autre item pris lui aussi dans une catégorie parmi deux : agressif/calme (vengeance, menace, attaque, etc./dialogue, réconciliation, échange, etc.). L'hypothèse sous-jacente, déjà mentionnée dans une note p. 357, suggère que les items fonctionnellement liés au sein des réseaux mnésiques vont être plus rapidement et facilement retrouvés.

menée sur 700 adolescents[1071]. À l'âge adulte (22 ans), ceux qui avaient le plus regardé la télé durant l'adolescence (14 ans ; plus de 3 heures par jour) présentaient, par rapport à ceux qui l'avaient le moins regardée (moins de 1 heure par jour), trois fois plus de risques d'avoir été impliqués dans au moins une bagarre sérieuse ayant occasionné une blessure physique.

Pour ceux qui douteraient encore de la réalité du problème, considérons l'impact des contenus violents sous l'angle, non plus du comportement exprimé, mais des ressentis intériorisés. Le sujet peut être abordé de manière simple, à travers le concept de « violence acceptable ». D'un point de vue physiologique, celui-ci caractérise le seuil maximal de violence qui échoue à produire une émotion négative. Il est aujourd'hui clairement établi que ce seuil varie fortement chez l'enfant, l'adolescent et l'adulte en fonction du degré d'exposition aux contenus médiatiques violents : plus l'individu est imprégné, moins il se montre empathique[1072-1074]. Récemment, des études de neuro-imagerie ont permis d'identifier les substrats neuronaux de cette habituation. À court terme, il fut montré que le cerveau désactivait ses réseaux émotionnels lorsqu'il était soumis à une répétition d'images violentes[1075-1077]. À long terme, il fut rapporté que les adolescents les plus exposés à la violence télévisuelle présentaient des anomalies anatomiques discrètes mais significatives au niveau des régions préfrontales impliquées dans le contrôle des émotions et l'inhibition des conduites agressives[1078]. En accord avec ces observations, différents travaux basés sur la conductivité électrique de l'épiderme (qui se modifie lorsque nous ressentons une émotion importante) ont indiqué que les enfants et adolescents accoutumés à la violence audiovisuelle affichaient une tolérance plus élevée que leurs homologues moins exposés à des images réelles de bagarre ou d'agression[1076, 1079-1080]. Plusieurs recherches ont confirmé que cette « désensibilisation » favorisait l'émergence de conduites agressives et hostiles[1081-1082].

Bref, il faut être sacrément cynique et culotté pour oser plaider encore l'innocuité des contenus violents. L'influence de ces derniers a non seulement été décrite dans des centaines d'études, mais, depuis quelques années, elle a aussi été observée au cœur même du fonctionnement et de l'architecture cérébrale !

En conclusion

Du présent chapitre, il faut retenir que la consommation d'écrans récréatifs a un impact très négatif sur la santé de nos enfants et adolescents. Trois leviers se révèlent alors particulièrement délétères.

Premièrement, les écrans affectent lourdement le sommeil. Or, celui-ci est un pilier essentiel, pour ne pas dire vital, du développement. Lorsqu'il déraille, c'est toute l'intégrité individuelle qui est affectée, dans ses dimensions physiques, émotionnelles et intellectuelles. Il est assez surprenant (et inquiétant) de voir à quel point l'ampleur de ce problème est aujourd'hui sous-estimée.

Deuxièmement, les écrans augmentent fortement le degré de sédentarité tout en diminuant significativement le niveau d'activité physique. Or, pour évoluer de manière optimale et pour rester en bonne santé, l'organisme a besoin d'être abondamment et activement sollicité. Rester assis nous tue ! Faire de l'exercice nous construit ! ; et pas seulement dans nos dimensions physiques. Bouger a un impact majeur sur notre fonctionnement émotionnel et intellectuel. Là encore, le problème est inexplicablement oublié des débats relatifs aux usages du numérique par nos progénitures.

Troisièmement, les contenus dits « à risque » (sexuels, tabagiques, alcooliques, alimentaires, violents, etc.)

saturent l'espace numérique. Aucun support n'est épargné. Or, pour l'enfant et l'adolescent, ces contenus sont d'importants prescripteurs de normes (souvent inconsciemment). Ils disent ce qui doit être (par exemple, un lycéen « normal » ça fume et ça couche – sans se soucier des problèmes de préservatifs). Une fois assimilées, ces normes ont un effet considérable sur le comportement (par exemple, la probabilité qu'un lycéen se mette à fumer ou ait des relations sexuelles non protégées).

******

Au final, cette seconde partie montre que nos enfants passent un temps insensé sur leurs écrans (chapitre 4), ce qui affecte lourdement leurs performances scolaires (chapitre 5), leur développement, en particulier intellectuel (chapitre 6), et leur santé (chapitre 7). Malgré tout, comme le suggère l'épilogue à venir, rien n'est (encore ?) inéluctable et il existe des raisons de croire que la société commence doucement à mesurer l'étendue du problème.

Épilogue

> « Chacun de tes pas d'aujourd'hui est ta vie de demain. »
>
> WILHELM REICH, psychiatre et psychanalyste[1]

On dit qu'écrire apaise. Je crains que ce ne soit pas toujours le cas. Parfois les mots ne font qu'accroître la colère. On part exaspéré, on finit ulcéré. Ce livre en est un bon exemple. Au début, porté par une recherche bibliographique encore parcellaire, il ne disait qu'une vague irritation. Puis, lentement, confronté d'un côté à une masse sans cesse croissante d'études scientifiques inquiétantes et de l'autre à un déferlement de propos publics toujours plus affligeants, il s'est élaboré en une rage sourde et froide. Ce que nous faisons subir à nos enfants est inexcusable. Jamais sans doute, dans l'histoire de l'humanité, une telle expérience de décérébration n'avait été conduite à aussi grande échelle.

On me dit parfois que je suis « méprisant » vis-à-vis des jeunes générations. Rien n'est plus insultant que ce genre de sottise. Si je méprisais ces gosses, je les brosserais sagement dans le sens du poil. Je leur dirais qu'ils sont tous des mutants au cerveau transcendé et je leur suggérerais toutes sortes d'applications « éducatives » bancales (mais bancables). Je vanterais leur formidable créativité, tout en expliquant discrètement à ma lucrative clientèle que ces gamins sont en fait trop débiles pour encaisser une pub de plus de dix secondes. Je glorifierais leur génie numérique en m'ingéniant à protéger mes propres descendants. Je m'émerveillerais de leur inventivité lexicale pour ne pas avoir à déplorer leur préoccupante anémie langagière. Au fond, si je méprisais ces enfants, je n'aurais pas écrit ce livre, mais une hagiographie complaisante, abjectement gluante et approbatrice.

Afin que tout cela soit clair, revenons brièvement sur les faits.

Que retenir ?

Le présent ouvrage permet quatre conclusions majeures.

Premièrement, en matière d'usages du numérique, l'information offerte au grand public manque singulièrement de rigueur et de fiabilité. Soumis à d'invraisemblables impératifs de productivité, nombre de journalistes n'ont tout bonnement pas le temps d'approfondir suffisamment leur compréhension du sujet pour, d'une part, s'exprimer avec pertinence et, d'autre part, distinguer les experts qualifiés des sources incompétentes ou corrompues.

Deuxièmement, la consommation numérique récréative des jeunes générations n'est pas seulement « excessive » ou « exagérée » ; elle est extravagante et hors de contrôle. Parmi les principales victimes de cette orgie temporelle, on trouve toutes sortes d'activités essentielles au développement ; par exemple le sommeil, la lecture, les échanges intrafamiliaux, les devoirs, les pratiques sportives ou artistiques, etc.

Troisièmement, cette dévorante frénésie numérique nuit gravement à l'épanouissement intellectuel, émotionnel et sanitaire de nos enfants. D'un point de vue strictement épidémiologique, la conclusion à tirer de ces données se révèle assez simple : les écrans sont un désastre. Toute maladie qui afficherait le même pedigree (obésité, troubles du sommeil, tabagisme, difficultés attentionnelles, retards de langage, dépression, etc.) verrait une armée de chercheurs se lever sur sa route. Rien de tel concernant nos lucratifs joujoux digitaux. Juste, de-ci de-là, quelques timides mises en garde et appels à une « vigilance raisonnée ».

Quatrièmement, si l'effet des écrans récréatifs est aussi délétère, c'est en grande partie parce que notre cerveau n'est pas adapté à la furie numérique qui le frappe. Pour se construire, il a besoin de tempérance sensorielle et de présence humaine. Or, l'ubiquité digitale lui offre un monde inverse, fait d'un bombardement perceptif constant et d'une terrible paupérisation des relations interpersonnelles. Soumis à cette double pression, le cerveau souffre et il se construit mal. Autrement dit, il continue à fonctionner, c'est évident, mais bien en deçà de son plein potentiel. C'est d'autant plus tragique que les grandes périodes de plasticité cérébrale propres à l'enfance et à l'adolescence ne sont pas éternelles. Une fois refermées, elles ne ressuscitent plus. Ce qui a été gâché est à jamais perdu. L'argument de modernité si souvent avancé prend alors toute sa dimension ridicule. « Il faut vivre avec son temps », nous dit-on. C'est incontestable… Mais il faudrait prévenir notre cerveau que les temps ont changé ; parce que lui n'a pas bougé d'un iota depuis des siècles. Et, malheureusement, avant de s'adapter parfaitement à son nouvel environnement numérique (s'il y parvient un jour), il va lui falloir quelques dizaines de millénaires !

En attendant, les choses ne vont pas s'arranger et le réel risque bien de demeurer saumâtre. Sans doute serait-il bon que les partisans d'une numérisation à marche forcée du système scolaire en prennent conscience, eux aussi. À ce jour, un seul levier a démontré une influence réellement positive et profonde sur le devenir des élèves : l'enseignant qualifié et bien formé. Il est l'unique élément commun à tous les systèmes scolaires les plus performants de la planète.

Écrivant cela, je suis conscient « [qu']on n'aime point celui qui apporte de fâcheuses nouvelles[2] », comme Sophocle le faisait dire à Antigone. J'aurais aimé, assurément, que les choses soient différentes. J'aurais aimé que la littérature scientifique soit plus positive, plus encourageante, moins inquiétante. Elle ne l'est pas. Certains ne manqueront pas de déplorer la nature « alarmiste » de cet ouvrage. Dont acte. Mais, en toute objectivité, n'y a-t-il pas dans les éléments ici présentés de quoi être alarmé ? Chacun en jugera pour lui-même.

Que faire ?

Alors, que faut-il faire ? Deux choses, je crois. D'abord, ne pas se résigner. Il n'y a là aucun inéluctable. En tant que parents, nous avons le choix et rien ne nous oblige à livrer nos enfants à la terrible puissance corrosive de tous ces outils numériques récréatifs. Certes, résister n'est pas facile, mais c'est toujours possible ; beaucoup le font, notamment dans les milieux favorisés. J'entends bien sûr la célèbre fable du paria social, ce pauvre martyr qui, parce qu'il est privé d'accès aux réseaux sociaux, aux jeux en ligne et aux bienfaits d'une « culture numérique commune », se trouverait irrévocablement isolé et rejeté par ses pairs. D'ailleurs, à l'heure de négocier l'achat d'un smartphone, d'une tablette ou d'une console de jeux, enfants et ados ont très bien compris tout le profit qu'ils pouvaient tirer de ce genre de discours. Mais, en pratique, le boniment ne tient pas. À ce jour, aucune étude n'indique que la privation d'écrans à usage récréatif pourrait conduire à l'isolement social ou à quelque trouble émotionnel que ce soit ! Par contre, un grand nombre de recherches soulignent l'impact lourdement préjudiciable de ces outils sur les symptômes dépressifs et anxieux de nos enfants. Autrement dit, la présence estropie quand l'absence ne nuit pas. Entre ces deux options, le choix semble donc clair ; d'autant plus clair au demeurant qu'il ne s'agit pas ici d'interdire tout accès numérique, mais de s'assurer que les temps d'usage sont maintenus sous le seuil de nocivité.

Une fois rejetés les discours d'impuissance, l'action éducative peut reprendre ses droits. Il va alors s'agir, pour les parents, de mettre en place des règles précises de consommation. Sur la base des éléments développés tout au long de l'ouvrage, on peut en retenir sept, essentielles. Sept règles que chacun, évidemment, pourra adapter aux caractéristiques de ses enfants et du contexte familial.

Sept règles essentielles

Avant 6 ans

• **Pas d'écrans.** Pour bien grandir, le jeune enfant n'a pas besoin d'écrans. Il a besoin qu'on lui parle, qu'on lui lise des histoires, qu'on lui offre des livres. Il a besoin de s'ennuyer, de jouer, de faire des puzzles, de construire des maisons en Lego, de courir, de sauter, de chanter. Il a besoin de faire des dessins, du sport, de la musique, etc. Toutes ces activités (et bien d'autres, similaires) construisent son cerveau bien plus sûrement et efficacement que n'importe quel écran récréatif. C'est d'autant plus vrai que l'absence d'exposition numérique durant les premières années de la vie n'a aucun impact négatif à court ou long terme. Autrement dit, l'enfant ne deviendra pas un handicapé du digital parce qu'il n'a pas été exposé aux écrans durant les six premières années de sa vie. Bien au contraire.

Après 6 ans

• **Pas plus de trente minutes à une heure par jour (tout compris !).** C'est dans ce point, sans doute, que réside « la » bonne nouvelle du présent texte ! À dose modeste, les écrans ne nuisent pas (sous réserve évidemment que les contenus soient adaptés). En particulier, lorsque la consommation quotidienne reste inférieure à 30 minutes, ils ne paraissent pas avoir d'effets négatifs détectables. Entre 30 minutes et une heure, des détriments émergent, mais ils semblent assez faibles pour être tolérables. Partant de ces données, une approche prudente pourrait viser une gradation par âge : maximum 30 minutes jusqu'à 12 ans et 60 minutes au-delà. À l'intention des parents, rappelons que la quasi-totalité des supports numériques (tablettes, smartphones, consoles de jeux, ordinateurs, télévision, box internet, etc.) proposent aujourd'hui, sous forme d'options ou d'applications téléchargeables, des systèmes utiles et efficaces de contrôle temporel. Une fois atteinte la limite quotidienne prédéfinie, l'appareil se bloque.

• **Pas dans la chambre.** Les écrans dans la chambre ont un impact spécifiquement défavorable. Ils augmentent les temps d'usage (en particulier au détriment du sommeil) et favorisent l'accès à des contenus inadaptés. La chambre devrait être un sanctuaire, libre de toute présence numérique. Et, pour répondre à une objection fréquemment entendue, il existe des réveils performants dès 2 ou 3 euros… Pas besoin de smartphones (ceux-ci peuvent très bien dormir dans la corbeille du salon).

• **Pas de contenus inadaptés.** Que ce soit sous forme de clips, de films, de séries, de jeux vidéo, etc., les contenus à caractères violents, sexuels, tabagiques, alcooliques, etc., ont un effet profond sur la façon dont les enfants et les adolescents perçoivent le monde. *A minima*, il est important de respecter les signalétiques d'âges (en gardant alors à l'esprit l'impressionnante permissivité du système de classification français par rapport à ce que l'on peut observer, par exemple, dans les pays anglo-saxons ; notamment pour les films et séries). Là encore, des applications permettent assez facilement, pour quasiment tous les supports numériques, de bloquer l'accès aux contenus inadaptés. Bien sûr, il y a les expositions tierces, via le smartphone, l'ordinateur ou la tablette du copain. Celles-ci sont incontrôlables. Il est essentiel d'en parler avec ses enfants (ados compris !). Ce n'est pas parfait, mais c'est malheureusement la seule option possible… au moins tant que la puissance publique ne daignera pas réguler sérieusement l'accès des mineurs aux contenus hyperviolents, pornographiques, racistes et autres.

• **Pas le matin avant l'école.** Les contenus « excitants », notamment, épuisent durablement les capacités intellectuelles de l'enfant. Le matin, laissez ce dernier rêver, s'ennuyer et petit-déjeuner dans un environnement serein ; écoutez-le, parlez-lui, etc. Son rendement scolaire s'en trouvera grandement amélioré.

• **Pas le soir avant de dormir.** Les écrans « du soir » affectent fortement la durée (on se couche plus tard) et la qualité (on dort moins bien) du sommeil. Les contenus « excitants » sont, là encore, particulièrement délétères. Débranchez tout au moins 1 h 30 avant l'instant prévu du coucher.

• **Une chose à la fois.** Dernier point, mais il est d'importance. Les écrans doivent être utilisés seuls (un à la fois). Ils doivent rester hors de portée pendant les repas, les devoirs et les discussions familiales. Plus le cerveau en développement est soumis au *multitasking*, plus il devient perméable à la distraction. En outre, plus il fait de choses à la fois, moins il est performant, moins bien il apprend et moins bien il mémorise. Ultime démonstration, s'il en fallait une, que notre cerveau n'est vraiment pas fait pour les pratiques de la nouvelle modernité numérique.

Moins d'écrans, c'est plus de vie

Ces règles, certes contraignantes, n'ont rien d'une vaine lubie. Elles sont redoutablement efficaces, comme nous l'avons vu. Quant aux heures reprises à l'hégémonie des écrans, il faut les rendre à la vie. Ce n'est ni simple, ni immédiat car c'est toute l'écologie familiale qu'il faut alors réorganiser. Mais si la volonté tient, les enfants s'adaptent ; et le temps « vide », enfin, peut se remplir d'activités nouvelles : parler, échanger, dormir, faire du sport, jouer d'un instrument de musique, dessiner, peindre, sculpter, danser, chanter, prendre des cours de théâtre et, bien sûr, lire. Et si vraiment le livre paraît trop inhospitalier, n'hésitez pas à regarder du côté des bandes dessinées. Certaines ont une richesse créative et langagière stupéfiante*.

Au final, si tout cela paraît difficile, si vos enfants tempêtent et enfoncent en vous le fer rouge de la culpabilité, n'oubliez pas une chose : lorsqu'ils seront grands, ils vous remercieront d'avoir offert à leur existence la fertilité libératrice du sport, de la pensée et de la culture, plutôt que la stérilité pernicieuse des écrans.

* Je ne suis pas spécialiste, mais ma fille a adoré *Mortelle Adèle*, *La Rose écarlate*, *Ducobu*, *Les Carnets de Cerise*, *Les P'tits Diables*, *Dad*, *Rahan*, *Astérix* ou *Pico Bogue*.

Une lueur d'espoir ?

« Le moucheron contre l'éléphant » : tels sont les mots qu'aurait utilisés Sébastien Castellion pour définir le combat qu'il mena à Genève, il y a près de cinq cents ans, contre la folie intégriste et dictatoriale de Jean Calvin, acteur majeur de la « réforme protestante[3] ». Lorsque j'ai commencé le présent ouvrage, il y a quasiment trois ans, c'est à ces mots que j'ai d'abord pensé. La vague numérique était à son zénith ; si haute et si puissante qu'elle paraissait indestructible. Et puis les choses ont commencé à changer. Imperceptiblement, des vents contraires se sont levés. Les professionnels de l'enfance, notamment, sont devenus plus hésitants. J'ai alors été contacté par des syndicats et associations d'enseignants, d'orthophonistes, de parents d'élèves, de pédiatres et d'infirmières scolaires. Chaque fois, le même discours, les mêmes observations, les mêmes questions et les mêmes aveux d'impuissance. Rien de « scientifique » évidemment dans ce constat, mais une impression tenace et persistante que le scepticisme s'organise. Il faut dire que le réel est têtu et que le désastre commence à se voir.

Ce n'est pas un hasard si le malaise émerge principalement parmi les hommes et femmes qui sont au contact direct des jeunes générations. Tout ce qui est rapporté dans ce livre, ces professionnels le décrivent avec une acuité saisissante : problèmes d'attention, de langage, d'impulsivité, de mémoire, d'agressivité, de sommeil, de réussite scolaire, etc. C'est à la fois triste pour le présent et encourageant pour l'avenir. En effet, une salutaire prise de conscience semble se dessiner. J'espère sincèrement que cet ouvrage pourra aider à sa propagation.

Postface*

« La propagande est à la démocratie ce que la violence est à la dictature. »

NOAM CHOMSKY,
linguiste et intellectuel[1]

* Postface inédite, rédigée en juillet 2020 pour la version poche de ce livre.

Été 2020. Alors que j'entame la rédaction de cette postface, je me dis que le temps passe décidément bien vite. Cela fait une année déjà que *La Fabrique du crétin digital* a paru. Une année bouillonnante, durant laquelle le débat sur l'impact des écrans s'est développé de manière aussi intense qu'inattendue. En toute sincérité, jamais je n'aurais cru que le livre provoquerait une telle agitation. Télévision, radio, presse écrite, réseaux sociaux, la couverture a été extensive. J'en suis heureux. Il était urgent que cette problématique, trop longtemps négligée et nourrie au seul biberon des discours lobbyistes, émerge au cœur de nos préoccupations collectives.

Il n'est évidemment pas question de reprendre ici en détail les diverses critiques, analyses et controverses qui ont alimenté la discussion. Malgré tout, à l'aune du recul désormais disponible, un retour sur quelques points clés pourrait se révéler utile. Par souci de clarté, ceux-ci sont groupés en trois grandes sections. La première revient, pour essayer d'en comprendre les raisons, sur l'accueil largement positif dont a bénéficié l'ouvrage. La deuxième se penche, à partir de quelques exemples représentatifs, sur l'origine et la nature des principales critiques adressées au texte. La troisième, enfin, interroge les grands enseignements livrés, en matière de numérique, par les longues semaines de confinement que nous avons connues au printemps 2020 du fait de la pandémie de coronavirus.

Un accueil positif : le poids du réel

Globalement, donc, l'ouvrage a été très bien accueilli, tant du côté des médias que des lecteurs. *Le Point* lui a offert sa couverture[2] et l'a classé dans sa liste des meilleurs livres de l'année[3], tout comme le magazine littéraire *Lire*[4]. Le jury du prix Femina lui a accordé un prix spécial. Pour Ali Rebeihi, à la tête de l'émission *Grand bien vous fasse* sur France Inter, nous parlons là, « à [son] humble avis, d'un ouvrage de salubrité publique[5] ». De manière intéressante, plusieurs journalistes m'ont expliqué avoir changé radicalement d'opinion à la lecture d'un texte qu'ils avaient abordé à reculons, persuadés d'avoir affaire à une nième diatribe technophobe, forcément outrancière. C'est le cas, par exemple, d'Antonio Fischetti, enseignant en physique, journaliste scientifique et chroniqueur à *Charlie Hebdo*[6]. Craignant, conformément au ton inimitable de cet hebdomadaire satirique, « que le dénigrement du numérique ne soit qu'un réflexe de vieux con attaché à son cher papier », notre homme a finalement « été sacrément convaincu [par l'auteur]. Pourquoi ? Parce qu'il a de très bons arguments [...]. On ne parle pas d'opinions, mais de faits scientifiques. Or ces faits sont accablants[7]. »

J'avoue que je ne m'attendais pas à une réception aussi largement positive. Mais sans doute avais-je sous-estimé le poids du réel et, plus précisément, de ce que je nommais il y a un an, en conclusion de l'ouvrage, « un désastre qui commence à se voir ». Je m'en suis rendu compte lors des nombreux échanges que j'ai pu partager, ces derniers mois, avec une large diversité de professionnels de l'enfance. Je ne sais pas si c'est une bonne nouvelle, car cela signifie que l'atteinte faite à certains marqueurs clés de notre humanité est désormais si accentuée qu'elle est devenue ouvertement palpable. Enseignants, psychomotriciens, orthophonistes, comment ces gens pourraient-ils encore se laisser abuser par la triste chimère marketing du *digital native* alors qu'ils passent leur temps avec des enfants dont les difficultés de langage, de concentration, de mémorisation, d'éveil, de motricité fine, etc., deviennent chaque jour plus criantes ? Assurément, redisons-le, les écrans ne sont pas seuls responsables de ces évolutions. Mais comme le montre l'ensemble des éléments présentés tout au long de cet ouvrage, il faut une sacrée mauvaise foi pour nier la nature essentielle de leur contribution.

C'est cette convergence entre l'individu réel (auquel sont confrontés les professionnels de l'enfance) et l'individu théorique (que dessine la littérature scientifique relative aux écrans) qui, me semble-t-il, explique l'écho positif offert au livre. En d'autres termes, les éléments ici présentés offrent une grille de lecture efficace pour comprendre la réalité de terrain ; en retour, cette même réalité valide la pertinence des inquiétudes scientifiques égrenées depuis vingt ans par un nombre croissant de spécialistes. L'analogie est frappante avec la question du réchauffement climatique. Pour que commence à s'estomper l'odieux pouvoir des « marchands de doute* » et que soient pleinement considérées les alarmes scientifiques périodiquement émises au cours des trois dernières décennies, notamment par le GIEC**, il a fallu attendre que les prédictions théoriques s'incarnent enfin dans le réel palpable de nos calottes glaciaires. Avec les écrans, aujourd'hui, nous en sommes là, au grand dam des

---

* Voir la section pp. 21 et suivantes.

** Créé en 1988 sous l'égide de l'ONU (Organisation des Nations unies), le GIEC (Groupe d'experts intergouvernemental sur l'évolution du climat) a pour mission d'évaluer aussi précisément et objectivement que possible l'état des connaissances scientifiques disponibles sur la question du réchauffement climatique.

commis-négateurs de tous poils, qui ont de plus en plus de mal à extraire leurs discours lobbyistes du cimetière des fables périmées.

Des critiques inévitables : les nouveaux marchands de doute

Bien sûr, la réception globalement positive de l'ouvrage ne saurait cacher l'existence de critiques réelles et récurrentes. Pour la plupart, celles-ci ont porté sur la forme du document. Certains n'ont pas aimé le ton jugé trop pamphlétaire. D'autres ont trouvé le texte inutilement long et détaillé. D'autres encore ont regretté l'usage d'une langue exagérément complexe. J'entends et comprends d'autant mieux toutes ces réserves qu'elles ont fait l'objet de longs échanges avec l'éditrice du livre, Catherine Allais. Sur l'ensemble de ces points, cette dernière a, sans conteste, grandement amélioré les choses. Cela étant dit, on écrit d'abord avec ce que l'on est et si ce livre semble mordant, c'est parce qu'il rend compte, je l'ai dit par ailleurs, d'une colère bien réelle. J'assume pleinement cela, même si je conçois que cette part d'émotion puisse bousculer le folklore usuel d'une science froide et objective, science qui, par nature, se révélerait incompatible avec toute forme d'expression affective. Je ne crois pas à cette désincarnation. En écrivant ce livre, je n'avais surtout pas envie de produire une assommante dissertation, fadasse et compassée. Au-delà des données, j'avais envie de partager, avec le lecteur, tant mes inquiétudes que mon indignation. J'avais envie, au fond, de produire un ouvrage que j'aurais aimé lire. Car qu'elles sont accablantes (et trompeusement impartiales), toutes ces sommes insipides, pétries aux verbiages mornes qu'on prête à l'objectivité.

Fondamentalement, à travers ce livre, je désirais aussi répondre à tous les pseudo-experts médiatiques de la chose numérique. On me l'a reproché, comme si la première partie du livre faisait injure à la bienséance académique. Là encore, j'entends la critique, mais j'assume le choix réalisé. En toute sincérité, je me moque de savoir « qui a la plus grosse », pour reprendre l'expression d'une lectrice indignée. Dans un e-mail fort explicite, empli de jolis noms d'oiseaux, celle-ci m'accusait de « [m'] en prendre à des femmes surtout, comme madame Lalo, à cause de leurs opinions différentes ». D'abord, je n'ai pas l'impression, loin de là, d'avoir ciblé quelque genre que ce soit. Ensuite, et surtout, il s'agissait justement, à travers cette première partie, de récuser les opinions au profit des données scientifiques.

Je peux parfaitement concevoir que certains aient trouvé la démonstration exagérément longue, acide et fastidieuse. Mais il me semble que cet effort était nécessaire pour dépasser les stériles arguties qui, depuis des années, encombrent le débat public et empêchent toute prise de conscience collective. J'en veux pour preuve une récente émission du service public audiovisuel, diffusée sur France 5 et intitulée « Abus d'écrans : notre cerveau en danger[8] ? ». Le programme comprenait deux parties. La première montrait un documentaire dans lequel les risques étaient clairement identifiés et expliqués. La seconde offrait un débat qui, pour une large part, démolissait pièce à pièce les conclusions du documentaire. Sur le site de l'émission, un spectateur résumait ainsi son ressenti : « Émission très décevante et finalement assez inintéressante car on ne sait pas qui croire, les spécialistes qui disent attention danger dans le reportage ou ceux qui disent lors du débat que, finalement, même pour de jeunes enfants, les écrans ne sont pas néfastes. » Ce qui n'est pas perceptible ici, c'est que ce malaise est, la plupart du temps, non seulement voulu mais orchestré. Ultimement, il n'est que l'expression concrète de la « stratégie du doute », longuement évoquée dans la première partie de ce livre.

Malheureusement, la lutte du vrai contre le frelaté est toujours inégale, comme l'a récemment souligné Gérald Bronner lors d'une brève mais édifiante conférence[9]. Pour ce sociologue, spécialisé en cognition sociale, lorsque l'on aborde certains domaines sensibles, la raison ne peut que se noyer dans l'océan sans fond des foutaises, infox*, arnaques et contrevérités. En effet, « pendant que vous avez répondu à un argument, il y en a déjà dix qui vont se développer. [...] Il faut plus de temps pour défaire une connerie que pour en émettre une ». C'est d'autant plus vrai qu'aucune « connerie » ne disparaît jamais vraiment. Même après avoir été étrillées, démolies, démontées, disséquées, jetées à bas, les pires absurdités continuent à prospérer dans le débat public. Encore et toujours elles renaissent de leurs cendres ; parfois sous la même forme, parfois redécorées. Néanmoins, il est encore trop tôt pour renoncer et laisser le champ libre à toutes les nouvelles « conneries » émises depuis un an.

Critiquer sans lire

Ce qui me frappe le plus quand je relis mes notes, prises en vue de cette postface, c'est la capacité des contempteurs les plus ardents de l'ouvrage à s'exprimer sans avoir la moindre connaissance des éléments qu'il contient. Une nouvelle « TwittoCritique » qui évalue sans lire, se prononce sans savoir et juge sans s'informer. Au mieux, pour dresser son propos, la cohorte

* Traduction du célèbre *fake-news*, proposée par la Commission d'enrichissement de la langue française.

des détracteurs s'appuie sur quelques lignes d'un article journalistique de cinq à six mille signes*. Au pire, elle se fonde sur les seules brumes de ses idéologies pro-numériques et les « on-dit » de l'homme qui a vu l'homme qui a lu le texte. À ce titre, une anecdote me paraît signifiante. Il y a peu, un collègue m'a transmis le lien d'un long commentaire posté sur un site bien connu de ventes en ligne[10]. Tout m'y est reproché. D'abord, le livre est parmi les meilleures ventes de la catégorie essais, ce qui le rend « forcément suspect quand on connaît le degré d'abrutissement de la population, même celle qui lit ». Ensuite, « la dernière partie du bouquin suinte la moraline et le prêchi-prêcha anti-alcool et anti-tabac ». Évidemment, « le texte n'affiche pas explicitement cette position, mais on sent, en lisant entre les lignes, qu'il n'en est pas loin ». Enfin, et surtout, « [l']homélie ne tient pas la route. La consommation d'alcool et de tabac baisse depuis des années, on peut difficilement dire le contraire » (le même argument est ensuite présenté pour la violence). Pour un auteur qui a passé des années à labourer et mûrir son sujet, ce type d'âneries a de quoi agacer. De deux choses l'une, soit le commentateur est un parfait crétin, soit il n'a pas lu une ligne du texte qu'il démolit (soit les deux). Ainsi, s'agissant de la « moraline », il est explicitement précisé, par exemple au sujet du tabac, que « la question ici posée n'est aucunement morale. Il ne s'agit pas de dénoncer ou de culpabiliser l'usager. Il s'agit juste de comprendre les mécanismes de conversion qui font qu'un enfant non-fumeur va un jour sombrer dans l'escarcelle des multinationales du tabac** ». De même, concernant le fait que tel ou tel comportement baisse globalement

* *La Fabrique du crétin digital* en compte quasiment sept cent mille, hors références.

** Voir p. 360.

en présence de l'influence délétère des écrans, le livre contient plus de dix pages d'explications détaillées*.

Bien sûr, les commentaires idiots ne sont pas nés d'hier. Mais, dans le cas présent, on peut, dans une certaine mesure, dépasser le simple stade du constat singulier. En effet, le site marchand ici concerné permet de trier les commentateurs selon qu'ils ont, ou non, acheté l'ouvrage. Le critère n'est pas parfait, mais cette preuve d'achat augmente la probabilité que le texte ait effectivement été lu (au moins partiellement). De manière assez saisissante, il apparaît alors que le pourcentage de commentateurs n'ayant pas acheté l'ouvrage est cinq fois plus important chez les lecteurs mécontents (1 ou 2 étoiles ; 63 %) que chez les lecteurs satisfaits (4 ou 5 étoiles ; 12 %)**. Et surtout, ne croyez pas que *La Fabrique du crétin digital* fasse figure d'exception. J'ai testé une vingtaine d'essais qui, en leur temps, avaient suscité d'âpres débats. À chaque fois, les mêmes différentiels émergent. Par exemple : *Capital et idéologie* de Thomas Piketty, 2,5 fois plus de non acheteurs chez les mécontents ; *Murmures à la jeunesse* de Christiane Taubira, 7 fois plus ; *Qu'est-ce qu'un chef ?* de Pierre de Villiers, 6 fois plus ; *Cosmos* de Michel Onfray, 5 fois plus ; *Détruire le fascisme islamiste* de Zinel El Rhazoui, 8 fois plus ; etc.

L'éternel retour des vieilles lunes

Malheureusement, ce genre de biais ne touche pas que les commentateurs en ligne. Il frappe aussi nos experts médiatiques. En effet, beaucoup de spécialistes patentés semblent réticents à fournir le moindre travail

---

* Voir la section pp. 173 et suivantes.

** Évaluation réalisée à partir des commentaires présents sur le site Amazon au 15 juin 2020.

bibliographique sérieux, même sous forme embryonnaire. Cela explique sans doute la perpétuelle résurgence des mêmes fables, cent fois discréditées. Les mois ayant suivi la parution de ce livre l'ont montré de manière tristement frappante.

Au premier rang des immortels du verbiage propagandiste, on trouve évidemment le mythe originel du *digital native*. Certains le reprennent tel quel, comme Laurent Karila, psychiatre, affirmant sans frémir que « nos ados sont de vrais *digital native*, ils connaissent beaucoup mieux que nous le maniement de l'écran et ce qu'il y a derrière l'écran[8] ». Peu importe les faits*, l'histoire est si belle qu'il serait dommage de la laisser mourir. D'autres cependant modifient un peu le boniment et, plutôt que de mettre l'accent sur la maestria de la jeunesse, préfèrent illuminer les inaptitudes de l'âge. C'est le cas de l'inénarrable Vanessa Lalo, psychologue clinicienne dont nous avons déjà parlé**. Dans un tweet récent, la dame s'insurgeait vertement : « Combien de médias vont encore laisser la parole à Desmurget qui ne dit rien que des âneries [*sic*], juste pour vendre son livre ??!! Combien de temps encore allez-vous donner une crédibilité à des séniors pour parler de numérique ? Sérieusement ! » Voilà incontestablement, en conformité avec les habitudes de Madame Lalo, qui se présente comme chercheuse sur son site Internet***, [11], ce que l'on nomme une vraie réfutation scientifique, solide, factuelle et argumentée. Malgré tout, il est heureux pour notre psychologue que ce genre de stéréotypes liés à l'âge[12] reste encore largement toléré, contrairement aux discriminations de genre, d'orientation sexuelle ou d'origine ethnique. L'assertion n'en reste pas moins parfaitement stupide et détestable. À ceux qui en

---

* Voir la section pp. 42 et suivantes.

** Voir pp. 22-23.

*** Voir la note p. 22

douteraient, on peut suggérer de remplacer « séniors » par « femmes », « homosexuels » ou « noirs ». Bref, tout cela manque cruellement d'argumentaire et de sérieux. Lisant ces lignes, j'avoue que j'ai du mal à ne pas repenser à cette merveilleuse réplique de Jean Cazeneuve, ancien Premier ministre : « Twitter, c'est la phrase brève au service des idées courtes. »

Au rayon des critiques ubuesques, on trouve aussi ce procès en mépris de classe intenté notamment par Claude Martin[13]. Pour ce sociologue, les énoncés prophylactiques liés à l'usage des écrans stigmatiseraient à dessein les familles populaires. L'encadrement des usages du numérique serait ainsi devenu le must distinctif des « nantis ». En effet, « comment ne pas remarquer ce jeu social classique consistant à bien repérer les bonnes pratiques des dominants et les mauvaises pratiques des dominés ? Derrière les discours sur les écrans, il y a des enjeux de classe et des enjeux politiques. Autant en avoir conscience ». L'idée n'est pas nouvelle. Elle rejoint l'argument déjà évoqué* d'une cabale anti-féministe, ne visant rien de moins que l'asservissement des femmes par la culpabilisation des mères. Tout cela est sidérant. Je ne suis pas sociologue, mais il me semble bien que le mépris de classe consiste justement à considérer que les familles défavorisées sont seules concernées par le problème des écrans. Par ailleurs, même si l'on admettait que tel est le cas – contre toute évidence** et pour satisfaire je ne sais quels idéaux post-soixante-huitards décatis –, devrait-on renoncer à toute action de prévention et abandonner les enfants les plus en difficulté aux salades propagandistes des géants du numérique ? Tant

---

* Voir pp. 82-83.

** Ce n'est pas parce que l'usage est supérieur dans les milieux défavorisés qu'il est modeste et sans impact dans les familles aisées (*cf.* chapitre 4 p. 209).

qu'à faire, pourquoi ne pas taire aussi, pour éviter toute stigmatisation, que la numérisation aveugle du système scolaire se fait au détriment principal des élèves les moins privilégiés ? Depuis plus de dix ans, j'ai donné nombre de conférences dans des banlieues défavorisées auprès de parents que l'on pourrait difficilement qualifier de « nantis ». L'accueil a toujours été chaleureux et les discussions riches. Comment voir dans ces échanges l'expression d'un mépris de classe ?

Le problème, c'est que monsieur Martin ne s'arrête pas là. Porté par l'inépuisable flux des critiques de comptoir, il s'attaque à la notion universelle de « panique morale »[13]. Il n'est bien sûr pas le seul[14-15], mais son propos est tristement typique. Interrogé sur la question des écrans, notre homme confirme que « les "paniques morales" de ce genre sont légion ». On aurait ainsi diabolisé la télé « folle du logis », après avoir agoni de craintes infondées ce pauvre rock'n'roll. On pourrait d'ailleurs ajouter à la liste de ces vindictes aveugles le flipper[15], l'imprimerie, la bande dessinée ou l'écriture (dénoncée en son temps par Socrate pour ses possibles effets sur la mémoire)[16]. Malheureusement, pour séduisantes qu'elles soient, ces similarités n'en restent pas moins bancales. Le truc, si je puis dire, c'est qu'il n'existe pas d'études établissant la nocivité du flipper ou du rock'n'roll. En revanche, il existe un solide corpus soulignant l'influence positive de la lecture, bandes dessinées inclues, sur le développement des enfants[17-18]. De même, mais à l'inverse, on trouve des milliers de recherches montrant l'impact négatif des écrans récréatifs, télé comprise[19]. Autrement dit, ce qui disqualifie une hypothèse, ce n'est pas sa formulation initiale mais son évaluation terminale. Certains ont redouté le rock'n'roll. Rien ne corrobore cette peur ; point final. D'autres se sont inquiétés de la télé. Une large littérature scientifique valide cette crainte ; ouvrez le banc. Je ne vois pas ce qui, dans l'énonciation de ces réalités, relève d'une quelconque « panique morale ». Fumer accroît le risque cancéreux, conduire après avoir bu de l'alcool augmente l'accidentologie, les écrans récréatifs altèrent le sommeil, voir des gens fumer dans les films favorise l'initiation tabagique, la sédentarité tue, etc. Ce sont des faits, juste des faits et il s'avère pénible de les voir constamment ramenés à cette tarte à la crème éculée de la « panique morale ». Le pire, c'est que notre sociologue reconnait lui-même, au début de l'article, qu'il n'est pas compétent pour parler de l'impact des écrans sur le développement. Il est juste dommage que cette incompétence admise ne l'ait pas conduit à retenir sa parole.

Défendre à tout prix le jeu vidéo

On pourrait sans difficulté étendre sur des pages et des pages l'énumération précédente, notamment pour le jeu vidéo. En effet, c'est dans ce domaine que l'énergie injectée pour diluer tout propos contraire aux intérêts industriels s'avère la plus phénoménale. Au cœur du monde numérique, nul autre champ ne concentre autant de mauvaise foi. Une émission récente du service public, évoquée plus haut pour son organisation duale (documentaire/débat)[8], le démontre avec une acuité presque déprimante. Il faudrait quasiment un livre entier pour déminer toutes les sornettes et contrevérités avancées par certains intervenants. Ce n'est évidemment pas possible ici, aussi nous focaliserons-nous sur quelques exemples particulièrement représentatifs.

Commençons par une question récurrente, pourtant tranchée depuis longtemps par la communauté scientifique[*] : « Est-ce qu'un usage abusif des écrans peut rendre agressif et notamment les adolescents ? » La réponse nous est offerte par le psychologue

---

* Voir les sections pp. 136 et suivantes et pp. 379 et suivantes.

Michaël Stora. Reprenant les vieilles lunes cathartiques des lobbyistes les plus effrontés, l'homme explique que, selon lui, « lorsqu'on joue énormément aux jeux vidéo, ça éteint quelque part la colère[8] ». On aurait aimé que les journalistes et animateurs de l'émission soulignent au moins, non pas que la littérature scientifique dans son ensemble démontre le contraire (ça aurait été beaucoup demander)*, mais que Monsieur Stora a des liens avérés avec l'industrie du jeu vidéo, ce dont il ne fait lui-même aucun mystère**. Il est vrai cependant que l'une des journalistes, Marina Carrère d'Encausse, estimait il y a encore quelques semaines que l'on avait bien fait de mentir éhontément au peuple sur l'utilité des masques pour que « la population ne se rue pas dans les pharmacies pour acheter des masques[20] ». Et pour les jeux vidéo, a-t-on envie de demander à notre parangon d'éthique journalistique, s'agit-il d'éviter que cet imbécile de peuple ne déserte les boutiques ?

Sans surprise madame Lalo, également invitée de l'émission, en a rajouté une couche. « Je voudrais juste, a-t-elle commencé, rappeler un point sur [le jeu vidéo] Fortnite. La plupart des ados que moi je reçois en tout cas, c'est des hauts potentiels, des surdoués, des zèbres, peu importe comment on les appelle, qui à un moment n'ont pas été diagnostiqués et qui vont se réfugier dans le jeu parce qu'ils sont en décrochage scolaire, qu'ils ont du mal à se faire des copains, que les hormones, bon tout commence à être compliqué pour eux dans leur vie[8]... » Bref, l'excès de jeu vidéo, poussé au point de nécessiter une prise en charge psychothérapeutique, n'est rien d'autre que le symptôme du génie méconnu ! Non seulement il fallait y penser, mais il fallait oser. Cela étant, madame Lalo ose tout. D'ailleurs, plus avant dans l'émission, elle

---

* Voir les sections pp. 136 et suivantes et pp. 379 et suivantes.

** Ces liens sont décrits pp. 72-73.

avait tenu le même genre de discours au sujet des troubles du langage chez le jeune enfant. Apparemment perdue dans les finasseries de la démonstration, la journaliste finit par résumer l'affaire comme suit : « OK, il n'y a pas de vrai retard de langage directement imputable à une surexposition à des écrans. » Réponse de madame Lalo : « *A priori* non. » Il est juste dommage que la littérature scientifique, dans son ensemble, démontre le contraire, comme l'a encore souligné une récente méta-analyse. Quantitativement, le doute n'est plus permis : plus le temps d'écrans est important et plus les retards de langage sont sévères[21]. Cela n'empêche pas, cette méta-analyse le confirme aussi, que des programmes éducatifs ciblés (supposant un rythme lent, une narration linéaire et la désignation d'objets concrets) puissent – au-delà des premiers âges (j'insiste !) –, chez des enfants de maternelle, avoir un impact positif sur l'acquisition de certains élément langagiers, notamment lexicaux ; surtout si ces programmes servent de support à la mise en place d'interactions verbales avec l'adulte*. Mais encore une fois, ces consommations à visée éducative restent largement minoritaires par rapport à la masse des usages quotidiens et l'effet positif est inférieur à celui observé lorsque la médiation est libre ou vient, par exemple, du livre, dont la richesse lexicale et syntaxique est sans commune mesure avec celle des programmes audiovisuels**. En outre, ces derniers constituent souvent un produit d'appel ouvrant la porte à des usages plus généraux et délétères[19]. À ce titre une étude longitudinale*** récente, menée sur une large cohorte de près de quatre mille enfants, confirme l'existence d'un lien significatif, déjà abordé dans l'ouvrage****,

---

* Voir les sections pp. 185 et suivantes et pp. 303 et suivantes.
** Voir figure 9, p. 312.
*** Voir la note p. 180.
**** Voir p. 105 et p. 213.

entre l'importance des usages précoces (avant 3 ans) et l'ampleur des consommations tardives (à 8 ans)[22].

De manière assez étonnante, on retrouve cette logique de dénégation dans les propos de Virginie Sassoon, directrice du Centre pour l'éducation aux médias et à l'information (Clemi), organisme public sous tutelle de l'Éducation nationale. Une journaliste d'un hebdomadaire en ligne demande à madame Sassoon de confirmer que, selon elle, « les écrans ne créent pas de troubles de l'attention, du sommeil ou du langage ». Réponse : « Quand il y a à l'origine une défaillance psychologique ou parentale, les écrans peuvent venir aggraver le problème. Mais ce ne sont pas eux qui le créent[14]. » On peut admettre, à la limite, malgré sa position, que madame Sassoon ignore les milliers d'études contredisant sa thèse (dont quelques centaines répertoriées dans ce livre). Mais quand même, ne devrait-elle pas connaître, au moins, les productions de l'organisme qu'elle est censée diriger. Des productions qui contredisent frontalement ses propos. « On ne laisse pas un enfant seul devant un écran juste pour pouvoir avoir la paix, nous dit par exemple une vidéo coproduite par le Clemi. Sinon c'est prendre le risque qu'il n'ait plus envie de bouger, qu'il prenne du poids, c'est à coup sûr des troubles de la concentration et du sommeil[23]… » Dans une autre scénette, une tablette explique : « Vous avez compris le message, je perturbe le sommeil et finalement, je vous empêche de bien dormir[24]. » Bref, tout cela n'est guère sérieux et à force de vouloir à tous crins contester l'indéniable, on finit par se prendre les pieds dans le tapis du ridicule.

Mais le prix de l'embrouille la plus convaincante revient incontestablement à Grégoire Borst, autre invité du débat sur le plateau de France 5. Pour ce professeur de psychologie du développement, « contrairement à ce que l'on peut penser, jouer à des jeux vidéo d'action [du type *shoot them up*[*] ça joue sur le système attentionnel, et sur le système attentionnel qui est impliqué dans les apprentissages scolaires fondamentaux comme la lecture[8] ». Suit l'évocation d'une recherche, apparemment réalisée dans le laboratoire de ce chercheur, montrant que les enfants qui jouent à un jeu d'action « augmentent [par rapport aux enfants qui jouent à un jeu de programmation] leur capacité attentionnelle, mais ils augmentent aussi la qualité de leur lecture et ça se maintient 6 mois après ». Un journaliste tente alors une timide objection, arguant que l'enfant gavé de jeux vidéo risque de ne pas s'orienter spontanément vers le livre. Réponse de monsieur Borst : « Je suis d'accord avec vous, si ce n'est qu'il aura de toute façon amélioré les mêmes compétences attentionnelles et que quand il lira un livre il lira plus rapidement. »

Reprenons tout cela. Pour les propos relatifs au système attentionnel, rien de nouveau. On reste dans l'ambiguïté, largement évoquée au sein du présent ouvrage, entre attention visuelle et concentration[**]. Concernant l'affirmation sur les apprentissages scolaires, on ne peut qu'être dubitatif au vu des études académiques montrant une influence très négative de l'usage des jeux vidéo (notamment les jeux d'action) sur la réussite scolaire[***]. Une conclusion confirmée par une récente méta-analyse systématique, parue après la publication de ce livre et regroupant l'ensemble des travaux relatifs au sujet[25]. Restent les allégations sur la lecture. D'abord, il aurait été pertinent d'intégrer un groupe « livre » à l'étude pour avoir une référence un peu plus solide. Ensuite, si je peux me permettre, on nous a déjà servi la même esbroufe au sujet des enfants dyslexiques[****]. Dans ce cadre, il

* Littéralement, « abattez-les tous ».

** Voir la section pp. 116 et suivantes.

*** Voir la section pp. 250 et suivantes.

**** Voir la section pp. 62 et suivantes.

aurait été important de préciser que lire mieux, ce n'est pas lire un peu plus vite (on parle ici, sans doute, de quelques syllabes supplémentaires à la minute pour le groupe « jeux d'action » par rapport au groupe « jeux de programmation »*). Lire mieux nécessite avant tout un lexique, une appréhension des formes syntaxiques spécifiques de l'écrit, des savoirs culturels, etc**. Pas le genre de choses qu'on trouve dans les jeux vidéo d'action. Enfin, concernant la relance du journaliste, monsieur Borst se moque clairement du monde lorsqu'il suggère que l'enfant qui n'a pas lu pourra, grâce aux jeux vidéo d'action, développer « les mêmes compétences attentionnelles » que celui qui a lu. Rien dans l'étude qu'il décrit ne permet de le dire et, pour être franc, l'idée qu'un gamin qui ne touche jamais un livre lira mieux le jour où il se décidera à en prendre un, s'il a préalablement joué aux jeux vidéo, me paraît pour le moins spécieuse.

J'avoue que ce besoin de défendre à tout prix les bienfaits du jeu vidéo a quelque chose d'étonnant. Ou pas, en fait… En effet, une brève recherche montre que monsieur Borst vient de reprendre la direction d'un laboratoire précédemment dirigé par Olivier Houdé, l'un des quatre rédacteurs d'un rapport de l'Académie des sciences sur les écrans***, rapport dont le présent ouvrage a longuement souligné les lacunes et partis pris et qui fut l'un des premiers à essayer de promouvoir, en France, les pseudo-bienfaits de la tablette pour les bébés et les soit-disant effets bénéfiques du jeu vidéo sur la concentration, la prise de décision, l'innovation, la résolution collective

* J'ai demandé copie de l'étude en question (27/06/2020). À ce jour monsieur Borst n'a pas répondu (31/07/2020). Les études relatives aux enfants dyslexiques montrent toutefois un effet pour le moins modeste (voir la section pp. 62 et suivantes).

** Voir pp. 282-283.

*** Voir la note p. 117.

des problèmes, etc*. Par ailleurs, monsieur Borst œuvre lui-même au développement de logiciels dits éducatifs. Dans un article récent, il expliquait ainsi travailler « sur de nouveaux outils – développés sur tablette – aidant les enfants qui ont des troubles de l'apprentissage. Mais depuis la publication du livre de Michel Desmurget, ces écoles refusent d'accueillir ce genre de recherche[26] ». On comprend mieux l'acharnement mis par notre professeur à remettre en cause les éléments du présent ouvrage et la crédibilité de son auteur.

Sur le fond, les positions de monsieur Borst me semblent assez proches de celles de tous les cerbères de l'Éducation nationale. On a l'impression que, pour ces derniers, la moindre assertion négative sur l'usage du numérique par les jeunes générations menace directement le processus de numérisation du système scolaire. Partant de cette crainte, tout est fait pour défendre à tout prix « le numérique », y compris dans ses dimensions les plus nocives. Cette démarche, cependant, me semble relever d'un très mauvais calcul et ce pour deux raisons. D'une part, on ne peut indéfiniment nier l'évidence. D'autre part, en défendant l'indéfendable, on finit par envelopper d'une suspicion préalable l'ensemble des usages ; même ceux qui pourraient se révéler potentiellement positifs. On me reproche de diaboliser les écrans sans tenir compte de leurs spécificités[13-15, 27]. C'est là une vision odieusement caricaturale et erronée de ce que j'ai pu dire et écrire. Pour s'en tenir au champ scolaire, par exemple « personne ne conteste, comme indiqué dans le livre, que certains outils numériques, liés ou non à Internet, peuvent constituer des supports d'apprentissage pertinents, dans le cadre de projets éducatifs ciblés, mis en place par des enseignants qualifiés** ». Peut-on être plus clair ? Pour offrir à leurs

---

* Voir les sections pp. 110 et suivantes et pp. 116 et suivantes.
** Voir p. 262.

discours une honnête crédibilité et éviter que les parents/enseignants ne refusent que soient menées dans les classes des expérimentations numériques, il faudrait sans doute que monsieur Borst et ses amis commencent par renoncer à leur stratégie de défense inconditionnelle des écrans. Reconnaître que les jeux d'action exercent une influence profondément négative sur la concentration et la réussite scolaire n'empêche pas d'expliquer que certains logiciels dédiés peuvent, pour certains enfants et dans certaines situations pédagogiques précises, constituer une aide éducative précieuse. Dans mon propre laboratoire, par exemple, la neuroscientifique Angela Sirigu et ses équipes ont développé, sur tablette, un outil logiciel qui semble chez certains enfants, notamment dyslexiques, favoriser l'apprentissage initial de la lecture (le décodage). L'idée est assez simple. Elle consiste à manipuler la présentation du texte écrit de manière à orienter et focaliser l'attention de l'enfant sur la syllabe ou le mot à lire. Je ne sais pas ce que diront les études d'efficience à venir, mais chacun peut comprendre qu'il y a une différence majeure entre ce type d'outil numérique et le jeu vidéo *GTA* ou l'usage récréatif que les enfants peuvent faire de leur tablette à la maison. De même, chacun peut concevoir qu'on ne parle pas tout à fait de la même chose quand on propose, d'une part, de mettre certains outils logiciels ciblés à disposition d'enseignants compétents dans un cadre pédagogique précis et, d'autre part, de remplacer, pour des raisons économiques, ces mêmes enseignants par d'inefficaces béquilles numériques*. Cela étant, il semble bien qu'une inflexion commence à s'opérer. Dans un avis récent, le Conseil scientifique de l'Éducation nationale indiquait ainsi explicitement que « ce n'est pas l'outil "écran" qui est problématique, mais son caractère bénéfique ou

* Voir la section pp. 258 et suivantes.

problématique dépend intégralement du contenu pédagogique et de l'usage qui en est fait (notamment dans la durée). […] Les outils numériques peuvent également être dommageables : ils peuvent reposer sur des pédagogies inefficaces, favoriser la distraction, encourager la vitesse au détriment de la réflexion, diminuer la socialisation, propager des informations fausses[28]… ». Comme quoi, il ne faut jamais désespérer, le réel finit toujours par émerger des brumes du temps.

Brandir le totem fantasmé des usages positifs

Attardons-nous un instant sur la propension supposée de ce livre à vouloir diaboliser les écrans. En cette matière, Séverine Erhel s'est incontestablement montrée la plus prolixe[15], même si sa vindicte fut loin d'être isolée[13-14, 27]. Maître de conférences à l'université de Rennes, cette spécialiste de psychologie cognitive est à la fois très présente sur les réseaux sociaux et très discrète dans les journaux scientifiques*. Mais au fond, peu importe, car ce qui compte ici, c'est l'apparente capacité de madame Erhel à « battre en brèche les discours alarmistes sur l'usage des écrans pour les enfants[15] ». Pour notre spécialiste, « le problème n'est pas les écrans en eux-mêmes, ni le temps passé devant : ce sont les activités que l'on pratique devant ces derniers et, parfois, le manque d'accompagnement des parents. […] Je pense qu'il faut éduquer et former les enfants aux technologies

* Onze publications depuis 2006 dans des journaux scientifiques à comité de lecture, dont sept dans des revues secondaires à faible facteur d'impact (<2 ; pour une définition, voir la note p. 154). Aucun article dans un journal majeur (une seule publication dans un journal d'impact légèrement supérieur à 5 [5,6]). Informations extraites le 28/06/2020 de la page Web de madame Erhel (validées *via* la base de données Web of Science) : https://perso. univ-rennes2. fr/severine.erhel.

plutôt que leur interdire ». Au final, nous dit la dame, les individus dans mon genre « ne sont pas désintéressés » et s'ils activent pareilles « paniques morales » c'est, par exemple, pour vendre des livres (et s'en mettre plein les poches évidemment !).

Au terme de son interview, madame Erhel prend gentiment quelques lignes pour expliquer aux lecteurs ce qu'est la démarche scientifique. Attention assez croquignolesque, je l'avoue, de la part de quelqu'un qui s'assoit aussi ouvertement sur « le » principe fondamental de cette démarche ; principe que l'on pourrait résumer comme suit : lire avant de parler, sinon se taire. N'en déplaise à madame Erhel, il est évident que nul n'est assez stupide pour rejeter le numérique dans son ensemble. Bien sûr que les impacts dépendent des usages. Qui a jamais affirmé le contraire ? Je n'ai cessé de le dire, dans le présent ouvrage : « Il n'est pas question de diaboliser, condamner ou rejeter "Le" numérique dans son ensemble ; ce serait aussi idiot qu'injustifiable* »; et à longueur d'interviews : « Personne ne nie les apports positifs du numérique dans nombre de domaines professionnels ou domestiques et tout le monde s'accorde à reconnaître que l'usage est important[29]. » De même, où madame Erhel a-t-elle vu que je réclamais quelque interdiction que ce soit ? Page 203 du présent livre, il est écrit : « Il n'est ici question, encore une fois, ni d'imposer ni d'interdire. Il ne s'agit que d'informer. »

Bref, nous retrouvons là une vieille méthode délusoire, décrite en détail dans la première partie du livre et qui consiste « à faire dire à autrui ce que jamais il n'a dit pour montrer ensuite combien cet autrui est idiot d'avoir dit ce qu'il n'a jamais dit** ». Redisons le donc pour être clair :

---

* Voir p. 204 ; pour une discussion, voir la section intitulée « Un progrès incontestable », p. 200.

** Voir p. 85.

oui, tout dépend des usages. Mais une fois ce truisme posé, que fait-on ? D'une experte aussi pointue que madame Erhel, on attendrait incontestablement qu'elle se penche sur la réalité des consommations observées. Parce que vraiment, si les enfants et adolescents focalisaient leurs pratiques sur ce que le numérique offre de plus positif, ce livre n'aurait jamais existé. Malheureusement, ce n'est pas le cas. Doit-on vraiment rappeler que, dans la vraie vie, lorsque l'arsenal des outils numériques modernes (tablettes, ordinateurs, consoles, smartphones, etc.) est mis à disposition des enfants et adolescents, les pratiques ne s'orientent pas vers l'idéal positif fantasmé dont on nous rebat les oreilles, mais vers une orgie d'usages récréatifs dont la recherche montre irrévocablement le caractère nocif ? À cette aune, doit-on aussi réaffirmer que cette orgie est totalement extravagante ? Cumulée sur l'enfance (entre 2 et 18 ans), elle représente l'équivalent de trente années scolaires, soit quinze ans d'emploi salarié à plein temps*. Si encore cette folie montrait des signes de tassement, ce serait un moindre mal. Mais ce n'est pas le cas. Au contraire ! Après chaque étude on pense avoir atteint un pic inaccessible ; mais dès l'étude suivante il faut se rendre à l'évidence, le pic est dépassé. Par exemple, les données d'usages présentées au chapitre 4 pour les 8-18 ans se fondent notamment sur une étude de 2015[30]. La même recherche, réalisée en 2019 et publiée après la parution de la première édition de ce livre, montre que le temps quotidien de consommation récréative (c'est-à-dire hors devoirs et usages scolaires) a encore augmenté pour atteindre 4 h 44 chez les 8-12 ans (contre 4 h 36 en 2015) et 7 h 22 chez les 13-18 ans (contre 6 h 40 en 2015)[31]. 7 h 22 par jour, se rend-on bien compte de l'ampleur de ce chiffre ? Par ailleurs, selon

* Voir le chapitre 4 p. 209.

les propres termes des auteurs de l'étude, « malgré les nouvelles opportunités et les promesses offertes par les outils numériques, les jeunes consacrent très peu de temps à créer leurs propres contenus. L'utilisation des médias numériques reste dominée par la télévision et les vidéos, les jeux vidéo et les médias sociaux ; l'usage d'appareils numériques pour lire, écrire, échanger en vidéo ou créer du contenu reste minime[31] ». On peut ajouter à cela que la moitié des adolescents de l'étude se révèlent des lecteurs faméliques (jamais : 15 % ; moins d'une fois par mois : 17 % ; moins d'une fois par semaine : 17 %). Seul un ado sur cinq dit lire tous les jours.

À la lumière de ces données, il faut vraiment avoir perdu tout sens des réalités pour oser affirmer, comme madame Sassoon dans une interview déjà évoquée[14] : « Je suis de la génération qui a regardé le *Club Dorothée*, on passait quatre heures par jour devant la télévision le mercredi ou le week-end. Pourtant on n'est pas tous devenus totalement débiles. » Doit-on vraiment mentionner que la consommation ici évoquée (4 heures) est inférieure à la consommation numérique quotidienne d'un écolier de 8 ans ? Et même si l'on entend comme un « et » le « ou » de madame Sassoon, on arrive à trois séances de 4 heures par semaine (mercredi, samedi, dimanche), soit 12 heures. Cela représente un peu plus du tiers de la consommation actuelle d'un préadolescent et un peu moins du quart de celle d'un adolescent. Quand va-t-on enfin accepter de regarder ces chiffres en face ? Peu importe ce que faisait madame Sassoon dans sa jeunesse. La réalité, encore une fois, c'est qu'aujourd'hui, les 13-18 ans consomment presque 52 heures d'écrans récréatifs par semaine quand les 8-12 ans dépassent les 33 heures.

Une dernière chose (et cela vaut aussi pour un commentaire précédent de madame Lalo) : si l'argent était vraiment ma principale motivation, je ne passerais pas des centaines d'heures à écrire des livres dont on ne sait jamais s'ils seront lus ou passés au pilon. Je tâcherais plutôt de flatter les intérêts industriels dans le sens du poil et j'assurerais mon auto-promotion en offrant, par exemple, mes services à diverses structures qui ont fait de l'éducation numérique leur cheval de bataille, tel l'Observatoire de la parentalité et de l'Éducation numérique (Open-Asso). Une association dont nous reparlerons plus loin et qui affirmait encore récemment sur son site Internet, juste au-dessus d'un trombinoscope dans lequel apparaissaient mesdames Erhel et Lalo (c'est fou ce que le monde est petit), sa vocation à « s'entourer des plus grands experts français[32]. » Mais, souscrivant à ce jeu de cooptation, je craindrais trop de perdre ma liberté de parole. L'indépendance de pensée n'est pas gratuite, avertissait Noam Chomsky[33]. Le livre me semble la garantir bien plus sûrement que l'appartenance institutionnelle.

Si nier se révèle impossible, minimisez

Comme indiqué au début de cet ouvrage, en matière de santé publique, les stratégies délusoires sont toutes passées, après une période d'intense négation, par une longue phase de minimisation des effets*. Concernant la question des usages du numérique, nous en sommes là. À la manœuvre, on retrouve notamment Grégoire Borst, dont certaines prestations relèvent, en matière de *cherry-picking***, d'un véritable travail d'orfèvre. Encore une fois, quelques exemples devraient suffire à illustrer l'approche. La plupart sont tirés de l'émission télévisée évoquée plus haut[8].

Commençons par le sommeil. Monsieur Borst reconnait d'abord que « c'est peut-être un des seuls facteurs

---

* Voir pp. 23-24.

** Voir p. 115.

sur lequel on a quand même des données qui sont un peu convergentes ». Douloureux aveu, semble-t-il, vite tempéré par une importante précision : « La différence absolue en temps de sommeil chez un adolescent, c'est 8 minutes, pour 8 h 30 de moyenne. Oui ça a un effet, est-ce que vous avez besoin d'une politique de santé publique sur cette question-là, c'est une vraie question ? Quand vous êtes à 8 minutes. » On a envie de dire que la réponse est un peu contenue dans la question, mais ne soyons pas mauvaise langue. Huit minutes sur 8 h 30 de sommeil, cela fait 1,6 %, une peccadille effectivement. Le problème c'est que ces chiffres sont grossièrement trompeurs. Une étude récente établit, cela est vrai, une durée moyenne journalière d'à peu près 8 h 30 de sommeil en semaine pour les collégiens[34]. Toutefois, cette valeur globale masque de larges disparités. En effet, on passe de presque 9 heures en classe de sixième à 7 h 25 en troisième. Un chiffre cohérent avec les données d'une enquête publiée par l'Institut national du sommeil et de la vigilance qui établit à 7 h 17 le temps de sommeil des jeunes âgés de 15 à 24 ans[35]. Une valeur elle-même confirmée par une récente méta-analyse internationale impliquant près de quatre-vingts études réalisées dans dix-sept pays et établissant des durées de sommeil moyennes de 8 h 03 pour les 12-14 ans et 7 h 24 pour les 15-18 ans[36]. Est-il nécessaire de préciser que ces durées tombent largement en dehors des intervalles optimaux recommandés (respectivement 9-11 heures et 8-10 heures[37]) ?

Maintenant, concernant l'impact des écrans sur le sommeil, je ne sais pas d'où monsieur Borst tire ses « 8 minutes* », mais clairement cette valeur n'est en rien représentative des données de la littérature scientifique. Dès les années 1950, la professeure de psychologie

* Là encore, je n'ai pas obtenu de réponse à ma demande de référence.

américaine Eleanor Maccoby avait noté que l'heure du coucher des enfants se décalait de 30 minutes au sein des familles qui achetaient une télé[38]. Plus récemment, en 2007, une équipe japonaise a montré que des étudiants voyaient leur temps de sommeil passer de 7 h 04 à 8 h 13 lorsque leur consommation de télévision était expérimentalement réduite à un maximum quotidien de 30 minutes[39]. Dernièrement, une large étude norvégienne a établi que les adolescents qui jouaient aux jeux vidéo sur ordinateur plus de 4 heures par jour affichaient un déficit de sommeil d'à peu près 40 minutes, par rapport à ceux qui jouaient 30 minutes ou moins[40]. Pour les usagers des réseaux sociaux, la dette dépassait une heure. Une autre étude, menée en Angleterre sur des collégiens de 11 à 13 ans, a montré que l'utilisation fréquente du téléphone portable, en semaine, avant de dormir, amputait le temps de sommeil de 45 minutes[41]. La note s'établissait à presque une demi-heure pour les jeux vidéo. Pour les réseaux sociaux, elle dépassait 50 minutes. En outre, il doit être clair que l'impact des écrans sur le sommeil ne se limite pas à une question de durée. La qualité aussi est importante, et, il ne faudrait pas l'oublier, très sensible aux contenus visionnés (excitants, anxiogènes, violents, etc.) et à la fréquence des usages numériques nocturnes*. Bref, concernant l'interrogation de monsieur Borst et au-delà de cette fable des 8 minutes, on peut clairement affirmer que oui (!), la question de l'impact des écrans sur le sommeil nécessiterait une vraie politique de santé publique.

Même chose pour la problématique des addictions. « Je voudrais juste rappeler, nous dit monsieur Borst à ce sujet, que l'addiction aux jeux vidéo chez l'adulte, la prévalence c'est 0,3 à 1 %, donc il faut arrêter. […] Ne

---

* Voir la section pp. 336 et suivantes.

vous inquiétez pas 0,3 à 1 % de la population qui est atteint de cette addiction, si on peut parler d'addiction parce qu'elle ne marche pas du tout comme les autres addictions. » Trois remarques. Premièrement, je ne voudrais pas être outrageusement pénible, mais plusieurs synthèses récentes ont montré d'importantes similarités neurophysiologiques entre l'addiction aux jeux vidéo (et à Internet) et les « autres addictions »[42-43]. Dès lors, rejeter aussi péremptoirement la thèse d'une étiologie partiellement commune me semble assez osé. Deuxièmement, une étude de référence évaluait en 2012 la prévalence des troubles du sceptre autistique à 0,62 %[44]. Est-ce à dire qu'il ne faut « pas s'inquiéter » et sortir l'autisme du champ de nos préoccupations collectives ? Pour éviter toute ambiguïté, peut-être faudrait-il rappeler qu'il y a en France à peu près 48 millions d'adultes et qu'une prévalence de 1 %, cela fait près d'un demi-million de personnes. Avec 0,3 %, on est à plus de 140 000 individus, la population d'une ville comme Clermont-Ferrand. Est-ce vraiment négligeable ? Troisièmement, enfin, les valeurs fournies par monsieur Borst, sur la base d'une étude isolée de 2017[45], posent question. D'abord, il aurait été opportun de fournir aussi la prévalence observée au sein de la population des adultes qui jouent effectivement aux jeux vidéo (en moyenne 2,4 % pour l'étude considérée). Ensuite, il aurait été important de préciser que les chiffres rapportés dans cette étude sont très inférieurs à ceux obtenus dans l'écrasante majorité des autres recherches du même type. Une méta-analyse, publiée elle aussi en 2017 et regroupant l'ensemble des travaux disponibles (soit cinquante études), rapportait ainsi des valeurs générales bien plus importantes, s'étalant entre 0,7 et 27,5 %. De façon intéressante, les auteurs notèrent que les prévalences observées diminuaient avec l'âge, ce qui veut dire que pour obtenir des valeurs basses, il est sage, comme a choisi de le faire monsieur Borst, de se focaliser sur les populations adultes (les 0,3 % évoqués proviennent sans surprise d'une cohorte assez âgée – 47 ans en moyenne). À partir de critères d'inclusion un peu plus stricts, d'autres travaux de synthèse ont produit des estimations similaires, quoique moins dispersées (entre 1 et 15 %)[46-48]. En moyenne, sur les vingt dernières années, la prévalence de ce que l'on nomme communément l'addiction aux jeux vidéo a été estimée autour de 5 %[48]. On peut juger que ce n'est pas énorme, mais encore une fois, un faible pourcentage rapporté à une vaste population, cela finit par faire beaucoup de monde*.

Monsieur Borst s'intéresse ensuite à la question du développement cérébral. Il précise d'emblée que « sur le cerveau très honnêtement, y a pas d'études, soyons très clair ». Cela fait, il évoque, de manière pour le moins approximative, une recherche longitudinale américaine qui vient de débuter**. Faisant état de résultats préliminaires, notre professeur de psychologie conclut que le temps d'exposition aux écrans « a des effets positifs, ça accélère la maturation cérébrale, on pourrait dire qu'il y a des effets négatifs, mais personne n'en sait rien et surtout on n'est pas capable de les relier à des variables comportementales ou psychopathologiques. C'est la réalité dans laquelle on vit ». C'est bien là le souci, apparemment nous ne vivons pas tous dans la même réalité. Comme indiqué dans la première partie de ce livre au sujet des jeux vidéo, il est clair que les pratiques numériques mobilisent certaines aires cérébrales, ce qui, mécaniquement, engendre des modifications structurelles au sein de ces aires***. Pas de problème là-dessus (à condition de ne pas

---

* Voir p. 231.

** Selon lui, 20 000 enfants de 8 ans vont être suivis pendant 15 ans… quand la réalité parle de 10 000 enfants de 9-10 ans suivis durant 10 ans[49].

*** Voir la section pp. 53 et suivantes.

oublier que ces modifications sont très spécifiques de la tâche réalisée, ce qui limite brutalement leur potentiel de transfert à d'autres activités non directement similaires*). Mais, oser affirmer que personne ne sait rien d'éventuels impacts négatifs, c'est surréaliste. Chez l'animal, plusieurs recherches ont montré qu'un bombardement sensoriel comparable à celui que subissent nos enfants du fait de leurs usages du numérique altère le fonctionnement cérébral, notamment au niveau des circuits de la récompense**. De même, de nombreuses études ont souligné l'existence, en relation avec l'exposition numérique des enfants et adolescents, d'atteintes anatomiques et fonctionnelles au sein des réseaux de neurones impliqués dans la lecture, le langage ou l'attention[50-56]. Si on doit nier l'existence de ces données, autant déclarer que la Terre est plate. J'entends parfois dire que les atteintes observées ne seraient pas dues à l'activité délétère des usages numériques récréatifs, mais plutôt à un défaut de sollicitations structurantes. Autrement dit, pour le langage, par exemple, le problème ne viendrait pas des écrans, mais du fait que l'enfant interagirait trop peu avec ses parents ou les livres. Pardonnez-moi l'expression, mais même si l'on fait abstraction des possibles dommages directs (comme ceux imposés par la sursimulation sensorielle aux circuits de l'attention), cela reste un argument de cornecul. En effet, les usages récréatifs du numérique ont pour première conséquence de détourner l'enfant d'un certain nombre d'activités plus nourricières pour son cerveau (la lecture, les échanges intra-familiaux, l'activité physique, le sommeil, etc.). Dès lors, dire que les écrans ne sont pour rien dans les déficits observés, c'est considérer que ce n'est pas Raoul Villain qui a assassiné Jean Jaurès mais le revolver !

---

* Voir la section pp. 59 et suivantes et les pages 121-128

** Voir la note p. 58 et la section pp. 328 et suivantes.

Reste la question des temps d'usage acceptables. Tout en haut de la pile de réponses, on trouve les déclarations générales qui, pour être rassurantes, n'en évacuent pas moins gentiment le problème. Madame Lalo, par exemple, nous explique que « le temps passé n'est peut-être pas forcément toujours la bonne donnée, la bonne variable, c'est plutôt la qualité que la quantité[8] ». Séverine Erhel surenchérit. Pas question pour notre universitaire de signifier un temps de consommation maximum. En effet, « un usage raisonné est celui qui n'a pas de conséquence négative sur la vie quotidienne[15] ». D'où la question : est-ce que l'affaissement des résultats scolaires[*], la dégradation des capacités de concentration[**], les troubles du langage[***], l'atteinte faite au développement physique[****], etc., doivent être considérés comme affectant négativement la vie quotidienne ? Plus précisément, que faire des impacts de long terme, ceux qui n'altèrent pas immédiatement le quotidien car ils n'émergent que dans la durée, de manière cumulative (et souvent irréversible) ? On les déclare sans objet ? Étendre cette logique à d'autres champs pourrait permettre, je crois, de mieux cerner les limites du discours. Ainsi, que penserait le lecteur si on lui expliquait que fumer deux paquets par jour ou se gaver de pesticides, c'est sans problème, parce que cela n'affecte pas le quotidien ? Tout cela est un peu attristant.

D'autant plus attristant que certaines approches sont bien plus subtiles. On expliquera, par exemple, comme monsieur Borst lors d'une conférence récente, que l'on manque de recul sur l'impact des nouveaux outils numériques (tablettes, smartphones), mais que pour la télévision « on sait qu'on a un peu plus de données ». Il apparaît

* Voir la section pp. 246 et suivantes.
** Voir la section pp. 316 et suivantes.
*** Voir la section pp. 299 et suivantes.
**** Voir la section pp. 350 et suivantes.

alors que « pour avoir des troubles de l'attention induite par l'exposition à la télévision, il faut une exposition de plus de 7 heures par jour entre 1 et 3 ans[57] ». C'est là tout l'art du *cherry-picking* : parmi la masse des études disponibles, montrant très majoritairement un effet délétère des écrans*, on en sort une du chapeau et on l'érige au rang de parangon des recherches disponibles. Franck Ramus, chercheur en neuroscience cognitive et membre du Conseil scientifique de l'Éducation nationale, va encore plus loin en affirmant que « les écrans justifient une vigilance par rapport aux expositions excessives, à savoir plus de six heures par jour, et aux contenus douteux[58] ». Six heures par jour avant de s'inquiéter ! Allons-y braves gens ; et peu importe les centaines d'études répertoriées dans ce livre qui discréditent le propos. Encore une fois, a-t-on peur que l'admission d'un lien entre écrans et troubles cognitifs ne vienne interférer avec la numérisation du système scolaire (notamment à la maternelle et au primaire), en inquiétant indûment les parents qui, dès les plus petites classes, voient tablettes et ordinateurs s'abattre sur leurs enfants ? Je persiste à croire que c'est là un bien mauvais calcul… Cela étant dit, vu la trajectoire actuelle des usages, il va bientôt falloir remonter la barre si l'on ne veut pas alarmer inutilement la population. En effet, comme rappelé plus haut, ces 6 heures supposément inoffensives, les adolescents les ont déjà largement dépassées. Les collégiens, eux, s'en rapprochent dangereusement.

Au-delà de ces éléments, une controverse récente me semble prouver, de manière assez claire, cette volonté de sous-estimation du risque. L'affaire est partie d'une interview dans laquelle madame Erhel affirmait que je citerais les études sans les comprendre[15]. Une recherche réalisée par la Canadienne Sheri Madigan et ses collègues était

* Voir la section pp. 316 et suivantes.

censée établir le propos. Dans ce travail, la consommation d'écrans et le développement cognitif étaient évalués à 24, 36 et 60 mois, sur la base d'un questionnaire pédiatrique standard (ASQ-3), au sein d'une large population de près de deux mille cinq cents enfants[59]. À première vue, les résultats se révélèrent bien timides. Ils semblaient indiquer que les usages numériques précoces affectaient le développement ultérieur, mais de manière marginale. Madame Erhel le confirma en expliquant que « l'usage de l'écran provoque une variation de 1,7 % des fameux tests. Sauf que cela veut aussi dire que 98,3 % des variations sont expliquées par autre chose ! » Honnêtement, après avoir lu l'étude en détail, j'ignore d'où sortent ces chiffres, mais ce que je sais de façon indiscutable, c'est que la formulation adoptée n'a ni sens ni potentiel informatif. L'usage de l'écran ? Qu'est-ce donc que cela ? En avoir un ? Le temps n'a-t-il pas d'impact ? Si on parle de 1,7 % pour, par exemple, 15 minutes quotidiennes, c'est loin d'être négligeable.

Curieusement, on retrouve le même genre de nébulosité dans un article publié sous la plume de Mathilde Damgé au sein des « Décodeurs », la rubrique en ligne de « vérifications factuelles » du journal *Le Monde*[60]. La journaliste explique « [qu']une heure de plus devant les écrans par jour en moyenne vers l'âge de 2 ans provoquerait une baisse de 0,08 point du test américain Developmental Screener à 3 ans ». Affirmation non seulement parfaitement fantaisiste*, mais qui en plus enfonce une porte

---

* Madame Damgé ne semble pas comprendre qu'il s'agit là de coefficients standardisés. La formulation correcte (mais je l'avoue très indigeste et totalement inappropriée pour un journal généraliste car parfaitement incompréhensible pour la plupart des non spécialistes) aurait été la suivante : une augmentation du temps d'exposition aux écrans d'un écart-type est associée à une diminution du score ASQ-3 de 0,08 écart-type.

ouverte (0,08 point sur une moyenne de combien, 1, 5, 100 ?) et confond heure par jour avec heure par semaine (la précision apparaît on ne peut plus clairement dans le résumé de l'article de Madigan). Informée de ces erreurs, madame Damgé modifie finalement sa formulation, sans malheureusement aboutir à une présentation plus exacte : « Pour un enfant de 2 ans, davantage de temps passé devant les écrans provoquerait, lors du passage du test américain Ages and Stages Questionnaire (ASQ), une baisse du coefficient de variation de 0,08 point à 3 ans. » Une baisse du coefficient de variation, voilà un concept qui ne manque pas de croustillant. À l'évidence, rarement cette fameuse citation de Lord Northcliffe, grand patron de presse britannique, n'aura été plus appropriée : « Journaliste : une profession dont l'objet consiste à expliquer aux autres ce que l'on n'a pas compris soi-même[61]. » Ce qui est ici intéressant, et c'est pour cela que je me permets d'évoquer le problème, c'est que j'avais transmis à madame Damgé une dizaine d'études montrant que la consommation d'écrans affecte le QI et ses bases essentielles (langage et attention). Elle n'a retenu que celle de Madigan évoquée plus haut. Était-ce parce qu'en surface ce travail semble accréditer les conclusions que notre journaliste avait apparemment décidé d'offrir, *a priori*, à son article ; à savoir que le sujet traité est « complexe » et que « la science a du mal à trancher » ? D'ailleurs, comme le confirme un épidémiologiste interrogé par madame Damgé : « Ce qui est sûr, c'est que les écrans sont un facteur de risque de sédentarité ; pour le reste, on ne sait pas trop[60]. » C'est évident, le lecteur de ce livre l'aura compris, sur le sommeil, le langage, l'attention, les résultats scolaires, l'impact de la publicité, etc., on n'a aucune donnée. Le tout vendu pour du *fact-checking*. Effarant.

Bref ! Passons et revenons à cette étude de Madigan. Sur son blog, monsieur Ramus en reprend les grandes lignes. Lui, a très bien compris de quoi il s'agissait[62]. Sans entrer dans le détail des cuisines statistiques, l'affaire peut se résumer comme suit. Les auteurs de l'étude cherchent à identifier une possible causalité. Pour cela, ils adoptent un modèle spécifique qui analyse les effets observés selon deux axes. « Inter » : ce qui diffère entre les enfants (exemple : la consommation numérique de Marc est supérieure à celle de Pierre) ; « Intra » : ce qui change pour un même enfant au cours du temps (exemple : la consommation numérique de Marc a augmenté de 25 minutes entre 24 et 36 mois). Cet axe « Intra » aborde la question de la causalité dans la mesure où il permet de déterminer, pour un enfant donné, s'il existe un lien entre les fluctuations du temps passé devant les écrans et l'évolution des capacités cognitives. L'étude montre que ce lien est présent. Mais, à l'évidence, nul ne peut le nier, il est faible. Pour madame Erhel, « cette surinterprétation des effets soi-disant significatifs est problématique[15] ». Madame Damgé préfère évoquer « un lien réel, mais ténu ». Monsieur Ramus souligne quant à lui « [qu'] il existe bel et bien un effet délétère du temps passé devant les écrans sur le développement cognitif de l'enfant. Néanmoins, cet effet est très faible, sans doute trop faible pour justifier des recommandations alarmantes de santé publique[62] ». Ces conclusions sont fallacieuses. En effet, elles omettent la composante « Inter » du modèle, un peu comme si l'on se contentait, pour juger la qualité d'un expresso, d'analyser sa mousse superficielle. En d'autres termes, il y a également des différences stables entre enfants (Marc regarde bien plus que Paul), différences qu'il est d'autant moins correct de négliger qu'elles sont d'une ampleur bien plus importante que les évolutions longitudinales individuelles (l'effet « Intra »). Imaginons qu'entre 24 et 36 mois, Marc passe de 1 heure à 1 h 25, alors que Pierre passe de 4 heures à 4 h 25. L'effet « Intra » ne prendra pas en compte les 3 heures de différence systématique entre ces deux enfants.

Ce qui sera évalué, c'est l'impact des seules 25 minutes, c'est-à-dire, encore une fois, la mousse superficielle. Et pour être franc, le fait que l'analyse de cette seule mousse superficielle révèle des effets aussi significatifs ne me semble en rien rassurant, car cela montre que les écrans ont une influence à ce point profonde sur le développement que même les faibles « variations de surface » occasionnent des dégâts suffisamment importants pour être détectables.

Pour en revenir à notre exemple, qui peut dire que les 3 heures qui séparent Pierre de Marc n'exercent aucune action causale ? Quand on met un gamin 3 heures par jour devant divers écrans récréatifs, on active à l'évidence toutes sortes de chaînes délétères causales : on lui parle moins, il bouge moins, il lit moins, il est soumis à un bombardement sensoriel plus intense, son sommeil est affecté, etc. Dès lors, ce n'est pas parce que la part de causalité des effets « Inter » ne peut être irréfutablement quantifiée qu'elle doit être gommée. Globalement, pour que les choses soient bien claires, si l'on additionne les impacts « Intra » et « Inter », le poids total d'une heure quotidienne d'écrans sur la performance cognitive est loin d'être « ténu ». Il se monte à plus de 20 points, pour une moyenne de 55 points à 60 mois*. Par-delà cette précision, on peut noter que même si l'on s'en tient à la seule part longitudinale (« Intra »), les conclusions de monsieur Ramus et de mesdames Erhel et Damgé restent très discutables. En effet, comme cela a déjà été souligné plus haut et comme l'ont indiqué les auteurs de l'étude dans une mise au point subséquente[63], en matière de santé publique les faibles impacts ont des

* Comme je ne comprends apparemment rien à rien[15], j'ai tenu, pour rassurer pleinement madame Erhel, à confirmer auprès de l'un des auteurs de l'étude le bien-fondé d'une part de ces valeurs et d'autre part de l'assertion selon laquelle il existe bien une part causale dans les effets « Inter ».

répercussions majeures lorsqu'ils sont appliqués à une large population, comme c'est ici le cas.

Des réseaux d'intérêts complexes au cœur du système de protection de l'enfance

Cela étant, indépendamment de toutes les grosses ficelles jusqu'ici évoquées, je crois que ce qui m'a le plus frappé durant les douze mois écoulés entre la première parution du livre et la rédaction de cette postface, c'est l'absence d'engagement clair de nombre d'associations théoriquement liées à la protection de l'enfance. Je m'étais attendu, je l'avoue, à un peu plus de soutien de ce côté-là. Dans bien des cas, non seulement ce soutien n'est pas venu, mais il s'est transformé en franche hostilité. Prenez Thomas Rohmer, président-fondateur de l'Observatoire de la parentalité et de l'éducation numérique (Open-Asso), membre du Comité d'experts jeune public du Conseil supérieur de l'audiovisuel (CSA), membre du Haut Conseil de la famille de l'enfance et de l'âge (HCFEA ; nommé, excusez du peu, par arrêté du Premier ministre), trésorier du Conseil français des associations pour les droits de l'enfant (Cofrade), etc.[64] Au milieu de son emploi du temps certainement surchargé, notre homme m'a récemment fait l'honneur de son compte Twitter, pour m'octroyer « le prix de la maladresse démagogique [parce que j'avais osé parler] d'orgie numérique associée à des enfants ». Ouf, si c'est là tout mon crime, il n'y a pas péril en la demeure. Un dictionnaire aurait suffi à lever le malaise*, ou alors quelques pages tout à fait adaptées de *La Peau de chagrin* dans lesquelles Honoré de Balzac dénonçait « une orgie de paroles, de mots sans idées ». Mais j'avoue qu'il faut quand même un sacré

* « Orgie : Abondance excessive de choses, profusion, prodigalité : Des orgies de fleurs » (www.larousse.fr/dictionnaires/francais/orgie).

culot pour s'offusquer ainsi de l'usage du mot « orgie », tout en osant déclarer, contre toute évidence[65-68] et sans produire (bien sûr) la moindre référence corroborative, que « la plupart des professionnels affirment, à juste titre, que l'impact des images pornographiques sur la sexualité des adolescents n'est pas scientifiquement démontré[69] ». Je ne sais pas qui mérite ici un prix de démagogie. Mais peu importe car monsieur Rohmer a des critiques plus fondamentales. Il y a peu, par exemple, il expliquait à la présidente de l'association Enfance-télé-danger que « tout ce que raconte Desmurget est faux et chacun de ses arguments peut être contré de manière assez simple et étude scientifique à l'appui[70] ». On entend très souvent ce genre de choses, c'est pour cela que l'affirmation est intéressante. Malheureusement, la réfutation promise tarde à se matérialiser.

Un piétinement d'autant plus surprenant que monsieur Rohmer est, je cite, « expert en protection de l'enfance et numérique[71] ». J'ai minutieusement recherché les traces factuelles de cette expertise autoproclamée. Je n'ai rien trouvé ; ni du côté des diplômes*, ni du côté des publications scientifiques**. En revanche, le moins que l'on puisse dire, c'est que les grands groupes numériques sont rarement étrangers aux univers professionnels de notre homme. En 2004, monsieur Rohmer cofondait par exemple, avec Cyril di Palma, une agence de conseil Internet particulièrement active dans les écoles (Calysto[72-73]). Un journaliste du *Monde* ayant assisté à une

---

* La page Linkedin de M. Rohmer mentionne uniquement un master de management de l'Ipag (une école de commerce privée, placée 25e sur 37 au classement 2020 des grandes écoles de commerce publié par *Le Figaro* et *L'Étudiant*).

** Après consultation des plus grandes bases de données internationales en psychologie, biologie, médecine et sciences humaines (Pubmed, Web of Science, PsycArticles, etc.).

intervention offerte par cette société résumait ainsi ses observations : « Google, un des partenaires de l'opération, en a pour son argent ! Pendant près de vingt minutes, le moteur de recherche est projeté sur grand écran et ses fonctionnalités sont détaillées par le patron-animateur [M. Di Palma] [...] Il est temps de lancer le vidéo-clip de Promomusicfrance, également partenaire. Le lobby de l'industrie du disque fait passer son message par la voix du patron de Calysto [...] Les logos des produits iPod et du site iTunes apparaissent sur l'écran. Apple est évidemment partenaire [...] Une aubaine pour certains des "partenaires" qui financent, selon le directeur de Calysto, plus de 80 % de l'opération. Un système qui verrait les écoles s'ouvrir à leurs marques dans un contexte pédagogique[73]. »

C'est bien là tout le problème : quand les géants du numérique mettent leur argent sur la table, ils attendent un retour (quand bien même on masque celui-ci derrière les plus belles façades humanistes). Faire entrer Google, Microsoft[74-75] ou toute autre compagnie privée[76] dans les structures scolaires et/ou de la protection de l'enfance, c'est donner à Maître Renard les clés du poulailler. Mais poursuivons un peu. En 2011, parallèlement à ses activités au sein de Calysto, monsieur Rohmer devient administrateur et consultant numérique de l'association La Voix de l'enfant[72]. Parmi les partenaires de cette honorable structure, on trouve notamment la fondation SFR, SLS Data (spécialiste de l'e-marketing), France Télévision et l'incontournable Google[77]. En 2016, c'est d'ailleurs dans les locaux de cette dernière société qu'a été accueilli le lancement du 35e anniversaire de l'association. Une société que l'on rencontre aussi parmi les clients d'Open-Asso, la nouvelle structure présidée par monsieur Rohmer[71]. D'ailleurs, c'est Google qui a « soutenu » (quel joli mot pour ne pas avoir à dire « financé ») la dernière étude réalisée par Médiamétrie pour Open-Asso et l'Union nationale des associations familiales (Unaf), étude qui se proposait « [d']aider les parents à gérer la place des écrans[78] ». L'association de monsieur Rohmer partage aussi un certain nombre de ses « experts » avec le collectif PédaGoJeux, fondé pour « informer et sensibiliser les parents sur le jeu vidéo pour, *in fine*, créer les conditions d'une expérience positive et sereine du jeu vidéo au sein de la famille[79] ». D'ailleurs, quand la question de l'achat d'une console a commencé à se poser juste avant Noël 2019, Open-Asso a naturellement interrogé Olivier Gérard (Unaf/PédaGoJeux) et l'incontournable madame Lalo[80]. L'en-tête de l'article vaut, à lui seul, son pesant de cacahuètes : « Comment éviter que nos enfants passent toutes les vacances de Noël devant leur console ? Offrir un jeu vidéo à Noël peut être une bonne occasion pour les parents de reprendre certaines choses en main et de rappeler ou fixer des règles claires. » Que n'y avait-on pensé : pour éviter que les enfants passent trop de temps sur la console, le mieux c'est de leur en acheter une ! Évidemment, il n'est pas précisé que PédaGoJeux compte notamment parmi ses membres fondateurs l'Unaf et le Syndicat des éditeurs de logiciels de loisirs (SELL). Il n'est pas indiqué, non plus, que les productions de PédaGoJeux sont largement représentées sur le site Internet de l'Agence française pour le jeu vidéo (AFJV), « une organisation privée ayant pour objet de favoriser l'emploi et la création d'entreprise au sein de la communauté française des concepteurs, producteurs, éditeurs et distributeurs d'œuvres multimédia et d'en promouvoir les innovations, les créations techniques, artistiques et intellectuelles[81] ». D'ailleurs, en 2019, lorsque PédaGoJeux a organisé, une table ronde pour fêter ses dix ans, c'est l'AFJV qui a fourni la logistique nécessaire à l'enregistrement vidéo et a apposé son logo en haut de ce dernier ; l'animation du plateau étant confiée à Jean Zeid, journaliste du service public qui présente, notamment, un rendez-vous hebdomadaire consacré aux jeux vidéo sur France Info. Quand on vous dit que le monde est petit.

Au final

Depuis quelques mois, sans doute, des progrès ont été réalisés. Le réel impose lentement sa marque et le message sanitaire relatif à l'impact des écrans sur le développement gagne indiscutablement en audience. Mais tout est loin d'être parfait. Les marchands de doute gardent un accès privilégié au pipeline médiatique, les conflits d'intérêts prospèrent sans être mentionnés et, *in fine*, les faux débats perdurent au détriment premier de nos enfants (mais pour le plus grand profit des acteurs économiques du secteur numérique). Je n'ai pas de solution, je l'avoue, à part revenir encore et encore sur les propos indus. Mais comme indiqué plus haut, l'approche est à la fois fastidieuse et sans fin... C'est d'autant plus vrai, je suppose, que ceux qui lisent les réfutations ne sont généralement pas ceux qui subissent les bobards.

Confinement : une explosion des consommations

Difficile de clore cette postface sans dire quelques mots du confinement engendré par la pandémie de coronavirus. Le titre d'un récent article du *New York Times* résume je crois assez bien la situation : « Le coronavirus a mis fin au débat sur le temps d'écran. Les écrans ont gagné[82]. » Il reste à déterminer l'ampleur et la pérennité de cette victoire. À cette fin, trois points principaux me semblent devoir être discutés.

« Le numérique nous a sauvés »

Le confinement n'avait pas encore pris fin que, déjà, les apologistes du digital lançaient leur campagne marketing. Un vrai concours de dithyrambes. « Le numérique a permis à la France de rester debout », expliquait ainsi, par exemple, un collectif d'auteurs français dont le premier est directeur général de POP School, un organisme qui propose des formations aux métiers du numérique[83]. « On peut dire sans exagérer que, si le corps médical a sauvé les personnes, le numérique a sauvé l'économie et a permis le maintien du lien social », surenchérissait le délégué général d'Hexatrust, un groupement d'entreprises impliqué dans le *Cloud computing* et la cybersécurité[84]. « [Le numérique] a fonctionné comme une arme de protection massive [...] : si le confinement n'a pas été synonyme d'effondrement et de chaos, c'est essentiellement au numérique que nous le devons[85] », résumait pour sa part une note de la Fondation Jean-Jaurès qui, parmi ses « mécènes » (ils sont ainsi nommés sur le site de cette fondation), compte quelques géants industriels privés, dont la société Orange*. À la lumière de ces constats, tous nos intervenants parviennent à peu près à la même conclusion : il faut investir énergiquement dans les infrastructures, les réseaux, la formation, l'équipement individuel, le développement de plateformes susceptibles de concurrencer les Gafam, etc.

Ce qui est curieux, c'est la facilité avec laquelle ces discours ont pénétré l'espace public et l'imaginaire collectif. En guise de préambule, que l'on me permette de

* Dirigeant d'une société de conseil, l'auteur de la note ne mentionne pas la présence (ou non) d'entreprises liées au numérique dans son portefeuille de clients. Ce genre de déclaration, qu'imposent désormais, par exemple, toutes les revues scientifiques majeures, aide pourtant à contextualiser les discours.

souligner l'évidence : ce qui nous a réellement sauvés du désastre, ce sont les routiers, les cheminots (notamment pour le fret), les employés des commerces fondamentaux (notamment alimentaires), les éboueurs, les personnels hospitaliers et de maisons de retraite, etc. Rien de très glamour ni de très numérique. Pour le reste, il est indiscutable que le digital est au cœur de notre activité économique, mais il l'est indépendamment du confinement. Ceux qui le pouvaient ont simplement transféré leurs écrans chez eux. L'entreprise s'est en quelque sorte dispersée, on pourrait dire multi-délocalisée. Cela s'est traduit par une augmentation du télétravail, du flux des échanges digitaux, des achats en ligne (sans supprimer, faut-il le préciser, les petites mains nécessaires à la fabrication et à la livraison des produits commandés), etc. S'agit-il là vraiment d'une révolution copernicienne ? Nul ne conteste que Skype, Zoom ou WhatsApp ont permis de tenir des réunions virtuelles et ont facilité les échanges professionnels, tout comme les liens amicaux et familiaux. Mais dire que ces trucs ont maintenu la France debout semble quand même un poil exagéré. Quand ces outils (grands aspirateurs, rappelons-le, de nos données personnelles[86]) se sont montrés défaillants, ce qui est arrivé plus d'une fois, par exemple à mon épouse, l'e-mail et le téléphone ont fait le job comme disent les jeunes. Bien sûr que sans le numérique tout se serait effondré… mais cela tient à la structure de notre économie et à sa dépendance au digital. Autrement dit, confinement ou pas, tout s'écroulerait et l'activité économique serait immédiatement bloquée si nos ordinateurs, smartphones et connexions Internet cessaient de fonctionner.

Dans ce contexte, un mythe récurrent suggère qu'il y a trente ou cinquante ans, en réponse à la Covid-19, le monde aurait sombré. Est-ce bien sérieux quand on considère que nos anciens ont traversé, sans dommage majeur, des épidémies largement aussi graves que celle que nous vivons actuellement[87] ? Durant l'hiver 1969/1970, par exemple, la « grippe de Hong-Kong » a fait plus de 31 000 morts en France (des chiffres comparables à ceux de la dite « première vague » de la Covid-19*), sans que nos modes de vie en soient bouleversés et que les autorités sanitaires s'en émeuvent particulièrement[89] ? Si ce passé nous enseigne quelque chose, ce n'est pas le renforcement de notre résilience mais l'accroissement de nos fragilités. Il y a trente ans, les gens dont l'activité était délocalisable auraient télétravaillé de la même façon, mais avec les outils de l'époque. Ils auraient emporté chez eux dossiers, téléphones, fax, timbres et enveloppes. Ce n'est alors pas les Gafam mais les PTT qui auraient maintenu la France debout. En dehors du travail, le lien social aurait perduré à travers l'écrit et le téléphone. Petit, je parlais toutes les semaines à ma tante Marie en Allemagne. J'écrivais aussi à mon cousin Hans-Jochen, après chaque victoire du Bayern de Munich, équipe mythique dont il était un fan viscéral. Toujours il me répondait, parfois d'une carte, parfois d'un petit paquet dans lequel je trouvais un porte-clés, une tasse ou un maillot à l'effigie du club. Je sais, cela peut paraître inconcevable à nombre de nos contemporains technovores, mais le monde n'était pas composé que d'ermites insociables avant Facebook, Twitter et Instagram. Bien que privés de ces miracles du modernisme, les gens arrivaient à communiquer, échanger, s'aimer et maintenir des liens forts, même lorsque la vie les séparait ! Puissent ceux qui en doutent se pencher sur les correspondances

---

* En France, cette première vague couvre la période allant de l'apparition de l'épidémie (fin janvier 2020 si l'on se base sur les premiers cas officiellement recensés) à l'abrogation de l'état d'urgence sanitaire (11/07/2020). Sur ces quelque six mois, 30 000 morts ont été recensés (seuil franchi le 10/07/2020)[88].

d'écrivains tels que Rainer Maria Rilke, Stefan Zweig, Victor Hugo, Marcel Proust, George Sand ou Simone de Beauvoir, et sur les nombreuses missives, souvent poignantes, envoyées à leur famille par les soldats du front durant la Grande Guerre[90]. Et puis, côté loisirs, il y a trente ans, au lieu de se gaver de Netflix, GTA et PornHub, les gamins se seraient empiffrés de télé, d'ennui, de livres et de bandes dessinées. Certains auraient même profité de ce désœuvrement pour écrire, dessiner, créer ou inventer des jeux. Est-ce vraiment pire ?

Pour l'école, oui, cela aurait été plus difficile. Des solutions, pourtant, auraient été trouvées. À l'entrée des établissements, en respectant toutes les mesures barrières requises, les parents auraient périodiquement collecté devoirs et corrections tout en déposant les copies de leur progéniture. En cas d'impossibilité, pour certains, la Poste aurait aisément pu prendre le relais. Des surveillants, encore nombreux dans les établissements, se seraient déplacés auprès des familles isolées ou décrocheuses. Pour les élèves très en difficulté, un confinement plus intelligent aurait été mis en place, assurant des cours sans risques, en très petits groupes. Une mesure extensible à tous les élèves qui en auraient exprimé le besoin, toujours en très petits comités, pour aplanir les points de difficultés. Rien de parfait, c'est vrai, mais *a priori*, rien de fondamentalement plus inefficace que la « continuité pédagogique » permise par les écrans. J'y reviendrai plus loin.

Bref, le numérique est au cœur de nos vies et du fonctionnement économique de nos sociétés. Pour une large part, notamment dans ses dimensions les plus positives, il agit principalement comme un facilitateur d'accès, de démarches, d'échanges, etc. C'est ce qu'il a continué à faire durant le confinement. En ce sens, il ne nous a pas sauvés. Il n'a fait que confirmer et accentuer notre dépendance, déjà très forte, à son égard.

Distinguer les usages

Curieusement, le confinement a été, pour beaucoup, l'occasion d'oublier un crédo central des détracteurs du présent livre : tout dépend des usages. À ce titre, personne ne discute l'intérêt de certaines avancées observées pendant la phase aiguë de l'épidémie, par exemple, le développement du télétravail quand il est bien supporté. Je serais le premier ravi que ce genre de legs puisse perdurer au-delà de la crise actuelle. Le problème, j'ai eu l'occasion de le dire par ailleurs, « c'est que les écrans ont aussi "profité" de cette période de réclusion pour prendre le contrôle de notre ennui et s'ériger en maîtres prépotents de nos occupations[91] ». Même si on manque encore de recul, les enquêtes disponibles indiquent que le confinement a occasionné un accroissement brutal des consommations récréatives des enfants et adolescents, en particulier pour l'audiovisuel (films, séries, clips, dessins animés, etc.), les jeux vidéo (violents ou non) et les réseaux sociaux (implacables trappes attentionnelles continuellement nourries aux *like* et à l'ostentation de soi-même). Au bas mot, cet accroissement peut-être évalué à 30-35 %[92-94], ce qui nous place, à la lumière des estimations globales de pré-confinement, dans une fourchette quotidienne de 4 heures (pour les petits de maternelle) à 10 heures (pour les ados). Comment ne pas mesurer le caractère totalement exorbitant de ces valeurs ? Disant cela, il ne s'agit évidemment pas de culpabiliser les parents. Tout le monde comprend que le recours au numérique récréatif a pu représenter une solution temporaire de moindre mal face à une situation inédite d'enfermement. C'est d'autant plus vrai que les conditions de logement se sont parfois révélées difficiles (notamment dans les grandes villes) et que la promiscuité a mis à rude épreuve les nerfs de nombreux foyers. Mais il y a quand même quelque chose d'indécent à se réjouir de ce « bain de culture[85] » quand on sait l'impact délétère des pratiques ici concernées sur le développement de l'enfant.

Le cas du site pornographique PornHub offre une excellente illustration de cette dérive. Je veux bien que l'on évoque « l'utilité sociale[95] » de cette plateforme, que l'on se réjouisse du fait qu'elle ait accepté de mettre à disposition gratuitement ses contenus prémiums[85], que l'on nous parle à son sujet de « pratiques culturelles[85] » ou d'« activités de loisir[96] »… Mais j'aimerais bien que, dans le même temps, on n'oublie pas de s'insurger contre l'accès totalement libre qu'elle permet aux mineurs (pour entrer, l'enfant n'a qu'à cliquer sur un bouton lui demandant s'il a plus de 18 ans ; j'ai essayé !). Parmi les réjouissances proposées, on trouve toutes sortes de radieuses pratiques dont l'impact négatif sur les stéréotypes de genre ou l'émergence de comportements à risque ne fait plus guère de doute[65-68] : sadisme, humiliation, viols, orgies, rapports non protégés, etc. On ne peut pas simultanément mettre en place des discours (fondamentaux !) de prévention du viol, des rapports non protégés et des discriminations de genre et tolérer que nos gamins soient exposés à des contenus qui valorisent et (souvent) esthétisent ces comportements, en montrant par exemple (un script courant des vidéos pornographiques) que la femme qui se fait violer en avait en fait très envie et finit par en redemander alors qu'elle jouit sans retenue, soumise aux assauts de son agresseur ! C'est absolument inacceptable.

Cela étant dit, par-delà ces remarques et la question des contenus inadaptés, se pose aussi le problème du retour à une consommation temporelle plus raisonnable, si possible inférieure aux valeurs de pré-confinement déjà très élevées. Ce ne sera pas facile à obtenir tant est puissant le pouvoir d'attraction et d'accoutumance des écrans récréatifs. Une fois que l'enfant a mis le doigt dans l'engrenage, il a vite fait, malheureusement, d'être happé tout entier.

L'illusion éducative

Admettons, malgré ce qui vient d'être dit, que le numérique nous ait sauvés. Admettons qu'il ait presqu'à lui seul maintenu la France debout. Doit-on pour autant en conclure que « le confinement a acté l'avènement de la société numérique [... et que] nous ne reviendrons pas en arrière[95] » ? Doit-on admettre, comme le pense Laurent Solly, vice-président de Facebook France, que « le confinement a fait tomber les dernières barrières au numérique[97] » ? Sans doute pas, en tout cas pas de manière universelle. En effet, même si ce genre de jugement est incontestablement séduisant, il omet un principe scientifique fondamental : l'extrapolation du pathologique vers le normal est rarement immédiate. Imaginons, par exemple, que Salomé se fasse une entorse de la cheville. Pour l'aider à marcher, son médecin lui prescrira l'usage de béquilles. Sans surprise, celles-ci se révéleront utiles et bienfaisantes. Toutefois, au terme de sa guérison, Salomé les abandonnera. Continuer à les utiliser serait non seulement superflu mais aussi handicapant. Autrement dit, ce qui s'avère bénéfique en situation de crise peut devenir obsolète ou délétère en période ordinaire. L'analogie vaut pour la crise sanitaire actuelle.

Prenez le télétravail. Il s'agit là, bien sûr, d'une évolution potentiellement sympathique. Toutefois, sans vouloir me prononcer sur le fond (je n'ai en ce domaine aucune compétence), il me semble qu'avant de parler de révolution et de réclamer la généralisation plénière du processus, il serait sage d'attendre un retour d'expérience un peu plus détaillé : comment a évolué la productivité, les résultats varient-ils en fonction des secteurs d'activité ou des caractéristiques individuelles de l'employé, quels sont les impacts à long terme sur la vie professionnelle et familiale, la motivation, le stress, etc. ? Concernant ces différents points, on peut du reste remarquer que les études et opinions préliminaires sont loin d'être unanimement positives[98-102]. Dès lors, il ne paraît pas injurieux d'affirmer que les enthousiasmes actuels (notamment chez les professionnels du secteur numérique) mériteraient un peu de tempérance.

Même chose pour la télémédecine largement stimulée par la crise sanitaire[103-104] et dont nul ne discute les possibles bénéfices[105], notamment en termes d'accès aux soins ou de réduction des coûts (même si ce dernier point semble dépendre des spécialités et du type de structures impliquées[106-107]). Malgré tout, porté par le courant, il ne faudrait pas oublier les importantes limitations de cette télémédecine : lourdeur des infrastructures, problème de sécurisation des données personnelles, impossibilité de réaliser certains actes fondamentaux (palpation, auscultation, etc.), difficulté à prendre en charge certains patients (troubles cognitifs, atteintes du langage, problème d'équipement numérique, etc.) ; la liste n'est pas exhaustive.

Autre domaine, sans doute plus fondamental au regard des thématiques du présent ouvrage : la numérisation de l'enseignement. Durant le confinement, les écrans se sont érigés en intermédiaires essentiels de la relation éducative. Ils ont, nous dit-on, « garanti une continuité pédagogique pour une proportion significative du public scolaire[85] ». Dont acte. La question qui se pose dès lors est assez simple : faut-il perpétuer l'expérience et, si oui, dans quelle mesure ? Car en réalité, toutes choses considérées, la crise associée à la pandémie de coronavirus n'a fait que confirmer les limites déjà connues des politiques de numérisation scolaire : la digitalisation de l'enseignement creuse les inégalités sociales tout en diminuant la performance éducative*. Les plus hautes instances de l'État l'ont

* Voir la section pp. 258 et suivantes.

d'ailleurs ouvertement admis en expliquant, par la voix du Premier ministre de l'époque, Édouard Philippe, que la réouverture précoce des écoles était « un impératif pédagogique et de justice sociale[108] ». En accord avec cette affirmation, nombre de professionnels de l'éducation ont souligné, souvent de manière assez sèche, les limites de la continuité pédagogique qu'on leur avait imposée. Les uns ont ainsi parlé de « désastre[109] » quand les autres évoquaient « le danger d'une école sans humanité[110] » qui ne se contente pas de « révéler les inégalités, [mais] les amplifie[111] ». Autant de réactions qui devraient sinon ébranler, du moins interroger sérieusement les politiques éducatives actuelles. Toutefois, on en prend apparemment si peu le chemin que des voix commencent à énoncer leur crainte de voir la Covid-19 s'ériger en « prétexte[112] » ou « cheval de Troie[113] » d'une digitalisation généralisée.

L'embrouille repose sur une ficelle manipulatoire assez connue, dénoncée notamment par l'essayiste Naomi Klein dans son best-seller *La Stratégie du choc*[114]. Plutôt que de reconnaître le caractère délétère d'une politique (économique, sociale, éducative, etc.), on va expliquer que le problème relève en fait d'une application trop timide. Autrement dit, si ça foire surtout ne changez rien, chargez les doses ! Pour l'enseignement digital qui nous occupe ici, cela veut dire investir encore plus massivement dans les infrastructures, l'équipement individuel, la formation, etc. Ce n'est qu'à ce prix, nous dit la Fondation Jean-Jaurès, que « l'école numérique saura renouer avec la promesse d'égalité et d'émancipation qui demeure son socle[85] ». Quelle belle profession de foi ! Dépensons, dépensons pour des tablettes, des ordinateurs et des réseaux ; gavons d'argent public les industriels du secteur, multiplions les partenariats avec Microsoft[74-75] et plein d'autres entreprises privées[76]. Ne nous posons surtout pas de questions pédagogiques et, pour financer le numérique scolaire, n'hésitons pas à rogner sur les salaires des personnels, la formation initiale et continue des enseignants, l'entretien des bâtiments, le recrutement des assistantes de vie scolaire, l'achat de livres, les dépenses de sorties culturelles, etc. Entre 2013 et 2017, plus de 2 milliards d'euros (d'argent public) ont été dilapidés, dont la quasi-totalité en équipements numériques, infrastructures de réseau et maintenance[115]. Dans son rapport de 2019, la Cour des comptes voyait derrière ce gâchis « des choix de priorités critiquables ». Elle constatait par ailleurs que tout cela s'était fait sans réflexion pédagogique de fond ni évaluation sérieuse des résultats[115]. Même Stanislas Dehaene, neuroscientifique et président du Conseil scientifique de l'Éducation nationale, reconnaissait il y a peu que « cette escalade dans l'équipement dont sont très friands les conseils régionaux et les mairies se fait de façon désordonnée, sans but pédagogique. Souvent parce que les élus considèrent que c'est prestigieux, que c'est le progrès et qu'il faut donc y aller [...] Ces équipements numériques ont-ils un impact positif ou, peut-être, négatif sur les apprentissages ? On ne sait pas[116] ». Les esprits chagrins pourraient dire que si, on sait : saturer les classes de tablettes et d'ordinateurs est au mieux sans effet, au pire défavorable*. Mais admettons qu'on ne sache pas. Ne serait-il pas judicieux de se pencher sur le sujet avant de dépenser encore quelques milliards en pure perte ? Sauf à considérer bien sûr qu'il n'est pas ici question d'efficacité pédagogique, mais d'illusion éducative. Même s'ils sont ineptes et hors de prix, ces investissements numériques feront plaisir aux copains du secteur et ils resteront au final plus économiques que le financement d'un corps enseignant hautement qualifié et formé. Mais de cela, nous avons déjà parlé.

---

* Voir la section pp. 258 et suivantes.

Pour conclure

Il y a peu, je suis tombé par hasard sur le blog d'Anouk F., professeure des écoles en REP (Réseau d'éducation prioritaire). Dans un texte poignant, écrit au sortir du confinement, cette enseignante racontait sa difficulté à maintenir le lien avec l'un de ses élèves prénommé J.[117]. La langue était belle, les mots touchants, la réalité glaçante. La plume d'Anouk a la même finesse enfantine et trébuchante que celle de Jeanne Benameur. J. ne voulait pas retourner à l'école. Au cœur du texte d'Anouk, se trouvait l'échange suivant*. Il dit en quelques mots tout ce que le présent ouvrage a essayé de formuler en près de 450 pages. Comment concevoir meilleur épilogue ?

Qu'est-ce que tu fais de tes journées, J. ?
Je joue.
À quoi ?
À la console.
Toute la journée ?
Non, dit Maman.
Si, corrige J.
À quel jeu est-ce que tu joues ?
À Fortnite, dit J., fier. Dans deux jours, il y a un nouveau niveau, je sens que je vais le réussir lui aussi.
Maman reprend la parole. Mais il construit aussi dans ce jeu, c'est pédagogique.
J. la coupe. Non, je ne construis pas Maman, je tue.

---

* Merci à Anouk F. d'avoir autorisé la repr
dialogue.

Bibliographie

Avant-propos (pp. 7-12)

1. de Tocqueville A., *De la Démocratie en Amérique*, Michel Lévy Frères, 1864.
2. Schleicher A., *in* « Une culture qui libère ? », rencontre *Libération*, Université catholique de Lyon, citation non traduite : « *If anything, it makes things worse* », 19 septembre 2016.
3. Richtel M., « A Silicon Valley School That Doesn't Compute », nytimes.com, 2011.
4. Bilton N., « Steve Jobs Was a Low-Tech Parent », nytimes.com, 2014.

Prologue (pp. 13-34)

1. Schleicher A., *in* Ripley A., *The Smartest Kids in the World*, Simon & Shuster, 2013.
2. Serres M., *Petite Poucette*, Le Pommier, 2012.
3. Dagnaud M., *in* Carquain S., « Génération Y, de la dérision à la subversion », lefigaro.fr, 2012.
4. Cyrulnik B., *in* Des Deserts S., « Nos enfants, ces mut@nts », nouvelobs.com, 2012.
5. Howe N. *et al.*, *Millennials Rising*, Vintage Books, 2000.
6. Prensky M., « Digital natives, digital immigrants (part 1) », *On The Horizon*, 9, 2001.
7. Underwood J. D. M. *et al.*, *Learning and the E-Generation*, Wiley-Blackwell, 2015.
8. Gardner H. *et al.*, *The App Generation*, Yale University Press, 2013.
9. Tapscott D., *Growing Up Digital*, McGraw-Hill, 1998.
10. Hendry L., « The touch-screen generation, digital natives, your kids ! », huffingtonpost.com, 2013.

11. Rowlands I. *et al.*, « The Google generation », *Aslib Proc*, 60, 2008.

12. Dagnaud M., *Génération Y*, Presses de Sciences Po, 2011.

13. Rollot O., *La Génération Y*, PUF, 2012.

14. Faucheux C., « Générations X, Y et Z », lesechos.fr, 2015.

15. Caille B., « L'influence de la Génération C sur son environnement et sur le monde du travail », lesechos.fr, 2015.

16. Rambal J., « Génération alpha : bienvenue dans le monde des futurs "millénials" », letemps.ch, 2018.

17. Davidenkoff E., *Le Tsunami numérique*, Stock, 2014.

18. Small G. *et al.*, in Bauerlein M. (éd.), *Digital Divide*, « Your brain is evolving right now », Penguin, 2011.

19. Small G. *et al.*, *iBrain*, HarperCollins, 2009.

20. Fourgous J., *Réussir à l'école avec le numérique*, Odile Jacob, 2011.

21. Des Deserts S., « Nos enfants, ces mut@nts », nouvelobs.com, 2012.

22. Nivelle P., « Petite Poucette, la génération mutante », liberation.fr, 2011.

23. Tapscott D., *Grown Up Digital*, Mc Graw Hill, 2009.

24. Bisson J., « Le cerveau de nos enfants n'aura plus la même architecture », lefigaro.fr, 2012.

25. Prensky M., *Brain Gain*, St Martin's Press, 2012.

26. Decouty E., « Instructions », liberation.fr, 2013.

27. France 2, journal télévisé de 20 h, 18 mars 2013.

28. « Les jeux de tirs sont bons pour le cerveau », lefigaro.fr, 2012.

29. Houdé O., *in* Urman V., « Jouer sur une tablette, c'est bon pour les bébés », cles.com, 2014.

30. Loo K., « 7 ways video games will help your kids in school », huffingtonpost.com, 2014.

31. Gagey V., *Le petit Larousse des enfants de 0 à 3 ans*, Larousse, 2015.

32. Negroponte N., *in* Guégan Y., « Apprendre à lire sans prof ? Les enfants éthiopiens y arrivent » [sous titre initial corrigé depuis en « Les enfants éthiopiens s'y emploient »], nouvelobs.com, 2012.

33. Tapscott D., « New York Times cover story on "growing up digital" misses the mark », huffingtonpost.com, 2011.

34. Vargas Llosa M., *La Civilisation du spectacle*, Gallimard, 2015.

35. Carr N., *The Shallows*, Norton & Company, 2011.

36. Jackson M., *Distracted*, Prometheus, 2009.

37. Bauerlein M., *The Dumbest Generation*, Tarcher/Penguin, 2009.
38. Lynch P. M., *The Internet of us*, Liveright, 2016.
39. Spitzer M., *Digitale Demenz*, Droemer Knaur, 2012.
40. Harlé B., « L'écran fonctionne comme un simulateur de présence », lemonde.fr, 2014.
41. Freed R., *Wired Child*, CreateSpace, 2015.
42. Kardaras N., *Glow Kids*, St. Martin's Press, 2016.
43. Greenfield S., *Mind Change*, Rider, 2014.
44. Gazzaley A. *et al.*, *The Distracted Mind*, MIT Press, 2016.
45. Collectif, « La surexposition des jeunes enfants aux écrans est un enjeu majeur de santé publique », lemonde.fr, 2017.
46. Duflo S., *Quand les écrans deviennent neurotoxiques*, Marabout, 2018.
47. Spitzer M., *in* « "Digital dementia" for our screen-addicted kids », seattletimes.com, 2014.
48. « Screen use is bad for brain development, scientist claims », bbc.com, 2015.
49. « "Christophe André : les nouvelles technologies nous polluent" », *Psychologie Magazine*, janvier 2013.
50. Lachaux J. P., *in* Nothias J.-L., « Les smartphones modifient le fonctionnement du cerveau », lefigaro.fr, 2011.
51. Marboeuf L., « Non, les enfants éthiopiens n'apprennent pas à lire seuls avec des tablettes », francetvinfo.fr, 2012.
52. Ozler B., « One Laptop Per Child is not improving reading or math. But, are we learning enough from these evaluations ? », worldbank.org, 2012.
53. Bihouix P. *et al.*, *Le Désastre de l'école numérique*, Seuil, 2016.
54. Kardaras N., « Screens in schools are a $60 billion hoax », time.com, 2016.
55. Coughlan S., « Computers "do not improve" pupil results, says OECD », bbc.com, 2015.
56. Toyama K., « Can technology end poverty ? », bostonreview.net, 2010.
57. Carter C., « Head teachers to report parents to police and social services if they let their children play Grand Theft Auto or Call of Duty », dailymail.co.uk, 2015.
58. OCDE, « Résultats du PISA 2015 (Volume 1) », oecd.org, 2016.
59. Phillips T., « Taiwan orders parents to limit children's time with electronic games », telegraph.co.uk, 2015.

60. Hu W., « Seing no progress, some schools drop laptops », nytimes.com, 2007.
61. Bilton N., « Steve Jobs Was a Low-Tech Parent », nytimes.com, 2014.
62. Richtel M., « A Silicon Valley School That Doesn't Compute », nytimes.com, 2011.
63. Erner G., « Les geeks privent leurs enfants d'écran, eux », huffingtonpost.fr, 2014.
64. Chabris C. *et al.*, « Digital alarmists are wrong », latimes.com, 2010.
65. « Serge Tisseron, commis voyageur de l'industrie numérique », piecesetmaindoeuvre.com, 2013.
66. « Témoins, experts, opinions. Vanessa Lalo », nouvelobs.com, accès mai 2019.
67. Lalo V., « Minecraft et autres jeux vidéo auxquels vous pouvez laisser jouer vos enfants sans danger », atlantico.fr, 2014.
68. Exemples tirés du site internet de Vanessa Lalo : *Libération*, *Journal du Dimanche*, RMC, France Inter, France Info, etc., vanessalalo.com, accès avril 2017.
69. Lalo V., « Site internet personnel », vanessalalo.com, accès 2019.
70. Lalo V., « L'enfant et les écrans, c'est avant tout une question de bon sens », *La Gazette ariégeoise*, 35, 28 août 2015.
71. Lalo V., « Conférence petite enfance, organisée par le Département de l'Hérault, Pôle Développement Humain », pierresvives.herault.fr, 2014.
72. Braque G., *Le Jour et la Nuit*, Gallimard, 1952.
73. Oreskes N. *et al.*, *Les Marchands de doute*, Le Pommier, 2012.
74. Foucart S., « Les conspirateurs du tabac », lemonde.fr, 2012.
75. Glantz S. A. *et al.*, *The Cigarette Papers*, UCP, 1998.
76. Proctor R., *Golden Holocaust*, UCP, 2012.
77. Blech J., *Les Inventeurs de maladie*, Actes Sud, 2005.
78. Foucart S., *La Fabrique du mensonge*, Denoël, 2013.
79. Foucart S., *L'Avenir du climat*, Folio Actuel, 2015.
80. Goldacre B., *Bad Pharma*, Fourth Estate, 2014.
81. Healy D., *Pharmageddon*, UCP, 2012.
82. Gotzsche P., *Deadly Psychiatry and Organized Denial*, People's Press, 2015.
83. Leslie I., « The sugar conspiracy », theguardian.com, 2016.
84. Kearns C. E. *et al.*, « Sugar industry and coronary heart disease research : A historical analysis of internal industry documents », *JAMA Intern Med*, 176, 2016.

85. Holpuch A., « Sugar lobby paid scientists to blur sugar's role in heart disease – report », theguardian.com, 2016.

86. Horel S., « Enquête sur la science sous influence des millions de Coca-Cola », lemonde.fr, 2019.

87. Jouan A., « Quand Le Figaro dévoilait le scandale du Mediator », lefigaro.fr, 2016.

88. Thoraval A., « À chaque grande étape, des révélations dans les médias [sang contaminé] », liberation.fr, 1999.

89. Monin J., « Ce que révèlent les "Implant Files" sur les failles du système de certification des dispositifs médicaux », franceinfo.fr, 2018.

90. Hecketsweiler C. *et al.*, « "Implant Files" : un scandale sanitaire mondial sur les implants médicaux », lemonde.fr, 2018.

91. Collectif, « L'enfant, l'adolescent, la famille et les écrans. Appel à une vigilance raisonnée sur les technologies numériques », academie-sciences.fr, 2019.

92. Santi P., « Écrans : appel des académies à une "vigilance raisonnée" », lemonde.fr, 2019.

93. Watzlawick P., *The Invented Reality*, WW Norton & Company, 1984.

94. Bachelard G., *Le Matérialisme rationnel*, PUF, 1953.

95. Lalo V., *in* Garcia V., « Les jeux vidéo violents réduisent-ils la criminalité ? », lexpress.fr, 2014.

96. Anderson C. *et al.*, « SPSSI research summary on media violence », *Anal Soc Issues Public Policy*, 15, 2015.

97. ISRA, « Report of the Media Violence Commission », *Aggress Behav*, 38, 2012.

98. AAP, « Policy statement – media violence », *Pediatrics*, 124, 2009.

99. Collectif, « Children and adolescents and digital media », *Pediatrics*, 138, 2016.

100. Desmurget M., *TV Lobotomie*, J'ai Lu, 2013.

101. Tisseron S., *in* Buthigieg R., « La télévision nuit-elle au sommeil ?», *TeleStar*, n° 1800, 2-8 avril 2011.

102. Bach J. *et al.*, *L'Enfant et les écrans : un avis de l'Académie des sciences*, Le Pommier, 2013. Également en accès libre sur academie-sciences.fr

103. Boorstin D., *Les Découvreurs*, Robert Laffont, 1988.

104. Desmurget M., *L'Antirégime au quotidien*, Belin, 2017.

105. Jeng M., « The Mpemba effect », *Am J Phys*, 74, 2006.

106. Dworak M. *et al.*, « Impact of singular excessive computer game and television exposure on sleep patterns and memory performance of school-aged children », *Pediatrics*, 120, 2007.

107. Schoeni A. *et al.*, « Memory performance, wireless communication and exposure to radiofrequency electromagnetic fields », *Environ Int*, 85, 2015.

108. Joels M. *et al.*, « Learning under stress », *Trends Cogn Sci*, 10, 2006.

109. Hu H. *et al.*, « Emotion enhances learning via norepinephrine regulation of AMPA-receptor trafficking », *Cell*, 131, 2007.

110. « L'affaire Le Lay », *Télérama*, 11-17 septembre 2004.

111. Huxley A., *Retour au meilleur des mondes*, Plon, 1958/2008.

112. Rowland W., « A modest proposal : The class-action case against television », *Int J Media Cult Politics*, 1, 2005.

113. Rideout V., *in* Lewin T., « No Einstein in your crib ? Get a refund », nytimes.com, 2009.

114. Postman N., *The Disappearance of Childhood*, Vintage Book, 1994 [1982].

115. Marat J., *Les Chaînes de l'esclavage*, Adolphe Havard, 1774/1833.

Première partie (pp. 35-197)

1. Esquiros A., *L'Esprit des Anglais*, Hachette, s. d.

2. Ruiz Zafòn C., *Le Jeu de l'ange*, Pocket, 2010.

3. « Marc Jeannerod. Histoire de l'INSERM », inserm.fr, accès août 2018.

4. Voir, par exemple, au sujet de l'ouvrage *L'Antirégime* (Belin, 2015), les commentaires laissés sur le site amazon.fr par tchechala ou ccindy91, accès août 2018.

5. Kirschner P. *et al.*, « Do learners really know best ? Urban legends in education », *Educ Psychol*, 48, 2013.

6. Serres M., *Petite Poucette*, Le Pommier, 2012.

7. Tapscott D., *Grown Up Digital*, Mc Graw Hill, 2009.

8. Veen W. *et al.*, *Homo Zappiens : Growing Up in a Digital Age*, Network Continuum Education, 2006.

9. Brown J. S., « Growing up digital », *Change*, 32, 2000.

10. Prensky M., « Digital natives, digital immigrants (part 1) », *On The Horizon*, 9, 2001.

11. Fourgous J., *Réussir à l'école avec le numérique*, Odile Jacob, 2011.

12. Ségond V., « Les "digital natives" changent l'entreprise », lemonde.fr, 2016.

13. Prensky M., « Listen to the natives », *Educational Leadership*, 63, 2006.

14. « Le cerveau des natifs du numérique en 90 secondes », lemonde.fr, 2015.
15. Davidenkoff E., *Le Tsunami numérique*, Stock, 2014.
16. Prensky M., *Teaching Digital Natives*, Corwin, 2010.
17. Khan S., *The One World Schoolhouse*, Twelve, 2012.
18. Fourgous J., « Oser la pédagogie numérique ! », lemonde.fr, 2011.
19. Reynié D., *in* « "Apprendre autrement" à l'ère numérique. Rapport de la mission parlementaire de Jean-Michel Fourgous », La Documentation française, 2012.
20. Tapscott D., « Educating the net generation », *Educational Leadership*, 56, 1999.
21. Kirschner P. *et al.*, « The myths of the digital native and the multitasker », *Teach Teach Educ*, 67, 2017.
22. De Bruyckere P. *et al.*, *Urban Myth about Learning and Education*, Academic Press, 2015.
23. Gallardo-Echenique E. *et al.*, « Let's Talk about Digital Learners in the Digital Era », *Int Rev Res Open Distrib Lear*, 16, 2015.
24. Jones C., *in* Huang R. *et al.* (éd.), *Reshaping Learning*, « The new shape of the student », Springer, 2013.
25. Jones C. *et al.*, « The net generation and digital natives », *Higher Education Academy, York*, 2011.
26. Bullen M. *et al.*, « Digital learners in higher education », *Can J Learn Tech*, 37, 2011.
27. Bennett S. *et al.*, « Beyond the "digital natives" debate : Towards a more nuanced understanding of students' technology experiences », *J Comput Assist Lear*, 26, 2010.
28. Bennett S. *et al.*, « The "digital natives" debate », *Br J Educ Tech*, 39, 2008.
29. Selwyn N., « The digital native – myth and reality », *Aslib Proc*, 61, 2009.
30. Calvani A. *et al.*, « Are young generations in secondary school digitally competent ? », *Comput Educ*, 58, 2012.
31. Tricot A., *in* Miller M., « Être un "digital native" ne rend pas meilleur pour prendre des notes », lemonde.fr, 2018.
32. Kennedy G. *et al.*, « Beyond natives and immigrants », *J Comput Assist Lear*, 26, 2010.
33. Bekebrede G. *et al.*, « Reviewing the need for gaming in education to accommodate the net generation », *Comput Educ*, 57, 2011.
34. Jones C. *et al.*, « Net generation or digital natives », *Comput Educ*, 54, 2010.
35. Zhang M., « Internet use that reproduces educational inequalities », *Comput Educ*, 86, 2015.

36. Lai K. *et al.*, « Technology use and learning characteristics of students in higher education : Do generational differences exist ? », *Brit J Educ Tech*, 46, 2015.

37. Rideout V., « The common sense census : Media use by tweens and teens », Common sense media, 2015.

38. Fraillon J. *et al.*, « Preparing for Life in a Digital Age (International Computer and Information Literacy Study) », Springer Open, 2014.

39. Demirbilek M., « The "digital natives" debate », *Eurasia J Math Sci Tech*, 10, 2014.

40. Romero M. *et al.*, « Do UOC students fit in the net generation profile ? », *Int Rev Res Open Distrib Lear*, 14, 2013.

41. Hargittai E., « Digital na(t)ives ? Variation in internet skills and uses among members of the "net generation" », *Sociol Inq*, 80, 2010.

42. Nasah A. *et al.*, « The digital literacy debate », *Educ Tech Res Dev*, 58, 2010.

43. Stoerger S., « The digital melting pot », *First Monday*, 14, 2009.

44. « Evaluating information : The cornerstone of civic online reasoning », Report from the Stanford History Education Group, Stanford History Education Group, 2016.

45. « Computerkenntnisse der ÖsterreicherInnen (Austrian Computer Society) », Austrian Computer Society, 2014.

46. « Security of the digital natives », Tech and Law Center Project, 2014.

47. « Information behaviour of the researcher of the future », University College, Londres, 2008.

48. Johnson L. *et al.*, « Horizon report Europe : 2014 schools edition », Publications Office of the European Union & The New Media Consortium, 2014.

49. Rowlands I. *et al.*, « The Google generation », *Aslib Proc*, 60, 2008.

50. Thirion P. *et al.*, « Enquête sur les compétences documentaires et informationnelles des étudiants qui accèdent à l'enseignement supérieur en Communauté française de Belgique », enssib.fr, 2008.

51. Julien H. *et al.*, « How high-school students find and evaluate scientific information », *Libr Inform Sci Res*, 31, 2009.

52. Gross M. *et al.*, « What's skill got to do with it ? », *J Am Soc Inf Sci Technol*, 63, 2012.

53. Perret C., « Pratiques de recherche documentaire et réussite universitaire des étudiants de première année », *Carrefours de l'éducation*, 35, 2013.

54. Dumouchel G. *et al.*, « Mon ami Google », *Can J Learn Tech*, 43, 2017.

55. TNS Sofres « Les Millennials passent un jour par semaine sur leur smartphone », tns-sofres.com, 2015.

56. Lhenart A., « Teens, social media & technology overview 2015 », Pew Research Center, 2015.

57. Rideout V. *et al.*, « Generation M2 : Media in the lives of 8-18 year-olds », Kaiser Family Foundation, 2010.

58. Rideout V., « The common sense census. Media use by tweens and teens (Key findings) », Common sense media, 2015.

59. Dumais S., « Cohort and gender differences in extracurricular participation », *Sociol Spectr*, 29, 2009.

60. Lauricella A. *et al.*, « The common sense census : Plugged in parents of tweens and teens », Common sense media, 2016.

61. Ofcom, « Adults' media use and attitudes (report 2016) », ofcom.org, 2016.

62. Greenwood S. *et al.*, « Social media update 2016 », Pew Research Center, 2016.

63. Anderson M. *et al.*, « Tech adoption climbs among older adults », Pew Research Center, 2017.

64. Richtel M., « A Silicon Valley school that doesn't compute », nytimes.com, 2011.

65. Godard P., *Le Mythe de la culture numérique*, Le Bord de l'Eau, 2015.

66. Christodoulou D., *Seven Myths About Education*, Routledge, 2014.

67. Fourgous J., « Réussir l'école numérique. Rapport de la mission parlementaire sur la modernisation de l'école par le numérique », La Documentation française, 2010.

68. Fourgous J., « "Apprendre autrement" à l'ère numérique. Rapport de la mission parlementaire de Jean-Michel Fourgous », La Documentation française, 2012.

69. Lassalle I., « Bien utilisés et régulés, les écrans peuvent être bénéfiques pour les enfants », franceculture.fr, 2013.

70. Kuhn S. *et al.*, « Amount of lifetime video gaming is positively associated with entorhinal, hippocampal and occipital volume », *Mol Psychiatry*, 19, 2014.

71. Kuhn S. *et al.*, « Playing Super Mario induces structural brain plasticity », *Mol Psychiatry*, 19, 2014.

72. Kuhn S. *et al.*, « Positive association of video game playing with left frontal cortical thickness in adolescents », *PLoS One*, 9, 2014.

73. Gong D. *et al.*, « Enhanced functional connectivity and increased gray matter volume of insula related to action video game playing », *Sci Rep*, 5, 2015.

74. Tanaka S. *et al.*, « Larger right posterior parietal volume in action video game experts », *PLoS One*, 8, 2013.

75. « Jouer à Super Mario augmente le volume de matière grise », lexpress.fr, 2013.

76. Gracci F., « Les adeptes des jeux vidéo ont plus de matière grise et une meilleure connectivité cérébrale », science-et-vie.com, 2015.

77. DiSalvo D., « The surprising connection between playing video games and a thicker brain », forbes.com, 2014.

78. Bergland C., « Video gaming can increase brain size and connectivity », psychologytoday.com, 2013.

79. Costandi M., *Neuroplasticity*, MIT Press, 2016.

80. Draganski B. *et al.*, « Neuroplasticity », *Nature*, 427, 2004.

81. Munte T.F. *et al.*, « The musician's brain as a model of neuroplasticity », *Nat Rev Neurosci*, 3, 2002.

82. Becker M. P. *et al.*, « Longitudinal changes in white matter microstructure after heavy cannabis use », *Dev Cogn Neurosci*, 16, 2015.

83. Preissler S. *et al.*, « Gray matter changes following limb amputation with high and low intensities of phantom limb pain », *Cereb Cortex*, 23, 2013.

84. Maguire E. A. *et al.*, « Recalling routes around London », *J Neurosci*, 17, 1997.

85. Takeuchi H. *et al.*, « The impact of television viewing on brain structures », *Cereb Cortex*, 25, 2015.

86. Takeuchi H. *et al.*, « Impact of reading habit on white matter structure », *Neuroimage*, 133, 2016.

87. Killgore W. D. *et al.*, « Physical exercise habits correlate with gray matter volume of the hippocampus in healthy adult humans », *Sci Rep*, 3, 2013.

88. Fritel J., « Jeux vidéo : les nouveaux maîtres du monde, documentaire », Arte, 15 novembre 2016.

89. Kanai R. *et al.*, « The structural basis of inter-individual differences in human behaviour and cognition », *Nat Rev Neurosci*, 12, 2011.

90. Shaw P. *et al.*, « Intellectual ability and cortical development in children and adolescents », *Nature*, 440, 2006.

91. Schnack H. G. *et al.*, « Changes in thickness and surface area of the human cortex and their relationship with intelligence », *Cereb Cortex*, 25, 2015.

92. Luders E. *et al.*, « The link between callosal thickness and intelligence in healthy children and adolescents », *Neuroimage*, 54, 2011.

93. Takeuchi H. *et al.*, « Impact of videogame play on the brain's microstructural properties », *Mol Psychiatry*, 21, 2016.

94. Li W. *et al.*, « Brain structures and functional connectivity associated with individual differences in Internet tendency in healthy young adults », *Neuropsychologia*, 70, 2015.

95. Boehly A., « Super Mario joue sur notre cerveau », sciencesetavenir.fr, 2013.

96. Richardson A. *et al.*, « Video game experience predicts virtual, but not real navigation performance », *Comput Hum Behav*, 27, 2011.

97. West G. L. *et al.*, « Impact of video games on plasticity of the hippocampus », *Mol Psychiatry*, 2017.

98. Tanji J. *et al.*, « Role of the lateral prefrontal cortex in executive behavioral control », *Physiol Rev*, 88, 2008.

99. Matsumoto K. *et al.*, « The role of the medial prefrontal cortex in achieving goals », *Curr Opin Neurobiol*, 14, 2004.

100. Funahashi S., « Space representation in the prefrontal cortex », *Prog Neurobiol*, 103, 2013.

101. Ballard I. C. *et al.*, « Dorsolateral prefrontal cortex drives mesolimbic dopaminergic regions to initiate motivated behavior », *J Neurosci*, 31, 2011.

102. Weinstein A. *et al.*, « Internet addiction or excessive internet use », *Am J Drug Alcohol Abuse*, 36, 2010.

103. Weinstein A. *et al.*, « New developments in brain research of internet and gaming disorder », *Neurosci Biobehav Rev*, 75, 2017.

104. Meng Y. *et al.*, « The prefrontal dysfunction in individuals with Internet gaming disorder », *Addict Biol*, 20, 2015.

105. Kuss D. J. *et al.*, « Neurobiological correlates in internet gaming disorder », *Front Psychiatry*, 9, 2018.

106. Yuan K. *et al.*, « Cortical thickness abnormalities in late adolescence with online gaming addiction », *PLoS One*, 8, 2013.

107. Juraska J. M. *et al.*, « Pubertal onset as a critical transition for neural development and cognition », *Brain Res*, 1654, 2017.

108. Konrad K. *et al.*, « Brain development during adolescence », *Dtsch Arztebl Int*, 110, 2013.

109. Selemon L. D., « A role for synaptic plasticity in the adolescent development of executive function », *Transl Psychiatry*, 3, 2013.

110. Sisk C. L., « Development : Pubertal hormones meet the adolescent brain », *Curr Biol*, 27, 2017.

111. Caballero A. *et al.*, « Mechanisms contributing to prefrontal cortex maturation during adolescence », *Neurosci Biobehav Rev*, 70, 2016.

112. Caballero A. *et al.*, « GABAergic function as a limiting factor for prefrontal maturation during adolescence », *Trends Neurosci*, 39, 2016.

113. Paus T. *et al.*, « Why do many psychiatric disorders emerge during adolescence ? », *Nat Rev Neurosci*, 9, 2008.

114. Sawyer S. M. *et al.*, « Adolescence : A foundation for future health », *Lancet*, 379, 2012.

115. Oei A. C. *et al.*, « Are videogame training gains specific or general ? », *Front Syst Neurosci*, 8, 2014.

116. Przybylski A. K. *et al.*, « A large scale test of the gaming-enhancement hypothesis », *PeerJ*, 4, 2016.

117. van Ravenzwaaij D. *et al.*, « Action video games do not improve the speed of information processing in simple perceptual tasks », *J Exp Psychol Gen*, 143, 2014.

118. Jäncke L. *et al.*, « Expertise in video gaming and driving skills », *Z Neuropsychol*, 22, 2011.

119. Gaspar J. G. *et al.*, « Are gamers better crossers ? An examination of action video game experience and dual task effects in a simulated street crossing task », *Hum Factors*, 56, 2014.

120. Owen A. M. *et al.*, « Putting brain training to the test », *Nature*, 465, 2010.

121. Simons D. J. *et al.*, « Do "brain-training" programs work ? », *Psychol Sci Public Interest*, 17, 2016.

122. Azizi E. *et al.*, « The influence of action video game playing on eye movement behaviour during visual search in abstract, in-game and natural scenes », *Atten Percept Psychophys*, 79, 2017.

123. Sala G. *et al.*, « Video game training does not enhance cognitive ability », *Psychol Bull*, 144, 2018.

124. Bavelier D. *et al.*, « Brain plasticity through the life span », *Annu Rev Neurosci*, 35, 2012.

125. Koziol L. F. *et al.*, « Consensus paper : The cerebellum's role in movement and cognition », *Cerebellum*, 13, 2014.

126. Manto M. *et al.*, « Consensus paper : Roles of the cerebellum in motor control », *Cerebellum*, 11, 2012.

127. Kennedy A. M. *et al.*, « Video gaming enhances psychomotor skills but not visuospatial and perceptual abilities in surgical trainees », *J Surg Educ*, 68, 2011.

128. Desmurget M., *Imitation et apprentissages moteurs*, Solal, 2007.

129. Guglielminetti B., « One Laptop Per Child réussit son défi », ledevoir.com, 2007.
130. « £50 laptop to teach Third World children », dailymail.co.uk, 2007.
131. « Ethiopian kids teach themselves with tablets », WashingtonPost.com, 2013.
132. Ehlers F., « The miracle of Wenchi. Ethiopian kids using tablets to teach themselves », spiegel.de, 2012.
133. Guégan Y., « Apprendre à lire sans prof ? Les enfants éthiopiens s'y emploient », nouvelobs.com, 2012.
134. Beaumont P., « Rwanda's laptop revolution », theguardian.com, 2010.
135. « Ces enfants éthiopiens ont hacké leurs tablettes OLPC en 5 mois ! », 20minutes.fr, 2012.
136. Legrand C., « En Uruguay, des ordinateurs gratuits à l'école pour intégrer les enfants pauvres », lemonde.fr, 2009.
137. Champeau, « Des enfants illettrés s'éduquent seuls avec une tablette », numerama.com, 2012.
138. Thomson L., « African kids learn to read, hack Android on OLPC fondleslab », theregister.co.uk, 2012.
139. Ozler B., « One Laptop Per Child is not improving reading or math. But, are we learning enough from these evaluations ? », worldbank.org, 2012.
140. deMelo G. *et al.*, « The Impact of a One Laptop per Child Program on Learning : Evidence from Uruguay », IZA Discussion Paper No. 8489, 2014.
141. Beuermann D. W. *et al.*, « One Laptop per Child at home », *AEJ : Applied Economics*, 7, 2015.
142. Meza-Cordero J. A., « Learn to Play and Play to Learn », *J Int Dev*, 29, 2017.
143. Sharma U., « Can computers increase human capital in developing countries ? An evaluation of Nepal's One Laptop per Child program », Paper presented at the AAEA Annual Meeting, Minneapolis, 2014.
144. Cristia J. *et al.*, « Technology and child development », *Am Econ J Appl Econ*, 9, 2017.
145. Mora T. *et al.*, « Computers and students' achievement. An analysis of the One Laptop per Child program in Catalonia », *Int J Educ Res*, 92, 2018.
146. Warschauer M. *et al.*, « Can one laptop per child save the world's poor ? », *J. Int. Aff*, 64, 2010.
147. Bita N., « Brisbane school told girl, 5, "you're out if you don't have iPad" », theaustralian.com, 2016.

148. Canfield C., « iPads take place next to crayons in kindergarten », usatoday.com, 2011.

149. « Le plan numérique pour l'Éducation », education.gouv, 2016.

150. Eaton K., « Learning to Read, With the Help of a Tablet », nytimes.com, 2013.

151. Murray L. *et al.*, « Randomized controlled trial of a book-sharing intervention in a deprived South African community », *J Child Psychol Psychiatry*, 57, 2016.

152. Vally Z. *et al.*, « The impact of dialogic book-sharing training on infant language and attention », *J Child Psychol Psychiatry*, 56, 2015.

153. Toulon A., « Des jeux-vidéo pour lutter contre la dyslexie », europe1.fr, 2014.

154. « Video games "help reading in children with dyslexia" », bbc.com, 2013.

155. Serna J., « Study : A day of video games tops a year of therapy for dyslexic readers », latimes.com, 2013.

156. Harrar V. *et al.*, « Multisensory integration and attention in developmental dyslexia », *Curr Biol*, 24, 2014.

157. « Les jeux vidéo d'action recommandés aux dyslexiques », cnewsmatin.fr, 2014.

158. de la Bigne Y., « Les juex viédos conrte la dislexye », europe1.fr, 2014.

159. Kipling R., *Histoires comme ça*, Livre de Poche, 2007.

160. Franceschini S. *et al.*, « Action video games make dyslexic children read better », *Curr Biol*, 23, 2013.

161. Tressoldi P. E. *et al.*, « The development of reading speed in Italians with dyslexia », *J Learn Disabil*, 34, 2001.

162. Tressoldi P. E. *et al.*, « Efficacy of an intervention to improve fluency in children with developmental dyslexia in a regular orthography », *J Learn Disabil*, 40, 2007.

163. Collins N., « Video games "teach dyslexic children to read" », telegraph.co.uk, 2013.

164. Guarini D., « 9 ways video games can actually be good for you », huffingtonpost.com, 2013.

165. Oreskes N. *et al.*, *Les Marchands de doute*, Le Pommier, 2012.

166. Foucart S., « Les Conspirateurs du tabac », lemonde.fr, 2012.

167. Proctor R., *Golden Holocaust*, UCP, 2012.

168. Godart J.-L., *in* Duhamel J., *Le Grand Méchant Bêtisier*, Albin Michel, 1992.

169. Jackson T., « When balance is bias », *BMJ*, 343, 2011.

170. Davis N., *Flat Earth News*, Random House, 2008.

171. Boykoff M., *Who Speaks for the Climate ?*, Cambridge University Press, 2011.

172. Otto S., *The War on Science*, Milkweed Editions, 2016.

173. Blech J., *Les Inventeurs de maladie*, Actes Sud, 2005.

174. Foucart S., *La Fabrique du mensonge*, Denoël, 2013.

175. Foucart S., *L'Avenir du climat*, Folio Actuel, 2015.

176. Goldacre B., *Bad Pharma*, Fourth Estate, 2014.

177. Healy D., *Pharmageddon*, UCP, 2012.

178. Gotzsche P., *Deadly Psychiatry and Organized Denial*, People's Press, 2015.

179. Leslie I., « The sugar conspiracy », theguardian.com, 2016.

180. Kearns C. E. *et al.*, « Sugar industry and coronary heart disease research : A historical analysis of internal industry documents », *JAMA Intern Med*, 176, 2016.

181. Horel S., « Enquête sur la science sous influence des millions de Coca-Cola », lemonde.fr, 2019.

182. Kain E., « Gaming the system : How a gaming journalist lost his job over a negative review », forbes.com, 2012.

183. Cario E., « DoritosGate : crispation autour des jeux vidéo », liberation.fr, 2012.

184. Stuart K., « Video game journalism – a response to the controversy », theguardian.com, 2012.

185. « Michael Stora : "Les jeux vidéo canalisent la violence" », europe1.fr, 2014.

186. Stora M., *in* « L'univers numérique : quels sont les risques pour les enfants ? », bfmtv.com, 2014.

187. Stora M., *in* « Pourquoi laisser vos enfants jouer avec une tablette ou un smartphone ne fait pas de vous de mauvais parents », atlantico.fr, 2014.

188. « Michael Stora, Bio », sur le site de l'Observatoire des mondes numériques en sciences humaines : omnsh.org, accès juillet 2017.

189. Marzano Research, marzanoresearch.com, accès 2019.

190. Educational leadership, ascd.org, accès mai 2018.

191. Marzano R. J., « The art and science of teaching / teaching with interactive whiteboards », *Educational Leadership*, 67, 2009.

192. Gabriel T. *et al.*, « Inflating the software report card », nytimes.com, 2011.

193. CSA, « Le collège », csa.fr, accès juillet 2017.

194. « Françoise Laborde et Christine Kelly au CSA », lefigaro fr, 2009.

195. « Rachid Arhab invité surprise au CSA. Et Michel Boyon prend la tête de l'institution... », 20minutes.fr, 2007.

196. « Rachid Arhab et Françoise Laborde n'ont pas démissionné de France Télévisions », LePoint.fr, 2009.

197. « CSA : Françoise Laborde met fin à son contrat avec France Télévisions », liberation.fr, 2014.

198. À l'heure où sont écrites ces lignes (septembre 2017), 3 sages sur 7 ont soit directement (en tant que journalistes) soit indirectement (en tant que producteurs de contenus) travaillé pour les principaux groupes audiovisuels nationaux : Mémona Hintermann-Afféjee ; Sylvie Pierre-Brossolette ; Carole Bienaimé-Besse, csa.fr, accès septembre 2017.

199. Rachid Arhab, cnews.fr, accès juillet 2017.

200. « TPMP recrute Rachid Arhab, ancien membre du CSA, parmi ses nouveaux chroniqueurs », huffingtonpost.fr, 2017.

201. « "TPMP": Christine Kelly, ex-membre du CSA, rejoint l'émission de Cyril Hanouna », 20minutes.fr, 2018.

202. Petit C., « Christine Kelly : "Même au CSA, je suis restée journaliste" », lejdd.fr, 2016.

203. Dijksterhuis A. *et al.*, « The perception-behavior expressway », *Adv Exp Soc Psychol*, 33, 2001.

204. Kahneman D., *Thinking, Fast and Slow*, Farrar, Straus and Giroux, 2011.

205. Mlodinow L., *Subliminal*, Vintage, 2012.

206. Danziger S. *et al.*, « Extraneous factors in judicial decisions », *Proc Natl Acad Sci USA*, 108, 2011.

207. « Obésité infantile. 23 sociétés savantes et 17 associations appellent les députés à réglementer la publicité télévisée pour les produits alimentaires à destination des enfants », quechoisir.org, 2009.

208. « Roselyne Bachelot pas très claire sur l'obésité », 20minutes.fr, 2009.

209. « L'obésité une "priorité" de santé publique », nouvelobs.com, 2009.

210. Delahaye M. *et al.*, « Publicité : enfants au régime ? », lemonde.fr, 2009.

211. Belpois M., « On se retrouve après une page spéciale obésité... », telerama.fr, 2009.

212. « Charte sur la publicité alimentaire : des engagements significatifs et inédits des professionnels de l'audiovisuel », snptv.org, 2009.

213. McGinnis J. M. *et al.*, *Food Marketing to Children and Youth : Threat or Opportunity ?*, Committee on Food Marketing and the Diets of Children and Youth, The National Academies Press, 2006.

214. Harris J. L. *et al.*, « A crisis in the marketplace », *Annu. Rev. Public Health*, 30, 2009.

215. Zimmerman F. J., « Using marketing muscle to sell fat », *Annu Rev Public Health*, 32, 2011.

216. Desmurget M., *TV Lobotomie*, J'ai Lu, 2013.

217. Cairns G. *et al.*, « Systematic reviews of the evidence on the nature, extent and effects of food marketing to children », *Appetite*, 62, 2013.

218. Boyland E. J. *et al.*, « Television advertising and branding. Effects on eating behaviour and food preferences in children », *Appetite*, 62, 2013.

219. Boyland E. J. *et al.*, « Advertising as a cue to consume », *Am J Clin Nutr*, 103, 2016.

220. Popkin B. M., « Is the obesity epidemic a national security issue around the globe ? », *Curr Opin Endocrinol Diabetes Obes*, 18, 2011.

221. Wang Y. C. *et al.*, « Health and economic burden of the projected obesity trends in the USA and the UK », *Lancet*, 378, 2011.

222. Finkelstein E. A. *et al.*, « The costs of obesity in the workplace », *J Occup Environ Med*, 52, 2010.

223. Muller-Riemenschneider F. *et al.*, « Health-economic burden of obesity in Europe », *Eur J Epidemiol*, 23, 2008.

224. Pelone F. *et al.*, « Economic impact of childhood obesity on health systems », *Obes Rev*, 13, 2012.

225. Withrow D. *et al.*, « The economic burden of obesity worldwide », *Obes Rev*, 12, 2011.

226. « Pub alimentaire : interdiction ou autodiscipline ? », lefigaro.fr, 2009.

227. Maucourt R., « Obésité infantile : la publicité en accusation », lemonde.fr, 2009.

228. CSA, « La protection des tout-petits », csa.fr, accès juillet 2017.

229. Kelly C., « Lutte contre l'obésité infantile : les paradoxes de la télévision, partenaire d'une régulation à la française », lemonde.fr, 2010.

230. « Christine Kelly. Parcours professionnel », christinekelly.fr, accès juillet 2017.

231. « Fondation Nestlé, qui sommes nous ? », nestle.fr, accès juillet 2017.

232. « L'Assemblée rejette l'interdiction des publicités pour aliments trop gras et l'étiquetage nutritionnel obligatoire », lemonde.fr, 2018.

233. AFP, « L'Assemblée rejette l'interdiction des pubs alimentaires peu saines visant les enfants », la-croix.com, 2018.

234. CSA, « Charte alimentaire », csa.fr, accès mai 2018.

235. Bergé A., *in* Woessner G., « La charte alimentaire du CSA est-elle contraignante ? », europe1.fr, 2018.

236. Woessner G., « La charte alimentaire du CSA est-elle contraignante ? », europe1.fr, 2018.

237. OMS, « Stratégies visant à réduire l'usage nocif de l'alcool : projet de stratégie mondiale », rapport A63/13 soumis à la 63e Assemblée mondiale de la santé, 25 mars 2010.

238. UFC-QueChoisir, « Marketing télévisé pour les produits alimentaires à destination des enfants », quechoisir.org, 2010.

239. Ramos R., *in* AFP, « L'Assemblée rejette l'interdiction des pubs alimentaires peu saines visant les enfants », la-croix.com, 2018.

240. « Carrément Brunet », RMC, 3 février 2011 (n'ayant pu obtenir copie de l'émission l'échange est ici évoqué de mémoire. La citation n'est donc pas exacte « mot pour mot », mais elle est conforme à l'esprit des propos exprimés).

241. Vignali J., « Interview », lci.fr, 2014.

242. Cassivi M., « Les enfants de la télé », lapresse.ca, 2012.

243. Gauthier J., « Enfants et écrans : attention à la "pensée zapping" », telerama.fr, 2013.

244. Guez A., *in* Antheaume A., « Les enfants face aux écrans : qui dévore qui ? », 20minutes.fr, 2007.

245. NSPCC, « Online porn », nspcc.org.uk, 2015.

246. Hooton C., « The government is trying to ban anonymous porn viewing », independent.co.uk, 2015.

247. Withnall A., « NSPCC accused of risking its reputation and "whipping up moral panic" with study into porn addiction among children », independent.co.uk, 2015.

248. Kriegel B., « La violence à la télévision, rapport de la Mission présidée par Blandine Kriegel à Mr Jean-Jacques Aillagon, ministre de la Culture et de la Communication », culture.gouv.fr, 2002.

249. Deschamps S., *in* « Actes de la journée thématique "La télévision pour quoi faire ?". Commission des affaires culturelles du Sénat. Séance du 11 juin 2003 », senat.fr, 2003.

250. Tisseron S., « Inquiéter pour contrôler », monde-diplomatique.fr, 2003.

251. Strauss E., « Le temps passé par les enfants devant les écrans, nouvel outil de culpabilisation des mères », slate.fr, 2016.

252. Samuel A., « Happy mother's day : Kids' screen time is a feminist issue », daily.jstor.org, 2016.

253. Radesky J. S. *et al.*, « Patterns of mobile device use by caregivers and children during meals in fast food restaurants », *Pediatrics*, 133, 2014.
254. Neighmond P., « For the children's sake, put down that smartphone », npr.org, 2014.
255. Tourret L., « Le smartphone des parents est mauvais pour les enfants : ce qui se cache derrière cette étude », slate.fr, 2014.
256. Strasburger V. C. *et al.*, « Children, adolescents, and the media », *Pediatr Clin North Am*, 59, 2012.
257. « Vincent Ostria, biographie », canalplus.fr, accès juillet 2017.
258. Ostria V., « Par le petit bout de la lucarne », *Les Inrockuptibles*, 792, 2011.
259. Glantz S. A. *et al.*, *The Cigarette Papers*, UCP, 1998.
260. CDC, « Smoking in the movies », cdc.gov, 2017.
261. OMS, « Smoke-free movies : From evidence to action », 2009.
262. NCI, « Tobacco control monograph no. 19 : The role of the media in promoting and reducing tobacco use », National Cancer Institute, 2008.
263. Child B., « 007: Licensed to place product », theguardian.com, 2012.
264. Dunstan D. W. *et al.*, « Television viewing time and mortality », *Circulation*, 121, 2010.
265. Veerman J. L. *et al.*, « Television viewing time and reduced life expectancy », *Br J Sports Med*, 46, 2012.
266. Rogerson M. C. *et al.*, « Television viewing time and 13-year mortality in adults with cardiovascular disease », *Heart Lung Circ*, 26, 2017.
267. Schmidt M. F. *et al.*, « Young children see a single action and infer a social norm », *Psychol Sci*, 27, 2016.
268. Desmurget M., « La cigarette dans les films, un débat plus narquois qu'étayé », lemonde.fr, 2017.
269. Commentaires en réactions à l'article de Desmurget M., « La cigarette dans les films, un débat plus narquois qu'étayé », lemonde.fr, 2017.
270. Deleris G., « Interdisons la cigarette au cinéma mais ne nous arrêtons pas là, interdisons l'alcool, les armes et les voitures à essence », huffingtonpost.fr, 2017.
271. Felder A., « How comments shape perception of sites' quality -and affect traffic », theatlantic.com, 2014.
272. Cain N. *et al.*, « Electronic media use and sleep in school-aged children and adolescents », *Sleep Med*, 11, 2010.

273. Carter B. *et al.*, « Association between portable screen-based media device access or use and sleep outcomes », *JAMA Pediatr*, 170, 2016.

274. AAP, « Children and adolescents and digital media. american academy of pediatrics. council on communications and media », *Pediatrics*, 138, 2016.

275. LeBourgeois M. K. *et al.*, « Digital media and sleep in childhood and adolescence », *Pediatrics*, 140, 2017.

276. Buthigieg R., « La télévision nuit-elle au sommeil ? », *Télé Star*, n° 1800, 2-8 avril 2011.

277. Bach J. *et al.*, *L'Enfant et les écrans : un avis de l'Académie des sciences*, Le Pommier, 2013. Également en accès libre sur academie-sciences.fr

278. Alliance pour les chiffres de la presse et des médias, « Télé Star », acpm.fr, accès juillet 2017.

279. Dworak M. *et al.*, « Impact of singular excessive computer game and television exposure on sleep patterns and memory performance of school-aged children », *Pediatrics*, 120, 2007.

280. Tisseron S., *in* Buthigieg R. *et al.*, « La télévision est-elle un danger pour les enfants ? », *Télé Star*, n° 1830, 29 octobre-4 novembre 2011.

281. Tisseron S., *in* Izzo C., « La télévision nuit-elle à la santé ? », *Télé Star*, n° 1794, 19-25 février 2011.

282. Richtel M., « Growing up digital, wired for distraction », nytimes.com, 2010.

283. Tisseron S, *in* Tellaa M., « La télé rend-elle idiot ? Des experts nous répondent. Réponse de Serge Tisseron, psychiatre et psychanalyste auteur de "Faut-il interdire les écrans aux enfants" ? », premiere.fr, 2011.

284. Woodard E. H. *et al.*, « Media in the home : The fifth annual survey of parents and children », Survey Series, n° 7, The Annenberg Policy Center, 2000.

285. Roberts D. F. *et al.*, « Generation M : Media in the lives of 8-18 year-olds », Kaiser Family Foundation, 2005.

286. Tandon P. S. *et al.*, « Home environment relationships with children's physical activity, sedentary time, and screen time by socioeconomic status », *Int J Behav Nutr Phys Act*, 9, 2012.

287. Dumuid D. *et al.*, « Does home equipment contribute to socioeconomic gradients in Australian children's physical activity, sedentary time and screen time ? », *BMC Public Health*, 16, 2016.

288. Borzekowski D. L. *et al.*, « The remote, the mouse, and the no. 2 pencil », *Arch Pediatr Adolesc Med*, 159, 2005.

289. Duflo S., *Quand les écrans deviennent neurotoxiques*, Marabout, 2018.
290. AAP, « Media education. American Academy of Pediatrics. Committee on Public Education », *Pediatrics*, 104, 1999.
291. Tisseron S., *Les Bienfaits des images*, Odile Jacob, 2002.
292. Delion P. *et al.*, « Un moratoire pour les bébés téléphages », lemonde.fr, 2007.
293. Tisseron S., *Les Dangers de la télé pour les bébés*, Erès, 2009.
294. « Les maternelles », France 5, 5 octobre 2011.
295. Tisseron S., « Les effets de la télévision sur les jeunes enfants », *Devenir*, 22, 2010.
296. Dennison B. A. *et al.*, « Television viewing and television in bedroom associated with overweight risk among low-income preschool children », *Pediatrics*, 109, 2002.
297. Zimmerman F. J. *et al.*, « Children's television viewing and cognitive outcomes », *Arch Pediatr Adolesc Med*, 159, 2005.
298. Zimmerman F. J. *et al.*, « Associations between media viewing and language development in children under age 2 years », *J Pediatr*, 151, 2007.
299. Devecchio A., « Bock-Côté : "Le politiquement correct se radicalise au rythme où la société diversitaire se décompose" », lefigaro.fr, 2018.
300. Delcambre A., « Affaire Hanouna : le CSA inflige une lourde amende de 3 millions d'euros à C8 », lemonde.fr, 2017.
301. « Le CSA met en demeure France Inter pour une chanson se moquant de la mort du torero Fandiño », 20minutes.fr, 2017.
302. Tisseron S., « "Appliquez la règle du 3, 6, 9, 12" », leparisien.fr, 2011.
303. CIEM, « Télévision pour les bébés : un danger pour leur santé, pour leur développement et pour leur éducation », Collectif Interassociatif Enfance et Média, 2007.
304. Joignot F., « Enquête sur les dangers de la télé au berceau », lemonde.fr, 2008.
305. « Télévision : les dangers pour les moins de 3 ans », M6, « Le 12 h 50 », Reportage, Françoise Laborde. Présidente du groupe de travail sur la protection de l'enfance au CSA, 2009.
306. Hughes F., *Children Play and Development* (4th Edition), Sage, 2010.
307. Burdette H. L. *et al.*, « Resurrecting free play in young children : Looking beyond fitness and fatness to attention, affiliation, and affect », *Arch Pediatr Adolesc Med*, 159, 2005.

308. Ginsburg K. R. *et al.*, « The importance of play in promoting healthy child development and maintaining strong parent-child bonds », *Pediatrics*, 119, 2007.

309. Milteer R. M. *et al.*, « The importance of play in promoting healthy child development and maintaining strong parent-child bond », *Pediatrics*, 129, 2012.

310. Graham K. L. *et al.*, « Current perspectives on the biological study of play », *Q Rev Biol*, 85, 2010.

311. Siegler R. *et al.*, *How Children Develop (5th Edition)*, Worth Publishers, 2017.

312. Farley J. P. *et al.*, « The development of adolescent self-regulation », *J Adolesc*, 37, 2014.

313. Smetana J. G. *et al.*, « Adolescent development in interpersonal and societal contexts », *Annu Rev Psychol*, 57, 2006.

314. Grusec J. E., « Socialization processes in the family », *Annu Rev Psychol*, 62, 2011.

315. Topor D. R. *et al.*, « Parent involvement and student academic performance », *J Prev Interv Community*, 38, 2010.

316. Tost H. *et al.*, « Environmental influence in the brain, human welfare and mental health », *Nat Neurosci*, 18, 2015.

317. Cassidy J. *et al.*, *Handbook of Attachment : Theory, Research, and Clinical Applications (3e édition)*, Guilford Press, 2016.

318. Desmurget M. *et al.*, « Contrasting acute and slow-growing lesions », *Brain*, 130, 2007.

319. Lillard A., *Montessori : The Science Behind the Genius*, Oxford University Press, 2005.

320. Kersh J. *et al.*, *in* Saracho O. *et al.* (éd.), *Contemporary Perspectives on Mathematics in Early Childhood Education*, « Research on Spatial Skills and Block Building in Girls and Boys », Information Age Publishing, 2008.

321. Verdine B. *et al.*, « Finding the missing piece », *Trends Neurosci Educ*, 3, 2014.

322. Wolfgang C. *et al.*, « Block play performance among preschoolers as a predictor of later school achievement in mathematics », *J Res Child Educ*, 15, 2001.

323. Darrow B., *in* Cuban L., *Teachers and the Machines*, Teachers College Press, 1986.

324. Saettler P., *The Evolution of American Educational Technology*, IAP, 1990.

325. Valkenburg P. *et al.*, « Identifying determinants of young children's brand awareness », *J Appl Dev Psychol*, 26, 2005.

326. Valkenburg P. *et al.*, « The development of a child into a consumer », *J Appl Dev Psychol*, 22, 2001.
327. Calvert S., « Children as consumers », *Fut Child*, 18, 2008.
328. Strasburger V. C., « Children, adolescents, and the media », *Curr Probl Pediatr Adolesc Health Care*, 34, 2004.
329. Fischer P. M. *et al.*, « Brand logo recognition by children aged 3 to 6 years. Mickey Mouse and Old Joe the Camel », *JAMA*, 266, 1991.
330. « Les + de la TV 2014 », Syndicat national de la publicité télévisée, 2014.
331. BabyTv, babytv.com, accès août 2017.
332. CSA, « Les six conseils clés pour les parents », csa.fr, accès août 2017.
333. CSA, « Guide des chaînes numériques » (15e édition), 2017.
334. Winn M., *The Plug-In-Drug (revised edition)*, Penguin Group, 2002.
335. Lee S. J. *et al.*, « Predicting children's media use in the USA », *Br J Dev Psychol*, 27, 2009.
336. Chiu Y. C. *et al.*, « The amount of television that infants and their parents watched influenced children's viewing habits when they got older », *Acta Paediatr*, 106, 2017.
337. Biddle S. J. *et al.*, « Tracking of sedentary behaviours of young people », *Prev Med*, 51, 2010.
338. AAP, « Children, adolescents, and television. American Academy of Pediatrics. Committee on Public Education », *Pediatrics*, 107, 2001.
339. AAP, « Media and young minds. American Academy of Pediatrics. Council on Communications and Media », *Pediatrics*, 138, 2016.
340. CSA, « Les enfants et les écrans : les conseils du CSA », csa.fr, 2018.
341. Deborde J., « Un mois de remarques homophobes, racistes et sexistes sur le plateau de Hanouna », liberation.fr, 2016.
342. Kucinskas A., « "On choisit les femmes comme on fait ses courses" : Miss France jugé sexiste », lexpress.fr, 2016.
343. Chalabi M., « Smoking in movies : Film-makers just can't kick the habit », theguardian.com, 2016.
344. CSA, « Décret n° 90-174 du 23 février 1990 relatif à la classification des œuvres cinématographiques – version consolidée », csa.fr, 2018.
345. Tisseron S., *in* Barret A., « Avant l'âge de 3 ans, les tablettes sont nuisibles », lejdd.fr, 2012.

346. Tisseron S., in *Europe 1 midi*, « Faut-il interdire les écrans aux enfants ? », 23 janvier 2013.

347. SCP, « Le temps d'écran et les jeunes enfants (document de principes) », *Paediatr Child Health*, 22, 2017.

348. Spitzer M., « To swipe or not to swipe ? – The question in present-day education », *Trends Neurosci Educ*, 2, 2013.

349. Lin L. Y. *et al.*, « Effect of touch screen tablet use on fine motor development of young children », *Phys Occup Ther Pediatr*, 37, 2017.

350. Rideout V., « The common sense census : Media use by kids age zero to eight », Common sense media, 2017.

351. Kabali H. K. *et al.*, « Exposure and use of mobile media devices by young children », *Pediatrics*, 136, 2015.

352. Schwartz A., « L'enfant, son imaginaire et ses jeux », la-croix.com, 2005.

353. AFP, « Écrans : les sénateurs à l'offensive pour protéger les tout-petits », 20minutes.fr, 2018.

354. Bourrelier L., « Devenir professeur avec 4/20 de moyenne, c'est possible », lefigaro.fr, 2014.

355. Emery E., « En Seine-Saint-Denis, des instituteurs qui "ne savent pas écrire le français" », marianne.net, 2016.

356. Piquemal M., « Face à la pénurie, l'école parfois contrainte d'embaucher n'importe qui », liberation.fr, 2018.

357. Myers K. A., « Cigarette smoking », *CMAJ*, 182, 2010.

358. Desmurget M., « Pour contrôler son poids et préserver sa santé, mieux vaut éviter les édulcorants et produits "light" », huffingtonpost.fr, 2017.

359. Nuccitelli D., « Here's what happens when you try to replicate climate contrarian papers », theguardian.com, 2015.

360. Benestad R. *et al.*, « Learning from mistakes in climate research », *Theor Appl Climatol*, 126, 2016.

361. Bishop D., « The kids are all right in daycare », theguardian.com, 2011.

362. Goldacre B., « The dangers of cherry-picking evidence », theguardian.com, 2011.

363. Mayo-Wilson E. *et al.*, « Cherry-picking by trialists and meta-analysts can drive conclusions about intervention efficacy », *J Clin Epidemiol*, 2017.

364. Turner E. H. *et al.*, « Selective publication of antidepressant trials and its influence on apparent efficacy », *N Engl J Med*, 358, 2008.

365. Anderson C. A. *et al.*, « Violent video game effects on aggression, empathy, and prosocial behavior in eastern and western countries », *Psychol Bull*, 136, 2010.

366. Bushman B. *et al.*, « Much ado about something : Reply to Ferguson and Kilburn (2010) », *Psychol Bull*, 136, 2010.

367. Green C. S. *et al.*, « Action video game modifies visual selective attention », *Nature*, 423, 2003.

368. Debroise A., « Les effets positifs des jeux vidéo », lepoint.fr, 2012.

369. « Les jeux de tirs sont bons pour le cerveau », lefigaro.fr, 2012.

370. Rollot O., *La Génération Y*, PUF, 2012.

371. Cario E. *et al.*, « Les enfants au jardin numérique », liberation.fr, 2013.

372. Decouty E., « Instructions », liberation.fr, 2013.

373. Bartczak S., « Faut-il interdire les écrans aux enfants ? », lepoint.fr, 2013.

374. « L'enfant et les écrans », France Inter, *La Tête au carré*, 23 janvier 2013.

375. « Les enfants face aux écrans », RTL, *On est fait pour s'entendre*, 30 janvier 2013.

376. « Écrans : bons pour les enfants », France 2, Journal de 20 heures, 18 mars 2013.

377. Thivent V., « Quand l'Académie des sciences penche en faveur des jeux vidéo » [titre original : « Partial Académie »], lemonde.fr, 2014.

378. Collectif, « Laisser les enfants devant les écrans est préjudiciable », lemonde.fr, 2013.

379. Frau-Meigs D. *et al.*, « Télé passive *vs* tablette active : une des nombreuses inepties de l'Académie des Sciences », nouvelobs.com, 2013.

380. Bonod L., « Écran total », laviemoderne.net, 2013.

381. Weisburg R. W., *in* Sternberg R. (éd.), *Handbook of Creativity*, « Creativity and knowledge », Cambridge University Press, 1999.

382. Colvin G., *Talent is Overrated*, Portfolio, 2010.

383. Gladwell M., *Outliers*, Black Bay Books, 2008.

384. Ericsson A. *et al.*, *Peak*, Houghton Mifflin Harcourt, 2016.

385. Cain S., *Quiet*, Broadway Paperbacks, 2013.

386. Dunnette M. *et al.*, « The effect of group participation on brainstorming effectiveness for 2 industrial samples », *J Appl Psychol*, 47, 1963.

387. Mongeau P. *et al.*, « Reconsidering brainstorming », *Group Facilitation*, 1, 1999.

388. Furnham, « The brainstorming myth », *Bus Strategy Rev*, 11, 2000.

389. Dye M. W. *et al.*, « Increasing speed of processing with action video games », *Curr Dir Psychol Sci*, 18, 2009.
390. Castel A. D. *et al.*, « The effects of action video game experience on the time course of inhibition of return and the efficiency of visual search », *Acta Psychol (Amst)*, 119, 2005.
391. Murphy K. *et al.*, « Playing video games does not make for better visual attention skills », *JASNH*, 6, 2009.
392. Boot W. R. *et al.*, « The effects of video game playing on attention, memory, and executive control », *Acta Psychol (Amst)*, 129, 2008.
393. Boot W. R. *et al.*, « Do action video games improve perception and cognition ? », *Front Psychol*, 2, 2011.
394. Irons J. *et al.*, « Not so fast », *Aust J Psychol*, 63, 2011.
395. Donohue S. E. *et al.*, « Cognitive pitfall ! Videogame players are not immune to dual-task costs », *Atten Percept Psychophys*, 74, 2012.
396. Boot W. R. *et al.*, « The pervasive problem with placebos in psychology : Why active control groups are not sufficient to rule out placebo effects », *Perspect Psychol Sci*, 8, 2013.
397. Collins E. *et al.*, « Video game use and cognitive performance », *Cyberpsychol Behav Soc Netw*, 17, 2014.
398. Gobet F. *et al.*, « "No level up !" », *Front Psychol*, 5, 2014.
399. Unsworth N. *et al.*, « Is playing video games related to cognitive abilities ? », *Psychol Sci*, 26, 2015.
400. Redick T. S. *et al.*, « Don't shoot the messenger – a reply to Green *et al.* (2017) », *Psychol Sci*, 28, 2017.
401. Memmert D. *et al.*, « The relationship between visual attention and expertise in sports », *Psychol Sport Exerc*, 10, 2009.
402. Kida N. *et al.*, « Intensive baseball practice improves the Go/Nogo reaction time, but not the simple reaction time », *Brain Res Cogn Brain Res*, 22, 2005.
403. Azemar G. *et al.*, *Neurobiologie des comportements moteurs*, INSEP, 1982.
404. Ripoll H. *et al.*, *Neurosciences du sport*, INSEP, 1987.
405. Underwood G. *et al.*, « Visual search while driving », *Transp Res Part F*, 5, 2002.
406. Savelsbergh G. J. *et al.*, « Visual search, anticipation and expertise in soccer goalkeepers », *J Sports Sci*, 20, 2002.
407. Muller S. *et al.*, « Expert anticipatory skill in striking sports », *Res Q Exerc Sport*, 83, 2012.
408. Helsen W. *et al.*, « The Relationship between expertise and visual information processing in sport », *Adv Psychol*, 102, 1993.

409. Steffens M., « Video games are good for you », abc.net.au, 2009.

410. Ciceri M. *et al.*, « Does driving experience in video games count ? Hazard anticipation and visual exploration of male gamers as function of driving experience », *Transp Res Part F*, 22, 2014.

411. Fischer P. *et al.*, « The effects of risk-glorifying media exposure on risk-positive cognitions, emotions, and behaviors », *Psychol Bull*, 137, 2011.

412. Fischer P. *et al.*, « The racing-game effect », *Pers Soc Psychol Bull*, 35, 2009.

413. Beullens K. *et al.*, « Excellent gamer, excellent driver ? The impact of adolescents' video game playing on driving behavior », *Accid Anal Prev*, 43, 2011.

414. Beullens K. *et al.*, « Predicting young drivers' car crashes », *Media Psychol*, 16, 2013.

415. Beullens K. *et al.*, « Driving game playing as a predictor of adolescents' unlicensed driving in flanders », *J Child Med*, 7, 2013.

416. Hull J. G. *et al.*, « A longitudinal study of risk-glorifying video games and behavioral deviance », *J Pers Soc Psychol*, 107, 2014.

417. Rozières G., « Jouer à Mario Kart fait de vous un meilleur conducteur, c'est scientifiquement prouvé », huffingtonpost.fr, 2016.

418. « Jouer à Mario Kart fait de vous un meilleur conducteur, c'est scientifiquement prouvé ! », elle.fr, 2017.

419. Priam E., « Jouer à Mario Kart fait de vous un meilleur conducteur », femmeactuelle.fr, 2017.

420. Aratani L., « Study confirms "Mario Kart" really does make you a better driver », huffingtonpost.com, 2016.

421. « Les fans de Mario Kart seraient de meilleurs conducteurs, selon la science », public.fr, 2017.

422. Li L. *et al.*, « Playing action video games improves visuomotor control », *Psychol Sci*, 27, 2016.

423. « Playing Mario Kart CAN make you a better driver », dailymail.co.uk, 2016.

424. Bediou B. *et al.*, « Meta-analysis of action video game impact on perceptual, attentional, and cognitive skills », *Psychol Bull*, 144, 2018.

425. Powers K. L. *et al.*, « Effects of video-game play on information processing », *Psychon Bull Rev*, 20, 2013.

426. Schlickum M. K. *et al.*, « Systematic video game training in surgical novices improves performance in virtual reality endoscopic surgical simulators », *World J Surg*, 33, 2009.

427. Rosser J. C., Jr. *et al.*, « The impact of video games on training surgeons in the 21st century », *Arch Surg*, 142, 2007.
428. McKinley R. A. *et al.*, « Operator selection for unmanned aerial systems », *Aviat Space Environ Med*, 82, 2011.
429. Tisseron S., *3-6-9-12. Apprivoiser les écrans et grandir* (2e éd), Erès, 2018.
430. Conti J., « Ces jeux vidéo qui vous font du bien », letemps.ch, 2013.
431. Dehaene S., « Matinale de France Inter. Le grand entretien », franceinter.fr, 2018.
432. Gazzaley A. *et al.*, *The Distracted Mind*, MIT Press, 2016.
433. Katsuki F. *et al.*, « Bottom-up and top-down attention », *Neuroscientist*, 20, 2014.
434. Chun M. M. *et al.*, « A taxonomy of external and internal attention », *Annu Rev Psychol*, 62, 2011.
435. Lachaux J., *Le Cerveau attentif*, Odile Jacob, 2011.
436. Johansen-Berg H. *et al.*, « Attention to touch modulates activity in both primary and secondary somatosensory areas », *Neuroreport*, 11, 2000.
437. Duncan G. J. *et al.*, « School readiness and later achievement », *Dev Psychol*, 43, 2007.
438. Pagani L. S. *et al.*, « School readiness and later achievement », *Dev Psychol*, 46, 2010.
439. Horn W. *et al.*, « Early Identification of Learning Problems », *J Educ Psychol*, 77, 1985.
440. Polderman T. J. *et al.*, « A systematic review of prospective studies on attention problems and academic achievement », *Acta Psychiatr Scand*, 122, 2010.
441. Rhoades B. *et al.*, « Examining the link between preschool social-emotional competence and first grade academic achievement », *Early Child Res Q*, 26, 2011.
442. Johnson J. G. *et al.*, « Extensive television viewing and the development of attention and learning difficulties during adolescence », *Arch Pediatr Adolesc Med*, 161, 2007.
443. Frazier T. W. *et al.*, « ADHD and achievement », *J Learn Disabil*, 40, 2007.
444. Loe I. M. *et al.*, « Academic and educational outcomes of children with ADHD », *J Pediatr Psychol*, 32, 2007.
445. Hinshaw S. P., « Externalizing behavior problems and academic underachievement in childhood and adolescence », *Psychol Bull*, 111, 1992.
446. Inoue S. *et al.*, « Working memory of numerals in chimpanzees », *Curr Biol*, 17, 2007.

447. Wilson D. E. *et al.*, « Practice in visual search produces decreased capacity demands but increased distraction », *Percept Psychophys*, 70, 2008.

448. Bailey K. *et al.*, « A negative association between video game experience and proactive cognitive control », *Psychophysiology*, 47, 2010.

449. Chan P. A. *et al.*, « A cross-sectional analysis of video games and attention deficit hyperactivity disorder symptoms in adolescents », *Ann Gen Psychiatry*, 5, 2006.

450. Gentile D., « Pathological video-game use among youth ages 8 to 18 », *Psychol Sci*, 20, 2009.

451. Gentile D. *et al.*, « Video game playing, attention problems, and impulsiveness », *Psychol Pop Media Cult*, 1, 2012.

452. Swing E. L. *et al.*, « Television and video game exposure and the development of attention problems », *Pediatrics*, 126, 2010.

453. Swing E. L., « Plugged in : The effects of electronic media use on attention problems, cognitive control, visual attention, and aggression », thèse de doctorat, université d'État de l'Iowa, 2012.

454. Hastings E. C. *et al.*, « Young children's video/computer game use », *Issues Ment Health Nurs*, 30, 2009.

455. Rosen L. D. *et al.*, « Media and technology use predicts ill-being among children, preteens and teenagers independent of the negative health impacts of exercise and eating habits », *Comput Hum Behav*, 35, 2014.

456. Trisolini D. C. *et al.*, « Is action video gaming related to sustained attention of adolescents ? », *Q J Exp Psychol (Hove)*, 71, 2017.

457. Bavelier D. *et al.*, « Brains on video games », *Nat Rev Neurosci*, 12, 2011.

458. Bavelier D., « Action video games as exemplary learning tools », conférence, Laboratoire de psychologie et neurocognition, Université de Grenoble, 28 janvier 2014.

459. Tisseron S., « Voici pourquoi l'abus de télé rend les enfants malades », huffingtonpost.fr, 2017.

460. Tisseron S., *in* Laronche M., « "L'addiction aux jeux vidéo est rare" », lemonde.fr, 2011.

461. Tisseron S., « Les 4 moyens utilisés par les fabricants de jeux vidéo pour rendre nos enfants dépendants », huffingtonpost.fr, 2018.

462. OMS, « L'OMS publie sa nouvelle Classification internationale des maladies (CIM-11) », who.int, 2018.

463. « L'OMS reconnaît l'addiction aux jeux vidéo comme une maladie », lemonde.fr, 2018.

464. OMS, « Trouble du jeu vidéo », who.int, 2018.

465. « Video game companies dispute “gaming disorder” addiction definition », metro.co.uk, 2018.

466. « Addiction au jeu vidéo : les éditeurs mobilisés contre l’OMS », rtbf.be, 2018.

467. « Addiction au jeu vidéo : les éditeurs contestent la décision de l’OMS », sciencesetavenir.fr, 2018.

468. Boches J., « Addiction aux jeux vidéo : les éditeurs ripostent contre l’OMS », topsante.com, 2018.

469. Brand M. *et al.*, « Prefrontal control and internet addiction », *Front Hum Neurosci*, 8, 2014.

470. Cerniglia L. *et al.*, « Internet Addiction in adolescence », *Neurosci Biobehav Rev*, 76, 2017.

471. De-Sola Gutierrez J. *et al.*, « Cell-Phone Addiction », *Front Psychiatry*, 7, 2016.

472. Park B. *et al.*, « Neurobiological findings related to Internet use disorders », *Psychiatry Clin Neurosci*, 71, 2017.

473. Gentile D. A. *et al.*, « Internet Gaming Disorder in Children and Adolescents », *Pediatrics*, 140, 2017.

474. Griffiths M. *et al.*, « A brief overview of internet gaming disorder and its treatment », *Austr Clin Psychol*, 2, 2016.

475. He Q. *et al.*, « Brain anatomy alterations associated with Social Networking Site (SNS) addiction », *Sci Rep*, 7, 2017.

476. Anderegg W. R. *et al.*, « Expert credibility in climate change », *Proc Natl Acad Sci USA*, 107, 2010.

477. Cook J. *et al.*, « Consensus on consensus », *Environ Res Lett*, 11, 2016.

478. Powell J., « Climate Scientists Virtually Unanimous », *Bull Sci Technol Soc*, 35, 2015.

479. Allègre C., *L’Imposture climatique*, Plon, 2010.

480. Boussalis C. *et al.*, « Text-mining the signals of climate change doubt », *Glob Environ Change*, 36, 2016.

481. Brüggemann M. *et al.*, « Beyond false balance », *Glob Environ Change*, 42, 2017.

482. Plutzer E. *et al.*, « Climate confusion among U.S. teachers », *Science*, 351, 2016.

483. Stern P. C. *et al.*, « Global change research. The challenge of climate-change neoskepticism », *Science*, 353, 2016.

484. Huet S., « Claude Allègre accusé de falsification par Håkan Grudd », liberation.fr, 2010.

485. Greitemeyer T. *et al.*, « Video games do affect social outcomes », *Pers Soc Psychol Bull*, 40, 2014.

486. Bushman B. J. *et al.*, « Understanding Causality in the Effects of Media Violence », *Am Behav Sci*, 59, 2015.

487. Anderson C. *et al.*, « SPSSI research summary on media violence », *Anal. Soc. Issues Public Policy*, 15, 2015.
488. Collectif, « Virtual violence (AAP Council on Communications and Media) », *Pediatrics*, 138, 2016.
489. Calvert S. L. *et al.*, « The American Psychological Association Task Force assessment of violent video games », *Am Psychol*, 72, 2017.
490. Bender P. K. *et al.*, « The effects of violent media content on aggression », *Curr Opin Psychol*, 19, 2018.
491. Prescott A. T. *et al.*, « Metaanalysis of the relationship between violent video game play and physical aggression over time », *Proc Natl Acad Sci USA*, 115, 2018.
492. Bègue L., *in* Beziau G., « Les jeux vidéo sont-ils vraiment dangereux ? », ledauphine.com, 2012.
493. Chiche S., « Trois questions à Laurent Bègue. Jeux vidéo et violence : le débat relancé », scienceshumaines.com, 2012.
494. Carey B., « Shooting in the Dark », nytimes.com, 2013.
495. Soullier L., « Jeux vidéo : le coupable idéal », lexpress.fr, 2012.
496. Lalo V., « Le jeu vidéo responsable de tous les maux ou victime des mots ? », nouvelobs.com, 2012.
497. Bushman B. J. *et al.*, « There is broad consensus », *Psychol Pop Media Cult*, 4, 2015.
498. Bushman B. *et al.*, « Agreement across stakeholders is consensus », *Psychol Pop Media Cult*, 4, 2015.
499. Collectif, « La surexposition des jeunes enfants aux écrans est un enjeu majeur de santé publique », lemonde.fr, 2017.
500. Anderson C. *et al.*, « Consensus on media violence effects », *Psychol Pop Media Cult*, 4, 2015.
501. « Surgeon general's scientific advisory committee on television and social behavior. television and growing up : The impact of televised violence », Washington DC, U.S. Government Printing Office, 1972.
502. NSF, « Youth violence : What we need to know », National Science Foundation, 2013.
503. « Joint Statement on the impact of entertainment violence on children », Congressional Public Health Summit, 26 juillet 2000. Signé par : The American Academy of Pediatrics, The American Academy of Child & Adolescent Psychiatry, The American Psychological Association, The American Medical Association, The American Academy of Family Physicians and The American Psychiatric Association, aap.org, accès août 2010.

504. AAP, « Policy statement – media violence », *Pediatrics*, 124, 2009.

505. Appelbaum M. *et al.*, « Technical report on the violent video game literature », APA task force on violent media, 2015.

506. ISRA, « Report of the media violence commission », *Aggress Behav*, 38, 2012.

507. Bushman B. J. *et al.*, « Short-term and long-term effects of violent media on aggression in children and adults », *Arch Pediatr Adolesc Med*, 160, 2006.

508. Huesmann L. R. *et al.*, « The role of media violence in violent behavior », *Annu Rev Public Health*, 27, 2006.

509. Paik H. *et al.*, « The effects of television violence on antisocial behavior », *Comm Res*, 21, 1994.

510. Anderson C. A. *et al.*, « Effects of violent video games on aggressive behavior, aggressive cognition, aggressive affect, physiological arousal, and prosocial behavior », *Psychol Sci*, 12, 2001.

511. Bushman B. *et al.*, « Twenty-five years of research on violence in digital games and aggression revisited », *Eur Psychol*, 19, 2014.

512. Mifflin L., « Many researchers say link is already clear on media and youth violence », nytimes.com, 1999.

513. Bushman B. J. *et al.*, « Media violence and the American public. Scientific facts versus media misinformation », *Am Psychol*, 56, 2001.

514. Martins N. *et al.*, « A content analysis of print news coverage of media violence and aggression research », *J Commun*, 63, 2013.

515. Strasburger V. C. *et al.*, « Why is it so hard to believe that media influence children and adolescents ? », *Pediatrics*, 133, 2014.

516. Ferguson C. J., « No consensus among scholars on media violence », huffingtonpost.com, 2013.

517. Ferguson C. J., « Video games don't make kids violent », time.com, 2011.

518. Ferguson C. J., « Stop blaming violent video games », usnews.com, 2016.

519. DeCamp W. *et al.*, « The impact of degree of exposure to violent video games, family background, and other factors on youth violence », *J Youth Adolesc*, 46, 2017.

520. Ferguson C. J., « Do angry birds make for angry children ? A meta-analysis of video game influences on children's and adolescents' aggression, mental health, prosocial behavior, and academic performance », *Perspect Psychol Sci*, 10, 2015.

521. Ferguson C. J., « A further plea for caution against medical professionals overstating video game violence effects », *Mayo Clin Proc*, 86, 2011.

522. Ferguson C. J. *et al.*, « The public health risks of media violence », *J Pediatr*, 154, 2009.

523. Ferguson C. J., « The good, the bad and the ugly », *Psychiatr Q*, 78, 2007.

524. Ferguson C. J., « Evidence for publication bias in video game violence effects literature », *Aggress Violent Behav*, 12, 2007.

525. Gentile D. A., « What is a good skeptic to do ? The case for skepticism in the media violence discussion », *Perspect Psychol Sci*, 10, 2015.

526. Boxer P. *et al.*, « Video games do indeed influence children and adolescents' aggression, prosocial behavior, and academic performance », *Perspect Psychol Sci*, 10, 2015.

527. Borenstein M. *et al.*, *Introduction to Meta-Analysis*, Wiley & Sons, 2009.

528. Borenstein M. *et al.*, *Computing Effect Sizes for Meta-analysis*, Wiley & Sons, 2018.

529. Rothstein H. R. *et al.*, *Publication Bias in Meta-Analysis*, Wiley & Sons, 2005.

530. Borenstein M. *et al.*, « A basic introduction to fixed-effect and random-effects models for meta-analysis », *Res Synth Methods*, 1, 2010.

531. Borenstein M. *et al.*, « Basics of meta-analysis », *Res Synth Methods*, 8, 2017.

532. Valentine J. C. *et al.*, « How Many Studies Do You Need ? », *J Educ Behav Stat*, 35, 2010.

533. Rothstein H. R. *et al.*, « Methodological and reporting errors in meta-analytic reviews make other meta-analysts angry : A commentary on Ferguson (2015) », *Perspect Psychol Sci*, 10, 2015.

534. Supreme Court of the United States, Brown vs EMA, 564 U.S., 2011, supreme.justia.com, accès octobre 2017.

535. Bushman B. J. *et al.*, « Supreme Court decision on violent video games was based on the First Amendment, not scientific evidence », *Am Psychol*, 69, 2014.

536. Liptak A., « Justices reject ban on violent video games for children », nytimes.com, 2011.

537. Erner G., « Médias : d'où vient la défiance ? », france-culture.fr, 2019.

538. « La confiance dans les médias au plus bas depuis 32 ans », lexpress.fr, 2019.

539. Bohannon J., « I fooled millions into thinking chocolate helps weight loss. Here's how. », io9.gizmodo.com, 2015.

540. Beall J., « Predatory publishers are corrupting open access », *Nature*, 489, 2012.

541. Bohannon J., « Who's afraid of peer review ? », *Science*, 342, 2013.

542. Santi P., « Les journaux "prédateurs" à la manœuvre », lemonde.fr, 2015.

543. Lieury A. *et al.*, « Loisirs numériques et performances cognitives et scolaires », *Bulletin de psychologie*, 530, 2014.

544. « Liste des revues AERES pour le domaine : psychologie – ethologie – ergonomie », AERES, 2009.

545. Lieury A. *et al.*, « L'impact des loisirs des adolescents sur les performances scolaires », *Cahiers Pédagogiques*, 2014.

546. « Les ados accros à la téléréalité sont moins bons à l'école », 20minutes.fr, 2014.

547. « Téléréalité et réussite scolaire ne font pas bon ménage », atlantico.fr, 2014.

548. Mondoloni M., « Plus on regarde de la téléréalité, moins on est bon à l'école », francetvinfo.fr, 2014.

549. Mouloud L., « Alain Lieury : "La télé-réalité, un loisir nocif pour les résultats scolaires" », humanite.fr, 2014.

550. « Si tu regardes la télé-réalité, tu auras des mauvaises notes à l'école », lexpress.fr, 2014.

551. Radier V., « "La télé-réalité fait chuter les notes des ados" », nouvelobs.com, 2014.

552. Simon P., « Éducation. Trop de téléréalité fait baisser les notes en classe », ouest-france.fr, 2014.

553. « La téléréalité nuit aux résultats scolaires », leparisien.fr, 2014.

554. Médias, *Le Magazine*, France 5, invité Lieury A., 9 février 2014.

555. Bouzou V., *Le Vrai visage de la téléréalité*, Jouvence, 2007.

556. CSA, « Etude sur les stéréotypes féminins pouvant être véhiculés dans les émissions de divertissement », csa.fr, 2014.

557. Gibson B. *et al.*, « Narcissism on the Jersey Shore », *Psychol Pop Media Cult*, 7, 2018.

558. Gibson B. *et al.*, « Just "harmless entertainment" ? Effects of surveillance reality TV on physical aggression », *Psychol Pop Media Cult*, 5, 2016.

559. « Filles et garçons sur le chemin de l'égalité de l'école à l'enseignement supérieur », ministère de l'Éducation nationale (DEEP), 2013.

560. « PISA 2015 : l'évolution des acquis des élèves de 15 ans en compréhension de l'écrit et en culture mathématique », ministère de l'Éducation nationale (DEEP), 2015.
561. « Les évaluations nationales et internationales sur les acquis des élèves et sur d'autres dimensions du système éducatif », Inspection générale de l'éducation nationale, 2012.
562. Cunningham A. *et al.*, « What reading does for the mind », *Am Educ*, 22, 1998.
563. Fuchs T. *et al.,* « Computers and Student Learning », *Ifo Working Paper,* n° 8, 2005.
564. Posso A., « Internet usage and educational outcomes among 15-year-old australian students », *Int J Commun*, 10, 2016.
565. Gevaudan C., « Les ados qui jouent en ligne ont de meilleures notes », liberation.fr, 2016.
566. Griffiths S., « Playing video games could boost children's intelligence (but Facebook will ruin their school grades) », dailymail.co.uk, 2016.
567. Scutti S., « Teen gamers do better at math than social media stars, study says », cnn.com, 2016.
568. Fisné A., « Selon une étude, les jeux vidéo permettraient d'avoir de meilleures notes », lefigaro.fr, 2016.
569. Gibbs S., « Positive link between video games and academic performance, study suggests », theguardian.com, 2016.
570. Dotinga R., « What video games, social media may mean for kids' grades », cbsnews.com, 2016.
571. Bodkin H., « Teenagers regularly using social media do less well at school, new survey finds », telegraph.co.uk, 2016.
572. Devauchelle B., *in* Fisné A., « Selon une étude, les jeux vidéo permettraient d'avoir de meilleures notes », lefigaro.fr, 2016.
573. « L'usage des jeux vidéo corrélé à de meilleures notes au lycée, selon une étude australienne », lemonde.fr, 2016.
574. Bourdieu P. *et al.*, *Les Héritiers*, Minuit, 1964.
575. Bumgarner E. *et al.*, *in* Hattie J. *et al.* (éd.), *International Guide to Student Achievement*, « Socioeconomoc status and student achievement », Routledge, 2013.
576. Sirin S., « Socioeconomic status and academic achievement », *Rev Educ Res*, 75, 2005.
577. Drummond A. *et al.*, « Video-games do not negatively impact adolescent academic performance in science, mathematics or reading », *PLoS One*, 9, 2014.
578. Borgonovi F., « Video gaming and gender differences in digital and printed reading performance among 15-year-olds students in 26 countries », *J Adolesc*, 48, 2016.

579. OCDE, « L'égalité des sexes dans l'éducation », OCDE, 2015.
580. Humphreys J., « Playing video games can boost exam performance, OECD claims », irishtimes.com, 2015.
581. Eleftheriou-Smith L., « Teenagers who play video games do better at school – but not of they're gaming every days », independent.co.uk, 2015.
582. Nunès E., « Jouer (avec modération) aux jeux vidéo ne nuit pas à la scolarité », lemonde.fr, 2015.
583. Bingham J., « Video games are good for children (sort of) », telegraph.co.uk, 2015.
584. Hu X. *et al.*, « The relationship between ICT and student literacy in mathematics, reading, and science across 44 countries », *Comput Educ*, 125, 2018.
585. OCDE, « Questionnaires contextuels de l'enquête PISA 2015 », 2018.
586. Zimmerman F. J. *et al.*, « Associations of television content type and obesity in children », *Am J Public Health*, 100, 2010.
587. Veerman J. L. *et al.*, « By how much would limiting TV food advertising reduce childhood obesity ? », *Eur J Public Health*, 19, 2009.
588. Chou S. *et al.*, « Food restaurant advertising on television and its influence on childhood obesity », *J Law Econ*, 51, 2008.
589. Lobstein T. *et al.*, « Evidence of a possible link between obesogenic food advertising and child overweight », *Obes Rev*, 6, 2005.
590. Escalon H., « Publicités alimentaires à destination des enfants et des adolescents », INPES, 2014.
591. Kelly B. *et al.*, « Television food advertising to children », *Am J Public Health*, 100, 2010.
592. « Chistine Albanel, Directrice exécutive Responsabilité Sociale d'Entreprise, Diversité, Partenariats et Solidarité », orange.com, 2015.
593. Albanel C., *in* « Publicité : la pression monte sur le ministère de la Santé », lefigaro.fr, 2008.
594. Fleur Pellerin, Managing partner, korelyacapital.com, 2017.
595. Pellerin, F., *in* Sénat : « Compte rendu analytique officiel du 21 octobre 2015 », Senat.fr, 2015.
596. « Association of Canadian advertisers comment for the consultation regarding health Canada's June 10, 2017 "Marketing to children" proposal », acaweb.ca, 2017.
597. Lund, R. (président de l'association des publicitaires canadiens), *in* « Food fight : Health Canada, advertisers argue over protecting kids from junk food ads », cbc.ca, accès mai 2019.

598. Finkelstein E. A. *et al.*, « Economic causes and consequences of obesity », *Annu Rev Public Health*, 26, 2005.

599. Anderson P. M. *et al.*, « Childhood obesity », *Future Child*, 16, 2006.

600. Meldrum D. R. *et al.*, « Obesity pandemic », *Fertil Steril*, 107, 2017.

601. Desmurget M., *L'Antirégime au quotidien*, Belin, 2017.

602. Desmurget M., *L'Antirégime*, Belin, 2015.

603. Dhar T. *et al.*, « Fast-food consumption and the ban on advertising targeting children », *J Mark Res*, 48, 2011.

604. Galbraith-Emami S. *et al.*, « The impact of initiatives to limit the advertising of food and beverage products to children », *Obes Rev*, 14, 2013.

605. Potvin Kent M. *et al.*, « Food marketing on children's television in two different policy environments », *Int J Pediatr Obes*, 6, 2011.

606. Potvin Kent M. *et al.*, « A nutritional comparison of foods and beverages marketed to children in two advertising policy environments », *Obesity (Silver Spring)*, 20, 2012.

607. Potvin Kent M. *et al.*, « Internet marketing directed at children on food and restaurant websites in two policy environments », *Obesity (Silver Spring)*, 21, 2013.

608. Potvin Kent M. *et al.*, « Changes in the volume, power and nutritional quality of foods marketed to children on television in Canada », *Obesity (Silver Spring)*, 22, 2014.

609. Pettit H., « Countries that play more violent video games such as Grand Theft Auto and Call of Duty have FEWER murders », dailymail.co.uk, 2017.

610. Fisher M., « Ten-country comparison suggests there's little or no link between video games and gun murders », thewashingtonpost.com, 2012.

611. Abad-Santos A., « Don't blame violent video games for monday's mass shooting », theatlantic.com, 2013.

612. Murphy M., « Nations where video games like Call of Duty, Halo, and Grand Theft Auto are hugely popular have FEWER murders and violent assaults », thesun.co.uk, 2017.

613. Roeder O. *et al.*, « What caused the crime decline ? », Brennan Center for Justice, 2015.

614. Carpenter D. O. *et al.*, « Environmental causes of violence », *Physiol Behav*, 99, 2010.

615. National Research Council, *Understanding Crime Trends : Workshop Report*, The National Academies Press, 2008.

616. Shader M., « Risk factors for delinquency », US Department of Justice, 2004.

617. Levitt S., « Understanding why crime fell in the 1990s : Four factors that explain the decline and six that do not », *J Econ Perspect*, 18, 2004.

618. Greenfeld L., « Alcohol and crime », U.S. Department of Justice, 1998.

619. Kain E., « As video game sales climb year over year, violent crime continues to fall », forbes.com, 2012.

620. Markey P. *et al.*, « Violent video games and real-world violence », *Psychol Pop Media Cult*, 4, 2015.

621. Garcia V., « Les jeux vidéo violents réduisent-ils la criminalité ? », lexpress.fr, 2014.

622. « Les jeux vidéo violents réduiraient la criminalité », 7sur7.be, 2014.

623. ESA, « Essential facts about games and violence », theesa.com, 2016.

624. « Proposition de loi visant à lutter contre l'exposition précoce des enfants aux écrans », rapport n° 131, 14 novembre 2018, senat.fr

625. Dubos C., in *ibid.*

626. AAP, « Media use by children younger than 2 years », *Pediatrics*, 128, 2011.

627. Australian Department of Health, « Is your family missing out on the benefits of being active every day ? », health.gov.au, 2014.

628. Dumain A., « Les écrans présentent-ils des risques pour les jeunes enfants ? », franceculture.fr, 2018.

629. Monod O., « La dangerosité des écrans pour les petits est-elle étayée scientifiquement ? », liberation.fr, 2018.

630. Collectif, « Screen time guidelines need to be built on evidence, not hype », theguardian.fr, 2017.

631. Collectif, « Screen-based lifestyle harms children's health », theguardian.fr, 2016.

632. Kostyrka-Allchorne K. *et al.*, « The relationship between television exposure and children's cognition and behaviour », *Dev Rev*, 44, 2017.

633. Zorn F., *Mars*, Gallimard, 1979.

634. Kirkorian H. L. *et al.*, « The impact of background television on parent-child interaction », *Child Dev*, 80, 2009.

635. Christakis D. A. *et al.*, « Audible television and decreased adult words, infant vocalizations, and conversational turns », *Arch Pediatr Adolesc Med*, 163, 2009.

636. Tomopoulos S. *et al.*, « Is exposure to media intended for preschool children associated with less parent-child shared reading aloud and teaching activities ? », *Ambul Pediatr*, 7, 2007.

637. Tanimura M. *et al.*, « Television viewing, reduced parental utterance, and delayed speech development in infants and young children », *Arch Pediatr Adolesc Med*, 161, 2007.

638. Vandewater E. A. *et al.*, « Time well spent ? Relating television use to children's free-time activities », *Pediatrics*, 117, 2006.

639. Hart B. *et al.*, *Meaningful Differences*, Paul H Brookes Publishing Co, 1995.

640. Tamis-LeMonda C. S. *et al.*, « Fathers and mothers at play with their 2 – and 3-year-olds », *Child Dev*, 75, 2004.

641. Eshel N. *et al.*, « Responsive parenting », *Bull World Health Organ*, 84, 2006.

642. Walker S. P. *et al.*, « Inequality in early childhood », *Lancet*, 378, 2011.

643. Madigan S. *et al.*, « Association between screen time and children's performance on a developmental screening test », *JAMA Pediatr*, 2019.

644. CheckNews, liberation.fr, accès mai 2019.

Deuxième partie (pp. 197-383)

1. Bauerlein M., *The Dumbest Generation*, Tarcher/Penguin, 2009.

2. Alberts J. *et al.*, « Autisme virtuel et idées reçues », blog. francetvinfo.fr, 2018.

3. Tian J. *et al.*, « The association between quitting smoking and weight gain », *Obes Rev*, 16, 2015.

4. Jha P. *et al.*, « Global effects of smoking, of quitting, and of taxing tobacco », *N Engl J Med*, 370, 2014.

5. « The health consequences of smoking -50 years of progress. A report of the surgeon general », U.S. Department of Health and Human Services, 2014.

6. Perri P., *in* « "De l'hygiénisme à l'eugénisme, l'histoire nous apprend qu'il n'y a qu'un pas !" », rmc.bfmtv.com, 2011.

7. Guillerot M., « Le député UMP Nicolas Dhuicq dénonce le "puritanisme" de la lutte anti-tabac », francetvinfo.fr, 2015.

8. Boch A., « Tabac au cinéma : la santé publique contre la liberté artistique », la-croix.com, 2017.

9. Dupont J., « Agnès Buzyn contre "l'industrie du vin" : la dictature de l'hygiénisme », lepoint.fr, 2018.

10. Vriend J. *et al.*, « Emotional and cognitive impact of sleep restriction in children », *Sleep Med Clin*, 10, 2015.

11. Kirszenblat L. *et al.*, « The yin and yang of sleep and attention », *Trends Neurosci*, 38, 2015.

12. Lowe C. J. *et al.*, « The neurocognitive consequences of sleep restriction », *Neurosci Biobehav Rev*, 80, 2017.

13. Tarokh L. *et al.*, « Sleep in adolescence », *Neurosci Biobehav Rev*, 70, 2016.

14. Curcio G. *et al.*, « Sleep loss, learning capacity and academic performance », *Sleep Med Rev*, 10, 2006.

15. Carskadon M. A., « Sleep's effects on cognition and learning in adolescence », *Prog Brain Res*, 190, 2011.

16. Shochat T. *et al.*, « Functional consequences of inadequate sleep in adolescents », *Sleep Med Rev*, 18, 2014.

17. Schmidt R. E. *et al.*, « The relations between sleep, personality, behavioral problems, and school performance in adolescents », *Sleep Med Clin*, 10, 2015.

18. Bryant P. A. *et al.*, « Sick and tired », *Nat Rev Immunol*, 4, 2004.

19. Kurien P. A. *et al.*, « Sick and tired », *Curr Opin Neurobiol*, 23, 2013.

20. Irwin M. R. *et al.*, « Sleep Health », *Neuropsychopharmacology*, 42, 2017.

21. Baxter S. D. *et al.*, « The relationship of school absenteeism with body mass index, academic achievement, and socioeconomic status among fourth-grade children », *J Sch Health*, 81, 2011.

22. Sigfusdottir I. D. *et al.*, « Health behaviour and academic achievement in Icelandic school children », *Health Educ Res*, 22, 2007.

23. Blaya C., « L'absentéisme des collégiens », *Les Sciences de l'éducation. Pour l'Ère nouvelle*, 42, 2009.

24. Frank M. G., « Sleep and developmental plasticity not just for kids », *Prog Brain Res*, 193, 2011.

25. Telzer E. H. *et al.*, « Sleep variability in adolescence is associated with altered brain development », *Dev Cogn Neurosci*, 14, 2015.

26. Dutil C. *et al.*, « Influence of sleep on developing brain functions and structures in children and adolescents », *Sleep Med Rev*, 2018.

27. Patel S. R. *et al.*, « Short sleep duration and weight gain », *Obesity (Silver Spring)*, 16, 2008.

28. Chen X. *et al.*, « Is sleep duration associated with childhood obesity ? A systematic review and meta-analysis », *Obesity (Silver Spring)*, 16, 2008.

29. Fatima Y. *et al.*, « Longitudinal impact of sleep on overweight and obesity in children and adolescents », *Obes Rev*, 16, 2015.

30. Miller M. A. *et al.*, « Sleep duration and incidence of obesity in infants, children, and adolescents », *Sleep*, 41, 2018.

31. Taras H. *et al.*, « Obesity and student performance at school », *J Sch Health*, 75, 2005.

32. Karnehed N. *et al.*, « Obesity and attained education », *Obesity (Silver Spring)*, 14, 2006.

33. Pont S. J. *et al.*, « Stigma experienced by children and adolescents with obesity », *Pediatrics*, 140, 2017.

34. Puhl R. M. *et al.*, « The stigma of obesity », *Obesity (Silver Spring)*, 17, 2009.

35. Puhl R. M. *et al.*, « Stigma, obesity, and the health of the nation's children », *Psychol Bull*, 133, 2007.

36. Shore S. M. *et al.*, « Decreased scholastic achievement in overweight middle school students », *Obesity (Silver Spring)*, 16, 2008.

37. Geier A. B. *et al.*, « The relationship between relative weight and school attendance among elementary schoolchildren », *Obesity (Silver Spring)*, 15, 2007.

38. Desmurget M., *L'Antirégime*, Belin, 2015.

39. Institute of Medicine of the National Academies, *Sleep Disorders and Sleep Deprivation : An Unmet Public Health Problem*, The National Academies Press, 2006.

40. Goldstein A. N. *et al.*, « The role of sleep in emotional brain function », *Annu Rev Clin Psychol*, 10, 2014.

41. Uehli K. *et al.*, « Sleep problems and work injuries », *Sleep Med Rev*, 18, 2014.

42. St-Onge M. P. *et al.*, « Sleep duration and quality », *Circulation*, 134, 2016.

43. Bioulac S. *et al.*, « Risk of motor vehicle accidents related to sleepiness at the wheel », *Sleep*, 41, 2018.

44. Spira A. P. *et al.*, « Impact of sleep on the risk of cognitive decline and dementia », *Curr Opin Psychiatry*, 27, 2014.

45. Lindstrom H. A. *et al.*, « The relationships between television viewing in midlife and the development of Alzheimer's disease in a case-control study », *Brain Cogn*, 58, 2005.

46. Lo J. C. *et al.*, « Sleep duration and age-related changes in brain structure and cognitive performance », *Sleep*, 37, 2014.

47. Ju Y. E. *et al.*, « Sleep and Alzheimer disease pathology – a bidirectional relationship », *Nat Rev Neurol*, 10, 2014.

48. Zhang F. *et al.*, « The missing link between sleep disorders and age-related dementia », *J Neural Transm (Vienna)*, 124, 2017.

49. Macedo A. C. *et al.*, « Is sleep disruption a risk factor for alzheimer's disease ? », *J Alzheimers Dis*, 58, 2017.

50. Wu L. *et al.*, « A systematic review and dose-response meta-analysis of sleep duration and the occurrence of cognitive disorders », *Sleep Breath*, 22, 2018.

51. Bavelier D., *in* Sender E., « "Le bon usage des écrans" : une campagne d'info contre les usages trop intensifs », scienceetavenir.fr, 2018.

52. Bach J. *et al.*, *L'Enfant et les écrans : un avis de l'Académie des sciences*, Le Pommier, 2013. Également en accès libre sur academie-sciences.fr

53. Vandewater E. A. *et al.*, « Measuring children's media use in the digital age », *Am Behav Sci*, 52, 2009.

54. Anderson D. R. *et al.*, « Estimates of young children's time with television », *Child Dev*, 56, 1985.

55. Desmurget M., *TV Lobotomie*, J'ai Lu, 2013.

56. Donaldson-Pressman S. *et al.*, *The Learning Habit*, Perigee Book, 2014.

57. American Optometric Association, « Survey reveals parents drastically underestimate the time kids spend on electronic devices », aoa.org, 2014.

58. Lee H. *et al.*, « Comparing the self-report and measured smartphone usage of college students », *Psychiatry Investig*, 14, 2017.

59. Otten J. J. *et al.*, « Relationship between self-report and an objective measure of television-viewing time in adults », *Obesity (Silver Spring)*, 18, 2010.

60. Rideout V., « The common sense census : Media use by tweens and teens », Common sense media, 2015.

61. Rideout V., « The common sense census : Media use by kids age zero to eight », Common sense media, 2017.

62. Roberts D. F. *et al.*, « Generation M : Media in the lives of 8-18 year-olds », Kaiser Family Foundation, 2005.

63. « Esteban : Étude de santé sur l'environnement, la biosurveillance, l'activité physique et la nutrition, 2014-2016 », santepubliquefrance.fr, 2017.

64. « Santé des collégiens en France /2014 » (données françaises de l'enquête internationale HBSC, santepubliquefrance.fr, 2016.)

65. Barr R. *et al.*, « Amount, content and context of infant media exposure », *Int J Early Years Educ*, 18, 2010.

66. Garrison M. M. *et al.*, « The impact of a healthy media use intervention on sleep in preschool children », *Pediatrics*, 130, 2012.

67. Sisson S. B. *et al.*, « Television, reading, and computer time », *J Phys Act Health*, 8, 2011.

68. Rideout V. *et al.*, « Generation M2 : Media in the lives of 8-18 year-olds », Kaiser Family Foundation, 2010.

69. Rideout V., « Zero to eight : Children media use in america 2013 », Common Sense, 2013.

70. Rideout V. *et al.*, « The media family : Electronic media in the lives of infants, toddlers, preschoolers and their parents », Kaiser Family Foundation, 2006.

71. Médiamat Annuel 2017, Médiamétrie.

72. Ofcom, « Children and parents : media use and attitudes report », ofcom.org, 2017.

73. Hysing M. *et al.*, « Sleep and use of electronic devices in adolescence », *BMJ Open*, 5, 2015.

74. Australian Institute of Family Studies, « The longitudinal study of Australian children annual statistical report 2015 », GrowingUpInAustralia.gov.au, 2016.

75. Winn M., *The Plug-In-Drug (revised edition)*, Penguin Group, 2002.

76. Lee S. J. *et al.*, « Predicting children's media use in the USA », *Br J Dev Psychol*, 27, 2009.

77. Chiu Y. C. *et al.*, « The amount of television that infants and their parents watched influenced children's viewing habits when they got older », *Acta Paediatr*, 106, 2017.

78. Biddle S. J. *et al.*, « Tracking of sedentary behaviours of young people », *Prev Med*, 51, 2010.

79. Cadoret G. *et al.*, « Relationship between screen-time and motor proficiency in children », *Early Child Dev Care*, 188, 2018.

80. Olsen A. *et al.*, « Early origins of overeating », *Curr Obes Rep*, 2, 2013.

81. Rossano M. J., « The essential role of ritual in the transmission and reinforcement of social norms », *Psychol Bull*, 138, 2012.

82. Dehaene-Lambertz G. *et al.*, *in* Kail M. *et al.* (éd.), *L'Acquisition du langage : le langage en émergence*, « Bases cérébrales de l'acquisition du langage », PUF, 2000.

83. Uylings H., « Development of the human cortex and the concept of "critical" or "sensitive" periods », *Lang Learn*, 56, 2006.

84. Nelson C. A., 3rd *et al.*, « Cognitive recovery in socially deprived young children », *Science*, 318, 2007.

85. Zeanah C. H. *et al.*, « Sensitive periods », *Monogr Soc Res Child Dev*, 76, 2011.

86. Knudsen E. I., « Sensitive periods in the development of the brain and behavior », *J Cogn Neurosci*, 16, 2004.

87. Hensch T. K., « Critical period regulation », *Annu Rev Neurosci*, 27, 2004.

88. Friedmann N. *et al.*, « Critical period for first language », *Curr Opin Neurobiol*, 35, 2015.

89. McLaughlin K. A. *et al.*, « Neglect as a violation of species-expectant experience : Neurodevelopmental consequences », *Biol Psychiatry*, 82, 2017.

90. Anderson V. *et al.*, « Do children really recover better ? Neurobehavioural plasticity after early brain insult », *Brain*, 134, 2011.

91. Iglowstein I. *et al.*, « Sleep duration from infancy to adolescence : Reference values and generational trends », *Pediatrics*, 111, 2003.

92. Hirshkowitz M. *et al.*, « National Sleep Foundation's sleep time duration recommendations : Methodology and results summary », *Sleep Health*, 1, 2015.

93. Skinner J. D. *et al.*, « Meal and snack patterns of infants and toddlers », *J Am Diet Assoc*, 104, 2004.

94. Ziegler P. *et al.*, « Feeding infants and toddlers study », *J Am Diet Assoc*, 106, 2006.

95. Jia R. *et al.*, « New parents' psychological adjustment and trajectories of early parental involvement », *J Marriage Fam*, 78, 2016.

96. Kotila L. E. *et al.*, « Time in parenting activities in dual-earner families at the transition to parenthood », *Fam Relat*, 62, 2013.

97. « American time use survey 2016 », bls.gov, 2017.

98. « Horaires d'enseignement des écoles maternelles et élémentaires », education.gouv.fr, 2015.

99. Hart B. *et al.*, *Meaningful Differences*, Paul H Brookes Publishing Co, 1995.

100. Wartella E. *et al.*, « Parenting in the age of digital technology », Center on Media and Human Development School of Communication Northwestern University, 2014.

101. Mendelsohn A. L. *et al.*, « Do verbal interactions with infants during electronic media exposure mitigate adverse impacts on their language development as toddlers ? », *Infant Child Dev*, 19, 2010.

102. Chonchaiya W. *et al.*, « Elevated background TV exposure over time increases behavioural scores of 18-month-old toddlers », *Acta Paediatr*, 104, 2015.

103. Duch H. *et al.*, « Association of screen time use and language development in Hispanic toddlers », *Clin Pediatr (Phila)*, 52, 2013.

104. Kabali H. K. *et al.*, « Exposure and use of mobile media devices by young children », *Pediatrics*, 136, 2015.

105. AAP, « Children and adolescents and digital media. American Academy of Pediatrics. Council on communications and media », *Pediatrics*, 138, 2016.

106. Ericsson A. *et al.*, « The role of deliberate practice in the acquisition of expert performance », *Psychol Rev*, 100, 1993.

107. Fetler M., « Television viewing and school achievement », *J Commun*, 34, 1984.

108. Beentjes J. *et al.*, « Television's impact on children's reading skills », *Read Res Q*, 23, 1988.

109. Comstock G., *in* Hedley C. N. *et al.* (éd.), *Thinking and Literacy : The Mind at Work*, « Television and the american child », LEA, 1995.

110. Jackson L. *et al.*, « A longitudinal study of the effects of Internet use and videogame playing on academic performance and the roles of gender, race and income in these relationships », *Comput Hum Behav*, 27, 2011.

111. « L'emploi du temps de votre enfant au collège », education.gouv.fr, 2017.

112. « Durée du travail d'un salarié à temps plein », service-public.fr, 2018.

113. Kasser T., *The High Price of Materialism*, MIT Press, 2002.

114. Public Health England, « How healthy behaviour supports children's wellbeing », gov.uk, 2013.

115. Kross E. *et al.*, « Facebook use predicts declines in subjective well-being in young adults », *PLoS One*, 8, 2013.

116. Verduyn P. *et al.*, « Passive Facebook usage undermines affective well-being : Experimental and longitudinal evidence », *J Exp Psychol Gen*, 144, 2015.

117. Tromholt M., « The Facebook experiment », *Cyberpsychol Behav Soc Netw*, 19, 2016.

118. Lin L. Y. *et al.*, « Association between social media use and depression among U.S. young adults », *Depress Anxiety*, 33, 2016.

119. Primack B. A. *et al.*, « Social media use and perceived social isolation among young adults in the U.S », *Am J Prev Med*, 53, 2017.

120. Primack B. A. *et al.*, « Association between media use in adolescence and depression in young adulthood », *Arch Gen Psychiatry*, 66, 2009.

121. Costigan S. A. *et al.*, « The health indicators associated with screen-based sedentary behavior among adolescent girls », *J Adolesc Health*, 52, 2013.

122. Shakya H. B. *et al.*, « Association of Facebook use with compromised well-being », *Am J Epidemiol*, 185, 2017.

123. Babic M. *et al.*, « Longitudinal associations between changes in screen-time and mental health outcomes in adolescents », *Ment Health Phys Act*, 12, 2017.

124. Twenge J. *et al.*, « Increases in depressive symptoms, suicide-related outcomes, and suicide rates among U.S. adolescents after 2010 and links to increased new media screen time », *Clin Psychol Sci*, 6, 2018.

125. Twenge J. M. *et al.*, « Decreases in psychological well-being among American adolescents after 2012 and links to screen time during the rise of smartphone technology », *Emotion*, 2018.

126. Kelly Y. *et al.*, « Social media use and adolescent mental health », *EClinicalMedicine*, 2019.

127. Demirci K. *et al.*, « Relationship of smartphone use severity with sleep quality, depression, and anxiety in university students », *J Behav Addict*, 4, 2015.

128. Hinkley T. *et al.*, « Early childhood electronic media use as a predictor of poorer well-being », *JAMA Pediatr*, 168, 2014.

129. Hunt M. *et al.*, « No More FOMO », *J Soc Clin Psychol*, 37, 2018.

130. Seo J. H. *et al.*, « Late use of electronic media and its association with sleep, depression, and suicidality among Korean adolescents », *Sleep Med*, 29, 2017.

131. « Jean-Jacques Hazan [président de la FCPE] : “Les lycéens ont trop d’heures de cours” », ladepeche.fr, 2013.

132. Dupiot C., « “L’école ? On va finir par y dormir” », liberation.fr, 2012.

133. Tournier P., *in* Weynants E., « “Les collégiens ont trop d’heures de cours” », lexpress.fr, 2010.

134. « Lycée : les pistes de la Cour des comptes pour que la scolarité coûte moins cher », francetvinfo.fr, 2015.

135. Gladwell M., *Outliers*, Black Bay Books, 2008.

136. Tough P., *How Children Succeed*, Random House, 2013.

137. Dennison B. A. *et al.*, « Television viewing and television in bedroom associated with overweight risk among low-income preschool children », *Pediatrics*, 109, 2002.

138. Borzekowski D. L. *et al.*, « The remote, the mouse, and the no. 2 pencil », *Arch Pediatr Adolesc Med*, 159, 2005.

139. Barr-Anderson D. J. *et al.*, « Characteristics associated with older adolescents who have a television in their bedrooms », *Pediatrics*, 121, 2008.

140. Granich J. *et al.*, « Individual, social, and physical environment factors associated with electronic media use among children », *J Phys Act Health*, 8, 2011.

141. Sisson S. B. *et al.*, « TVs in the bedrooms of children », *Prev Med*, 52, 2011.

142. Ramirez E. R. *et al.*, « Adolescent screen time and rules to limit screen time in the home », *J Adolesc Health*, 48, 2011.

143. Garrison M. M. *et al.*, « Media use and child sleep », *Pediatrics*, 128, 2011.

144. Tandon P. S. *et al.*, « Home environment relationships with children's physical activity, sedentary time, and screen time by socioeconomic status », *Int J Behav Nutr Phys Act*, 9, 2012.

145. Wethington H. *et al.*, « The association of screen time, television in the bedroom, and obesity among school-aged youth », *J Sch Health*, 83, 2013.

146. Dumuid D. *et al.*, « Does home equipment contribute to socioeconomic gradients in Australian children's physical activity, sedentary time and screen time ? », *BMC Public Health*, 16, 2016.

147. Li S. *et al.*, « The impact of media use on sleep patterns and sleep disorders among school-aged children in China », *Sleep*, 30, 2007.

148. Brockmann P. E. *et al.*, « Impact of television on the quality of sleep in preschool children », *Sleep Med*, 20, 2016.

149. Gentile D. A. *et al.*, « Bedroom media », *Dev Psychol*, 53, 2017.

150. Veldhuis L. *et al.*, « Parenting style, the home environment, and screen time of 5-year-old children ; the "be active, eat right" study », *PLoS One*, 9, 2014.

151. Pempek T. *et al.*, « Young children's tablet use and associations with maternal well-being », *J Child Fam Stud*, 25, 2016.

152. Lauricella A. R. *et al.*, « Young children's screen time », *J Appl Dev Psychol*, 36, 2015.

153. Jago R. *et al.*, « Cross-sectional associations between the screen-time of parents and young children », *Int J Behav Nutr Phys Act*, 11, 2014.

154. Jago R. *et al.*, « Parent and child screen-viewing time and home media environment », *Am J Prev Med*, 43, 2012.

155. De Decker E. *et al.*, « Influencing factors of screen time in preschool children », *Obes Rev*, 13 Suppl 1, 2012.

156. Bleakley A. *et al.*, « The relationship between parents' and children's television viewing », *Pediatrics*, 132, 2013.

157. Bandura A., *Social Learning Theory*, Prentice Hall, 1977.

158. Durlak A. *et al.*, *Handbook of Social and Emotional Learning*, Guilford Press, 2015.

159. Jago R. *et al.*, « Parental sedentary restriction, maternal parenting style, and television viewing among 10 – to 11-year-olds », *Pediatrics*, 128, 2011.

160. Buchanan L. *et al.*, « Reducing recreational sedentary screen time : A community guide systematic review », *Am J Prev Med*, 50, 2016.

161. Community Preventive Services Task Force, « Reducing children's recreational sedentary screen time », *Am J Prev Med*, 50, 2016.

162. Desmurget M., *L'Antirégime au quotidien*, Belin, 2017.

163. Feeley J., « Children's content interest – a factor analytic study », Paper presented at the Annual Meeting of the National Council of Teachers of English, Minneapolis, Minnesota, 23-25 novembre 1972.

164. Killingsworth M. A. *et al.*, « A wandering mind is an unhappy mind », *Science*, 330, 2010.

165. Koerth-Baker M., « Why boredom is anything but boring », *Nature*, 529, 2016.

166. Milyavskaya M. *et al.*, « Reward sensitivity following boredom and cognitive effort : A high-powered neurophysiological investigation », *Neuropsychologia*, 2018.

167. Wilson T. D. *et al.*, « Just think », *Science*, 345, 2014.

168. Havermans R. C. *et al.*, « Eating and inflicting pain out of boredom », *Appetite*, 85, 2015.

169. Maushart S., *The Winter of Our Disconnect*, Tarcher/Penguin, 2011.

170. Dunkley V., « Gray matters : Too much screen time damages the brain », psychologytoday.com, 2014.

171. Walton A., « Investors pressure Apple over psychological risks of screen time for kids », forbes.com, 2018.

172. Molloy M., « Too much social media "increases loneliness and envy" – study », telegraph.co.uk, 2017.

173. « L'abus d'écrans responsable d'insomnie et de dépression chez les ados », leprogres.fr, 2018.

174. Huerre P., *in* Picut G., « Comment aider son enfant à ne pas devenir accro aux écrans ? », lexpress.fr, 2014.

175. Brand M. *et al.*, « Prefrontal control and internet addiction », *Front Hum Neurosci*, 8, 2014.

176. De-Sola Gutierrez J. *et al.*, « Cell-phone addiction », *Front Psychiatry*, 7, 2016.

177. Cerniglia L. *et al.*, « Internet addiction in adolescence », *Neurosci Biobehav Rev*, 76, 2017.

178. Kuss D. J. *et al.*, « Neurobiological correlates in Internet gaming disorder », *Front Psychiatry*, 9, 2018.

179. Meng Y. *et al.*, « The prefrontal dysfunction in individuals with Internet gaming disorder », *Addict Biol*, 20, 2015.

180. Park B. *et al.*, « Neurobiological findings related to Internet use disorders », *Psychiatry Clin Neurosci*, 71, 2017.

181. Weinstein A. *et al.*, « New developments in brain research of internet and gaming disorder », *Neurosci Biobehav Rev*, 75, 2017.

182. Gentile D. A. *et al.*, « Internet gaming disorder in children and adolescents », *Pediatrics*, 140, 2017.

183. Griffiths M. *et al.*, « A brief overview of internet gaming disorder and its treatment », *Austr Clin Psychol*, 2, 2016.

184. He Q. *et al.*, « Brain anatomy alterations associated with Social Networking Site (SNS) addiction », *Sci Rep*, 7, 2017.

185. OMS, « Trouble du jeu vidéo », who.int, 2018.

186. Anderson E. L. *et al.*, « Internet use and problematic internet use », *Int J Adolesc Youth*, 2016.

187. Kuss D. J. *et al.*, « Internet addiction », *Curr Pharm Des*, 20, 2014.

188. Petry N. M. *et al.*, « Griffiths et al.'s comments on the international consensus statement of internet gaming disorder », *Addiction*, 111, 2016.

189. Griffiths M. D. *et al.*, « Working towards an international consensus on criteria for assessing internet gaming disorder : A critical commentary on Petry et al. (2014) », *Addiction*, 111, 2016.

190. Weinstein A. *et al.*, « Internet addiction or excessive internet use », *Am J Drug Alcohol Abuse*, 36, 2010.

191. Durkee T. *et al.*, « Prevalence of pathological internet use among adolescents in Europe : Demographic and social factors », *Addiction*, 107, 2012.

192. Feng W. *et al.*, « Internet gaming disorder : Trends in prevalence 1998-2016 », *Addict Behav*, 75, 2017.

193. INSEE, « Population par sexe et groupe d'âges en 2018 », insee.fr, 2018.

194. United States Census, « 2017 national population projections tables », census.gov, 2017.

195. Ballet V., « Jeux vidéo : "Ma pratique était excessive, mais le mot "addiction" me semblait exagéré" », liberation.fr, 2018.

196. Young K. S., « Internet addiction », *CyberPsychol Behav*, 1, 1998.

197. Douglas A. *et al.*, « Internet addiction », *Comput Hum Behav*, 24, 2008.

198. Kuss D. *et al.*, « Excessive Internet use and psychopathology », *Clin Neuropsychiatry*, 14, 2017.
199. Hubel D. H. *et al.*, « The period of susceptibility to the physiological effects of unilateral eye closure in kittens », *J Physiol*, 206, 1970.
200. de Villers-Sidani E. *et al.*, « Critical period window for spectral tuning defined in the primary auditory cortex (A1) in the rat », *J Neurosci*, 27, 2007.
201. Kral A., « Auditory critical periods », *Neuroscience*, 247, 2013.
202. Kral A. *et al.*, « Developmental neuroplasticity after cochlear implantation », *Trends Neurosci*, 35, 2012.
203. Bailey J. A. *et al.*, « Early musical training is linked to gray matter structure in the ventral premotor cortex and auditory-motor rhythm synchronization performance », *J Cogn Neurosci*, 26, 2014.
204. Steele C. J. *et al.*, « Early musical training and white-matter plasticity in the corpus callosum », *J Neurosci*, 33, 2013.
205. Johnson J. S. *et al.*, « Critical period effects in second language learning », *Cogn Psychol*, 21, 1989.
206. Kuhl P. K., « Brain mechanisms in early language acquisition », *Neuron*, 67, 2010.
207. Kuhl P. *et al.*, « Neural substrates of language acquisition », *Annu Rev Neurosci*, 31, 2008.
208. Gervain J. *et al.*, « Speech perception and language acquisition in the first year of life », *Annu Rev Psychol*, 61, 2010.
209. Werker J. F. *et al.*, « Critical periods in speech perception : New directions », *Annu Rev Psychol*, 66, 2015.
210. Flege J. *et al.*, « Amount of native-language (L1) use affects the pronunciation of an L2 », *J Phon*, 25, 1997.
211. Weber-Fox C. M. *et al.*, « Maturational constraints on functional specializations for language processing », *J Cogn Neurosci*, 8, 1996.
212. Dodson F., *Tout se joue avant 6 ans*, Marabout, 2010 [1970].
213. Danset A., *Éléments de psychologie du développement*, Armand Collin, 1983.
214. Évangile selon Saint Matthieu, Mt 13,13, Éditions du Cerf, 2014.
215. Duff D. *et al.*, « The influence of reading on vocabulary growth », *J Speech Lang Hear Res*, 58, 2015.
216. Perc M., « The Matthew effect in empirical data », *J R Soc Interface*, 11, 2014.
217. Cunningham A. *et al.*, *Book Smart*, Oxford University Press, 2014.

218. Mol S. E. *et al.*, « To read or not to read », *Psychol Bull*, 137, 2011.
219. Petersen A. M. *et al.*, « Quantitative and empirical demonstration of the Matthew effect in a study of career longevity », *Proc Natl Acad Sci USA*, 108, 2011.
220. Rigney D., *The Matthew Effect*, Columbia University Press, 2010.
221. Heckman J. J., « Skill formation and the economics of investing in disadvantaged children », *Science*, 312, 2006.
222. Christakis D. A. *et al.*, « How early media exposure may affect cognitive function », *Proc Natl Acad Sci USA*, 115, 2018.
223. van den Heuvel M. *et al.*, « Mobile media device use is associated with expressive language delay in 18-month-old children », *J Dev Behav Pediatr*, 40, 2019.
224. Wen L. M. *et al.*, « Correlates of body mass index and overweight and obesity of children aged 2 years », *Obesity (Silver Spring)*, 22, 2014.
225. Tomopoulos S. *et al.*, « Infant media exposure and toddler development », *Arch Pediatr Adolesc Med*, 164, 2010.
226. Pagani L. S. *et al.*, « Prospective associations between early childhood television exposure and academic, psychosocial, and physical well-being by middle childhood », *Arch Pediatr Adolesc Med*, 164, 2010.
227. OMS, « Le message de l'OMS au jeune enfant : pour grandir en bonne santé, ne pas trop rester assis et jouer davantage », who.int, 2019.
228. Rueb E., « W.H.O. Says Limited or No Screen Time for Children Under 5 », nytimes.com, 2019.
229. Vandewater E. A. *et al.*, « Time well spent ? Relating television use to children's free-time activities », *Pediatrics*, 117, 2006.
230. Hancox R. J. *et al.*, « Association of television viewing during childhood with poor educational achievement », *Arch Pediatr Adoles. Med*, 159, 2005.
231. Zheng F. *et al.*, « Association between mobile phone use and inattention in 7102 Chinese adolescents », *BMC Public Health*, 14, 2014.
232. Stettler N. *et al.*, « Electronic games and environmental factors associated with childhood obesity in Switzerland », *Obes Res*, 12, 2004.
233. Exelmans L. *et al.*, « Sleep quality is negatively related to video gaming volume in adults », *J Sleep Res*, 24, 2015.
234. Gopinath B. *et al.*, « Influence of physical activity and screen time on the retinal microvasculature in young children », *Arterioscler Thromb Vasc Biol*, 31, 2011.

235. Dunstan D. W. *et al.*, « Television viewing time and mortality », *Circulation*, 121, 2010.

236. Strasburger V. C. *et al.*, « Children, adolescents, and the media : Health effects », *Pediatr Clin North Am*, 59, 2012.

237. AAP, « Policy statement – Media violence », *Pediatrics*, 124, 2009.

238. MacDonald K., « How much screen time is too much for kids ? It's complicated », theguardian.com, 2018.

239. « Keza MacDonald, video games editor », theguardian.com, 2019.

240. ANSES, « Évaluation des risques liés aux pratiques alimentaires d'amaigrissement. Rapport d'expertise collective », Agence nationale de sécurité sanitaire, novembre 2010.

241. Morgenstern M. *et al.*, « Smoking in movies and adolescent smoking », *Thorax*, 66, 2011.

242. Morgenstern M. *et al.*, « Smoking in movies and adolescent smoking initiation », *Am J Prev Med*, 44, 2013.

243. Dalton M. A. *et al.*, « Early exposure to movie smoking predicts established smoking by older teens and young adults », *Pediatrics*, 123, 2009.

244. Dalton M. A. *et al.*, « Effect of viewing smoking in movies on adolescent smoking initiation : A cohort study », *Lancet*, 362, 2003.

245. Sargent J. D. *et al.*, « Exposure to movie smoking », *Pediatrics*, 116, 2005.

246. Wingood G. M. *et al.*, « A prospective study of exposure to rap music videos and African American female adolescents' health », *Am J Public Health*, 93, 2003.

247. Chandra A. *et al.*, « Does watching sex on television predict teen pregnancy ? Findings from a national longitudinal survey of youth », *Pediatrics*, 122, 2008.

248. Collins R. L. *et al.*, « Relationships Between Adolescent Sexual Outcomes and Exposure to Sex in Media », *Dev Psychol*, 47, 2011.

249. O'Hara R. E. *et al.*, « Greater exposure to sexual content in popular movies predicts earlier sexual debut and increased sexual risk taking », *Psychol Sci*, 23, 2012.

250. Postman N., *Se distraire à en mourir (parution initiale 1985)*, Pluriel, 2011.

251. Corder K. *et al.*, « Revising on the run or studying on the sofa », *Int J Behav Nutr Phys Act*, 12, 2015.

252. Dimitriou D. *et al.*, « The role of environmental factors on sleep patterns and school performance in adolescents », *Front Psychol*, 6, 2015.

253. Syvaoja H. J. *et al.*, « Physical activity, sedentary behavior, and academic performance in Finnish children », *Med Sci Sports Exerc*, 45, 2013.
254. Garcia-Continente X. *et al.*, « Factors associated with media use among adolescents », *Eur J Public Health*, 24, 2014.
255. Garcia-Hermoso A. *et al.*, « Relationship of weight status, physical activity and screen time with academic achievement in adolescents », *Obes Res Clin Pract*, 11, 2017.
256. Pressman R. *et al.*, « Examining the Interface of Family and Personal Traits, Media, and Academic Imperatives Using the Learning Habit Study », *Am J Fam Ther*, 42, 2014.
257. Jacobsen W. C. *et al.*, « The wired generation », *Cyberpsychol Behav Soc Netw*, 14, 2011.
258. Lizandra J. *et al.*, « Does sedentary behavior predict academic performance in adolescents or the other way round ? A longitudinal path analysis », *PLoS One*, 11, 2016.
259. Mossle T. *et al.*, « Media use and school achievement – boys at risk ? », *Br J Dev Psychol*, 28, 2010.
260. Peiro-Velert C. *et al.*, « Screen media usage, sleep time and academic performance in adolescents », *PLoS One*, 9, 2014.
261. Poulain T. *et al.*, « Cross-sectional and longitudinal associations of screen time and physical activity with school performance at different types of secondary school », *BMC Public Health*, 18, 2018.
262. Keith T. *et al.*, « Parental involvement, homework, and TV time », *J Educ Psychol*, 78, 1986.
263. Ozmert E. *et al.*, « Behavioral correlates of television viewing in primary school children evaluated by the child behavior checklist », *Arch Pediatr Adolesc Med*, 156, 2002.
264. Shin N., « Exploring pathways from television viewing to academic achievement in school age children », *J Genet Psychol*, 165, 2004.
265. Hunley S. A. *et al.*, « Adolescent computer use and academic achievement », *Adolescence*, 40, 2005.
266. Johnson J. G. *et al.*, « Extensive television viewing and the development of attention and learning difficulties during adolescence », *Arch Pediatr Adolesc Med*, 161, 2007.
267. Espinoza F., « Using project-based data in physics to examine television viewing in relation to student performance in science », *J Sci Educ Technol*, 18, 2009.
268. Sharif I. *et al.*, « Association between television, movie, and video game exposure and school performance », *Pediatrics*, 118, 2006.

269. Sharif I. *et al.*, « Effect of visual media use on school performance », *J Adolesc. Health*, 46, 2010.
270. Walsh J. L. *et al.*, « Female College Students' Media Use and Academic Outcomes », *Emerg Adulthood*, 1, 2013.
271. Landhuis C. E. *et al.*, « Association between childhood and adolescent television viewing and unemployment in adulthood », *Prev Med*, 54, 2012.
272. Nyssen F., Conférence de presse « Audiovisuel public : présentation du scénario de l'anticipation », culture.gouv.fr, 2018.
273. « Fleur Pellerin : "N'ayez plus le nez rivé sur l'audience !" », leparisien.fr, 2015.
274. Anderson C. A. *et al.*, « Video games and aggressive thoughts, feelings, and behavior in the laboratory and in life », *J Pers Soc Psychol*, 78, 2000.
275. Jaruratanasirikul S. *et al.*, « Electronic game play and school performance of adolescents in southern Thailand », *Cyberpsychol Behav*, 12, 2009.
276. Chan P. A. *et al.*, « A cross-sectional analysis of video games and attention deficit hyperactivity disorder symptoms in adolescents », *Ann Gen Psychiatry*, 5, 2006.
277. Hastings E. C. *et al.*, « Young children's video/computer game use », *Issues Ment Health Nurs*, 30, 2009.
278. Li D. *et al.*, « Effects of digital game play among young singaporean gamers », *J Virtual Worlds Res*, 5, 2012.
279. Gentile D., « Pathological video-game use among youth ages 8 to 18 », *Psychol Sci*, 20, 2009.
280. Gentile D. A. *et al.*, « The effects of violent video game habits on adolescent hostility, aggressive behaviors, and school performance », *J Adolesc*, 27, 2004.
281. Jackson L. *et al.*, « Internet use, videogame playing and cell phone use as predictors of children's body mass index (BMI), body weight, academic performance, and social and overall self-esteem », *Comput Hum Behav*, 27, 2011.
282. Stinebrickner R. *et al.*, « The causal effect of studying on academic performance », *BE J Econom Anal Policy*, 8, 2008.
283. Weis R. *et al.*, « Effects of video-game ownership on young boys' academic and behavioral functioning », *Psychol Sci*, 21, 2010.
284. Spitzer M., « Outsourcing the mental ? From knowledge-on-demand to Morbus Google », *Trends Neurosci Educ*, 5, 2016.
285. Sanchez-Martinez M. *et al.*, « Factors associated with cell phone use in adolescents in the community of Madrid (Spain) », *Cyberpsychol Behav*, 12, 2009.
286. Junco R. *et al.*, « No A 4 U », *Comput Educ*, 59, 2012.

287. Lepp A. *et al.*, « The relationship between cell phone use, academic performance, anxiety, and Satisfaction with Life in college students », *Comput Hum Behav*, 31, 2014.
288. Lepp A. *et al.*, « The relationship between cell phone use and academic performance in a sample of u.s. college students », *SAGE Open*, 5, 2015.
289. Li J. *et al.*, « Locus of control and cell phone use », *Comput Hum Behav*, 52, 2015.
290. Baert S. *et al.*, « Smartphone use and academic performance, IZA discussion paper No. 11455 », iza.org, 2018.
291. Harman B. *et al.*, « Cell phone use and grade point average among undergraduate university students », *Coll Stud J*, 45, 2011.
292. Seo D. *et al.*, « Mobile phone dependency and its impacts on adolescents' social and academic behaviors », *Comput Hum Behav*, 63, 2016.
293. Hawi N. *et al.*, « To excel or not to excel », *Comput Educ*, 98, 2016.
294. Samaha M. *et al.*, « Relationships among smartphone addiction, stress, academic performance, and satisfaction with life », *Comput Hum Behav*, 57, 2016.
295. Dempsey S. *et al.*, « Later is better », *Econ Innovat New Tech*, 2018.
296. Felisoni D. *et al.*, « Cell phone usage and academic performance », *Comput Educ*, 117, 2018.
297. Abdoul-Maninroudine A., « Classement des PACES : où réussit-on le mieux le concours de médecine ? », letudiant.fr, 2017.
298. Kirschner P. *et al.*, « Facebook® and academic performance », *Comput Hum Behav*, 26, 2010.
299. Junco R., « Too much face and not enough books », *Comput Hum Behav*, 28, 2012.
300. Paul J. *et al.*, « Effect of online social networking on student academic performance », *Comput Hum Behav*, 28, 2012.
301. Rosen L. *et al.*, « Facebook and texting made me do it », *Comput Hum Behav*, 29, 2013.
302. Karpinski A. *et al.*, « An exploration of social networking site use, multitasking, and academic performance among United States and European university students », *Comput Hum Behav*, 29, 2013.
303. Tsitsika A. K. *et al.*, « Online social networking in adolescence », *J Adolesc Health*, 55, 2014.
304. Giunchiglia F. *et al.*, « Mobile social media usage and academic performance », *Comput Hum Behav*, 82, 2018.

305. Lau W., « Effects of social media usage and social media multitasking on the academic performance of university students », *Comput Hum Behav*, 68, 2017.
306. Liu D. *et al.*, « A meta-analysis of the relationship of academic performance and Social Network Site use among adolescents and young adults », *Comput Hum Behav*, 77, 2017.
307. Gregory P. *et al.*, « The instructional network », *J Comput Math Sci Teach*, 33, 2014.
308. Hansen J. D. *et al.*, « Democratizing education ? Examining access and usage patterns in massive open online courses », *Science*, 350, 2015.
309. Perna L. *et al.*, « The life cycle of a million MOOC users, paper presented at the MOOC Research Initiative Conference, 5-6 December 2013 », upenn.edu, 2013.
310. Kolowich S., « San Jose State U. puts MOOC project with udacity on hold », chronicle.com, 2013.
311. Fairlie R., « Do boys and girls use computers differently, and does it contribute to why boys do worse in school than girls ? IZA discussion papers, No. 9302 », iza.org, 2015.
312. Fairlie R. *et al.*, « Experimental evidence on the effects of home computers on academic achievement among schoolchildren. NBER working paper No. 19060 », nber.org, 2013.
313. Fuchs T. *et al.*, « Computers and student learning », Ifo Working Paper, n° 8, 2005.
314. Malamud O. *et al.*, « Home computer use and the development of human capital », *Q J Econ*, 126, 2011.
315. Vigdor J. *et al.*, « Scaling the digital divide », *Econ Inq*, 52, 2014.
316. Même si cette citation est très fréquemment associée au *Meilleur des mondes*, ouvrage d'Aldous Huxley dont elle reprend fidèlement le message, elle ne figure pas dans le livre (ni dans le *Retour au meilleur des mondes*). Elle semble provenir d'une fiche de lecture d'Annie Degré Lassalle, ici.radio-canada.ca, accès octobre 2018.
317. Keith T., « Time spent on homework and high school grades », *J Educ Psychol*, 74, 1982.
318. Keith T. *et al.*, « Longitudinal effects of in-school and out-of-school homework on high school grades », *School Psychol Q*, 19, 2004.
319. Cooper H. *et al.*, « Does homework improve academic achievement ? A synthesis of research, 1987-2003 », *Rev Educ Res*, 76, 2006.
320. Fan H. *et al.*, « Homework and students' achievement in math and science », *Educ Res Rev*, 20, 2017.

321. Rawson K. *et al.*, « Homework and achievement », *J Educ Psychol*, 109, 2017.
322. Bempechat J., « The motivational benefits of homework », *Theory Pract*, 43, 2004.
323. Ramdass D. *et al.*, « Developing self-regulation skills », *J Adv Acad*, 22, 2011.
324. Hampshire P. *et al.*, « Homework plans », *Teach Except Child*, 46, 2014.
325. Göllner R. *et al.*, « Is doing your homework associated with becoming more conscientious ? », *J Res Pers*, 71, 2017.
326. Duckworth A. L. *et al.*, « Self-discipline outdoes IQ in predicting academic performance of adolescents », *Psychol Sci*, 16, 2005.
327. Duckworth A. L., *Grit*, Scribner, 2016.
328. Ericsson A. *et al.*, *Peak*, Houghton Mifflin Harcourt, 2016.
329. Dweck C., *Mindset*, Ballantine Books, 2008.
330. Colvin G., *Talent is Overrated*, Portfolio, 2010.
331. Baumeister R. *et al.*, *Willpower*, Penguin Books, 2011.
332. Duckworth A. *et al.*, « Self-regulation strategies improve self-discipline in adolescents : Benefits of mental contrasting and implementation intentions », *Educ Psychol*, 31, 2011.
333. Wiecha J. L. *et al.*, « Household television access », *Ambul Pediatr*, 1, 2001.
334. Cummings H. M. *et al.*, « Relation of adolescent video game play to time spent in other activities », *Arch Pediatr Adolesc Med*, 161, 2007.
335. Ruest S. *et al.*, « The inverse relationship between digital media exposure and childhood flourishing », *J Pediatr*, 197, 2018.
336. Armstrong G. *et al.*, « Background television as an inhibitor of cognitive processing », *Human Comm Res*, 16, 1990.
337. Pool M. *et al.*, « Background television as an inhibitor of performance on easy and difficult homework assignments », *Comm Res*, 27, 2000.
338. Pool M. *et al.*, « The impact of background radio and television on high school students' homework performance », *J Commun*, 53, 2003.
339. Calderwood C. *et al.*, « What else do college students "do" while studying ? An investigation of multitasking », *Comput Educ*, 75, 2014.
340. Jeong S.-H. *et al.*, « Does multitasking increase or decrease persuasion ? effects of multitasking on comprehension and counterarguing », *J Commun*, 62, 2012.

341. Srivastava J., « Media multitasking performance », *Comput Hum Behav*, 29, 2013.

342. Foerde K. *et al.*, « Modulation of competing memory systems by distraction », *Proc Natl Acad Sci USA*, 103, 2006.

343. Kirschner P. *et al.*, « The myths of the digital native and the multitasker », *Teach Teach Educ*, 67, 2017.

344. Edison T., *in* Saettler P., *The Evolution of American Educational Technology*, IAP, 1990.

345. Edison T., *in* Cuban L., *Teachers and the Machines*, Teachers College Press, 1986.

346. Darrow B., *in* Cuban L., *Teachers and the Machines*, *op.cit.*

347. Wischner G. *et al.*, « Some thoughts on television as an educational tool », *Am Psychol*, 10, 1955.

348. Johnson L., *in* Cuban L., *Teachers and the Machines*, *op.cit.*

349. Boileau N., *Œuvres poétiques (Tome 1)*, Imprimerie Générale, 1872.

350. Fourgous J., « Oser la pédagogie numérique ! », lemonde.fr, 2011.

351. Spitzer M., « M-Learning ? When it comes to learning, smartphones are a liability, not an asset », *Trends Neurosci Educ*, 4, 2015.

352. Longcamp M. *et al.*, « Learning through hand- or typewriting influences visual recognition of new graphic shapes », *J Cogn Neurosci*, 20, 2008.

353. Longcamp M. *et al.*, « Remembering the orientation of newly learned characters depends on the associated writing knowledge », *Hum Mov Sci*, 25, 2006.

354. Longcamp M. *et al.*, « The influence of writing practice on letter recognition in preschool children », *Acta Psychol (Amst)*, 119, 2005.

355. Tan L. H. *et al.*, « China's language input system in the digital age affects children's reading development », *Proc Natl Acad Sci USA*, 110, 2013.

356. Fitzgerald J. *et al.*, « Reading and writing relations and their development », *Educ Psychol*, 35, 2000.

357. Tan L. H. *et al.*, « Reading depends on writing, in Chinese », *Proc Natl Acad Sci USA*, 102, 2005.

358. Longcamp M. *et al.*, « Contribution de la motricité graphique à la reconnaissance visuelle des lettres », *Psychol Fr*, 55, 2010.

359. Ahmed Y. *et al.*, « Developmental relations between reading and writing at the word, sentence and text levels », *J Educ Psychol*, 106, 2014.

360. Li J. X. *et al.*, « Handwriting generates variable visual output to facilitate symbol learning », *J Exp Psychol Gen*, 145, 2016.

361. James K. H. *et al.*, « The effects of handwriting experience on functional brain development in pre-literate children », *Trends Neurosci Educ*, 1, 2012.

362. Mueller P. A. *et al.*, « The pen is mightier than the keyboard », *Psychol Sci*, 25, 2014.

363. Abadie A., « Twitter en maternelle, le cahier de vie scolaire 2.0 », lemonde.fr, 2012.

364. Davidenkoff E., « La pédagogie doit s'adapter à l'outil », in *Femme Actuelle*, n° 1544, avril 2014.

365. Fourgous J., « Réussir l'école numérique. Rapport de la mission parlementaire sur la modernisation de l'école par le numérique », La Documentation française, 2010.

366. Kirkpatrick H. *et al.*, « Computers make kids smarter – right ? », *Technos Quarterly*, 7, 1998.

367. Smith H. *et al.*, « Interactive whiteboards : Boon or bandwagon ? A critical review of the literature », *J Comput Assist Lear*, 21, 2005.

368. Goolsbee A. *et al.*, « World wide wonder ? », *Educ Next*, 6, 2006.

369. Clark R. *et al.*, in Mayer R. E (éd.), *The Cambridge Handbook of Multimedia Learning*, « Ten common but questionable principles of multimedia learning », Cambridge University Press, 2014.

370. Spitzer M., « Information technology in education », *Trends Neurosci Educ*, 3, 2014.

371. Bihouix P. *et al.*, *Le Désastre de l'école numérique*, Seuil, 2016.

372. Angrist J. *et al.*, « New evidence on classroom computers and pupil learning », *Econ J*, 112, 2002.

373. Spiel C. *et al.*, « Evaluierung des österreichischen Modellversuchs e-Learning und e-Teaching mit SchülerInnen-Notebooks », in *Auftragdes Bundesministeriums für Bildung*, Wissenschaftund Kultur, 2003.

374. Rouse C. *et al.*, « Putting computerized instruction to the test », *Econ Educ Rev*, 23, 2004.

375. Goolsbee A. *et al.*, « The impact of internet subsidies in public schools », *Rev Econ Stat*, 88, 2006.

376. Schaumburg H. *et al.*, « Lernen in Notebook-Klassen. Endbericht zur Evaluation des Projekts "1000mal1000 : Notebooks im Schulranzen" », Schulen ans Netz e. V., 2007.

377. Wurst C. *et al.*, « Ubiquitous laptop usage in higher education », *Comput Educ*, 51, 2008.

378. Barrera-Osorio F. *et al.*, « The use and misuse of computers in education : Evidence from a randomized experiment in Colombia », *Impact Evaluation series*, n° IE 29 Policy Research working paper, no. WPS 4836, Washington DC, World Bank, 2009.

379. Gottwald A. *et al.*, Hamburger Notebook-Projekt. Behörde-für Schule und Berufsbildung, 2010.

380. Leuven E. *et al.*, « The effect of extra funding for disadvantaged pupils on achievement », *Rev Econ Stat*, 89, 2007.

381. OECD, « Students, computers and learning : Making the connection (PISA) », oecd.org, 2015.

382. OCDE, « Connectés pour apprendre ? Les élèves et les nouvelles technologies (principaux résultats) », oecd.org, 2015.

383. USDE, « Effectiveness of reading and mathematics software products : Findings from the first student cohort (report to congress) », ies.es.gov, 2007.

384. USDE, « Reviewing the evidence on how teacher professional development affects student achievement (rel 2007, n° 033) », ies.ed.gov, 2007.

385. Rockoff J., « The impact of individual teachers on student achievement », *Am Econ Rev*, 94, 2004.

386. Ripley A., *The Smartest Kids in the world*, Simon & Shuster, 2013.

387. Darling-Hammond L., « Teacher quality and student achievement », *Educ Policy Analysis Arch*, 8, 2000.

388. Darling-Hammond L., *Empowered Educators*, Jossey-Bass, 2017.

389. Chetty R. *et al.*, « Measuring the impacts of teachers II », *Am Econ Rev*, 104, 2014.

390. OECD, « Effective teacher policies : Insights from PISA », oecd.org, 2018.

391. Joy B., *in* Bauerlein M., *The Dumbest Generation*, Tarcher/Penguin, 2009.

392. Johnson L. *et al.*, « Horizon report Europe : 2014 schools edition », Publications Office of the European Union & The New Media Consortium, 2014.

393. « À l'université Lyon 3, les connexions sur Facebook et Netflix ralentissent le Wifi », lefigaro.fr, 2018.

394. Nunès E., « Quand les réseaux sociaux accaparent la bande passante de l'université Lyon-III », lemonde.fr, 2018.

395. Gazzaley A. *et al.*, *The Distracted Mind*, MIT Press, 2016.

396. Junco R., « In-class multitasking and academic performance », *Comput Hum Behav*, 28, 2012.
397. Burak L., « Multitasking in the university classroom », *Int J Scholar Teach Learn*, 8, 2012.
398. Bellur S. *et al.*, « Make it our time », *Comput Hum Behav*, 53, 2015.
399. Bjornsen C. *et al.*, « Relations between college students' cell phone use during class and grades », *Scholarsh Teach Learn Psychol*, 1, 2015.
400. Carter S. *et al.*, « The impact of computer usage on academic performance », *Econ Educ Rev*, 56, 2017.
401. Patterson R. *et al.*, « Computers and productivity », *Econ Educ Rev*, 57, 2017.
402. Lawson D. *et al.*, « The costs of texting in the classroom », *Coll Teach*, 63, 2015.
403. Zhang W., « Learning variables, in-class laptop multitasking and academic performance », *Comput Educ*, 81, 2015.
404. Gaudreau P. *et al.*, « Canadian university students in wireless classrooms », *Comput Educ*, 70, 2014.
405. Ravizza S. *et al.*, « Non-academic internet use in the classroom is negatively related to classroom learning regardless of intellectual ability », *Comput Educ*, 78, 2014.
406. Clayson D. *et al.*, « An introduction to multitasking and texting : prevalence and impact on grades and gpa in marketing classes », *J Mark Educ*, 35, 2013.
407. Wood E. *et al.*, « Examining the impact of off-task multitasking with technology on real-time classroom learning », *Comput Educ*, 58, 2012.
408. Fried C., « In-class laptop use and its effects on student learning », *Comput Educ*, 50, 2008.
409. Beland L. *et al.*, « Ill Communication », *Labour Econ*, 41, 2016.
410. Tindell D. *et al.*, « The use and abuse of cell phones and text messaging in the classroom », *Coll Teach*, 60, 2012.
411. Aagaard J., « Drawn to distraction : A qualitative study of off-task use of educational technology », *Comput Educ*, 87, 2015.
412. Judd T., « Making sense of multitasking », *Comput Educ*, 70, 2014.
413. Rosenfeld B. *et al.*, « East Vs. West », *Coll Stud J*, 48, 2014.
414. Ugur N. *et al.*, « Time for digital detox », *Procedia Soc Behav Sci*, 195, 2015.
415. Ragan E. *et al.*, « Unregulated use of laptops over time in large lecture classes », *Comput Educ*, 78, 2014.

416. Kraushaar J. *et al.*, « Examining the affects of student multitasking with laptops during the lecture », *J Inf Syst Educ*, 21, 2010.

417. Hembrooke H. *et al.*, « The laptop and the lecture », *J Comput High Educ*, 15, 2003.

418. Bowman L. *et al.*, « Can students really multitask ? An experimental study of instant messaging while reading », *Comput Educ*, 54, 2010.

419. Ellis Y. *et al.*, « The effect of multitasking on the grade performance of business students », *Res High Educ J*, 8, 2010.

420. End C. *et al.*, « Costly cell phones », *Teach Psychol*, 37, 2010.

421. Barks A. *et al.*, « Effects of text messaging on academic performance », *Signum Temporis*, 4, 2011.

422. Froese A. *et al.*, « Effects of classroom cell phone use on expected and actual learning », *Coll Stud J*, 46, 2012.

423. Kuznekoff J. *et al.*, « The impact of mobile phone usage on student learning », *Commun Educ*, 62, 2013.

424. Sana F. *et al.*, « Laptop multitasking hinders classroom learning for both users and nearby peers », *Comput Educ*, 62, 2013.

425. Gingerich A. *et al.*, « OMG! Texting in Class = U Fail », *Teach Psychol*, 41, 2014.

426. Thornton B. *et al.*, « The mere presence of a cell phone may be distracting », *Soc Psychol*, 45, 2014.

427. Morrisson C., « La faisabilité politique de l'ajustement », *Cahier de politique économique*, 13, 1996.

428. Assekour H., « La pénurie de professeurs perdure », lemonde.fr, 2017.

429. Bourhan S., « Alerte, on manque de profs ! », franceinter.fr, 2018.

430. Mediavilla L., « L'Éducation nationale peine toujours à recruter ses enseignants », lesechos.fr, 2018.

431. Richtel M., « Teachers resist high-tech push in Idaho schools », nytimes.com, 2012.

432. Herrera L., « In Florida, virtual classrooms with no teachers », nytimes.com, 2011.

433. Frohlich T., « Teacher pay : States where educators are paid the most and least », usatoday.com, 2018.

434. Davidenkoff E., *Le Tsunami numérique*, Stock, 2014.

435. Davidenkoff E., « La révolution MOOC : de l'école qui enseigne à l'école où on apprend », huffingtonpost.fr, 2013.

436. Barth I., « Faut-il avoir peur des grands méchants MOOCs ? », educpros.fr, 2013.

437. Khan Academy, « La démonstration du théorème de Pythagore par les triangles semblables », fr.khanacademy.org, accès novembre 2018.

438. Allione G. *et al.*, « Mass attrition », *J Econ Educ*, 47, 2016.

439. Onah D. et al., « Dropout rates of massive open online courses : Behavioral patterns », Proceedings of EDULEARN14, Barcelone, Espagne, 2014.

440. Breslow L., *in* De Corte E. *et al.* (éd.), *From Books to MOOCs ?*, « MOOC research », Portland Press, 2016.

441. Evans B. *et al.*, « Persistence patterns in massive open online courses (MOOCs) », *J High Educ*, 87, 2016.

442. Selingo J., « Demystifying the MOOC », nytimes.com, 2014.

443. Dubson M. *et al.*, « Apples vs. oranges : Comparison of student performance in a MOOC vs. a brick-and-mortar course », PERC Proceedings 2014.

444. Miller M. A., « Les MOOCs font pschitt », lemonde.fr, 2017.

445. Azer S. A., « Is Wikipedia a reliable learning resource for medical students ? Evaluating respiratory topics », *Adv Physiol Educ*, 39, 2015.

446. Azer S. A. *et al.*, « Accuracy and readability of cardiovascular entries on Wikipedia », *BMJ Open*, 5, 2015.

447. Vilensky J. A. *et al.*, « Anatomy and Wikipedia », *Clin Anat*, 28, 2015.

448. Hasty R. T. *et al.*, « Wikipedia vs peer-reviewed medical literature for information about the 10 most costly medical conditions », *J Am Osteopath Assoc*, 114, 2014.

449. Lee S. *et al.*, « Evaluating the quality of Internet information for femoroacetabular impingement », *Arthroscopy*, 30, 2014.

450. Lavsa S. *et al.*, « Reliability of Wikipedia as a medication information source for pharmacy students », *Curr Pharm Teach Learn*, 3, 2011.

451. Lynch P. M., *The Internet of us*, Liveright, 2016.

452. http://pensees.bibliques.over-blog.org/article-2590229.html, accès novembre 2018.

453. https://christiananswers.net/french/q-aig/aig-c030f.html, accès novembre 2018.

454. https://datanews.levif.be/ict/actualite/qu-est-il-arrive-aux-dinosaures/article-normal-299437.html, accès novembre 2018.

455. http://fr.pursuegod.org/whats-the-biblical-view-on-dinosaurs, accès novembre 2018.

456. Hirsch E., *The Knowledge Deficit*, Houghton Mifflin Hartcourt, 2006.

457. Willingham D., *Why Don't Students Like School*, Jossey-Bass, 2009.

458. Christodoulou D., *Seven Myths About Education*, Routledge, 2014.

459. Tricot A. *et al.*, « Domain-specific knowledge and why teaching generic skills does not work », *Educ Psychol Rev*, 26, 2014.

460. Metzger M. *et al.*, « Believing the unbelievable », *J Child Med*, 9, 2015.

461. Saunders L. *et al.*, « Don't they teach that in high school ? Examining the high school to college information literacy gap », *Libr Inform Sci Res*, 39, 2017.

462. Recht D. *et al.*, « Effect of prior knowledge on good and poor readers' memory of text », *J Educ Psychol*, 80, 1988.

463. Rowlands I. *et al.*, « The Google generation », *Aslib Proc*, 60, 2008.

464. Thirion P. *et al.*, « Enquête sur les compétences documentaires et informationnelles des étudiants qui accèdent à l'enseignement supérieur en Communauté française de Belgique », enssib.fr, 2008.

465. Julien H. *et al.*, « How high-school students find and evaluate scientific information : A basis for information literacy skills development », *Libr Inform Sci Res*, 31, 2009.

466. Gross M. *et al.*, « What's skill got to do with it ? », *J Am Soc Inf Sci Technol*, 63, 2012.

467. Perret C., « Pratiques de recherche documentaire et réussite universitaire des étudiants de première année », *Carrefours de l'éducation*, 35, 2013.

468. Dumouchel G. *et al.*, « Mon ami Google », *Can J Learn Tech*, 43, 2017.

469. « Evaluating information : The cornerstone of civic online reasoning », Report from the Stanford History Education Group, Stanford History Education Group, 2016.

470. McNamara D. *et al.*, « Are good texts always better ? Interactions of text coherence, background knowledge, and levels of understanding in learning from text », *Cognition Instruct*, 14, 1996.

471. Amadieu F. *et al.*, « Exploratory study of relations between prior knowledge, comprehension, disorientation and on-line processes in hypertext », *Ergon Open J*, 2, 2009.

472. Amadieu F. *et al.*, « Prior knowledge in learning from a non-linear electronic document : Disorientation and coherence of the reading sequences », *Comput Hum Behav*, 25, 2009.

473. Amadieu F. *et al.*, « Effects of prior knowledge and concept-map structure on disorientation, cognitive load, and learning », *Learn Instr*, 19, 2009.

474. Khosrowjerdi M. *et al.*, « Prior knowledge and information-seeking behavior of PhD and MA students », *Libr Inform Sci Res*, 33, 2011.

475. Kalyuga S., « Effects of learner prior knowledge and working memory limitations on multimedia learning », *Procedia Soc Behav Sci*, 83, 2013.

476. Guillou M., « Profs débutants : 10 bonnes raisons d'échapper au numérique », educavox.fr, 2013.

477. Guéno J., *Mémoires de maîtres, paroles d'élèves*, J'ai Lu, 2012.

478. Camus A., *in* Bersihand N., « Lettre de Camus à Louis Germain, son premier instituteur », huffingtonpost.fr, 2014.

479. Dehaene-Lambertz G. *et al.*, « The infancy of the human brain », *Neuron*, 88, 2015.

480. Otsuka Y., « Face recognition in infants », *Jpn Psychol Res*, 56, 2014.

481. Bonini L. *et al.*, « Evolution of mirror systems », *Ann N Y Acad Sci*, 1225, 2011.

482. Grossmann T., « The development of social brain functions in infancy », *Psychol Bull*, 141, 2015.

483. Piaget J., *La Psychologie de l'intelligence*, Armand Colin, 1967.

484. Cassidy J. *et al.*, *Handbook of Attachment : Theory, Research, and Clinical Applications (3ème édition)*, Guilford Press, 2016.

485. Tottenham N., « The importance of early experiences for neuro-affective development », *Curr Top Behav Neurosci*, 16, 2014.

486. Grusec J. E., « Socialization processes in the family », *Annu Rev Psychol*, 62, 2011.

487. Eshel N. *et al.*, « Responsive parenting : Interventions and outcomes », *Bull World Health Organ*, 84, 2006.

488. Champagne F. A. *et al.*, « How social experiences influence the brain », *Curr Opin Neurobiol*, 15, 2005.

489. Farley J. P. *et al.*, « The development of adolescent self-regulation », *J Adolesc*, 37, 2014.

490. Hair E. *et al.*, « The continued importance of quality parent – adolescent relationships during late adolescence », *J Res Adolesc*, 18, 2008.

491. Morris A. S. *et al.*, « The role of the family context in the development of emotion regulation », *Soc Dev*, 16, 2007.

492. Smetana J. G. *et al.*, « Adolescent development in interpersonal and societal contexts », *Annu Rev Psychol*, 57, 2006.

493. Forehand R. *et al.*, « Home predictors of young adolescents' school behavior and academic performance », *Child Dev*, 57, 1986.

494. Dettmer A. M. *et al.*, « Neonatal face-to-face interactions promote later social behaviour in infant rhesus monkeys », *Nat Commun*, 7, 2016.

495. Neuman S. *et al.*, *Handbook of Early Literacy Research* (3 vol.), Guilford Press, 2001-2011.

496. Black S. *et al.*, « Older and wiser ? Birth order and IQ of young men, NBER working paper No. 13237 », 2007.

497. Black S. *et al.*, « The more the merrier ? The effect of family size and birth order on children's education* », *Q J Econ*, 120, 2005.

498. Kantarevic J. *et al.*, « Birth order, educational attainment, and earnings », *J Hum Resour*, XLI, 2006.

499. Lehmann J. *et al.*, « The early origins of birth order differences in children's outcomes and parental behavior », *J Hum Resour*, 53, 2018.

500. Coude G. *et al.*, « Grasping neurons in the ventral premotor cortex of macaques are modulated by social goals », *J Cogn Neurosci*, 2018.

501. Ferrari P. F., « The neuroscience of social relations. A comparative-based approach to empathy and to the capacity of evaluating others' action value », *Behaviour*, 151, 2014.

502. Salo V. C. *et al.*, « The role of the motor system in action understanding and communication », *Dev Psychobiol*, 2018.

503. Ferrari P. F. *et al.*, « Mirror neurons responding to the observation of ingestive and communicative mouth actions in the monkey ventral premotor cortex », *Eur J Neurosci*, 17, 2003.

504. Jarvelainen J. *et al.*, « Stronger reactivity of the human primary motor cortex during observation of live rather than video motor acts », *Neuroreport*, 12, 2001.

505. Perani D. *et al.*, « Different brain correlates for watching real and virtual hand actions », *Neuroimage*, 14, 2001.

506. Shimada S. *et al.*, « Infant's brain responses to live and televised action », *Neuroimage*, 32, 2006.

507. Jola C. *et al.*, « In the here and now », *Cogn Neurosci*, 4, 2013.

508. Ruysschaert L. *et al.*, « Neural mirroring during the observation of live and video actions in infants », *Clin Neurophysiol*, 124, 2013.

509. Troseth G. L. *et al.*, « The medium can obscure the message », *Child Dev*, 69, 1998.

510. Troseth G. L. *et al.*, « Young children's use of video as a source of socially relevant information », *Child Dev*, 77, 2006.

511. Kuhl P. K. *et al.*, « Foreign-language experience in infancy », *Proc Natl Acad Sci USA*, 100, 2003.

512. Schmidt K. L. *et al.*, « Television and reality », *Media Psychol*, 4, 2002.

513. Schmidt K. L. *et al.*, « Two-year-olds' object retrieval based on television : Testing a perceptual account », *Media Psychol*, 9, 2007.

514. Kirkorian H. *et al.*, « Video deficit in toddlers' object retrieval », *Infancy*, 21, 2016.

515. Kim D. H. *et al.*, « Effects of live and video form action observation training on upper limb function in children with hemiparetic cerebral palsy », *Technol Health Care*, 26, 2018.

516. Reiß M. *et al.*, « Theory of mind and the video deficit effect », *Media Psychol*, 22, 2019.

517. Barr R. *et al.*, « Developmental changes in imitation from television during infancy », *Child Dev*, 70, 1999.

518. Hayne H. *et al.*, « Imitation from television by 24 – and 30-month-olds », *Dev Sci*, 6,. 2003.

519. Thierry K. *et al.*, « A real-life event enhances the accuracy of preschoolers' recall », *Appl Cogn Psychol*, 18, 2004.

520. Yadav S. *et al.*, « Children aged 6-24 months like to watch YouTube videos but could not learn anything from them », *Acta Paediatr*, 107, 2018.

521. Madigan S. *et al.*, « Association between screen time and children's performance on a developmental screening test », *JAMA Pediatr*, 2019.

522. Kildare C. *et al.*, « Impact of parents mobile device use on parent-child interaction », *Comput Hum Behav*, 75, 2017.

523. Napier C., « How use of screen media affects the emotional development of infants », *Prim Health Care*, 24, 2014.

524. Radesky J. *et al.*, « Maternal mobile device use during a structured parent-child interaction task », *Acad Pediatr*, 15, 2015.

525. Radesky J. S. *et al.*, « Patterns of mobile device use by caregivers and children during meals in fast food restaurants », *Pediatrics*, 133, 2014.

526. Stockdale L. *et al.*, « Parent and child technoference and socioemotional behavioral outcomes », *Comput Hum Behav*, 88, 2018.

527. Kushlev K. *et al.*, « Smartphones distract parents from cultivating feelings of connection when spending time with their children », *J Soc Pers Relatsh*, 0, 2018.

528. Rotondi V. *et al.*, « Connecting alone », *J Econ Psychol*, 63, 2017.

529. Dwyer R. *et al.*, « Smartphone use undermines enjoyment of face-to-face social interactions », *J Exp Soc Psychol*, 78, 2018.

530. Christakis D. A. *et al.*, « Audible television and decreased adult words, infant vocalizations, and conversational turns », *Arch Pediatr Adolesc Med*, 163, 2009.

531. Kirkorian H. L. *et al.*, « The impact of background television on parent-child interaction », *Child Dev*, 80, 2009.

532. Tomopoulos S. *et al.*, « Is exposure to media intended for preschool children associated with less parent-child shared reading aloud and teaching activities ? », *Ambul Pediatr*, 7, 2007.

533. Tanimura M. *et al.*, « Television viewing, reduced parental utterance, and delayed speech development in infants and young children », *Arch Pediatr Adolesc Med*, 161, 2007.

534. Donnat O., *Les Pratiques culturelles des Français à l'ère numérique : enquête 2008*, La Découverte, 2009.

535. Schmidt M. E. *et al.*, « The effects of background television on the toy play behavior of very young children », *Child Dev*, 79, 2008.

536. Kubey R. *et al.*, « Television addiction is no mere metaphor », *Sci Am*, 286, 2002.

537. Huston A. C. *et al.*, « Communicating more than content », *J Commun*, 31, 1981.

538. Bermejo Berros J., *Génération télévision*, De Boeck, 2007.

539. Lachaux J., *Le Cerveau attentif*, Odile Jacob, 2011.

540. Przybylski A. *et al.*, « Can you connect with me now ? How the presence of mobile communication technology influences face-to-face conversation quality », *J Soc Pers Relatsh*, 30, 2013.

541. McDaniel B. *et al.*, « "Technoference" », *Psychol Pop Media Cult*, 5, 2016.

542. McDaniel B. *et al.*, « "Technoference" and implications for mothers' and fathers' couple and coparenting relationship quality », *Comput Hum Behav*, 80, 2018.

543. Roberts J. *et al.*, « My life has become a major distraction from my cell phone », *Comput Hum Behav*, 54, 2016.

544. Halpern D. *et al.*, « Texting's consequences for romantic relationships », *Comput Hum Behav*, 71, 2017.

545. Coyne S. *et al.*, « Gaming in the game of love », *Fam Relat*, 61, 2012.

546. Ahlstrom M. *et al.*, « Me, my spouse, and my avatar », *J Leis Res*, 44, 2012.

547. Parke R. D., « Development in the family », *Annu Rev Psychol*, 55, 2004.

548. El-Sheikh M. *et al.*, « Family conflict, autonomic nervous system functioning, and child adaptation », *Dev Psychopathol*, 23, 2011.

549. Lucas-Thompson R. G. *et al.*, « Family relationships and children's stress responses », *Adv Child Dev Behav*, 40, 2011.

550. Sternberg R., *in* McKeown M. et al. (éd.), *The Nature of Vocabulary Acquisition*, « Most vocabulary is learned from context », Lawrence Erlbaum Associates, 1987.

551. Collectif, « Rentrée 2008 : évaluation du niveau d'orthographe et de grammaire des élèves qui entrent en classe de seconde », sauv.net, 2009.

552. Demeneix B., *Toxic Cocktail*, Oxford University Press, 2017.

553. Augé C., *Grammaire : cours moyen*, Larousse, 1927.

554. *Cahier de dictées (CM2). Nouveau programme 2018*, Bordas, 2019.

555. « Jules Ferry rend l'enseignement primaire obligatoire », gouvernement.fr.

556. Andreu S. *et al.*, « Les performances en orthographe des élèves en fin d'école primaire (1987-2007-2015) », DEPP, note d'information n° 28, education.gouv.fr, 2016.

557. DEPP, « Repères et références statistiques 2018 », 2018.

558. DEPP, « Repères et références statistiques 2010 », 2010.

559. Crignon A., « Le Club des cinq a perdu son passé simple (et pas mal d'autres choses aussi) », nouvelobs.com, 2017.

560. OECD, « PISA 2012 Results : Creative Problem Solving (Volume V) », oecd.org, 2014.

561. Rivert P., « Les ados français doués face aux problèmes du quotidien », ledauphine.com, 2014.

562. Huxley A., *Le Meilleur des mondes*, Pocket, 1932/2007.

563. Blyton E., *Le Club des cinq et le trésor de l'île*, Hachette, 1962.

564. Blyton E., *Le Club des cinq et le trésor de l'île*, Hachette, 2006.

565. Lin L. Y. *et al.*, « Effects of television exposure on developmental skills among young children », *Infant Behav Dev*, 38, 2015.

566. Pagani L. S. *et al.*, « Early childhood television viewing and kindergarten entry readiness », *Pediatr Res*, 74, 2013.

567. Zimmerman F. J. *et al.*, « Associations between media viewing and language development in children under age 2 years », *J Pediatr*, 151, 2007.

568. Byeon H. *et al.*, « Relationship between television viewing and language delay in toddlers », *PLoS One*, 10, 2015.

569. Chonchaiya W. *et al.*, « Television viewing associates with delayed language development », *Acta Paediatr*, 97, 2008.

570. Collet M. *et al.*, « Case-control study found that primary language disorders were associated with screen exposure », *Acta Paediatr*, 2018.

571. Walsh J. J. *et al.*, « Associations between 24 hour movement behaviours and global cognition in US children », *Lancet Child Adolesc Health*, 2, 2018.

572. Takeuchi H. *et al.*, « The impact of television viewing on brain structures », *Cereb Cortex*, 25, 2015.

573. Takeuchi H. *et al.*, « Impact of videogame play on the brain's microstructural properties », *Mol Psychiatry*, 21, 2016.

574. Mitra P. *et al.*, « Clinical and molecular aspects of lead toxicity », *Crit Rev Clin Lab Sci*, 54, 2017.

575. Chiodo L. M. *et al.*, « Blood lead levels and specific attention effects in young children », *Neurotoxicol Teratol*, 29, 2007.

576. Huttenlocher J. *et al.*, « Early vocabulary growth », *Dev Psychol*, 27, 1991.

577. Walker D. *et al.*, « Prediction of school outcomes based on early language production and socioeconomic factors », *Child Dev*, 65, 1994.

578. Hoff E., « The specificity of environmental influence », *Child Dev*, 74, 2003.

579. Zimmerman F. J. *et al.*, « Teaching by listening », *Pediatrics*, 124, 2009.

580. Cartmill E. A. *et al.*, « Quality of early parent input predicts child vocabulary 3 years later », *Proc Natl Acad Sci USA*, 110, 2013.

581. Bloom P., *How Children Learn the Meaning of Words*, MIT Press, 2000.

582. Takeuchi H. *et al.*, « Impact of reading habit on white matter structure », *Neuroimage*, 133, 2016.

583. Gilkerson J. *et al.*, « Language experience in the second year of life and language outcomes in late childhood », *Pediatrics*, 142, 2018.

584. Kostyrka-Allchorne K. *et al.*, « The relationship between television exposure and children's cognition and behaviour », *Dev Rev*, 44, 2017.

585. Krcmar M., « Word learning in very young children from infant-directed DVDs », *J Commun*, 61, 2011.

586. Richert R. A. *et al.*, « Word learning from baby videos », *Arch Pediatr Adolesc Med*, 164, 2010.

587. Robb M. B. *et al.*, « Just a talking book ? Word learning from watching baby videos », *Br J Dev Psychol*, 27, 2009.

588. DeLoache J. S. *et al.*, « Do babies learn from baby media ? », *Psychol Sci*, 21, 2010.

589. Kaminski J. *et al.*, « Word learning in a domestic dog », *Science*, 304, 2004.

590. Carey S., *in* Halle M. *et al.* (éd.), *Linguistic Theory and Psychological Reality*, « The child as word learner », MIT press, 1978.
591. Krcmar M., « Can infants and toddlers learn words from repeat exposure to an infant directed DVD ? », *J Broadcast Electron Media*, 58, 2014.
592. Gola A. A. H. *et al.*, *in* Singer D. G. *et al.*, *Handbook of Children and the Media* (2ème édition), « Television as incidental language teacher », Sage Publications, 2012.
593. Van Lommel S. *et al.*, « Foreign-grammar acquisition while watching subtitled television programmes », *Br J Educ Psychol*, 76, 2006.
594. Roseberry S. *et al.*, « Live action : Can young children learn verbs from video ? », *Child Dev*, 80, 2009.
595. Baudelaire C., *Œuvres complètes (IV) : petits poèmes en prose*, Michel Lévy Frères, 1869.
596. Brown P. *et al.*, *Make it Stick*, Harvard University Press, 2014.
597. Veneziano E., *in* Kail M. *et al.* (éd.), *L'Acquisition du langage : le langage en émergence. De la naissance à trois ans*, « Interaction, conversation et acquisition du langage dans les trois premières années de la vie », PUF, 2000.
598. Hickok G. *et al.*, « The cortical organization of speech processing », *Nat Rev Neurosci*, 8, 2007.
599. Lopez-Barroso D. *et al.*, « Word learning is mediated by the left arcuate fasciculus », *Proc Natl Acad Sci USA*, 110, 2013.
600. Collectif, « Children and adolescents and digital media », *Pediatrics*, 138, 2016.
601. Stanovich K., *in* Reese H. (éd.), *Advances of Child Development and Behavior (Vol 24)*, « Does reading make you smarter ? Literacy and the development of verbal intelligence », Academic Press, 1993.
602. Hayes D., « Speaking and writing », *J Mem Lang*, 27, 1988.
603. Cunningham A. *et al.*, « What reading does for the mind », *Am. Educ.*, 22, 1998.
604. Mathieu-Colas M., « Maîtrise du français », lefigaro.fr, 2010.
605. Anderson R. *et al.*, « Growth in reading and how children spend their time outside of school », *Read Res Q*, 23, 1988.
606. Esteban-Cornejo I. *et al.*, « Objectively measured and self-reported leisure-time sedentary behavior and academic performance in youth », *Prev Med*, 77, 2015.
607. Sullivan A. *et al.*, « Social inequalities in cognitive scores at age 16 : The role of reading, CLS Working Paper 2013/10 »,

Centre for Longitudinal Studies, Institute of Education, université de Londres, 2013.

608. NEA, « To read or not to read, reasearch report #47 », National Endowment for the Arts, 2007.

609. Head Zauche L. *et al.*, « The power of language nutrition for children's brain development, health, and future academic achievement », *J Pediatr Health Care*, 31, 2017.

610. Merga M. *et al.*, « The influence of access to eReaders, computers and mobile phones on children's book reading frequency », *Comput Educ*, 109, 2017.

611. Gadberry S., « Effects of restricting first graders' TV-viewing on leisure time use, IQ change, and cognitive style », *J Appl Dev Psychol*, 1, 1980.

612. Corteen R. S. *et al.*, *in* MacBeth Williams T. (éd.), *The Impact of Television : A Natural Experiment in Three Communities*, « Television and reading skills », Academic Press, 1986.

613. Vandewater E. A. *et al.*, « When the television is always on », *Am Behav Sci*, 48, 2005.

614. Koolstra C. M. *et al.*, « Television's impact on children's reading comprehension and decoding skills », *Read Res Q*, 32, 1997.

615. Mauléon F., cité *in* Rollot, O., « Nouvelles pédagogies : l'étudiant doit être la personne la plus importante dans une école », lemonde.fr, 2013.

616. Manilève V., « Dire que les "jeunes lisent moins qu'avant" n'a plus aucun sens à l'heure d'Internet », slate.fr, 2015.

617. Octobre S., *Deux pouces et des neurones*, ministère de la Culture et de la Communication, 2014.

618. Octobre S., *in* Buratti L., « Les jeunes lisent toujours, mais pas des livres », lemonde.fr, 2014.

619. Duncan L. G. *et al.*, « Adolescent reading skill and engagement with digital and traditional literacies as predictors of reading comprehension », *Br J Psychol*, 107, 2016.

620. Pfost M. *et al.*, « Students' extracurricular reading behavior and the development of vocabulary and reading comprehension », *Learn Individ Differ*, 26, 2013.

621. Mangen A. *et al.*, « Reading linear texts on paper versus computer screen », *Int J Educ Res*, 58, 2013.

622. Kong Y. *et al.*, « Comparison of reading performance on screen and on paper », *Comput Educ*, 123, 2018.

623. Delgado P. *et al.*, « Don't throw away your printed books », *Educ Res Rev*, 25, 2018.

624. Singer L. *et al.*, « Reading across mediums », *J Exp Educ*, 85, 2017.

625. Bavelier D. *et al.*, « Brain plasticity through the life span », *Annu Rev Neurosci*, 35, 2012.

626. Bediou B. *et al.*, « Meta-analysis of action video game impact on perceptual, attentional, and cognitive skills », *Psychol Bull*, 144, 2018.

627. Green C. S. *et al.*, « Action video game modifies visual selective attention », *Nature*, 423, 2003.

628. Suchert V. *et al.*, « Sedentary behavior and indicators of mental health in school-aged children and adolescents », *Prev Med*, 76, 2015.

629. Rosen L. D. *et al.*, « Media and technology use predicts ill-being among children, preteens and teenagers independent of the negative health impacts of exercise and eating habits », *Comput Hum Behav*, 35, 2014.

630. Nikkelen S. W. *et al.*, « Media use and ADHD-related behaviors in children and adolescents », *Dev Psychol*, 50, 2014.

631. Gentile D. *et al.*, « Video game playing, attention problems, and impulsiveness », *Psychol Pop Media Cult*, 1, 2012.

632. Bailey K. *et al.*, « A negative association between video game experience and proactive cognitive control », *Psychophysiology*, 47, 2010.

633. Mundy L. K. *et al.*, « The association between electronic media and emotional and behavioral problems in late childhood », *Acad Pediatr*, 17, 2017.

634. Swing E. L. *et al.*, « Television and video game exposure and the development of attention problems », *Pediatrics*, 126, 2010.

635. Swing E. L., « Plugged in : The effects of electronic media use on attention problems, cognitive control, visual attention, and aggression », thèse de doctorat, université d'État de l'Iowa, 2012.

636. Trisolini D. C. *et al.*, « Is action video gaming related to sustained attention of adolescents ? », *Q J Exp Psychol (Hove)*, 71, 2017.

637. Christakis D. A. *et al.*, « Early television exposure and subsequent attentional problems in children », *Pediatrics*, 113, 2004.

638. Landhuis C. E. *et al.*, « Does childhood television viewing lead to attention problems in adolescence ? Results from a prospective longitudinal study », *Pediatrics*, 120, 2007.

639. Miller C. J. *et al.*, « Television viewing and risk for attention problems in preschool children », *J Pediatr Psychol*, 32, 2007.

640. Zimmerman F. J. *et al.*, « Associations between content types of early media exposure and subsequent attentional problems », *Pediatrics*, 120, 2007.

641. Kushlev K. *et al.*, « "Silence your phones" : Smartphone notifications increase inattention and hyperactivity symptoms », Proceedings of the 2016 CHI Conference on Human Factors in Computing Systems, 2016.

642. Levine L. *et al.*, « Mobile media use, multitasking and distractibility », *Int J Cyber Behav Psychol*, 2, 2012.

643. Borghans L. *et al.*, « What grades and achievement tests measure », *Proc Natl Acad Sci USA*, 113, 2016.

644. Bushman B. J. *et al.*, « Media violence and the American public. Scientific facts versus media misinformation », *Am Psychol*, 56, 2001.

645. Duncan G. J. *et al.*, « School readiness and later achievement », *Dev Psychol*, 43, 2007.

646. Pagani L. S. *et al.*, « School readiness and later achievement », *Dev Psychol*, 46, 2010.

647. Horn W. *et al.*, « Early identification of learning problems », *J Educ Psychol*, 77, 1985.

648. Polderman T. J. *et al.*, « A systematic review of prospective studies on attention problems and academic achievement », *Acta Psychiatr Scand*, 122, 2010.

649. Rhoades B. *et al.*, « Examining the link between preschool social-emotional competence and first grade academic achievement », *Early Child Res Q*, 26, 2011.

650. Frazier T. W. *et al.*, « ADHD and achievement », *J Learn Disabil*, 40, 2007.

651. Loe I. M. *et al.*, « Academic and educational outcomes of children with ADHD », *J Pediatr Psychol*, 32, 2007.

652. Hinshaw S. P., « Externalizing behavior problems and academic underachievement in childhood and adolescence », *Psychol Bull*, 111, 1992.

653. Tamana S. K. *et al.*, « Screen-time is associated with inattention problems in preschoolers », *PLoS One*, 14, 2019.

654. Stephens D., « Microsoft Canada, attention spans : Consumer Insights », 2015.

655. Dahl R. E., « The impact of inadequate sleep on children's daytime cognitive function », *Semin Pediatr Neurol*, 3, 1996.

656. Lim J. *et al.*, « Sleep deprivation and vigilant attention », *Ann N Y Acad Sci*, 1129, 2008.

657. Lim J. *et al.*, « A meta-analysis of the impact of short-term sleep deprivation on cognitive variables », *Psychol Bull*, 136, 2010.

658. Beebe D. W., « Cognitive, behavioral, and functional consequences of inadequate sleep in children and adolescents », *Pediatr Clin North Am*, 58, 2011.

659. Maass A. *et al.*, « Does media use have a short-term impact on cognitive performance ? », *J Media Psychol*, 23, 2011.

660. Kuschpel M. S. *et al.*, « Differential effects of wakeful rest, music and video game playing on working memory performance in the n-back task », *Front Psychol*, 6, 2015.

661. Lillard A. S. *et al.*, « Further examination of the immediate impact of television on children's executive function », *Dev Psychol*, 51, 2015.

662. Lillard A. S. *et al.*, « Television and children's executive function », *Adv Child Dev Behav*, 48, 2015.

663. Lillard A. S. *et al.*, « The immediate impact of different types of television on young children's executive function », *Pediatrics*, 128, 2011.

664. Markowetz A., *Digitaler Burnout*, Droemer, 2015.

665. « Usages mobiles », deloitte.com, 2017.

666. Pielot M. *et al.*, « An in-situ study of mobile phone notifications », Proceedings of the 16th international conference on Human-computer interaction with mobile devices, Toronto (CA), 2014.

667. Shirazi A. *et al.*, « Large-scale assessment of mobile notifications », Proceedings of the 32nd annual ACM conference on Human factors in computing systems, Toronto, 2014.

668. Greenfield S., *Mind Change*, Rider, 2014.

669. Gottlieb J. *et al.*, « Information-seeking, curiosity, and attention », *Trends Cogn Sci*, 17, 2013.

670. Kidd C. *et al.*, « The psychology and neuroscience of curiosity », *Neuron*, 88, 2015.

671. Wolniewicz C. A. *et al.*, « Problematic smartphone use and relations with negative affect, fear of missing out, and fear of negative and positive evaluation », *Psychiatry Res*, 262, 2018.

672. Beyens I. *et al.*, « "I don't want to miss a thing" », *Comput Hum Behav*, 64, 2016.

673. Elhai J. *et al.*, « Fear of missing out, need for touch, anxiety and depression are related to problematic smartphone use », *Comput Hum Behav*, 63, 2016.

674. Stothart C. *et al.*, « The attentional cost of receiving a cell phone notification », *J Exp Psychol Hum Percept Perform*, 41, 2015.

675. Altmann E. M. *et al.*, « Momentary interruptions can derail the train of thought », *J Exp Psychol Gen*, 143, 2014.

676. Lee B. *et al.*, « The effects of task interruption on human performance », *Hum Factors Man*, 25, 2015.

677. Borst J. *et al.*, « What makes interruptions disruptive ? », Proceedings of the 33rd Annual ACM Conference on Human Factors in Computing Systems, Séoul (Corée du Sud), 2015.

678. Mark G. *et al.*, « No task left behind ? », Proceedings of the SIGCHI Conference on Human Factors in Computing Systems, Portland (OR), 2005.

679. APA, « Multitasking : switching costs », American Psychological Association, 2006.

680. Klauer S. G. *et al.*, « Distracted driving and risk of road crashes among novice and experienced drivers », *N Engl J Med*, 370, 2014.

681. Caird J. K. *et al.*, « A meta-analysis of the effects of texting on driving », *Accid Anal Prev*, 71, 2014.

682. Olson R. *et al.*, « Driver distraction in commercial vehicle operations », Report No. FMCSA-RRR-09-042 », fmcsa.dot.gov, 2009.

683. Roney L. *et al.*, « Distracted driving behaviors of adults while children are in the car », *J Trauma Acute Care Surg*, 75, 2013.

684. Greenfield P. M., « Technology and informal education », *Science*, 323, 2009.

685. Pashler H., « Dual-task interference in simple tasks », *Psychol Bull*, 116, 1994.

686. Koechlin E. *et al.*, « The role of the anterior prefrontal cortex in human cognition », *Nature*, 399, 1999.

687. Braver T. S. *et al.*, « The role of frontopolar cortex in subgoal processing during working memory », *Neuroimage*, 15, 2002.

688. Dux P. E. *et al.*, « Isolation of a central bottleneck of information processing with time-resolved FMRI », *Neuron*, 52, 2006.

689. Roca M. *et al.*, « The role of Area 10 (BA10) in human multitasking and in social cognition : A lesion study », *Neuropsychologia*, 49, 2011.

690. Dindar M. *et al.*, « Effects of multitasking on retention and topic interest », *Learn Instr*, 41, 2016.

691. Uncapher M. R. *et al.*, « Media multitasking and memory », *Psychon Bull Rev*, 23, 2016.

692. Mueller P. *et al.*, « Technology and note-taking in the classroom, boardroom, hospital room, and courtroom », *Trends Neurosci Educ*, 5, 2016.

693. Diemand-Yauman C. *et al.*, « Fortune favors the bold (and the Italicized) », *Cognition*, 118, 2011.

694. Hirshman E. *et al.*, « The generation effect », *J Exp Psychol Learn Mem Cogn*, 14, 1988.

695. Solon O., « Ex-Facebook president Sean Parker : Site made to exploit human "vulnerability" », theguardian.com, 2017.

696. Guyonnet P., « Facebook a été conçu pour exploiter les faiblesses des gens, prévient son ancien président Sean Parker », huffingtonpost.fr, 2017.

697. « D'anciens cadres de Facebook expriment leurs remords d'avoir contribué à son succès », lemonde.fr, 2017.

698. Ophir E. *et al.*, « Cognitive control in media multitaskers », *Proc Natl Acad Sci USA*, 106, 2009.

699. Cain M. S. *et al.*, « Media multitasking in adolescence », *Psychon Bull Rev*, 23, 2016.

700. Cain M. S. *et al.*, « Distractor filtering in media multitaskers », *Perception*, 40, 2011.

701. Sanbonmatsu D. M. *et al.*, « Who multitasks and why ? Multitasking ability, perceived multitasking ability, impulsivity, and sensation seeking », *PLoS One*, 8, 2013.

702. Gorman T. E. *et al.*, « Short-term mindfulness intervention reduces the negative attentional effects associated with heavy media multitasking », *Sci Rep*, 6, 2016.

703. Lopez R. B. *et al.*, « Media multitasking is associated with altered processing of incidental, irrelevant cues during person perception », *BMC Psychol*, 6, 2018.

704. Yang X. *et al.*, « Predictors of media multitasking in Chinese adolescents », *Int J Psychol*, 51, 2016.

705. Moisala M. *et al.*, « Media multitasking is associated with distractibility and increased prefrontal activity in adolescents and young adults », *Neuroimage*, 134, 2016.

706. Uncapher M. R. *et al.*, « Minds and brains of media multitaskers », *Proc Natl Acad Sci USA*, 115, 2018.

707. Hadar A. *et al.*, « Answering the missed call : Initial exploration of cognitive and electrophysiological changes associated with smartphone use and abuse », *PLoS One*, 12, 2017.

708. *Le Trésor de la langue française informatisé*, http://atilf.atilf.fr/, accès mars 2019.

709. Greenough W. T. *et al.*, « Experience and brain development », *Child Dev*, 58, 1987.

710. vanPraag H. *et al.*, « Neural consequences of environmental enrichment », *Nat Rev Neurosci*, 1, 2000.

711. Mohammed A. H. *et al.*, « Environmental enrichment and the brain », *Prog Brain Res*, 138, 2002.

712. Christakis D. A. *et al.*, « Overstimulation of newborn mice leads to behavioral differences and deficits in cognitive performance », *Sci Rep*, 2, 2012.

713. Ravinder S. *et al.*, « Excessive sensory stimulation during development alters neural plasticity and vulnerability to cocaine in mice », *eNeuro*, 3, 2016.

714. Capusan A. J. *et al.*, « Comorbidity of adult ADHD and its subtypes with substance use disorder in a large population-based epidemiological study », *J Atten Disord*, 2016.

715. Karaca S. *et al.*, « Comorbidity between behavioral addictions and attention deficit/hyperactivity disorder », *Int J Ment Health Addiction*, 15, 2017.

716. Wilens T. *et al.*, *in* Banaschewski T. *et al.* (éd.), *Oxford Textbook of Attention Deficit Hyperactivity Disorder*, « ADHD and substance misuse », Oxford University Press, 2018.

717. Hadas I. *et al.*, « Exposure to salient, dynamic sensory stimuli during development increases distractibility in adulthood », *Sci Rep*, 6, 2016.

718. Wachs T., « Noise in the nursery », *Child Environ Q*, 3, 1986.

719. Wachs T. *et al.*, « Cognitive development in infants of different age levels and from different environmental backgrounds », *Merrill Palmer Q*, 17, 1971.

720. Klaus R. A. *et al.*, « The early training project for disadvantaged children », *Monogr Soc Res Child Dev*, 33, 1968.

721. Heft H., « Background and focal environmental conditions of the home and attention in young children », *J Appl Soc Psychol*, 9, 1979.

722. Raman S. R. *et al.*, « Trends in attention-deficit hyperactivity disorder medication use », *Lancet Psychiatry*, 5, 2018.

723. Visser S. N. *et al.*, « Trends in the parent-report of health care provider-diagnosed and medicated attention-deficit/hyperactivity disorder : United States, 2003-2011 », *J Am Acad Child Adolesc Psychiatry*, 53, 2014.

724. Xu G. *et al.*, « Twenty-year trends in diagnosed attention-deficit/hyperactivity disorder among us children and adolescents, 1997-2016 », *JAMA Netw Open*, 1, 2018.

725. Ra C. K. *et al.*, « Association of digital media use with subsequent symptoms of attention-deficit/hyperactivity disorder among adolescents », *JAMA*, 320, 2018.

726. Weiss M. D. *et al.*, « The screens culture », *Atten Defic Hyperact Disord*, 3, 2011.

727. Rymer R., *Genie. A Scientific Tragedy*, HarperPerennial, 1994.

728. Christakis D. A. *et al.*, « Media as a public health issue », *Arch Pediatr Adolesc Med*, 160, 2006.

729. Strasburger V. C. *et al.*, « Health effects of media on children and adolescents », *Pediatrics*, 125, 2010.

730. Duflo S., *Quand les écrans deviennent neurotoxiques*, Marabout, 2018.

731. Freed R., *Wired Child*, CreateSpace, 2015.

732. Siniscalco M. *et al.*, *Parents, enfants écrans*, Nouvelle Cité, 2014.

733. Owens J. *et al.*, « Insufficient sleep in adolescents and young adults », *Pediatrics*, 134, 2014.

734. Buysse D. J., « Sleep health », *Sleep*, 37, 2014.

735. Gangwisch J. E. *et al.*, « Earlier parental set bedtimes as a protective factor against depression and suicidal ideation », *Sleep*, 33, 2010.

736. Gujar N. *et al.*, « Sleep deprivation amplifies reactivity of brain reward networks, biasing the appraisal of positive emotional experiences », *J Neurosci*, 31, 2011.

737. Yoo S. S. *et al.*, « The human emotional brain without sleep – a prefrontal amygdala disconnect », *Curr Biol*, 17, 2007.

738. Chaput J. P. *et al.*, « Risk factors for adult overweight and obesity », *Obes Facts*, 3, 2010.

739. Brondel L. *et al.*, « Acute partial sleep deprivation increases food intake in healthy men », *Am J Clin Nutr*, 91, 2010.

740. Greer S. M. *et al.*, « The impact of sleep deprivation on food desire in the human brain », *Nat Commun*, 4, 2013.

741. Benedict C. *et al.*, « Acute sleep deprivation reduces energy expenditure in healthy men », *Am J Clin Nutr*, 93, 2011.

742. Seegers V. *et al.*, « Short persistent sleep duration is associated with poor receptive vocabulary performance in middle childhood », *J Sleep Res*, 25, 2016.

743. Jones J. J. *et al.*, « Association between late-night tweeting and next-day game performance among professional basketball players », *Sleep Health*, 5, 2019.

744. Harrison Y. *et al.*, « The impact of sleep deprivation on decision making », *J Exp Psychol Appl*, 6, 2000.

745. Venkatraman V. *et al.*, « Sleep deprivation elevates expectation of gains and attenuates response to losses following risky decisions », *Sleep*, 30, 2007.

746. Venkatraman V. *et al.*, « Sleep deprivation biases the neural mechanisms underlying economic preferences », *J Neurosci*, 31, 2011.

747. Sadeh A. *et al.*, « Infant sleep predicts attention regulation and behavior problems at 3-4 years of age », *Dev Neuropsychol*, 40, 2015.

748. Chen Z. *et al.*, « Deciphering neural codes of memory during sleep », *Trends Neurosci*, 40, 2017.

749. Diekelmann S., « Sleep for cognitive enhancement », *Front Syst Neurosci*, 8, 2014.

750. Diekelmann S. *et al.*, « The memory function of sleep », *Nat Rev Neurosci*, 11, 2010.

751. Gruber R. *et al.*, « Short sleep duration is associated with poor performance on IQ measures in healthy school-age children », *Sleep Med*, 11, 2010.

752. Touchette E. *et al.*, « Associations between sleep duration patterns and behavioral/cognitive functioning at school entry », *Sleep*, 30, 2007.

753. Lewis P. A. *et al.*, « How memory replay in sleep boosts creative problem-solving », *Trends Cogn Sci*, 22, 2018.

754. Dewald J. F. *et al.*, « The influence of sleep quality, sleep duration and sleepiness on school performance in children and adolescents », *Sleep Med Rev*, 14, 2010.

755. Hysing M. *et al.*, « Sleep and academic performance in later adolescence », *J Sleep Res*, 25, 2016.

756. Astill R. G. *et al.*, « Sleep, cognition, and behavioral problems in school-age children », *Psychol Bull*, 138, 2012.

757. Litwiller B. *et al.*, « The relationship between sleep and work », *J Appl Psychol*, 102, 2017.

758. Rosekind M. R. *et al.*, « The cost of poor sleep », *J Occup Environ Med*, 52, 2010.

759. Roberts R. E. *et al.*, « The prospective association between sleep deprivation and depression among adolescents », *Sleep*, 37, 2014.

760. Short M. A. *et al.*, « Sleep deprivation leads to mood deficits in healthy adolescents », *Sleep Med*, 16, 2015.

761. Baum K. T. *et al.*, « Sleep restriction worsens mood and emotion regulation in adolescents », *J Child Psychol Psychiatry*, 55, 2014.

762. Pilcher J. J. *et al.*, « Effects of sleep deprivation on performance », *Sleep*, 19, 1996.

763. Liu X., « Sleep and adolescent suicidal behavior », *Sleep*, 27, 2004.

764. Gregory A. M. *et al.*, « The direction of longitudinal associations between sleep problems and depression symptoms », *Sleep*, 32, 2009.

765. Pires G. N. *et al.*, « Effects of experimental sleep deprivation on anxiety-like behavior in animal research », *Neurosci Biobehav Rev*, 68, 2016.

766. Touchette E. *et al.*, « Short nighttime sleep-duration and hyperactivity trajectories in early childhood », *Pediatrics*, 124, 2009.

767. Paavonen E. J. *et al.*, « Short sleep duration and behavioral symptoms of attention-deficit/hyperactivity disorder in healthy 7 – to 8-year-old children », *Pediatrics*, 123, 2009.

768. Kelly Y. *et al.*, « Changes in bedtime schedules and behavioral difficulties in 7 year old children », *Pediatrics*, 132, 2013.

769. Telzer E. H. *et al.*, « The effects of poor quality sleep on brain function and risk taking in adolescence », *Neuroimage*, 71, 2013.

770. Kamphuis J. *et al.*, « Poor sleep as a potential causal factor in aggression and violence », *Sleep Med*, 13, 2012.

771. Cappuccio F. P. *et al.*, « Meta-analysis of short sleep duration and obesity in children and adults », *Sleep*, 31, 2008.

772. Chaput J. P. *et al.*, « Lack of sleep as a contributor to obesity in adolescents », *Int J Behav Nutr Phys Act*, 13, 2016.

773. Wu Y. *et al.*, « Short sleep duration and obesity among children », *Obes Res Clin Pract*, 11, 2017.

774. Shan Z. *et al.*, « Sleep duration and risk of type 2 diabetes », *Diabetes Care*, 38, 2015.

775. Dutil C. *et al.*, « Inadequate sleep as a contributor to type 2 diabetes in children and adolescents », *Nutr Diabetes*, 7, 2017.

776. Cappuccio F. P. *et al.*, « Sleep and cardio-metabolic disease », *Curr Cardiol Rep*, 19, 2017.

777. Cappuccio F. P. *et al.*, « Sleep duration predicts cardiovascular outcomes », *Eur Heart J*, 32, 2011.

778. Gangwisch J. E., « A review of evidence for the link between sleep duration and hypertension », *Am J Hypertens*, 27, 2014.

779. Miller M. A. *et al.*, « Biomarkers of cardiovascular risk in sleep-deprived people », *J Hum Hypertens*, 27, 2013.

780. Irwin M. R., « Why sleep is important for health », *Annu Rev Psychol*, 66, 2015.

781. Zada D. *et al.*, « Sleep increases chromosome dynamics to enable reduction of accumulating DNA damage in single neurons », *Nat Commun*, 10, 2019.

782. Grandner M. A. *et al.*, « Mortality associated with short sleep duration », *Sleep Med Rev*, 14, 2010.

783. Cappuccio F. P. *et al.*, « Sleep duration and all-cause mortality », *Sleep*, 33, 2010.

784. Bioulac S. *et al.*, « Risk of motor vehicle accidents related to sleepiness at the wheel », *Sleep*, 40, 2017.

785. Horne J. *et al.*, « Vehicle accidents related to sleep », *Occup Environ Med*, 56, 1999.

786. Vriend J. L. *et al.*, « Manipulating sleep duration alters emotional functioning and cognitive performance in children », *J Pediatr Psychol*, 38, 2013.

787. Dewald-Kaufmann J. F. *et al.*, « The effects of sleep extension on sleep and cognitive performance in adolescents with chronic sleep reduction », *Sleep Med*, 14, 2013.

788. Dewald-Kaufmann J. F. *et al.*, « The effects of sleep extension and sleep hygiene advice on sleep and depressive symptoms in adolescents », *J Child Psychol Psychiatry*, 55, 2014.

789. Sadeh A. *et al.*, « The effects of sleep restriction and extension on school-age children », *Child Dev*, 74, 2003.

790. Gruber R. *et al.*, « Impact of sleep extension and restriction on children's emotional lability and impulsivity », *Pediatrics*, 130, 2012.

791. Chaput J. P. *et al.*, « Sleep duration estimates of Canadian children and adolescents », *J Sleep Res*, 25, 2016.

792. Hawkins S. S. *et al.*, « Social determinants of inadequate sleep in US children and adolescents », *Public Health*, 138, 2016.

793. Patte K. A. *et al.*, « Sleep duration trends and trajectories among youth in the COMPASS study », *Sleep Health*, 3, 2017.

794. Rognvaldsdottir V. *et al.*, « Sleep deficiency on school days in Icelandic youth, as assessed by wrist accelerometry », *Sleep Med*, 33, 2017.

795. Twenge J. M. *et al.*, « Decreases in self-reported sleep duration among U.S. adolescents 2009-2015 and association with new media screen time », *Sleep Med*, 39, 2017.

796. LeBourgeois M. K. *et al.*, « Digital media and sleep in childhood and adolescence », *Pediatrics*, 140, 2017.

797. Keyes K. M. *et al.*, « The great sleep recession », *Pediatrics*, 135, 2015.

798. Cain N. *et al.*, « Electronic media use and sleep in school-aged children and adolescents », *Sleep Med*, 11, 2010.

799. Carter B. *et al.*, « Association between portable screen-based media device access or use and sleep outcomes », *JAMA Pediatr*, 170, 2016.

800. Arora T. *et al.*, « Associations between specific technologies and adolescent sleep quantity, sleep quality, and parasomnias », *Sleep Med*, 15, 2014.

801. Chahal H. *et al.*, « Availability and night-time use of electronic entertainment and communication devices are associated with short sleep duration and obesity among Canadian children », *Pediatr Obes*, 8, 2013.

802. Cheung C. H. *et al.*, « Daily touchscreen use in infants and toddlers is associated with reduced sleep and delayed sleep onset », *Sci Rep*, 7, 2017.

803. Falbe J. *et al.*, « Sleep duration, restfulness, and screens in the sleep environment », *Pediatrics*, 135, 2015.

804. Scott H. *et al.*, « Fear of missing out and sleep », *J Adolesc*, 68, 2018.

805. Twenge J. M. *et al.*, « Associations between screen time and sleep duration are primarily driven by portable electronic devices », *Sleep Med*, 2018.

806. Owens J. *et al.*, « Television-viewing habits and sleep disturbance in school children », *Pediatrics*, 104, 1999.

807. AAP, « School start times for adolescents », *Pediatrics*, 134, 2014.

808. Minges K. E. *et al.*, « Delayed school start times and adolescent sleep », *Sleep Med Rev*, 28, 2016.

809. Chang A. M. *et al.*, « Evening use of light-emitting eReaders negatively affects sleep, circadian timing, and next-morning alertness », *Proc Natl Acad Sci USA*, 112, 2015.

810. Tosini G. *et al.*, « Effects of blue light on the circadian system and eye physiology », *Mol Vis*, 22, 2016.

811. Touitou Y. *et al.*, « Disruption of adolescents' circadian clock », *J Physiol Paris*, 110, 2016.

812. Rosen L. *et al.*, « Sleeping with technology », *Sleep Health*, 2, 2016.

813. Gradisar M. *et al.*, « The sleep and technology use of Americans : Findings from the National Sleep Foundation's 2011 Sleep in America poll », *J Clin Sleep Med*, 9, 2013.

814. Van den Bulck J., « Adolescent use of mobile phones for calling and for sending text messages after lights out », *Sleep*, 30, 2007.

815. Munezawa T. *et al.*, « The association between use of mobile phones after lights out and sleep disturbances among Japanese adolescents », *Sleep*, 34, 2011.

816. Thomee S. *et al.*, « Mobile phone use and stress, sleep disturbances, and symptoms of depression among young adults – a prospective cohort study », *BMC Public Health*, 11, 2011.

817. Schoeni A. *et al.*, « Symptoms and cognitive functions in adolescents in relation to mobile phone use during night », *PLoS One*, 10, 2015.

818. Adams S. *et al.*, « Sleep quality as a mediator between technology-related sleep quality, depression, and anxiety », *Cyberpsychol Behav Soc Netw*, 16, 2013.

819. Dworak M. *et al.*, « Impact of singular excessive computer game and television exposure on sleep patterns and memory performance of school-aged children », *Pediatrics*, 120, 2007.

820. Walker M. P., « The role of slow wave sleep in memory processing », *J Clin Sleep Med*, 5, 2009.

821. Wilckens K. A. *et al.*, « Slow-wave activity enhancement to improve cognition », *Trends Neurosci*, 41, 2018.

822. Paavonen E. J. *et al.*, « TV exposure associated with sleep disturbances in 5 – to 6-year-old children », *J Sleep Res*, 15, 2006.

823. Vandewater E. A. *et al.*, « Digital childhood : Electronic media and technology use among infants, toddlers, and preschoolers », *Pediatrics*, 119, 2007.

824. Eggermont S. *et al.*, « Nodding off or switching off ? The use of popular media as a sleep aid in secondary-school children », *J Paediatr Child Health*, 42, 2006.

825. Wise R. A., « Brain reward circuitry », *Neuron*, 36, 2002.

826. Hoare E. *et al.*, « The associations between sedentary behaviour and mental health among adolescents », *Int J Behav Nutr Phys Act*, 13, 2016.

827. Collectif, « L'enfant, l'adolescent, la famille et les écrans. Appel à une vigilance raisonnée sur les technologies numériques », academie-sciences.fr, 2019.

828. Owen N. *et al.*, « Too much sitting », *Exerc Sport Sci Rev*, 38, 2010.

829. Booth F. W. *et al.*, « Role of inactivity in chronic diseases : Evolutionary insight and pathophysiological mechanisms », *Physiol Rev*, 97, 2017.

830. Basterra-Gortari F. J. *et al.*, « Television viewing, computer use, time driving and all-cause mortality », *J Am Heart Assoc*, 3, 2014.

831. Stamatakis E. *et al.*, « Screen-based entertainment time, all-cause mortality, and cardiovascular events : Population-based study with ongoing mortality and hospital events follow-up », *J Am Coll Cardiol*, 57, 2011.

832. Katzmarzyk P. T. *et al.*, « Sedentary behaviour and life expectancy in the USA », *BMJ Open*, 2, 2012.

833. Veerman J. L. *et al.*, « Television viewing time and reduced life expectancy », *Br J Sports Med*, 46, 2012.

834. Grontved A. *et al.*, « Television viewing and risk of type 2 diabetes, cardiovascular disease, and all-cause mortality », *JAMA*, 305, 2011.

835. Keadle S. K. *et al.*, « Causes of death associated with prolonged TV viewing », *Am J Prev Med*, 49, 2015.

836. Allen M. S. *et al.*, « Sedentary behaviour and risk of anxiety », *J Affect Disord*, 242, 2019.

837. van Uffelen J. G. *et al.*, « Sitting-time, physical activity, and depressive symptoms in mid-aged women », *Am J Prev Med*, 45, 2013.

838. Ellingson L. D. *et al.*, « Changes in sedentary time are associated with changes in mental wellbeing over 1 year in young adults », *Prev Med Rep*, 11, 2018.

839. Falck R. S. *et al.*, « What is the association between sedentary behaviour and cognitive function ? A systematic review », *Br J Sports Med*, 51, 2017.
840. Hamilton M. T. *et al.*, « Role of low energy expenditure and sitting in obesity, metabolic syndrome, type 2 diabetes, and cardiovascular disease », *Diabetes*, 56, 2007.
841. Zderic T. W. *et al.*, « Identification of hemostatic genes expressed in human and rat leg muscles and a novel gene (LPP1/PAP2A) suppressed during prolonged physical inactivity (sitting) », *Lipids Health Dis*, 11, 2012.
842. Hamburg N. M. *et al.*, « Physical inactivity rapidly induces insulin resistance and microvascular dysfunction in healthy volunteers », *Arterioscler Thromb Vasc Biol*, 27, 2007.
843. Babey S. H. *et al.*, « Adolescent sedentary behaviors », *J Adolesc Health*, 52, 2013.
844. Bennett G. G. *et al.*, « Television viewing and pedometer-determined physical activity among multiethnic residents of low-income housing », *Am J Public Health*, 96, 2006.
845. Carlson S. A. *et al.*, « Influence of limit-setting and participation in physical activity on youth screen time », *Pediatrics*, 126, 2010.
846. Jago R. *et al.*, « BMI from 3-6 y of age is predicted by TV viewing and physical activity, not diet », *Int J Obes (Lond)*, 29, 2005.
847. Salmon J. *et al.*, « Television viewing habits associated with obesity risk factors », *Med J Aust*, 184, 2006.
848. LeBlanc A. G. *et al.*, « Correlates of total sedentary time and screen time in 9-11 year-old children around the world », *PLoS One*, 10, 2015.
849. MacBeth Williams T. (éd.) *et al.*, in *The Impact of Television : A Natural Experiment in Three Communities*, « Television and other leisure activities », Academic Press, 1986.
850. Tomkinson G. *et al.* (éd.), in *Pediatric Fitness. Secular Trends and Geographic Variability*, « Secular changes in pediatric aerobic fitness test performance », Karger, 2007.
851. Tomkinson G. R. *et al.*, « Temporal trends in the cardiorespiratory fitness of children and adolescents representing 19 high-income and upper middle-income countries between 1981 and 2014 », *Br J Sports Med*, 53, 2019.
852. Morales-Demori R. *et al.*, « Trend of endurance level among healthy inner-city children and adolescents over three decades », *Pediatr Cardiol*, 38, 2017.
853. Fédération française de cardiologie, « Depuis 40 ans, les enfants ont perdu près de 25 % de leur capacité cardio-vasculaire ! », Communiqué de presse février 2016, fedecardio.org, accès mai 2019.

854. Ferreira I. *et al.*, « Environmental correlates of physical activity in youth – a review and update », *Obes Rev*, 8, 2007.

855. Ding D. *et al.*, « Neighborhood environment and physical activity among youth a review », *Am J Prev Med*, 41, 2011.

856. Tremblay M. S. *et al.*, « Systematic review of sedentary behaviour and health indicators in school-aged children and youth », *Int J Behav Nutr Phys Act*, 8, 2011.

857. de Rezende L. F. *et al.*, « Sedentary behavior and health outcomes », *PLoS One*, 9, 2014.

858. Chinapaw M. J. *et al.*, « Relationship between young peoples' sedentary behaviour and biomedical health indicators », *Obes Rev*, 12, 2011.

859. Landhuis E. *et al.*, « Programming obesity and poor fitness », *Obesity (Silver Spring)*, 16, 2008.

860. Lepp A. *et al.*, « The relationship between cell phone use, physical and sedentary activity, and cardiorespiratory fitness in a sample of U.S. college students », *Int J Behav Nutr Phys Act*, 10, 2013.

861. Newman A. R. *et al.*, « Review of paediatric retinal microvascular changes as a predictor of cardiovascular disease », *Clin Exp Ophthalmol*, 45, 2017.

862. Li L. J. *et al.*, « Can the retinal microvasculature offer clues to cardiovascular risk factors in early life ? », *Acta Paediatr*, 102, 2013.

863. Li L. J. *et al.*, « Retinal vascular imaging in early life », *J Physiol*, 594, 2016.

864. Sasongko M. B. *et al.*, « Retinal arteriolar changes », *Microcirculation*, 17, 2010.

865. George M. G. *et al.*, « Prevalence of cardiovascular risk factors and strokes in younger adults », *JAMA Neurol*, 74, 2017.

866. Bejot Y. *et al.*, « Trends in the incidence of ischaemic stroke in young adults between 1985 and 2011 », *J Neurol Neurosurg Psychiatry*, 85, 2014.

867. Santana C. C. A. *et al.*, « Physical fitness and academic performance in youth », *Scand J Med Sci Sports*, 27, 2017.

868. de Greeff J. W. *et al.*, « Effects of physical activity on executive functions, attention and academic performance in preadolescent children », *J Sci Med Sport*, 21, 2018.

869. Donnelly J. E. *et al.*, « Physical activity, fitness, cognitive function, and academic achievement in children », *Med Sci Sports Exerc*, 48, 2016.

870. Poitras V. J. *et al.*, « Systematic review of the relationships between objectively measured physical activity and health indica-

tors in school-aged children and youth », *Appl Physiol Nutr Metab*, 41, 2016.
871. Janssen I. *et al.*, « Systematic review of the health benefits of physical activity and fitness in school-aged children and youth », *Int J Behav Nutr Phys Act*, 7, 2010.
872. « 2018 Physical activity guidelines advisory committee scientific report. U.S. department of Health and Human Services », health.gov, accès mai 2019
873. OMS, « Global recommendations on physical activity for health », who.int, 2010.
874. Piercy K. L. *et al.*, « The physical activity guidelines for Americans », *JAMA*, 320, 2018.
875. Kahlmeier S. *et al.*, « National physical activity recommendations », *BMC Public Health*, 15, 2015.
876. Kalman M. *et al.*, « Secular trends in moderate-to-vigorous physical activity in 32 countries from 2002 to 2010 », *Eur J Public Health*, 25 Suppl 2, 2015.
877. ONAP, « État des lieux de l'activité physique et de la sédentarité en France », onaps.fr, 2018.
878. Katzmarzyk P. T. *et al.*, « Results from the United States 2018 report card on physical activity for children and youth », *J Phys Act Health*, 15, 2018.
879. Varma V. R. *et al.*, « Re-evaluating the effect of age on physical activity over the lifespan », *Prev Med*, 101, 2017.
880. AAP, « Active healthy living », *Pediatrics*, 117, 2006.
881. de Saint-Exupéry A., *Le Petit Prince*, Gallimard, 1999 [1945].
882. Wikenheiser A. M. *et al.*, « Over the river, through the woods », *Nat Rev Neurosci*, 17, 2016.
883. Morton N. W. *et al.*, « Memory integration constructs maps of space, time, and concepts », *Curr Opin Behav Sci*, 17, 2017.
884. Eichenbaum H., « Memory », *Annu Rev Psychol*, 68, 2017.
885. Meyer D. E. *et al.*, « Facilitation in recognizing pairs of words », *J Exp Psychol*, 90, 1971.
886. Anderson J., « A spreading activation theory of memory », *J Verbal Learning Verbal Behav*, 22, 1983.
887. Roediger H. *et al.*, « Creating false memories », *J Exp Psychol Learn Mem Cogn*, 21, 1995.
888. Seamon J. *et al.*, « Creating false memories of words with or without recognition of list items », *Psychol Sci*, 9, 1998.
889. Eichenbaum H., « On the integration of space, time, and memory », *Neuron*, 95, 2017.

890. Uitvlugt M. G. *et al.*, « Temporal proximity links unrelated news events in memory », *Psychol Sci*, 30, 2019.

891. Plassmann H. *et al.*, « Marketing actions can modulate neural representations of experienced pleasantness », *Proc Natl Acad Sci USA*, 105, 2008.

892. Koenigs M. *et al.*, « Prefrontal cortex damage abolishes brand-cued changes in cola preference », *Soc Cogn Affect Neurosci*, 3, 2008.

893. Kuhn S. *et al.*, « Does taste matter ? How anticipation of cola brands influences gustatory processing in the brain », *PLoS One*, 8, 2013.

894. McClure S. M. *et al.*, « Neural correlates of behavioral preference for culturally familiar drinks », *Neuron*, 44, 2004.

895. Robinson T. N. *et al.*, « Effects of fast food branding on young children's taste preferences », *Arch Pediatr Adolesc Med*, 161, 2007.

896. Hinton P., « Implicit stereotypes and the predictive brain », *Palgrave Commun*, 3, 2017.

897. Mlodinow L., *Subliminal*, Vintage, 2012.

898. Greenwald A. *et al.*, « Implicit bias », *Cal L Rev*, 94, 2006.

899. Greenwald A. G. *et al.*, « Statistically small effects of the implicit association test can have societally large effects », *J Pers Soc Psychol*, 108, 2015.

900. Custers R. *et al.*, « The unconscious will », *Science*, 329, 2010.

901. Dijksterhuis A. *et al.*, « The perception-behavior expressway : Automatic effects of social perception on social behavior », *Adv Exp Soc Psychol*, 33, 2001.

902. Dijksterhuis A. *et al.*, « Goals, attention, and (un)consciousness », *Annu Rev Psychol*, 61, 2010.

903. Reuben E. *et al.*, « How stereotypes impair women's careers in science », *Proc Natl Acad Sci USA*, 111, 2014.

904. Shih M. *et al.*, « Stereotype susceptibility », *Psychol Sci*, 10, 1999.

905. Bargh J. A. *et al.*, « Automaticity of social behavior », *J Pers Soc Psychol*, 71, 1996.

906. Brunner T. A. *et al.*, « Reduced food intake after exposure to subtle weight-related cues », *Appetite*, 58, 2012.

907. Aarts H. *et al.*, « Preparing and motivating behavior outside of awareness », *Science*, 319, 2008.

908. Ostria V., « Par le petit bout de la lucarne », *Les Inrockuptibles*, 792, 2011.

909. OMS, « Tabagisme », who.int, 2018.

910. CDC, « Tobacco-related mortality », cdc.gov, 2018.
911. Ribassin-Majed L. *et al.*, « Trends in tobacco-attributable mortality in France », *Eur J Public Health*, 25, 2015.
912. Banque mondiale, « Données de population 2017 », banquemondiale.org, accès mai 2019.
913. Goodchild M. *et al.*, « Global economic cost of smoking-attributable diseases », *Tob Control*, 27, 2018.
914. OFDT, « Le coût social des drogues en France », note de synthèse 2015-04, ofdt.fr, 2015.
915. OMS, « Rapport de l'OMS sur l'épidémie mondiale de tabagisme », who.int, 2008.
916. OMS, « L'ingérence de l'industrie du tabac », who.int, 2012.
917. OMS, « WHO report on the global tobacco epidemic 2017 : Monitoring tobacco use and prevention policies », who.int, 2017.
918. CDC, « Youth and tobacco use », cdc.gov, 2019.
919. Gaillard B., « Un cow-boy Marlboro meurt du cancer du poumon », europe1.fr, 2014.
920. OMS, « Smoke-free movies : From evidence to action », who.int, 2015.
921. Millett C. *et al.*, « European governments should stop subsidizing films with tobacco imagery », *Eur J Public Health*, 22, 2012.
922. Oreskes N. *et al.*, *Les Marchands de doute*, Le Pommier, 2012.
923. Polansky J. *et al.*, « Smoking in top-grossing US movies 2018 », Center for Tobacco Control Research and Education (UCSF), 2019.
924. Barrientos-Gutierrez I. *et al.*, « Comparison of tobacco and alcohol use in films produced in Europe, Latin America, and the United States », *BMC Public Health*, 15, 2015.
925. « Tabac et cinéma (étude conjoints IPSOS, Ligue contre le cancer) », ligue-cancer.net, 2012.
926. « While you were streaming », truthinitiative.org, 2018.
927. « Preventing tobacco use among youth and young adults. A report of the surgeon general », U.S. Department of Health and Human Services, 2012.
928. OMS, « WHO report on the global tobacco epidemic 2013 : Enforcing bans on tobacco advertising, promotion and sponsorship », who.int, 2013.
929. Freeman B., « New media and tobacco control », *Tob Control*, 21, 2012.
930. Ribisl K. M. *et al.*, « Tobacco control is losing ground in the Web 2.0 era », *Tob Control*, 21, 2012.

931. Elkin L. *et al.*, « Connecting world youth with tobacco brands », *Tob Control*, 19, 2010.

932. Richardson A. *et al.*, « The cigar ambassador », *Tob Control*, 23, 2014.

933. Liang Y. *et al.*, « Exploring how the tobacco industry presents and promotes itself in social media », *J Med Internet Res*, 17, 2015.

934. Liang Y. *et al.*, « Characterizing social interaction in tobacco-oriented social networks », *Sci Rep*, 5, 2015.

935. Kostygina G. *et al.*, « "Sweeter than a swisher" », *Tob Control*, 25, 2016.

936. Cortese D. *et al.*, « Smoking selfies », *SM+S*, 4, 2018.

937. Barrientos-Gutierrez T. *et al.*, « Video games and the next tobacco frontier : Smoking in the Starcraft universe », *Tob Control*, 21, 2012.

938. Forsyth S. R. *et al.*, « Tobacco content in video games », *Nicotine Tob Res*, 21, 2019.

939. Forsyth S. R. *et al.*, « "Playing the movie directly" », *Annu Rev Nurs Res*, 36, 2018.

940. « Played : Smoking and video game », truthinitiative.org, 2016.

941. « Some video games glamorize smoking so much that cigarettes can help players win », truthinitiative.org, 2018.

942. « Are video games glamorizing tobacco use ? », truthinitiative.org, 2017.

943. Ferguson S. *et al.*, « An analysis of tobacco placement in Youtube cartoon series *The Big Lez Show* », *Nicotine Tob Res*, 2019.

944. Richardson A. *et al.*, « YouTube : A promotional vehicle for little cigars and cigarillos ? », *Tob Control*, 23, 2014.

945. Tsai F. J. *et al.*, « Portrayal of tobacco in Mongolian language YouTube videos : Policy gaps », *Tob Control*, 25, 2016.

946. Forsyth S. R. *et al.*, « "I'll be your cigarette – light me up and get on with it" », *Nicotine Tob Res*, 12, 2010.

947. Cranwell J. *et al.*, « Adolescents' exposure to tobacco and alcohol content in YouTube music videos », *Addiction*, 110, 2015.

948. Cranwell J. *et al.*, « Adult and adolescent exposure to tobacco and alcohol content in contemporary YouTube music videos in Great Britain », *J Epidemiol Community Health*, 70, 2016.

949. Knutzen K. E. *et al.*, « Combustible and electronic tobacco and marijuana products in hip-hop music videos, 2013-2017 », *JAMA Intern Med*, 178, 2018.

950. Forsyth S. R. *et al.*, « Tobacco imagery in video games », *Tob Control*, 25, 2016.

951. Feldman C., « Grand Theft Auto IV steals sales records », cnn.com, 2008.

952. « Grand Theft Auto V "has made more money than any film in history" », telegraph.co.uk, 2018.

953. Worth K. *et al.*, « Character smoking in top box office movies », truthinitiative.org, 2007.

954. Charlesworth A. *et al.*, « Smoking in the movies increases adolescent smoking », *Pediatrics*, 116, 2005.

955. Polansky J. *et al.*, « First-run smoking presentations in U.S. movies 1999-2006 », Center for Tobacco Control Research and Education (UCSF), 2007.

956. National Cancer Institute, Davis R. M., « The role of the media in promoting and reducing tobacco use », Tobacco Control Monograph No. 19, National Cancer Institute, cancer.gov, 2008.

957. CDC, « Smoking in the movies », cdc.gov, 2017.

958. Cancer Council Australia, « Position statement. Smoking in movies », cancer.org.au, 2007.

959. Arora M. *et al.*, « Tobacco use in Bollywood movies, tobacco promotional activities and their association with tobacco use among Indian adolescents », *Tob Control*, 21, 2012.

960. Hanewinkel R. *et al.*, « Exposure to smoking in popular contemporary movies and youth smoking in Germany », *Am J Prev Med*, 32, 2007.

961. Hull J. G. *et al.*, « A longitudinal study of risk-glorifying video games and behavioral deviance », *J Pers Soc Psychol*, 107, 2014.

962. Sargent J. D. *et al.*, « Effect of seeing tobacco use in films on trying smoking among adolescents », *BMJ*, 323, 2001.

963. Thrasher J. F. *et al.*, « Exposure to smoking imagery in popular films and adolescent smoking in Mexico », *Am J Prev Med*, 35, 2008.

964. Depue J. B. *et al.*, « Encoded exposure to tobacco use in social media predicts subsequent smoking behavior », *Am J Health Promot*, 29, 2015.

965. Cranwell J. *et al.*, « Alcohol and tobacco content in UK video games and their association with alcohol and tobacco use among young people », *Cyberpsychol Behav Soc Netw*, 19, 2016.

966. Sargent J. D. *et al.*, « Influence of motion picture rating on adolescent response to movie smoking », *Pediatrics*, 130, 2012.

967. Hancox R. J. *et al.*, « Association between child and adolescent television viewing and adult health », *Lancet*, 364, 2004.

968. Insee, www.insee.fr/fr/statistiques/1405599?geo=COM-91471, accès mai 2019.

969. Desmurget M., « La cigarette dans les films, un débat plus narquois qu'étayé », lemonde.fr, 2017.

970. Watkins S. S. *et al.*, « Neural mechanisms underlying nicotine addiction », *Nicotine Tob Res*, 2, 2000.

971. Gutschoven K. *et al.*, « Television viewing and smoking volume in adolescent smokers », *Prev Med*, 39, 2004.

972. Lochbuehler K. *et al.*, « Attentional bias in smokers », *J Psychopharmacol*, 25, 2011.

973. Baumann S. B. *et al.*, « Smoking cues in a virtual world provoke craving in cigarette smokers », *Psychol Addict Behav*, 20, 2006.

974. Sargent J. D. *et al.*, « Movie smoking and urge to smoke among adult smokers », *Nicotine Tob Res*, 11, 2009.

975. Tong C. *et al.*, « Smoking-related videos for use in cue-induced craving paradigms », *Addict Behav*, 32, 2007.

976. Shmueli D. *et al.*, « Effect of smoking scenes in films on immediate smoking », *Am J Prev Med*, 38, 2010.

977. Wagner D. D. *et al.*, « Spontaneous action representation in smokers when watching movie characters smoke », *J Neurosci*, 31, 2011.

978. OMS, « Global status report on alcohol and health 2018 », who.int, 2018.

979. INVS, « L'alcool, toujours un facteur de risque majeur pour la santé en France (numéro spécial) », *BEH*, 16-18, 2013.

980. « Australian guidelines to reduce health risks from drinking alcohol », nhmrc.gov.au, 2009.

981. « The surgeon general's call to action to prevent and reduce underage drinking », nih.gov, 2007.

982. IARD, « Minimum legal age limits », 2019.

983. Squeglia L. M. *et al.*, « Alcohol and drug use and the developing brain », *Curr Psychiatry Rep*, 18, 2016.

984. Squeglia L. M. *et al.*, « The effect of alcohol use on human adolescent brain structures and systems », *Handb Clin Neurol*, 125, 2014.

985. Grant B. F. *et al.*, « Age at onset of alcohol use and its association with DSM-IV alcohol abuse and dependence », *J Subst Abuse*, 9, 1997.

986. Bonnie R. J. *et al.*, « Reducing underage drinking : A collective responsibility », Report from the National Research Council, National Academies Press, 2004.

987. « The impact of alcohol advertising », Report of the National Foundation for Alcohol Prevention, europa.eu, 2007.

988. CDC, « Youth exposure to alcohol advertising on television », *MMWR Morb Mortal Wkly Rep*, 62, 2013.

989. Dal Cin S. *et al.*, « Youth exposure to alcohol use and brand appearances in popular contemporary movies », *Addiction*, 103, 2008.

990. Jernigan D. H. *et al.*, « Self-reported youth and adult exposure to alcohol marketing in traditional and digital media », *Alcohol Clin Exp Res*, 41, 2017.

991. Barry A. E. *et al.*, « Alcohol marketing on Twitter and Instagram », *Alcohol Alcohol*, 51, 2016.

992. Simons A. *et al.*, « Alcohol marketing on social media », eucam.info, 2017.

993. Eisenberg M. E. *et al.*, « What are we drinking ? Beverages shown in adolescents' favorite television shows », *J Acad Nutr Diet*, 117, 2017.

994. Hendriks H. *et al.*, « Social drinking on social media », *J Med Internet Res*, 20, 2018.

995. Keller-Hamilton B. *et al.*, « Tobacco and alcohol on television », *Prev Chronic Dis*, 15, 2018.

996. Lobstein T. *et al.*, « The commercial use of digital media to market alcohol products », *Addiction*, 112 Suppl 1, 2017.

997. Primack B. A. *et al.*, « Portrayal of alcohol intoxication on YouTube », *Alcohol Clin Exp Res*, 39, 2015.

998. Primack B. A. *et al.*, « Portrayal of alcohol brands popular among underage youth on YouTube », *J Stud Alcohol Drugs*, 78, 2017.

999. Anderson P. *et al.*, « Impact of alcohol advertising and media exposure on adolescent alcohol use », *Alcohol Alcohol*, 44, 2009.

1000. Hanewinkel R. *et al.*, « Portrayal of alcohol consumption in movies and drinking initiation in low-risk adolescents », *Pediatrics*, 133, 2014.

1001. Hanewinkel R. *et al.*, « Exposure to alcohol use in motion pictures and teen drinking in Germany », *Int J Epidemiol*, 36, 2007.

1002. Jernigan D. *et al.*, « Alcohol marketing and youth alcohol consumption », *Addiction*, 112 Suppl 1, 2017.

1003. Mejia R. *et al.*, « Exposure to alcohol use in movies and problematic use of alcohol », *J Stud Alcohol Drugs*, 80, 2019.

1004. Waylen A. *et al.*, « Alcohol use in films and adolescent alcohol use », *Pediatrics*, 135, 2015.

1005. Hanewinkel R. *et al.*, « Longitudinal study of parental movie restriction on teen smoking and drinking in Germany », *Addiction*, 103, 2008.

1006. Hanewinkel R. *et al.*, « Longitudinal study of exposure to entertainment media and alcohol use among german adolescents », *Pediatrics*, 123, 2009.

1007. Tanski S. E. *et al.*, « Parental R-rated movie restriction and early-onset alcohol use », *J Stud Alcohol Drugs*, 71, 2010.

1008. Engels R. C. *et al.*, « Alcohol portrayal on television affects actual drinking behaviour », *Alcohol Alcohol*, 44, 2009.

1009. Koordeman R. *et al.*, « Effects of alcohol portrayals in movies on actual alcohol consumption », *Addiction*, 106, 2011.

1010. Koordeman R. *et al.*, « Do we act upon what we see ? Direct effects of alcohol cues in movies on young adults' alcohol drinking », *Alcohol Alcohol*, 46, 2011.

1011. Koordeman R. *et al.*, « Exposure to soda commercials affects sugar-sweetened soda consumption in young women. An observational experimental study », *Appetite*, 54, 2010.

1012. OMS, « Obésité et surpoids », who.int, 2018.

1013. GBD *et al.*, « Health effects of overweight and obesity in 195 countries over 25 years », *N Engl J Med*, 377, 2017.

1014. AAP, « Children, adolescents, obesity, and the media », *Pediatrics*, 128, 2011.

1015. Robinson T. N. *et al.*, « Screen media exposure and obesity in children and adolescents », *Pediatrics*, 140, 2017.

1016. World Cancer Research Fund, « Diet, nutrition and physical activity », wcrf.org, 2018.

1017. Wu L. *et al.*, « The effect of interventions targeting screen time reduction », *Medicine (Baltimore)*, 95, 2016.

1018. Zimmerman F. J., « Using marketing muscle to sell fat », *Annu Rev Public Health*, 32, 2011.

1019. Cairns G. *et al.*, « Systematic reviews of the evidence on the nature, extent and effects of food marketing to children. A retrospective summary », *Appetite*, 62, 2013.

1020. Boyland E. J. *et al.*, « Television advertising and branding. Effects on eating behaviour and food preferences in children », *Appetite*, 62, 2013.

1021. Boyland E. J. *et al.*, « Advertising as a cue to consume », *Am J Clin Nutr*, 103, 2016.

1022. McGinnis J. M. *et al.*, *Food Marketing to Children and Youth : Threat or Opportunity ?*, Committee on Food Marketing and the Diets of Children and Youth, The National Academies Press, 2006.

1023. Harris J. L. *et al.*, « A crisis in the marketplace », *Annu Rev Public Health*, 30, 2009.

1024. UFC-QueChoisir, « Marketing télévisé pour les produits alimentaires à destination des enfants », quechoisir.irg, 2010.

1025. Dalton M. A. *et al.*, « Child-targeted fast-food television advertising exposure is linked with fast-food intake among preschool children », *Public Health Nutr*, 20, 2017.

1026. Chou S. *et al.*, « Food restaurant advertising on television and its influence on childhood obesity », *J Law Econ*, 51, 2008.

1027. Utter J. *et al.*, « Associations between television viewing and consumption of commonly advertised foods among New Zealand children and young adolescents », *Public Health Nutr*, 9, 2006.

1028. Miller S. A. *et al.*, « Association between television viewing and poor diet quality in young children », *Int J Pediatr Obes*, 3, 2008.

1029. Dixon H. G. *et al.*, « The effects of television advertisements for junk food versus nutritious food on children's food attitudes and preferences », *Soc Sci Med*, 65, 2007.

1030. Wiecha J. L. *et al.*, « When children eat what they watch », *Arch Pediatr Adolesc Med*, 160, 2006.

1031. Birch L. L., « Development of food preferences », *Annu Rev Nutr*, 19, 1999.

1032. Gugusheff J. R. *et al.*, « The early origins of food preferences », *FASEB J*, 29, 2015.

1033. Breen F. M. *et al.*, « Heritability of food preferences in young children », *Physiol Behav*, 88, 2006.

1034. Haller R. *et al.*, « The influence of early experience with vanillin on food preference later in life », *Chem Senses*, 24, 1999.

1035. Whitaker R. C. *et al.*, « Predicting obesity in young adulthood from childhood and parental obesity », *N Engl J Med*, 337, 1997.

1036. Bouchard C., « Childhood obesity », *Am J Clin Nutr*, 89, 2009.

1037. Boswell R. G. *et al.*, « Food cue reactivity and craving predict eating and weight gain », *Obes Rev*, 17, 2016.

1038. Schor J., *The Overspent American*, HarperPerennial, 1998.

1039. Schor J., *The Overworked American*, Basic Books, 1991.

1040. « Étude Nutrinet-Santé. État d'avancement et résultats préliminaires trois ans après le lancement », etude-nutrinet-sante.fr, 2012.

1041. Grabe S. *et al.*, « The role of the media in body image concerns among women », *Psychol Bull*, 134, 2008.

1042. Becker A. E. *et al.*, « Eating behaviours and attitudes following prolonged exposure to television among ethnic Fijian adolescent girls », *Br J Psychiatry*, 180, 2002.

1043. AAP, « Policy statement – sexuality, contraception, and the media », *Pediatrics*, 126, 2010.

1044. Kunkel D. *et al.*, « Sex on TV-4 », kff.org, 2005.

1045. Bleakley A. *et al.*, « Trends of sexual and violent content by gender in top-grossing U.S. films, 1950-2006 », *J Adolesc Health*, 51, 2012.

1046. Bleakley A. *et al.*, « It works both ways », *Media Psychol*, 11, 2008.

1047. Ashby S. L. *et al.*, « Television viewing and risk of sexual initiation by young adolescents », *Arch Pediatr Adolesc Med*, 160, 2006.

1048. Brown J. D. *et al.*, « Sexy media matter », *Pediatrics*, 117, 2006.

1049. Wright P., « Mass media effects on youth sexual behavior assessing the claim for causality », *Ann Int Comm Ass*, 35, 2011.

1050. Collins R. L. *et al.*, « Watching sex on television predicts adolescent initiation of sexual behavior », *Pediatrics*, 114, 2004.

1051. Collectif, « Virtual Violence (AAP Council on Communications and Media) », *Pediatrics*, 138, 2016.

1052. Federman J., *National Television Violence Study, Vol. 3*, Sage, 1998.

1053. « Surgeon general's scientific advisory committee on television and social behavior. Television and growing up : The impact of televised violence », Washington DC, U.S. Government Printing Office, 1972.

1054. NSF, « Youth violence : What we need to know », National Science Foundation, 2013.

1055. « Joint statement on the impact of entertainment violence on children », Congressional Public Health Summit, 26 juillet 2000. Signé par : The American Academy of Pediatrics, The American Academy of Child & Adolescent Psychiatry, The American Psychological Association, The American Medical Association, The American Academy of Family Physicians and The American Psychiatric Association, aap.org, accès août 2010.

1056. Calvert S. L. *et al.*, « The American Psychological Association Task Force assessment of violent video games », *Am Psychol*, 72, 2017.

1057. Appelbaum M. *et al.*, « Technical report on the violent video game literature », APA task force on violent media, 2015.

1058. Anderson C. *et al.*, « SPSSI research summary on media violence », *Anal Soc Issues Public Policy*, 15, 2015.

1059. ISRA, « Report of the media violence commission », *Aggress Behav*, 38, 2012.

1060. Bushman B. J. *et al.*, « Short-term and long-term effects of violent media on aggression in children and adults », *Arch Pediatr Adolesc Med*, 160, 2006.

1061. Huesmann L. R. *et al.*, « The role of media violence in violent behavior », *Annu Rev Public Health*, 27, 2006.

1062. Paik H. *et al.*, « The effects of television violence on antisocial behavior », *Comm Res*, 21, 1994.

1063. Anderson C. A. *et al.*, « Effects of violent video games on aggressive behavior, aggressive cognition, aggressive affect, physiological arousal, and prosocial behavior », *Psychol Sci*, 12, 2001.

1064. Anderson C. A. *et al.*, « Violent video game effects on aggression, empathy, and prosocial behavior in eastern and western countries », *Psychol Bull*, 136, 2010.

1065. Greitemeyer T. *et al.*, « Video games do affect social outcomes », *Pers Soc Psychol Bull*, 40, 2014.

1066. Bushman B. *et al.*, « Twenty-five years of research on violence in digital games and aggression revisited », *Eur Psychol*, 19, 2014.

1067. Bender P. K. *et al.*, « The effects of violent media content on aggression », *Curr Opin Psychol*, 19, 2018.

1068. Prescott A. T. *et al.*, « Metaanalysis of the relationship between violent video game play and physical aggression over time », *Proc Natl Acad Sci USA*, 115, 2018.

1069. Uhlmann E. *et al.*, « Exposure to violent video games increases automatic aggressiveness », *J Adolesc*, 27, 2004.

1070. Huesmann L. R. *et al.*, « Longitudinal relations between children's exposure to TV violence and their aggressive and violent behavior in young adulthood », *Dev Psychol*, 39, 2003.

1071. Johnson J. G. *et al.*, « Television viewing and aggressive behavior during adolescence and adulthood », *Science*, 295, 2002.

1072. Anderson C. A. *et al.*, « The influence of media violence on youth », *Psychol Sci Public Interest*, 4, 2003.

1073. Nias D. K., « Desensitisation and media violence », *J Psychosom Res*, 23, 1979.

1074. Brockmyer J. F., « Playing violent video games and desensitization to violence », *Child Adolesc Psychiatr Clin N Am*, 24, 2015.

1075. Kelly C. R. *et al.*, « Repeated exposure to media violence is associated with diminished response in an inhibitory frontolimbic network », *PLoS One*, 2, 2007.

1076. Strenziok M. *et al.*, « Fronto-parietal regulation of media violence exposure in adolescents », *Soc Cogn Affect Neurosci*, 6, 2011.

1077. Hummer T., « Media violence effects on brain development », *Am Behav Sci*, 59, 2015.

1078. Strenziok M. *et al.*, « Lower lateral orbitofrontal cortex density associated with more frequent exposure to television and movie violence in male adolescents », *J Adolesc Health*, 46, 2010.

1079. Cline V. B. *et al.*, « Desensitization of children to television violence », *J Pers Soc Psychol*, 27, 1973.

1080. Thomas M. H. *et al.*, « Desensitization to portrayals of real-life aggression as a function of exposure to television violence », *J Pers Soc Psychol*, 35, 1977.

1081. Engelhardt C. *et al.*, « This is your brain on violent video games », *J Exp Soc Psychol*, 47, 2011.

1082. Fanti K. A. *et al.*, « Desensitization to media violence over a short period of time », *Aggress Behav*, 35, 2009.

Épilogue (pp. 385-393)

1. Reich W., *Écoute, petit homme*, Payot & Rivages, 1973.

2. Sophocle, *Antigone*, Hachette, 1868.

3. Castellion S., *in* Zweig S., *Conscience contre violence*, Livre de Poche, 1976.

Postface (pp. 395-447)

1. Chomsky, N., cité *in* Achbar M., Manufacturing Consent: Noam Chomsky and the Media, Black Rose Books, 1994.

2. *Le Point*, n° 2452, 19 août 2019.

3. « Découvrez les 30 meilleurs livres de l'année », lepoint.fr, 2019.

4. « Les 100 livres de l'année 2019 selon *Lire* », livreshebdo.fr, 2019.

5. Rebeihi A.,« Grand bien vous fasse», France Inter, 19 sept 2019.

6. Antonio Fischetti, franceinter.fr, 2017.

7. Fischetti A., « Décryptage : comment le numérique nous nique ? », *Charlie Hebdo*, n° 1426, 20 nov 2019.

8. « Enquête de santé – Abus d'écrans : notre cerveau en danger ? », France 5, 23 juin 2020.

9. Bronner G., Journée VIS!IONS, organisée par la rédaction de *20 minutes*, 4 décembre 2019.

10. Homonculus numericus (27/11/2019), amazon.fr, accès 06/2020.

11. Lalo V., « Site Internet personnel », vanessalalo.com, accès 2019. Voir aussi la note p. 22.

12. Powell J.L. *et al.*, *Contemporary Perspectives on Ageism*, Springer Open, 2018.

13. Mallaval C., « Enfants et écrans : “Les adultes sont face à des injonctions contradictoires” », liberation.fr, 2020.

14. Benjamin A., « Enfants “décérébrés” : “Ce qui compte surtout c’est ce qu’ils font derrière les écrans” », lexpress.fr, 2019.

15. Garcia V., « Les écrans rendent-ils crétins ? “Non, c’est l’usage que l’on en fait” », lexpress.fr, 2019.

16. Magnaval A., « Les écrans abrutissent-ils vraiment les enfants ? », urbania.fr, 2019.

17. Cunningham A. *et al.*, *Book Smart*, Oxford University Press, 2014.

18. Cunningham A. *et al.*, « What reading does for the mind », *Am. Educ.*, 22, 1998.

19. Desmurget M., *TV Lobotomie*, J’ai Lu, 2013.

20. « “On a menti sciemment” sur l’utilité des masques, avoue la médecin et journaliste Marina Carrère d’Encausse », valeursactuelles.com, 2020.

21. Madigan S. *et al.*, « Associations Between Screen Use and Child Language Skills: A Systematic Review and Meta-analysis », *JAMA Pediatr*, 2020.

22. Trinh M.H. *et al.*, « Association of Trajectory and Covariates of Children’s Screen Media Time », *JAMA Pediatr*, 2019.

23. « La famille tout-écran, saison 1 : une nounou pas super phone », clemi.fr, accès 30/06/2020.

24. « La famille tout-écran, saison 1 : Pas d’écran avant de dormir », clemi.fr, accès 30/06/2020.

25. Adelantado-Renau M. *et al.*, « Association Between Screen Media Use and Academic Performance Among Children and Adolescents: A Systematic Review and Meta-analysis », *JAMA Pediatr*, 2019.

26. Boyrie A, « Les écrans menacent-ils la santé de nos enfants ?», *Le Progrès*, 26 février 2020

27. « Les écrans sont-ils dangereux pour nos enfants ? », bfmtv.com, 2020.

28. Conseil scientifique de l’Éducation nationale, « Recommandations pédagogiques pour accompagner le confinement et sa sortie », 05/2020.

29. Desmurget M., cité *in* Caron J., « Les écrans rendent-ils nos enfants idiots ? », magicmaman.com, 2020.

30. Rideout V., « The common sense census : Media use by tweens and teens », Common sense media, 2015.

31. Rideout V. *et al.*, « The common sense census : Media use by tweens and teens », Common sense media, 2019.

32. Site open-asso.org, accès 05/2020.

33. Chomsky N., *Understanding power*, Vintage Books, 2003.

34. Royant-Parola S. *et al.*, « Nouveaux médias sociaux, nouveaux comportements de sommeil chez les adolescents », *L'Encéphale*, 44, 2018.

35. « Journée du sommeil : les habitudes des 15-24 ans », 16/03/2018, Enquête INSV/MGEN, institut-sommeil-vigilance.org, accès 07/2020.

36. Galland B.C. *et al.*, « Establishing normal values for pediatric nighttime sleep measured by actigraphy: a systematic review and meta-analysis », *Sleep*, 41, 2018.

37. Chaput J.P. *et al.*, « Sleeping hours: what is the ideal number and how does age impact this? », *Nat Sci Sleep*, 10, 2018.

38. Maccoby E.E., « Television: Its Impact on School Children », *Public Opin Q*, 15, 1951.

39. Asaoka S. *et al.*, « Does television viewing cause delayed and/or irregular sleep – wake patterns? », *Sleep Biol Rhythms*, 5, 2007.

40. Hysing M. *et al.*, « Sleep and use of electronic devices in adolescence », *BMJ Open*, 5, 2015.

41. Arora T. *et al.*, « Associations between specific technologies and adolescent sleep quantity, sleep quality, and parasomnias », *Sleep Med*, 15, 2014.

42. Kuss D.J. *et al.*, « Neurobiological Correlates in Internet Gaming Disorder: A Systematic Literature Review », *Front Psychiatry*, 9, 2018.

43. Brand M. *et al.*, « Prefrontal control and internet addiction: a theoretical model and review of neuropsychological and neuroimaging findings », *Front Hum Neurosci*, 8, 2014.

44. Elsabbagh M. *et al.*, « Global prevalence of autism and other pervasive developmental disorders », *Autism Res*, 5, 2012.

45. Przybylski A.K. *et al.*, « Internet Gaming Disorder: Investigating the Clinical Relevance of a New Phenomenon », *Am J Psychiatry*, 174, 2017.

46. Gentile D.A. *et al.*, « Internet Gaming Disorder in Children and Adolescents », *Pediatrics*, 140, 2017.

47. Griffiths M. *et al.*, « A brief overview of internet gaming disorder and its treatment », *Austr Clin Psychol*, 2, 2016.

48. Feng W. *et al.*, « Internet gaming disorder: Trends in prevalence 1998-2016 », *Addict Behav*, 75, 2017.

49. Casey B.J. *et al.*, « The Adolescent Brain Cognitive Development (ABCD) study: Imaging acquisition across 21 sites », *Dev Cogn Neurosci*, 32, 2018.

50. Horowitz-Kraus T. *et al.*, « Brain connectivity in children is increased by the time they spend reading books and decreased

by the length of exposure to screen-based media », *Acta Paediatr*, 107, 2018.

51. Hutton J.S. *et al.*, « Associations Between Screen-Based Media Use and Brain White Matter Integrity in Preschool-Aged Children », *JAMA Pediatr*, 2019.

52. Zivan M. *et al.*, « Screen-exposure and altered brain activation related to attention in preschool children: An EEG study », *Trends Neurosci Educ*, 17, 2019.

53. Moisala M. *et al.*, « Media multitasking is associated with distractibility and increased prefrontal activity in adolescents and young adults », *Neuroimage*, 134, 2016.

54. Takeuchi H. *et al.*, « Impact of frequency of internet use on development of brain structures and verbal intelligence: Longitudinal analyses », *Hum Brain Mapp*, 39, 2018.

55. Takeuchi H. *et al.*, « The impact of television viewing on brain structures », *Cereb Cortex*, 25, 2015.

56. Takeuchi H. *et al.*, « Impact of videogame play on the brain's microstructural properties », *Mol Psychiatry*, 21, 2016.

57. Borst G., 67e journées nationales d'études de l'Association des psychologues de l'Éducation nationale, 18-21 sept 2018, youtube.com, accès 07/2020.

58. Raulin N. *et al.*, « Faut pas pousser bébé dans les ordis », liberation.fr, 2020.

59. Madigan S. *et al.*, « Association Between Screen Time and Children's Performance on a Developmental Screening Test », *JAMA Pediatr*, 2019.

60. Damgé M., « Écrans et capacités cognitives, une relation complexe », lemonde.fr, 2019.

61. Cité *in* Haynes R. *et al.*, *Clinical Epidemiology*, Lippincott Williams and Wilkins, 2006.

62. Ramus F., « Les écrans ont-ils un effet causal sur le développement cognitif des enfants ? », scilogs.fr/ramus-meninges, 29/10/2019, accès 03/07/2020.

63. Browne D. *et al.*, « Digital Media Use in Children: Clinical vs Scientific Responsibilities », *JAMA Pediatr*, 2019.

64. Sites open-asso.org, csa.fr, hcfea.fr, cofrade.org, accès 06/2020.

65. Flood M., « The harms of pornography exposure among children and young people », *Child Abuse Review*, 18, 2009.

66. Strasburger V.C. *et al.*, « Children, adolescents, and the media », *Pediatr Clin North Am*, 59, 2012.

67. Collins R.L. *et al.*, « Sexual Media and Childhood Well-being and Health », *Pediatrics*, 140, 2017.

68. Principi N. *et al.*, « Consumption of sexually explicit internet material and its effects on minors' health: latest evidence from the literature », *Minerva Pediatr*, 2019.
69. Rohmer T., « Pornographie en ligne : il faut protéger les enfants », *L'École des parents*, 626, 2018.
70. Jeanine Busson, propos écrits, retranscrits avec son accord.
71. Site open-asso.org, accès 06/2020.
72. Page de Thomas Rohmer sur le site linkedin.com, accès 06/2020.
73. Nunès E., « Quand le ministère de l'Éducation et ses partenaires donnent la leçon », lemonde.fr, 2005.
74. Benjamin A., « Le partenariat entre Microsoft et l'Éducation nationale jugé légal », lexpress.fr, 2016.
75. Marissal P., « Microsoft fait son marché à l'école », humanite.fr, 2015.
76. Périsse M., « Dans l'Éducation nationale, le confinement révèle un numérique noyauté par le privé », mediapart.fr, 2020.
77. La Voix de l'enfant, Rapports annuels (2016, 2017, 2018) et site Internet, lavoixdelenfant.org, accès 06/2020.
78. « Aider les parents à gérer la place des écrans », communiqué de presse (10/02/2020), unaf.fr, accès 06/2020.
79. Site pedagojeux.fr, accès 06/2020.
80. Duran J., « Jeux vidéo et consoles à noël : faut-il céder aux enfants ? », open-asso.org, 2019.
81. Site afjv.com, accès 06/2020.
82. Bowles N., « Coronavirus Ended the Screen-Time Debate. Screens Won. », nytimes.com, 2020.
83. Collectif, « Le confinement, révélateur de l'état d'urgence numérique français », latribune.fr, 2020.
84. Gendreau P., « Le numérique, au cœur de notre résilience », lesechos.fr, 2020.
85. Souquière M., « Quand le virus du numérique nous protège du (Co)vide », jean-jaures.org, 2020.
86. Rodhain F., « Débat : Souriez, vous êtes surveillés ! », theconversation.com, 2020.
87. Maurel C., « 1957, 1968 : que nous enseignent les précédents pics pandémiques grippaux ? », theconversation.com, 2020.
88. « Coronavirus : chiffres clés et évolution de la COVID-19 en France et dans le Monde », santepubliquefrance.fr, 2020.
89. Bensimon C., « 1968, la planète grippée », liberation.fr, 2005.
90. *Paroles de poilus*, J'ai Lu, 2013.
91. Desmurget M., cité *in* Bastié E., « À cause du confinement, le temps passé devant des écrans à des fins récréatives est désormais insensé », lefigaro.fr, 2020.

92. Shanley P., « Nielsen Reports 45 Percent Spike in U.S. Video Game Usage », hollywoodreporter.com, 2020.

93. Médiamat Mensuel, Juin 2019-Juin2020, Médiamétrie.

94. Sydow L., « What is the impact of the coronavirus pandemic on mobile apps and games? », appannie.com, 2020.

95. Mahler T., « Comment le confinement a acté l'avènement de la société numérique », lexpress.fr, 2020.

96. Cédric O, secrétraire d'État au numérique, cité *in* Leloup D., « Confinement et pornographie : le pic fantasmé de la consommation en France », lemonde.fr, 2020.

97. Solly L., « Le confinement a fait tomber les dernières barrières au numérique », lesechos.fr, 2020.

98. Rodier A., « "Je ne veux plus télétravailler", "Franchement, j'en ai ma dose" : les dégâts du télétravail », lemonde.fr, 2020.

99. Cook D., « La Covid-19 force le télétravail. Une étude lève le voile sur ses risques cachés », theconversation.com, 2020.

100. Gorlick A., « The productivity pitfalls of working from home in the age of COVID-19 », news.standford.edu, 2020.

101. Olen H., « Telecommuting is not the future », washingtonpost.com, 2020.

102. « Le travail à distance est-il efficace ? », Étude WorkAnywhere, 7-28 avril 2020, choosemycompany.com, accès 07/2020.

103. Klein B.C. *et al.*, « COVID-19 is catalyzing the adoption of teleneurology », *Neurology*, 94, 2020.

104. Hollander J.E. *et al.*, « Virtually Perfect? Telemedicine for Covid-19 », *N Engl J Med*, 382, 2020.

105. Duffy S. *et al.*, « In-Person Health Care as Option B », *N Engl J Med*, 378, 2018.

106. Iribarren S.J. *et al.*, « What is the economic evidence for mHealth? A systematic review of economic evaluations of mHealth solutions », *PLoS One*, 12, 2017.

107. de la Torre-Diez I. *et al.*, « Cost-utility and cost-effectiveness studies of telemedicine, electronic, and mobile health systems in the literature: a systematic review », *Telemed J E Health*, 21, 2015.

108. Demagny X., « Crèches, écoles, collèges, lycées : voici ce qu'a annoncé Édouard Philippe pour le déconfinement », franceinter.fr, 2020.

109. Collectif, « La (dis)continuité pédagogique a été un désastre pour l'école et doit s'arrêter là », huffingtonpost.fr, 2020.

110. Capelle F., « Enseignement à distance : "Le danger d'une école sans humanité" », nouvelobs.com, 2020.

111. Bossuet K., « L'enseignement à distance, cruel accélérateur des inégalités sociales », marianne.fr, 2020.

112. Boudon J., « Le Covid-19 ne doit pas être un prétexte pour installer dans la durée une université virtuelle ! », lefigaro.fr,

113. Cueille J., « Le Covid-19 ne doit pas être le cheval de Troie d'une école numérique désincarnée », nouvelobs.com, 2020.

114. Klein N., *La Stratégie du choc*, Actes Sud, 2008.

115. Cours des comptes, « Le service public numérique pour l'éducation », ccomptes.fr, 2019.

116. Santi P., « Quid des outils numériques à l'école ? », lemonde.fr, 2019.

117. Anouk F., « Je ne construis pas, je tue. », Merci Maîtresse (blog), merci-maitresse.fr, 15/06/2020.

Un livre largement collectif…

Écrire est une aventure individuelle. Publier est un travail de groupe. Je ne dis pas cela pour expédier poliment le fastidieux exercice des remerciements. Non, je dis cela parce qu'il me semble fondamental (et juste) de reconnaître la pluralité des apports qui ont fait cet ouvrage.

D'abord, il y a l'activité scientifique patiente, précise et rigoureuse de mes collègues chercheurs. Ce livre leur doit tout.

Ensuite, il y a les *Éditions du Seuil* et particulièrement Séverine Nikel, qui a accepté d'accueillir ce document au sein de son catalogue. À travers ce soutien, c'est un formidable creuset de compétences humaines qui fut offert au texte. Peu de lecteurs mesurent, je crois, l'ampleur et la complémentarité des engagements qui président à la publication d'un livre.

Concernant les questions de production et de diffusion, j'ai juste fait de mon mieux pour aider l'enthousiasme communicatif de Sophie Lhuillier, Isabelle Creusot et Claudine Soncini. Si ce livre existe en tant qu'objet physique, si vous en avez entendu parler et si vous êtes en train de lire ces lignes, c'est en grande partie grâce à leur travail.

Pour les aspects rédactionnels, j'ai été confié aux soins de Catherine Allais. Le texte publié lui doit énormément (le mot est faible). Elle l'a modifié, révisé, amendé et réorganisé en profondeur, ligne après ligne, version après version, sans jamais manquer ni de patience ni de bienveillance. Pour un auteur, quel qu'il soit, bénéficier d'un accompagnement aussi scrupuleux et compétent est un rare privilège.

La relecture finale a été réalisée par Charles Olivero qui, au prix d'une impressionnante minutie, a éradiqué les ultimes coquilles et anomalies du texte.

Enfin, en bout de chaîne, il y a tous les libraires qui ont accepté de faire confiance à l'ouvrage et de l'ajouter à leurs stocks déjà lourds. J'ai grandi dans une librairie, je mesure les contraintes du métier. Ces gens sont indispensables au Livre et, malheureusement, nombre d'entre eux se trouvent aujourd'hui en danger. Je voudrais ici leur témoigner mon soutien et ma reconnaissance. Certes, Amazon et ses affidés sont pratiques… mais les libraires, eux, sont uniques ; leurs exaltations, coups de cœur, emballements et recommandations s'avèrent irremplaçables. Avant de cliquer, peut-être serait-il bon que nous nous en souvenions. Lorsqu'il ne restera plus, au cœur de nos villes, que des bornes Amazon, le monde sera devenu bien triste et desséché.

Table

RÉALISATION : NORD COMPO À VILLENEUVE-D'ASCQ
IMPRESSION : CPI FRANCE
DÉPÔT LÉGAL : OCTOBRE 2020. N° 146511-2 (3047979)
IMPRIMÉ EN FRANCE

Éditions Points

Collection Points Documents

P5018. La Danse du chagrin, *Bernie Bonvoisin*
P5019. Peur, *Bob Woodward*
P5020. Secrets de flic. Guerre des polices, stups et mafia, l'ex-patron de la PJ raconte, *Bernard Petit*
P5033. Baroque Sarabande, *Christiane Taubira*
P5050. Le Syndrome de la chouquette, *Nicolas Santolaria*
P5051. Ça commence par moi, *Julien Vidal*
P5056. D'argent et de sang, *Fabrice Arfi*
P5065. Mais ne sombre pas, *Aristide Barraud*
P5066. La Vie sexuelle en France, *Janine Mossuz-Lavau*
P5079. De l'aube à l'aube, *Alain Bashung*
P5080. Journal d'un observateur, *Alain Duhamel*
P5081. C'est aujourd'hui que je vous aime, *François Morel*
P5082. Crépuscule, *Juan Branco*
P5083. Les Fabuleuses Aventures de Nellie Bly, *Nellie Bly*
P5084. Le Roman du Canard, *Patrick Rambaud*
P5085. Les Aventures illustrées de Pensouillard le hamster. Comment apprivoiser l'ego, *Serge Marquis*
P5120. Comment j'ai arrêté de manger les animaux *Hugo Clément*
P5157. Nous habitons la Terre, *Christiane Taubira*
P5158. Edgar Morin : l'indiscipliné, *Emmanuel Lemieux*
P5159. Set the Boy Free, *Johnny Marr*
P5160. Le Magot. Fourniret et le gang des Postiches : mortelle rencontre, *Patricia Tourancheau*
P5206. Va où il est impossible d'aller. Mémoires *Costa-Gavras*
P5207. Tous les films sont politiques. Pour Costa-Gavras *Edwy Plenel*
P5208. Marthe Richard ou les beaux mensonges *Nicolas D'Estienne d'Orves*
P5209. Les Imprudents. Sur les traces des résistants du maquis Bir-Hakeim, *Olivier Bertrand*
P5254. Mémoires vives, *Edward Snowden*
P5255. La Plus Belle Histoire de l'intelligence *Stanislas Dehaene, Yann Le Cun, Jacques Girardon*
P5289. La Fabrique du crétin digital, *Michel Desmurget*
P5290. Le Grand Manipulateur. Les réseaux secrets de Macron *Marc Endeweld*
P5291. Oldyssey, *Clément Boxefeld, Julia Chourri*

Éditions Points

DERNIERS TITRES PARUS

P4911. La Princesse-Maïs, *Joyce Carol Oates*
P4912. Poèmes choisis, *Renée Vivien*
P4913. D'où vient cette pipelette en bikini qui marivaude dans le jacuzzi avec un gringalet en bermuda ? Dico des mots aux origines amusantes, insolites ou méconnues, *Daniel Lacotte*
P4914. La Pensée du jour, *Pierre Desproges*
P4915. En radeau sur l'Orénoque, *Jules Crevaux*
P4904. Leçons de grec, *Han Kang*
P4908. Des jours d'une stupéfiante clarté, *Aharon Appelfeld*
P4916. Celui qui va vers elle ne revient pas, *Shulem Deen*
P4917. Un fantôme américain, *Hannah Nordhaus*
P4918. Les Chemins de la haine, *Eva Dolan*
P4919. Gaspard, entre terre et ciel *Marie-Axelle et Benoît Clermont*
P4920. Kintsukuroi. L'art de guérir les blessures émotionnelles *Tomás Navarro*
P4921. Le Parfum de l'hellébore, *Cathy Bonidan*
P4922. Bad Feminist, *Roxane Gay*
P4923. Une ville à cœur ouvert, *Żanna Słoniowska*
P4924. La Dent du serpent, *Craig Johnson*
P4925. Quelque part entre le bien et le mal, *Christophe Molmy*
P4926. Quatre Lettres d'amour, *Niall Williams*
P4927. Madone, *Bertrand Visage*
P4928. L'étoile du chien qui attend son repas, *Hwang Sok-Yong*
P4929. Minerai noir. Anthologie personnelle et autres recueils *René Depestre*
P4930. Les Buveurs de lumière, *Jenni Fagan*
P4931. Nicotine, *Gregor Hens*
P4932. Et vous avez eu beau temps ? La perfidie ordinaire des petites phrases, *Philippe Delerm*
P4933. 10 Règles de français pour faire 99 % de fautes en moins *Jean-Joseph Julaud*
P4934. Au bonheur des fautes. Confessions d'une dompteuse de mots, *Muriel Gilbert*
P4935. Falaise des fous, *Patrick Grainville*
P4936. Dernières Nouvelles du futur, *Patrice Franceschi*
P4937. Nátt, *Ragnar Jónasson*
P4938. Kong, *Michel Le Bris*
P4939. La belle n'a pas sommeil, *Éric Holder*
P4940. Chien blanc et balançoire, *Mo Yan*

P4941. Encore heureux, *Yves Pagès*
P4942. Offshore, *Petros Markaris*
P4943. Le Dernier Hyver, *Fabrice Papillon*
P4944. « Les Excuses de l'institution judiciaire » : l'affaire d'Outreau, 2004. *Suivi de* « Je désire la mort » : l'affaire Buffet-Bontems, 1972, *Emmanuel Pierrat*
P4945. « On veut ma tête, j'aimerais en avoir plusieurs à vous offrir » : l'affaire Landru, 1921. *Suivi de* « Nous voulons des preuves » : l'affaire Dominici, 1954, *Emmanuel Pierrat*
P4946. « Totalement amoral » : l'affaire du Dr Petiot, 1946. *Suivi de* « Vive la France, quand même ! » : l'affaire Brasillach, 1946, *Emmanuel Pierrat*
P4947. Grégory. Le récit complet de l'affaire *Patricia Tourancheau*
P4948. Génération(s) éperdue(s), *Yves Simon*
P4949. Les Sept Secrets du temps, *Jean-Marc Bastière*
P4950. Les Pierres sauvages, *Fernand Pouillon*
P4951. Lettres à Nour, *Rachid Benzine*
P4952. Niels, *Alexis Ragougneau*
P4953. Phénomènes naturels, *Jonathan Franzen*
P4954. Le Chagrin d'aimer, *Geneviève Brisac*
P4955. Douces Déroutes, *Yanick Lahens*
P4956. Massif central, *Christian Oster*
P4957. L'Héritage des espions, *John le Carré*
P4958. La Griffe du chat, *Sophie Chabanel*
P4959. Les Ombres de Montelupo, *Valerio Varesi*
P4960. Le Collectionneur d'herbe, *Francisco José Viegas*
P4961. La Sirène qui fume, *Benjamin Dierstein*
P4962. La Promesse, *Tony Cavanaugh*
P4963. Tuez-les tous... mais pas ici, *Pierre Pouchairet*
P4964. Judas, *Astrid Holleeder*
P4965. Bleu de Prusse, *Philip Kerr*
P4966. Les Planificateurs, *Kim Un-Su*
P4967. Le Filet, *Lilja Sigurdardóttir*
P4968. Le Tueur au miroir, *Fabio M. Mitchelli*
P4969. Tout le monde aime Bruce Willis, *Dominique Maisons*
P4970. La Valeur de l'information. *Suivi de* Combat pour une presse libre, *Edwy Plenel*
P4971. Tristan, *Clarence Boulay*
P4972. Treize Jours, *Roxane Gay*
P4973. Mémoires d'un vieux con, *Roland Topor*
P4974. L'Étang, *Claire-Louise Bennett*
P4975. Mémoires au soleil, *Azouz Begag*
P4976. Écrit à la main, *Michael Ondaatje*
P4977. Journal intime d'un touriste du bonheur *Jonathan Lehmann*

P4978. Qaanaaq, *Mo Malø*
P4979. Faire des pauses pour se (re)trouver, *Anne Ducrocq*
P4980. Guérir de sa famille par la psychogénéalogie
Michèle Bromet-Camou
P4981. Dans le désordre, *Marion Brunet*
P4982. Meurtres à Pooklyn, *Mod Dunn*
P4983. Iboga, *Christian Blanchard*
P4984. Paysage perdu, *Joyce Carol Oates*
P4985. Amours mortelles. Quatre histoires où l'amour
tourne mal, *Joyce Carol Oates*
P4986. J'ai vu une fleur sauvage. L'herbier de Malicorne
Hubert Reeves
P4987. La Course de la mouette, *Barbara Halary-Lafond*
P4988. Poèmes et antipoèmes, *Nicanor Parra*
P4989. Herland, *Charlotte Perkins Gilman*
P4990. Dans l'épaisseur de la chair, *Jean-Marie Blas de Roblès*
P4991. Ouvre les yeux, *Matteo Righetto*
P4992. Dans les pas d'Alexandra David-Néel. Du Tibet
au Yunnan, *Éric Faye, Christian Garcin*
P4993. Lala Pipo, *Hideo Okuda*
P4994. Mes prolongations, *Bixente Lizarazu*
P4995. Moi, serial killer. Les terrifiantes confessions
de 12 tueurs en série, *Stéphane Bourgoin*
P4996. Les Sorcières de la République, *Chloé Delaume*
P4997. Les Chutes, *Joyce Carol Oates*
P4998. Petite Sœur mon amour, *Joyce Carol Oates*
P4999. La douleur porte un costume de plumes, *Max Porter*
P5000. L'Expédition de l'espoir, *Javier Moro*
P5001. Séquoias, *Michel Moutot*
P5002. Indu Boy, *Catherine Clément*
P5005. L'argent ne fait pas le bonheur mais les luwak si
Pierre Derbré
P5006. En camping-car, *Ivan Jablonka*
P5007. Beau Ravage, *Christopher Bollen*
P5008. Ariane, *Myriam Leroy*
P5009. Est-ce ainsi que les hommes jugent ?
Mathieu Menegaux
P5010. Défense de nourrir les vieux, *Adam Biles*
P5011. Une famille très française, *Maëlle Guillaud*
P5012. Le Hibou dans tous ses états, *David Sedaris*
P5013. Mon autre famille : mémoires, *Armistead Maupin*
P5014. Graffiti Palace, *A. G. Lombardo*
P5015. Les Monstres de Templeton, *Lauren Groff*
P5016. Falco, *Arturo Pérez-Reverte*
P5017. Des nuages plein la tête. Un pâtre en quête d'absolu
Brice Delsouiller

P5018. La Danse du chagrin, *Bernie Bonvoisin*
P5019. Peur, *Bob Woodward*
P5020. Secrets de flic. Guerre des polices, stups et mafia, l'ex-patron de la PJ raconte, *Bernard Petit*
P5023. Passage des ombres, *Arnaldur Indridason*
P5024. Les Saisons inversées, *Renaud S. Lyautey*
P5025. Dernier Été pour Lisa, *Valentin Musso*
P5026. Le Jeu de la défense, *André Buffard*
P5027. Esclaves de la haute couture, *Thomas H. Cook*
P5028. Crimes de sang-froid, *Collectif*
P5029. Missing : Germany, *Don Winslow*
P5030. Killeuse, *Jonathan Kellerman*
P5031. #HELP, *Sinéad Crowley*
P5032. L'Humour au féminin en 700 citations *Macha Méril & Christian Poncelet*
P5033. Baroque Sarabande, *Christiane Taubira*
P5034. Moins d'ego, plus de joie ! Un chemin pour se libérer *Christopher Massin*
P5035. Le Monde selon Barney, *Mordecai Richler*
P5036. Portrait de groupe avec dame, *Heinrich Böll*
P5037. Notre-Dame. Une anthologie de textes d'écrivains
P5003. Les cigognes sont immortelles, *Alain Mabanckou*
P5038. La Chance de leur vie, *Agnès Desarthe*
P5039. Forêt obscure, *Nicole Krauss*
P5040. Des pierres dans ma poche, *Kaouther Adimi*
P5041. Einstein, le sexe et moi, *Olivier Liron*
P5042. Carnaval noir, *Metin Arditi*
P5043. Roissy, *Tiffany Tavernier*
P5044. Darling Days, *iO Tillett Wright*
P5045. Le Bleu du lac, *Jean Mattern*
P5046. Qui a tué mon père, *Edouard Louis*
P5047. Les Enfants de cœur, *Heather O'Neill*
P5048. L'Aurore, *Selahattin Demirtas*
P5049. Comment t'écrire adieu, *Juliette Arnaud*
P5050. Le Syndrome de la chouquette, *Nicolas Santolaria*
P5051. Ça commence par moi, *Julien Vidal*
P5052. Les Papillons de comptoirs, *Jean-Marie Gourio*
P5053. La Vita nuova, *Dante*
P5054. Sótt, *Ragnar Jónasson*
P5055. Sadorski et l'Ange du péché, *Romain Slocombe*
P5056. D'argent et de sang, *Fabrice Arfi*
P5057. Débranchez-vous !, *Matt Haig*
P5058. Hôtel Waldheim, *François Vallejo*
P5059. Des raisons de se plaindre, *Jeffrey Eugenides*
P5060. Manuel de survie à l'usage des jeunes filles *Mick Kitson*

P5061. Seul à travers l'Atlantique, *Alain Gerbault*
P5062. La Terre magnétique, *Édouard Glissant*
P5063. Dans mes pas, *Jean-Louis Étienne*
P5064. Raga. Approche du continent invisible
Jean-Marie Gustave Le Clézio
P5065. Mais ne sombre pas, *Aristide Barraud*
P5066. La Vie sexuelle en France, *Janine Mossuz-Lavau*
P5067. Dégradation, *Benjamin Myers*
P5068. Les Disparus de la lagune, *Donna Leon*
P5069. L'homme qui tartinait une éponge, *Colette Roumanoff*
P5070. La Massaia, *Paola Masino*
P5071. Le Cœur blanc, *Catherine Poulain*
P5072. Frère d'âme, *David Diop*
P5073. Désintégration, *Emmanuelle Richard*
P5074. Des mirages plein les poches, *Gilles Marchand*
P5075. J'ai perdu mon corps, *Guillaume Laurant*
P5076. Le Dynamiteur, *Henning Mankell*
P5077. L'Homme sans ombre, *Joyce Carol Oates*
P5078. Le Paradoxe Anderson, *Pascal Manoukian*
P5079. De l'aube à l'aube, *Alain Bashung*
P5080. Journal d'un observateur, *Alain Duhamel*
P5081. C'est aujourd'hui que je vous aime, *François Morel*
P5082. Crépuscule, *Juan Branco*
P5083. Les Fabuleuses Aventures de Nellie Bly, *Nellie Bly*
P5084. Le Roman du Canard, *Patrick Rambaud*
P5085. Les Aventures illustrées de Pensouillard le hamster.
Comment apprivoiser l'ego, *Serge Marquis*
P5086. Les 300 Plus Belles Fautes... à ne pas faire.
Et autres extravagances à éviter, *Alfred Gilder*
P5087. Le ministre est enceinte. Ou la grande querelle
de la féminisation des noms, *Bernard Cerquiglini*
P5088. Les Mots voyageurs. Petite histoire du français
venu d'ailleurs, *Marie Treps*
P5089. Un bonbon sur la langue. On n'a jamais fini de découvrir
le français !, *Muriel Gilbert*
P5090. Luc, mon frère, *Michael Lonsdale*
P5091. Un haïku chaque jour. Un poème et sa méditation
pour être plus présent à la vie, *Pascale Senk*
P5092. 365 Jours avec Rainer Maria Rilke. Paroles d'un maître
de vie, *Rainer Maria Rilke*
P5093. Les Fils de la poussière, *Arnaldur Indridason*
P5094. Treize Jours, *Arni Thorarinsson*
P5095. Tuer Jupiter, *François Médéline*
P5096. Pension complète, *Jacky Schwartzmann*
P5097. Jacqui, *Peter Loughran*
P5098. Jours de crimes, *Stéphane Durand-Souffland*
et Pascale Robert-Diard

P5099. Esclaves de la haute couture, *Thomas H. Cook*
P5100. Chine, retiens ton souffle, *Qiu Xiaolong*
P5101. Exhumation, *Jesse et Jonathan Kellerman*
P5102. Lola, *Melissa Scrivner Love*
P5103. L'Oubli, *David Foster Wallace*
P5104. Le Prix, *Cyril Gely*
P5105. Le Pleurnichard, *Jean-Claude Grumberg*
P5106. Midi, *Cloé Korman*
P5107. Une douce lueur de malveillance, *Dan Chaon*
P5108. Manifesto, *Léonor de Récondo*
P5109. L'Été des charognes, *Simon Johannin*
P5110. Les Enténébrés, *Sarah Chiche*
P5111. La Vie lente, *Abdellah Taïa*
P5112. Les grandes villes n'existent pas, *Cécile Coulon*
P5113. Des vies possibles, *Charif Majdalani*
P5114. Le Mangeur de livres, *Stéphane Malandrin*
P5115. West, *Carys Davies*
P5116. Le Syndrome du varan, *Justine Niogret*
P5117. Le Plongeur, *Stéphane Larue*
P5118. Hunger, *Roxane Gay*
P5119. Dégager l'écoute, *Raymond Depardon et Claudine Nougaret*
P5120. Comment j'ai arrêté de manger les animaux *Hugo Clément*
P5121. Anagrammes. Pour sourire et rêver, *Jacques Perry-Salkow*
P5122. Les Spaghettis de Baudelaire. 50 conseils pour briller en cours de lettres, *Thierry Maugenest*
P5123. Tout autre nom, *Craig Johnson*
P5124. Requiem, *Tony Cavanaugh*
P5125. Ce que savait la nuit, *Arnaldur Indridason*
P5126. Scalp, *Cyril Herry*
P5127. Haine pour haine, *Eva Dolan*
P5128. Trois Jours, *Petros Markaris*
P5129. Quand notre cœur s'ouvre à la spiritualité *Caroline Coldefy*
P5130. Les Invisibles, *Antoine Albertini*
P5131. Le Fil de nos vies brisées, *Cécile Hennion*
P5132. D'os et de lumière, *Mike McCormack*
P5133. Le Nouveau, *Tracy Chevalier*
P5134. Comment j'ai vidé la maison de mes parents. Une trilogie familiale, *Lydia Flem*
P5135. Le Grand Cahier. Une trilogie, *Agota Kristof*
P5136. Roland Furieux, tome 1, *L'Arioste*
P5137. Roland Furieux, tome 2, *L'Arioste*
P5138. Frères sorcières, *Antoine Volodine*
P5139. Mes biens chères soeurs, *Chloé Delaume*

P5140. Vivre ensemble, *Émilie Frèche*

P5141. Voyou, *Itamar Orlev*

P5142. L'Abattoir de verre, *John Maxwell Coetzee*

P5143. Kiosque, *Jean Rouaud*

P5144. État de nature, *Jean-Baptiste Froment*

P5145. Le Petit Paradis, *Joyce Carol Oates*

P5146. Trahison, *Joyce Carol Oates*

P5147. Marcher jusqu'au soir, *Lydie Salvayre*

P5148. Et j'abattrai l'arrogance des tyrans
Marie-Fleur Albecker

P5149. Projet Starpoint, tome 1, La Fille aux cheveux rouges
Marie-Lorna Vaconsin

P5150. Que le diable m'emporte, *Marie MacLane*

P5151. Ombres sur la Tamise, *Michael Ondaatje*

P5152. Pourquoi je déteste les enfants, *Robert Benchley*

P5153. Dans le faisceau des vivants, *Valérie Zenatti*

P5154. L'Oiseau Parker dans la nuit, *Yannick Lahens*

P5155. Formulaires, *Mohammed Dib*

P5156. La Faille du temps, *Jeanette Winterson*

P5157. Nous habitons la Terre, *Christiane Taubira*

P5158. Edgar Morin : l'indiscipliné, *Emmanuel Lemieux*

P5159. Set the Boy Free, *Johnny Marr*

P5160. Le Magot. Fourniret et le gang des Postiches :
mortelle rencontre, *Patricia Tourancheau*

P5161. La Nuit du revolver, *David Carr*

P6162. Omar et Greg, *François Beaune*

P5163. Honorer la fureur, *Rodolphe Barry*

P5164. Les Minots, *Romain Capdepon*

P5165. Aux confins de l'Eldorado. La Boudeuse en Amazonie
Gérard Chaliand

P5166. Vivre libre, *Henry de Monfreid*

P5167. Diskø, *Mo Malø*

P5168. Sombre avec moi, *Chris Brookmyre*

P5169. Les Infidèles, *Dominique Sylvain*

P5170. L'Agent du chaos, *Giancarlo De Cataldo*

P5171. Le Goût de la viande, *Gildas Guyot*

P5172. Les Effarés, *Hervé Le Corre*

P5173. J'ai vendu mon âme en bitcoins, *Jake Adelstein*

P5174. La Dame de Reykjavik, *Ragnar Jónasson*

P5175. La Mort du Khazar rouge, *Shlomo Sand*

P5176. Le Blues du chat, *Sophie Chabanel*

P5177. Les Mains vides, *Valerio Varesi*

P5178. La Cage, *Lilja Sigurðardóttir*

P5179. Éthique du samouraï moderne. Petit manuel de combat
pour temps de désarroi, *Patrice Franceschi*

P5180. Maître du Oui, *Svâmi Prajñânpad*

P5181. Wabi Sabi. L'art d'accepter l'imperfection
Tomás Navarro
P5182. Très chère Valentine, *Adriana Trigani*
P5183. La Partition, *Diane Brasseur*
P5184. Château de femmes, *Jessica Shattuck*
P5185. Les Âmes silencieuses, *Mélanie Guyard*
P5186. Le Cartographe des Indes boréales, *Olivier Truc*
P5187. Les Méandres du Nil, *Robert Solé*
P5188. Les Photos d'Anny, *Anny Duperey*
P5189. Chambre 128, *Cathy Bonidan*
P5190. East Village Blues, *Chantal Thomas*
P5191. La Revenue, *Donatella di Pietrantonio*
P5192. En tenue d'Eve. Histoire d'une partie d'échecs
Eve Babitz
P5193. Bicyclettres, *Jean-Acier Danès*
P5194. La Petite fille au tambour, *John Le Carré*
P5195. Floride, *Lauren Groff*
P5196. La Transparence du temps, *Leonardo Padura*
P5197. Pour l'amour des livres, *Michel Le Bris*
P5198. Le Chemin de la mer. Et autres nouvelles
Patrice Franceschi
P5199. Transit, *Rachel Cusk*
P5200. Un petit coup de jeune, *Thierry Bizot*
P5201. L'Amour est aveugle. Le ravissement de Brodie Moncur
William Boyd
P5202. Titayna : l'aventurière des années folles
Benoît Heimermann
P5203. La Mer pour aventure, *Collectif*
P5204. Lawrence d'Arabie. Le désert et les étoiles
Flora Armitage
P5205. Travelling. Un tour du monde sans avion
Tangy Viel, Christian Garcin
P5206. Va où il est impossible d'aller. Mémoires
Costa-Gavras
P5207. Tous les films sont politiques. Pour Costa-Gavras
Edwy Plenel
P5208. Marthe Richard ou les beaux mensonges
Nicolas D'Estienne d'Orves
P5209. Les Imprudents. Sur les traces des résistants du maquis
Bir-Hakeim, *Olivier Bertrand*
P5210. Maudits mots. La fabrique des insultes racistes
Marie Treps
P5211. Les Mots du football, *Vincent Duluc*
P5212. En marge, *Silvia Baron Supervielle*
P5213. Le Coeur et la Chair, *Ambrose Parry*
P5214. Dernier tacle, *Emmanuel Petit, Gilles Del Pappas*

P5215. Crime et Délice, *Emmanuel Petit, Gilles Del Pappas*
P5216. Le Sang noir des hommes, *Julien Suaudeau*
P5217. À l'ombre de l'eau, *Maïko Kato*
P5218. Vik, *Ragnar Jónasson*
P5219. Koba, *Robert Littell*
P5220. Le Dernier Thriller norvégien, *Luc Chomarat*
P5221. Les Forçats de la route, *Albert Londres*
P5222. Steak machine, *Geoffrey Le Guilcher*
P5223. La paix est possible. Elle commence par vous *Prem Rawat*
P5224. Petit Traité de bienveillance envers soi-même *Serge Marquis*
P5225. Sex & Rage, *Eve Babitz*
P5226. Histoire de ma vie, *Henry Darger*
P5227. Hors-bord, *Renata Adler*
P5228. N'oublie pas de te souvenir, *Jean Contrucci*
P5229. Mur méditerranée, *Louis-Philippe Dalembert*
P5230. La Débâcle, *Romain Slocombe*
P5231. À crier dans les ruines, *Alexandra Koszelyk*
P5232. Son Corps et Autres Célébrations *Carmen Maria Machado*
P5233. Nuit d'épine, *Christiane Taubira*
P5234. Les Fillettes, *Clarisse Gorokhoff*
P5235. Le Télégraphiste de Chopin, *Eric Faye*
P5236. La Terre invisible, *Hubert Mingarelli*
P5237. Une vue exceptionnelle, *Jean Mattern*
P5238. Louvre, *Josselin Guillois*
P5239. Les Petits de décembre, *Kaouther Adimi*
P5240. Les Yeux rouges, *Myriam Leroy*
P5241. Dévorer le ciel, *Paolo Giordano*
P5242. Amazonia, *Patrick Deville*
P5243. La Grande Bouche molle, *Philippe Jaenada*
P5244. L'Heure d'été, *Prune Antoine*
P5245. Pourquoi je déteste l'économie, *Robert Benchley*
P5246. Cora dans la spirale, *Vincent Message*
P5247. La Danse du roi, *Mohammed Dib*
P5210. Maudits Mots. La fabrique des insultes racistes *Marie Treps*
P5248. Il était une fois dans l'Est, *Arpád Soltész*
P5249. La Tentation du pardon, *Donna Leon*
P5250. Ah ! Les Braves Gens, *Franz Bartelt*
P5251. Crois-le !, *Patrice Guirao*
P5252. Lyao-Ly, *Patrice Guirao*
P5253. À sang perdu, *Rae del Bianco*
P5254. Mémoires vives, *Edward Snowden*

P5255. La Plus Belle Histoire de l'intelligence
Stanislas Dehaene, Yann Le Cun, Jacques Girardon
P5256. J'ai oublié, *Bulle Ogier, Anne Diatkine*
P5257. Endurance. L'incroyable voyage de Shackleton
Alfred Lansing
P5258. Le Cheval des Sforza, *Marco Malvaldi*
P5259. La Purge, *Arthur Nesnidal*
P5260. Eva, *Arturo Pérez-Reverte*
P5261. Alex Verus. Destinée, tome 1, *Benedict Jacka*
P5262. Alex Verus. Malediction, tome 2, *Benedict Jacka*
P5263. Alex Verus. Persécution, tome 3, *Benedict Jacka*
P5264. Neptune Avenue, *Bernard Comment*
P5265. Dernière Sommation, *David Dufresne*
P5266. Dans la maison de la liberté, *David Grossman*
P5267. Le Roman de Bolano, *Gilles Marchand, Eric Bonnargent*
P5268. La Plus Précieuse des marchandises. Un conte
Jean-Claude Grumberg
P5269. L'avenir de la planète commence dans notre assiette
Jonathan Safran Foer
P5270. Le Maître des poupées, *Joyce Carol Oates*
P5271. Un livre de martyrs américains, *Joyce Carol Oates*
P5272. Passe-moi le champagne, j'ai un chat dans la gorge
Loïc Prigent
P5273. Invasion, *Luke Rhinehart*
P5274. L'Extase du selfie. Et autres gestes qui nous disent
Philippe Delerm
P5275. Archives des enfants perdus, *Valeria Luiselli*
P5276. Ida, *Hélène Bessette*
P5277. Une vie violente, *Pier Paolo Pasolini*
P5278. À cinq ans, je suis devenue terre-à-terre, *Jeanne Cherhal*
P5279. Encore plus de bonbons sur la langue. Le français
n'a jamais fini de vous surprendre !, *Muriel Gilbert*
P5280. L'Ivre de mots, *Stéphane de Groodt*
P5281. The Flame, *Leonard Cohen*
P5282. L'Artiste, *Antonin Varenne*
P5283. Les Roses de la nuit, *Arnaldur Indridason*
P5284. Le Diable et Sherlock Holmes, *David Grann*
P5285. Coups de vieux, *Dominique Forma*
P5286. L'Offrande grecque, *Philip Kerr*
P5287. Régression, *Fabrice Papillon*
P5288. Un autre jour, *Valentin Musso*
P5289. La Fabrique du crétin digital, *Michel Desmurget*
P5290. Le Grand Manipulateur. Les réseaux secrets de Macron
Marc Endeweld
P5291. Oldyssey, *Clément Boxefeld, Julia Chourri*
P5292. La vie est une célébration, *Mata Amritanandamayi*
P5293. Les Plus Beaux Contes zen, *Henri Brunel*